OPERAÇÃO

ARAGUAIA

OS ARQUIVOS SECRETOS DA GUERRILHA

TAÍS MORAIS e EUMANO SILVA

OPERAÇÃO ARAGUAIA

OS ARQUIVOS SECRETOS DA GUERRILHA

Prêmio Jabuti de Reportagem de 2006

NOVA EDIÇÃO REVISTA.

O único livro completo sobre os segredos da guerrilha

OPERAÇÃO ARAGUAIA
Os Arquivos Secretos da Guerrilha

3ª edição – Junho de 2011

Grafia atualizada segundo o Acordo Ortográfico da Língua Portuguesa
de 1990, que entrou em vigor no Brasil em 2009.

Editor e Publisher
Luiz Fernando Emediato

Diretora Editorial
Fernanda Emediato

Capa e Projeto Gráfico
Alan Maia

Fotos
Álbuns de Família dos guerrilheiros e dos soldados, Agência Estado, Agência Globo,
Arquivo do Centro de Informações do Exército (CIE), Companhia da Memória,
Correio Braziliense, Folha Imagem, João Negrão, Myrian Luiz Alves
e site www.guerrilhadoaraguaia.com.br

Mapa
Amaro Júnior

Edição de Texto
Mylton Severiano

Revisão
Elis Abreu, Margarida Bezerra da Silva,
Marcia Benjamim, Paulo César de Oliveira
e Hugo Almeida

Índice Onomástico e Remissivo
Marcia Benjamim

Dados Internacionais de Catalogação na Publicação (CIP)
(Câmara Brasileira do Livro, SP, Brasil)

Morais, Taís
Operação Araguaia : os arquivos secretos da guerrilha / Taís Morais, Eumano Silva
Taís Morais e Eumano Silva. -- São Paulo : Geração Editorial, 2011.

Bibliografia.

1. Guerrilhas - Araguaia, Rio, Vale 2. Guerrilhas - Brasil
3. Reportagem investigativa 4. Repórteres e reportagens
I. Silva, Eumano. II. Título.

ISBN: 978-85-7509-119-0

05-0647 CDD: 981.083

Índices para catálogo sistemático

1. Araguaia : Guerrilha, 1972-1974 : Brasil : História 981.083
2. Guerrilha do Araguaia, 1972-1974 : Brasil : História 981.083

GERAÇÃO EDITORIAL

Rua Gomes Freire, 225/229 – Lapa
CEP: 05075-010 – São Paulo – SP
Telefax.: (11) 3256-4444
Email: geracaoeditorial@geracaoeditorial.com.br
www.geracaoeditorial.com.br

2011
Impresso no Brasil
Printed in Brazil

Impressão e acabamento: Yangraf Gráfica e Editora

– Há uma razão muito boa para a luta: se outro homem a começa. Sabe, as guerras são uma perversidade, talvez a maior perversidade de uma espécie perversa. São tão terríveis que não deveriam ser permitidas. Quando você tem absoluta certeza de que outro homem vai começá-la, então é o momento em que você tem uma espécie de obrigação de pará-lo.

– Mas ambos os lados sempre dizem que foi o outro que começou.

– Claro que dizem, e é uma boa coisa que seja assim. Pelo menos, mostra que os dois lados têm consciência, dentro de si mesmos, de que a perversidade da guerra está em começá-la.

Terence Hanbury White (1906-1964), *O Único e Eterno Rei*,
volume II, tradução de Maria José Silveira,
diálogo entre o mago Merlin e o jovem Arthur.

Sumário

III

A GRANDE MANOBRA

(*Setembro e outubro de 1972*)

IV

A TRÉGUA

(*De novembro de 1972 a setembro de 1973*)

V

O EXTERMÍNIO

(De outubro de 1973 a dezembro de 1976)

VI
O PÓS-76, DA DERRUBADA DO PCdoB NA LAPA

VII
EPÍLOGO

VIII
ANEXOS

Introdução

O governo militar fez todo o esforço possível para apagar a Guerrilha do Araguaia da História. O Brasil, sob uma ditadura militar, vivia o período do "milagre econômico", mas mantinha-se dependente de capital externo. Qualquer informação sobre um movimento armado na Amazônia tornaria a economia nacional ainda mais frágil. Em clima de Guerra Fria, duas superpotências disputavam a hegemonia sobre o planeta.

Os Estados Unidos lideravam o mundo capitalista, a União das Repúblicas Socialistas Soviéticas (URSS) comandava os países comunistas. A bipolaridade tornou a sociedade maniqueísta e intolerante. A ameaça "vermelha" e materialista aterrorizava os países tutelados pelos norte-americanos.

Enquanto os guerrilheiros do Araguaia treinaram na China, oficiais das Forças Armadas brasileiras preparavam-se para enfrentar o crescimento da esquerda revolucionária. Agentes do governo fardado aprendiam técnicas de combate aos comunistas em academias militares nos Estados Unidos e na Europa e aperfeiçoavam métodos de tortura. A ditadura usava o conceito de "inimigo interno" para perseguir os comunistas e, por extensão, todos os oposicionistas. O radicalismo das duas partes incentivou a luta fratricida que se daria.

A ameaça "vermelha" assustava os países ocidentais desde o início do século 20. A Revolução Russa, em 1917, estimulou levantes armados mundo afora. A tomada do poder de Cuba por Fidel Castro aumentou a influência socialista na América Latina. Che Guevara foi morto na selva da Bolívia em 1967, quando tentava implantar sua guerrilha. Menos de quatro anos depois, os militares brasileiros descobriram uma sublevação armada em marcha no sudeste do Pará. Nas florestas da Ásia, o Vietnã exportava um modelo de resistência contra as poderosas tropas dos Estados Unidos.

Os governos militares fracassaram na tentativa de jogar a Guerrilha do Araguaia no esquecimento. Depoimentos de sobreviventes do conflito e documentos produzidos pelos serviços secretos do governo preservaram por mais de três décadas a memória de um dos mais chocantes episódios da História do Brasil.

As Forças Armadas negam-se a assumir a responsabilidade pela violência cometida no Araguaia. Praticaram tortura contra esquerdistas e moradores do Araguaia sem levar em conta a superioridade bélica sobre os inimigos. Em nome do Estado.

Um prisioneiro humilhado, submetido a castigos físicos, transporta-se para uma realidade paralela. Enquanto sente dor, pensa em outra coisa. Inventa mentiras, tenta construir um mundo lúdico para fugir do sofrimento. Confunde o inquisidor e a si mesmo.

Tortura é ato perverso. Os sobreviventes guardam sequelas no corpo e nas lembranças, as guerrilheiras sofreram abusos. A tortura desonra quem a pratica, destrói quem a padece. Faz a mente sofrer espasmos, deprime o espírito e desestabiliza a consciência.

As Forças Armadas só conseguiram vencer quando passaram se infiltrar na população, como faziam os guerrilheiros.

A presença de guerrilheiros na Amazônia fez a ditadura olhar para a região abandonada. O governo militar construiu estradas e realizou Ações Cívico-Sociais esporádicas e ineficientes. O povo continuou abandonado.

Ali, no sul do Pará, onde o sol nem era visto por causa da selva densa, não há mais mata. Tudo destruído. Castanheiras seculares, que geravam emprego e alimento, foram derrubadas com o consentimento dos órgãos fiscalizadores. A Amazônia perdeu, em 2004, cerca de 24 mil km^2 de matas virgens, segundo o Ministério do Meio Ambiente.

A madeira alimenta a construção civil, serve de combustível para a indústria siderúrgica e matéria-prima para os fabricantes de móveis. Ao mesmo tempo, transforma adultos e crianças em escravos dentro de carvoarias. Brasileiros miseráveis perdem os pulmões e a esperança de uma vida digna.

Madeireiras e mineradoras exportam riquezas naturais sem proporcionar benefícios à população. Grande parte atua na ilegalidade, sem respeitar a legislação ambiental. Narcotraficantes usam a selva como rota de passagem de drogas para os mercados brasileiro, europeu e norte-americano. Grileiros ocupam terras protegidos por pistoleiros.

O agronegócio cresce, maltrata a terra com produtos químicos e expande a ocupação. Promove mais desmatamentos e pratica novas queimadas. As agressões à natureza tornam ainda mais difícil a vida dos camponeses. Crianças continuam sem escola, sem saúde e sem saneamento básico. Os relatórios feitos pelos militares apontam todas as mazelas da região. Alguns trechos poderiam ser assinados pelos guerrilheiros que eles combatiam. Vinte anos de ditadura, seguidos de vinte de democracia mostraram-se incompetentes para resolver os problemas da região.

A morte recente da religiosa norte-americana naturalizada brasileira Dorothy Stang, no sul do Pará, é um exemplo gritante desse quadro de instabilidade social e injustiça.

A história da guerrilha impressiona pelos números e pelos dramas vividos por esquerdistas, militares, moradores e parentes dos envolvidos. Apesar da atitude inflexível das Forças Armadas e da resistência dos agentes da repressão em revelar os segredos do extermínio de comunistas, os brasileiros aos poucos conhecem os fatos passados no sudeste do Pará.

Operação Araguaia apresenta um levantamento minucioso dos arquivos e testemunhos do conflito entre PCdoB e Forças Armadas na Amazônia. A pesquisa proporcionou uma pilha de papéis guardados por militares interessados em preservar a História e uma lista de sobreviventes dispostos a desafiar a lei do silêncio imposta pelos opressores do passado.

O livro baseia-se em documentos produzidos por integrantes das Forças Armadas e guerrilheiros, entrevistas com moradores da região, sobreviventes da luta e familiares. O único entrevistado com identidade não revelada — um agente secreto que atuou na região — aparece com o nome de Nilton. A pesquisa exigiu três anos de análises do material colhido nas regiões Norte, Nordeste, Centro-Oeste e Sudeste. A narrativa segue a ordem cronológica da produção dos documentos. Os personagens foram inseridos em função do envolvimento com o movimento armado.

Quando este trabalho foi concluído, muitos participantes do conflito armado continuavam vivos e conscientes, aptos para contar a história aos brasileiros.

A Guerrilha do Araguaia não pode ser esquecida.

Os autores
Março de 2005

PARTE I

ANTECEDENTES

Até março de 1972

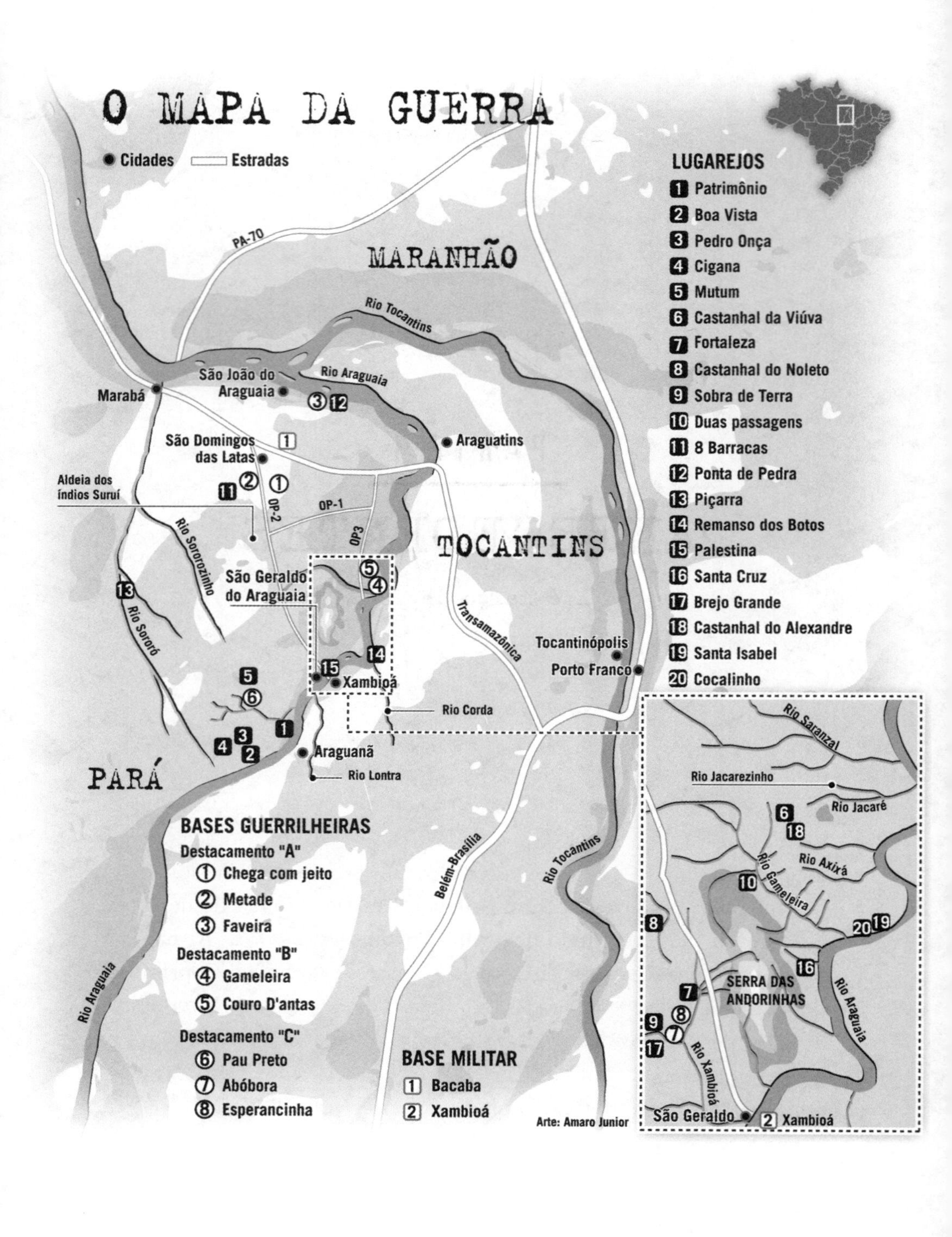

O MAPA DA GUERRA
Cidades
Estradas
LUGAREJOS
1 Patrimônio
2 Boa Vista
3 Pedro Onça
4 Cigana
5 Mutum
6 Castanhal da Viúva
7 Fortaleza
8 Castanhal do Noleto
9 Sobra de Terra
10 Duas passagens
11 8 Barracas
12 Ponta de Pedra
13 Piçarra
14 Remanso dos Botos
15 Palestina
16 Santa Cruz
17 Brejo Grande
18 Castanhal do Alexandre
19 Santa Isabel
20 Cocalinho
PA-70
MARANHÃO
Rio Tocantins
Rio Araguaia
São João do Araguaia
Marabá
São Domingos das Latas
Araguatins
Aldeia dos índios Suruí
OP-2
OP-1
OP3
Rio Sororozinho
Rio Sororó
TOCANTINS
São Geraldo do Araguaia
Transamazônica
Tocantinópolis
Porto Franco
Xambioá
Rio Corda
Araguanã
Rio Lontra
PARÁ
Rio Saranzal
Rio Jacarezinho
Rio Jacaré
Rio Axixá
Rio Gameleira
SERRA DAS ANDORINHAS
Rio Araguaia
Rio Xambioá
São Geraldo
Xambioá
BASES GUERRILHEIRAS
Destacamento "A"
① Chega com jeito
② Metade
③ Faveira
Destacamento "B"
④ Gameleira
⑤ Couro D'antas
Destacamento "C"
⑥ Pau Preto
⑦ Abóbora
⑧ Esperancinha
BASE MILITAR
1 Bacaba
2 Xambioá
Belém-Brasília
Rio Tocantins
Rio Araguaia
Arte: Amaro Junior

CAPÍTULO 1

Um agente secreto no Bico do Papagaio

Xambioá, Goiás, março de 1972

A Veraneio vermelha atravessou a principal rua do vilarejo goiano e parou de frente para o rio. Saltaram cinco homens suados e sujos de lama. As águas turvas do Araguaia desciam calmas para o norte e desapareciam no horizonte cinzento. Nilton levantou a cabeça para contemplar a paisagem e sentiu um arrepio na espinha. A mata fechada ergueu-se na outra margem, no Pará, como muralha verde. O forasteiro imaginou inimigos armados, embrenhados naquela imensidão de folhas, troncos, cipós e espinhos.

Xambioá vem de *ixybiowa* (*amigo do povo*), como se chamava uma aldeia dos carajás, na foz do rio de mesmo nome. A 37 léguas ou cerca de 220 quilômetros abaixo de Xambioá, o rio Araguaia faz uma curva para a esquerda e desemboca no Tocantins. No mapa, o encontro forma um vértice pontiagudo e torto, como uma ave de perfil. A imagem rendeu à região o nome de Bico do Papagaio. No início da década de 1970, aquele pedaço do território nacional abrigava migrantes saídos de todos os cantos do País. Junto, chegavam os conflitos internos do "Brasil Grande". Governado por uma ditadura militar, o País vivia a euforia do "milagre brasileiro".

O general Emílio Garrastazu Médici presidia o Brasil desde 30 de outubro de 1969, escolhido pelo Alto-Comando das Forças Armadas e confirmado em eleição indireta pelo Congresso Nacional. O primeiro presidente da ditadura, marechal Humberto de Alencar Castello Branco, havia entregado o cargo em 15 de março de 1967 para o marechal Arthur da Costa e Silva, afastado em agosto de 1969 depois de sofrer um derrame. Então, assumiu o comando uma junta militar formada por um almirante, Augusto Rademaker; um general, Lyra Tavares; e um brigadeiro, Márcio de Souza Mello. Dois meses depois, a junta passou o comando para Médici.

O regime instalado com o golpe de 31 de março de 1964 se mantinha graças ao sucesso da economia e à repressão contra adversários. O País crescia à média de 11% ao ano; a taxa de desemprego era de aproximadamente 3,5%. A propaganda oficial exaltava o "milagre" no clima de *Pra Frente Brasil*, marcha de Miguel Gustavo que animou a torcida quando a seleção conquistou o tricampeonato na Copa do Mundo de 1970, no México.

O Ato Institucional nº 5 — o AI-5 —, baixado por Costa e Silva em 13 de dezembro de 1968, aumentou os poderes do presidente da República e reduziu liberdades individuais e coletivas. Permitiu a cassação de mandatos políticos, a suspensão dos direitos civis e a censura. Agentes da repressão prendiam, torturavam e matavam inimigos do governo militar.

Alguns segmentos da esquerda enveredaram pelo caminho da luta armada para enfrentar a ditadura. Preparativos para a tomada violenta do poder antecediam o golpe militar de 1964 e ganhavam força à medida que os generais endureciam o regime. As experiências vitoriosas na Rússia (1917), na China (1949) e em Cuba (1959) estimulavam iniciativas revolucionárias na América Latina.

Muitas pessoas saíram do Brasil, exiladas ou fugidas. Umas tantas foram presas ou mortas. Os serviços secretos percorriam até países vizinhos na caça aos subversivos.

* * *

Os cinco passageiros da Veraneio vermelha chegaram ao Araguaia depois de horas e horas de calor e apreensão, causada pelo carro velho e cheio de defeitos. Os atoleiros e buracos das estradas eram mais um desafio. Saíram de Brasília três dias antes e percorreram cerca de 1.400 quilômetros até Xambioá. Cansados e com fome, observaram incrédulos a cena: o triste contraste entre a exuberância da natureza e a apatia do povoado. Palhoças de madeira e barro jogavam esgoto no rio caudaloso. Mulheres lavavam roupa nas águas do Araguaia, cercadas de crianças barrigudas e queimadas pelo sol. Menos de quatro mil pessoas viviam em Xambioá — não havia água encanada nem telefone. O cenário de miséria tornava ainda mais insólita a presença daqueles homens no coração do Brasil.

Nilton era agente secreto do Centro de Informações do Exército, o CIE, enviado para investigar a atuação de subversivos na tríplice divisa entre Goiás, Pará e Maranhão. Assumiu outro nome, outra personalidade e outra história de vida inventada no quartel. À paisana, usava codinome e carregava documentos falsos. Estava infiltrado em um grupo de engenheiros do Instituto Nacional de Colonização e Reforma Agrária (Incra) encarregado de estudar a viabilidade de uma estrada para ligar São Geraldo a São Domingos das Latas — hoje São Domingos do Araguaia. A obra se destinava a abrir uma frente de ocupação em uma área abandonada pelos governos. Apenas o presidente do Incra, José Francisco de Moura Cavalcanti, sabia a identidade de Nilton.

Na margem paraense do rio, a floresta virgem ficava mais assustadora à medida que a noite se aproximava. Nilton olhou para a esquerda, em direção à nascente. A beleza do lugar impressionava de verdade.

* * *

O Araguaia passa por Xambioá depois de serpentear mais de dois mil quilômetros desde a cabeceira, na divisa de Goiás e Mato Grosso. Ele brota na Serra dos Caiapós, no paralelo 18º, altitude de 850 metros. Desce por canais de pedras e encostas, despenca na cachoeira de Couto Magalhães e se espalha pelas planícies abaixo das cidades de Aragarças, em Goiás, e Barra do Garças, no Mato Grosso.

Em Xambioá, tem mais de um quilômetro de largura. Perto dali, quando as águas baixam, ilhas de todos os tamanhos surgem e formam um paradisíaco arquipélago com praias de areia branca. Com a volta das chuvas, desaparecem. Os peixes se multiplicam em cardumes de douradas, tucunarés, piaus, pintados, pirararas, cachorras, barbados, corvinas, traíras, aruanãs, caranhas e outros.

Bem no centro da fronteira do antigo estado de Goiás com Mato Grosso (atualmente fronteira sul do Tocantins com Mato Grosso), o Araguaia bifurca e forma a Ilha do Bananal, maior ilha de água doce do mundo, uma área de 20 mil quilômetros quadrados.

* * *

Enquanto admirava a paisagem, Nilton lembrou-se de como foi parar naquele lugar esquecido.

A missão começou a ser preparada uma semana antes, em Brasília. Ele integrava uma equipe de agentes secretos ligados ao gabinete do ministro do Exército, general Orlando Geisel. Eram cabos, soldados, sargentos e oficiais escolhidos por terem bom preparo físico e destacarem-se nos testes de quociente de inteligência. Alguns já tinham experiência em missões contra subversivos.

A pista parecia quente. Na semana anterior, o CIE recebera a informação de que o Partido Comunista do Brasil (PCdoB) tinha um campo de treinamento em um lugarejo chamado Cigana, no sul do Pará. O comando repressivo mobilizou uma missão para a região.

Chuvas caíam sem cessar e inundavam as terras. Diminuiriam aos poucos até ficarem ocasionais. Voltariam com força no final de outubro. O céu se cobriria de um nevoeiro constante, os rios transbordariam e as estradas ficariam novamente intransitáveis.

Foi nesse clima de umidade e mistério que o homem do Exército chegou a Xambioá para se misturar aos moradores, identificar os guerrilheiros e ajudar no desmantelamento da guerrilha montada do outro lado do rio.

* * *

O isolamento da tríplice divisa havia tempos despertava a atenção dos órgãos de repressão. Os moradores viviam dispersos, em clareiras abertas na selva nas quais plantavam roças ou nos poucos vilarejos. As terras férteis, cheias de depressões e cortadas por igarapés, ofereciam boas condições para a implantação de um movimento guerrilheiro.

A abundância de água e a mata fechada lembravam o Vietnã, inferno verde em que soldados norte-americanos tombavam sob as armadilhas dos vietcongues. O Araguaia permitia a navegação de pequenas embarcações de Xambioá para o sul, e do Sítio da Viúva para o norte. Corredeiras e cachoeiras desaconselhavam o tráfego entre os dois pontos. Os afluentes pouco serviam para navegação na estiagem, mas na estação chuvosa barcos de até 12 toneladas podiam deslizar pelas águas.

O Bico do Papagaio fica em média 200 metros acima do nível do mar. A Serra das Andorinhas, na margem paraense do Araguaia, altera o perfil geográfico. Sulcada por grotas, atinge 600 metros de altitude. Nos pontos mais elevados, a floresta cede espaço para uma vegetação menos densa.

Em novembro de 1970 as Forças Armadas simularam uma manobra conjunta de contraguerrilha na tríplice divisa, batizada de Operação Carajás. Mais que treinamento militar ordinário, teve o objetivo de inibir a presença de esquerdistas na área. Bombas lançadas perto de Marabá assustaram a população. Helicópteros sobrevoaram e paraquedistas saltaram na floresta.

* * *

Em agosto de 1971, o Exército executou a Operação Mesopotâmia para prender subversivos na divisa entre Maranhão e Goiás. Durante 11 dias, 38 agentes do Comando Militar do Planalto (CMP) e do CIE investigaram a atuação da Ação Libertadora Nacional (ALN), da Vanguarda Armada Revolucionária Palmares (VAR-Palmares) e da Ala Vermelha. Procuravam mais de 50 suspeitos, especialmente o camponês José Porfírio, ex-deputado estadual por Goiás. Nos anos 1950, ele liderou a revolta de Trombas e Formoso, no norte goiano. Pertenceu ao PCB, passou pela Ação Popular, a AP, organização nascida em 1962 dos movimentos estudantis católicos, que depois aderiu ao marxismo de linha chinesa (no início dos anos 1970, a maior parte dos integrantes incorporou-se ao PCdoB). Da AP, Porfírio foi para o Partido Revolucionário dos Trabalhadores (PRT). Participou em 1962 da fundação da Associação dos Trabalhadores Camponeses de Goiânia. Ajudou a organizar o Congresso dos Camponeses de Belo Horizonte.

Trombas e Formoso era uma região com ricas terras, igualmente esquecida. No final dos anos 1940, camponeses ocuparam ali terras devolutas, nas quais passaram a viver com prosperidade. Com os rumores de que por ali passaria uma estrada federal, a Belém-Brasília, comerciantes e fazendeiros de Uruaçu e Porangatu, mancomunados com o juiz de direito da comarca, montaram um engenhoso processo de grilagem das terras.

Revoltados, os posseiros se uniram e resistiram. Emergiu assim a figura carismática do semianalfabeto Zé Porfírio.

Em 1960, eleito com a segunda maior votação, entrou para a história como o primeiro deputado camponês do Brasil. A trajetória foi interrompida pelo golpe militar. Seu mandato foi cassado. Fugiu para o Maranhão. Em 1972, após ser libertado da prisão em Brasília, seria capturado na rodoviária e nunca mais se teria notícia dele.

* * *

O momento em que Nilton chegava a Xambioá coincidia com o auge do "milagre econômico". No início da ditadura, a inflação chegava a 80% ao ano. O crescimento do Produto Nacional Bruto (PNB) estava em 1,6% ao ano. O governo adotou uma política recessiva e monetarista. Os objetivos eram: sanear a economia e baixar a inflação para 10% ao ano, criar condições para que o PNB crescesse 6% ao ano, equilibrar o balanço de pagamentos e diminuir as desigualdades regionais.

A economia deu um salto em 1970. Investimentos ampliaram a capacidade produtiva e o "milagre" deu-se em 1972 e 1973. Então, o crescimento começou a declinar. No fim da década, a inflação chegou a 94,7% ao ano. O "milagre" revelou fraqueza no campo social. Houve tendência à concentração de renda e o rápido crescimento beneficiou mais a mão de obra especializada. O salário mínimo baixou, e Médici chegou a afirmar em 1971: "O país vai bem e o povo vai mal".

Em 1972, dos 3.950 municípios, apenas 2.638 possuíam abastecimento de água. Os cinco anos de governo Geisel foram os mais complexos e polêmicos. Mesmo com o choque do petróleo em 1973, a economia cresceu à média de 6,7% ao ano. Quando o governo militar acabou, em 1985, deixou de herança uma dívida de US$ 102 bilhões, contra apenas US$ 3,3 bilhões em 1964.

* * *

Na Operação Mesopotâmia, 11 agentes do Exército vasculharam Imperatriz, Porto Franco e Buritis, no Maranhão. Em Goiás, avançaram sobre Tocantinópolis e São Sebastião (a Constituição de 1988 dividiu Goiás ao meio:

Xambioá, Tocantinópolis e São Sebastião passaram a pertencer ao novo estado de Tocantins, a parte norte). Prenderam suspeitos e arrancaram confissões sobre a presença de integrantes de organizações clandestinas.

Para treinar guerrilheiros, a VAR-Palmares comprou fazendas na região. As investigações mostravam que a organização planejava engajar moradores. Uma rede de colaboradores se espalhava pelos dois lados do rio Tocantins. O general Antônio Bandeira chefiou a operação, montada com homens do CMP e do CIE. Na conclusão do relatório, o comandante considerou a área investigada propícia à instalação de campos de treinamento para guerrilheiros. *Uma área que atualmente constitui terreno fértil para a semeadura da subversão*, definiu.

Conflitos entre grileiros, posseiros e garimpeiros geravam violência em uma terra com pouca presença do Estado. Um Inquérito Policial-Militar (IPM) confirmou a imagem ruim das autoridades locais. "A figura do governo ainda é a de uma organização a temer, por cobrar impostos, prender e tomar terras dos posseiros", concluiu o tenente-coronel Ary Pereira de Carvalho, encarregado do inquérito.

As riquezas se concentravam nas mãos de poucos comerciantes e fazendeiros. A extração do mogno começava a atrair a cobiça dos madeireiros. A miséria crescia com a chegada descontrolada de migrantes, grande parte nordestinos fugidos das secas. A construção da Transamazônica atraía excluídos e aventureiros. A operação resultou na morte de Epaminondas Gomes de Oliveira, liderança local presa pelos militares.

* * *

Em 10 de outubro de 1970, no município paraense de Altamira, o Brasil sacrificou a primeira árvore, de 50 metros, em prol da integração norte-sul. Ao lado dela, uma placa de bronze, incrustada no tronco de uma castanheira, dizia:

Nestas margens do Xingu, em plena selva amazônica, o Sr. Presidente da República dá início à construção da Transamazônica, numa arrancada histórica para a conquista deste gigantesco mundo verde.

O presidente era Médici. A Transamazônica foi planejada para atravessar o Brasil de leste a oeste e terminaria em Boqueirão da Esperança, na fronteira do Acre com o Peru, com objetivo de garantir uma saída pelo Pacífico aos produtos brasileiros. O custo da construção, nunca acabada, foi de US$ 1,5 bilhão e muita devastação.

* * *

O resto do País não alongava os olhares para o norte desde a chegada dos portugueses. Juscelino Kubitschek deu os primeiros passos de integração com a construção das rodovias Belém-Brasília e Cuiabá-Porto Velho, inauguradas em 1960. A economia sempre se baseou no extrativismo de produtos como látex, açaí, madeiras e castanha. A região é rica em minérios. A Serra dos Carajás, no Pará, mais importante área de mineração do País, produz grande parte do minério de ferro exportado; e a Serra do Navio, no Amapá, é rica em manganês. A extração sem cuidados contribui para a destruição ambiental.

O regime militar tratou a Amazônia dentro da doutrina de segurança nacional. A riqueza das florestas, dos rios e do subsolo, com alta incidência de cristais, despertava interesses internos e externos. A construção da Transamazônica atendia à estratégia de ocupação territorial e dava ao governo uma obra monumental para simbolizar o "milagre". O primeiro trecho, entre Estreito (MA) e Marabá (PA), foi aberto em 1° de setembro de 1970. O Exército iniciou as obras da Cuiabá-Santarém no mesmo dia — dois meses antes de dar início à Operação Carajás no Bico do Papagaio.

As pranchetas militares projetavam a ligação da Transamazônica com a BR-232, entre Picos e o Recife, no litoral pernambucano. Na outra direção, juntava-se com a Manaus-Porto Velho e a Brasília-Acre. No final, uma diagonal de 6.368 quilômetros cortaria o País de leste a oeste.

O então ministro dos Transportes, coronel Mário Andreazza, tocava grandes obras. Na Baía de Guanabara, erguia a ponte Rio-Niterói, planejada desde 1875. Em 9 de novembro de 1968, com a presença da rainha Elizabeth II e do príncipe Phillip, Andreazza fez uma inauguração simbólica da ponte que começaria a ser construída em janeiro de 1969 e seria inaugurada em 4 de março de 1974. Os custos ficaram em NCr$ 289.683.970,00.

Enquanto rasgava a floresta virgem, o governo abria uma temporada de incentivos para a exploração de madeira, minérios e pecuária. Criou o

Banco da Amazônia (Basa) e a Superintendência do Desenvolvimento da Amazônia (Sudam). Em 1970, Médici lançou o Programa de Integração Nacional (PIN), com a meta de assentar 100 mil famílias ao longo da Transamazônica. Migrantes chegavam em busca de ouro e cristais. Outros queriam um naco da floresta para colher castanha ou terra para plantar. Abriam clareiras com fogo, faziam casas e tomavam posse.

Quando o Exército realizou a Operação Mesopotâmia, no Maranhão e no Tocantins, perto dali o PCdoB montava as bases da maior iniciativa de luta armada em território brasileiro desde a Guerra de Canudos. As cidades investigadas em agosto de 1971 faziam parte da rota dos militantes do partido, enviados para a guerrilha.

* * *

Meio anestesiado pela imponência do Araguaia, Nilton pensou na família e nos dissabores que teria pela frente. Entrava em uma missão secreta sem a mínima ideia de como e quando sairia. Temia os guerrilheiros, mas sentia-se atraído pelo papel de espião. Se tudo desse certo, seria recompensado com promoções e condecorações. Enchia-se de orgulho por pertencer ao Exército. Aprendeu a morrer pela pátria. Quem discordava do governo militar era subversivo. Quem pegava em armas contra a ditadura era terrorista. Chegou a Xambioá disposto a dar a vida para livrar o Brasil do comunismo internacional.

Olhou a floresta e, mais uma vez, estremeceu. Guerrilheiros poderiam estar em qualquer lugar. O medo dos inimigos e o bafo quente e sufocante do entardecer aumentaram a sensação de desconforto.

A Amazônia, toda exuberante, parecia um forno úmido.

CAPÍTULO 2

Um brasileiro aprende guerrilha em Pequim

Pequim, janeiro de 1966

Uma rajada de vento frio soprou do lado de fora do avião. Do alto da escada, as primeiras imagens do Oriente pareciam um sonho para Michéas. Estava na China, em pleno governo comunista de Mao Tsé-Tung. A emoção aumentava a cada degrau. Deslumbrado, girava a cabeça de um lado para outro. Uma comitiva oficial aguardava no solo o desembarque dos 15 brasileiros.

Michéas integrava um grupo de militantes escolhidos pelo PCdoB para passar uma temporada na China. A excitação aumentava à medida que era apresentado aos representantes do governo. Todos vestidos com as mesmas roupas azuis, de tradicionais golas redondas, apertadas no pescoço.

Os brasileiros saíram de Paris um dia e meio antes. Chegavam com a tarefa de aprender técnicas de guerrilha na Academia Militar de Pequim. Fariam cursos teóricos e práticos de combate no campo. Buscavam a experiência dos homens que fizeram a revolução chinesa na primeira metade do século 20.

A tomada do poder em 1949, no país mais populoso do mundo, teve origem em rebeliões camponesas ao longo de séculos. O PCdoB pretendia implantar um movimento armado no Brasil inspirado na experiência da China. Planejava abrir uma frente revolucionária no interior do País, incorporar as massas da área rural, criar um exército regular, envolver os trabalhadores urbanos e deflagrar uma guerra popular prolongada.

O partido considerava que existia no Brasil condições objetivas para uma transformação radical por meio da luta armada. As contradições do capitalismo em um País semi-industrializado, os conflitos gerados pelas desigualdades sociais e os abusos da ditadura davam suporte às propostas de uso da violência contra o regime.

As ideias comunistas desenvolvidas no século 19 por Karl Marx e Friedrich Engels impulsionaram reviravoltas sociais que entraram para a História como Revolução Russa (1917), Revolução Chinesa (1949) e Revolução Cubana (1959). Na avaliação do PCdoB, o Brasil seguiria o mesmo caminho e o partido tomaria o poder.

A firmeza dos apertos de mão das autoridades no aeroporto fez Michéas sentir-se um verdadeiro chefe de Estado, orgulhoso por merecer a confiança do partido. Ativista desde a juventude, entrou para a clandestinidade por fazer parte das listas de procurados. Usou vários codinomes. Em Goiânia, era Michel. Chegou à China como Mário, mas ganhou o apelido de Zé Minhoca em uma partida de futebol. Virou Zezinho.

Um episódio vivido na infância passou pela sua cabeça. Sentado nos ombros do pai, Elias, de quase dois metros de altura, o garoto assistiu no porto de Belém à despedida de soldados brasileiros enviados para a Segunda Guerra Mundial. Ficou maravilhado com a coragem dos homens que aceitavam morrer para defender o Brasil. Desejou ser mais velho e pegar aquele navio rumo ao porto de Nápoles, na Itália, com os pracinhas.

Ao chegar a Pequim mais de 22 anos depois, o patriota Michéas teve a impressão de realizar o desejo de criança. Em nome da liberdade, fazia parte de um grupo disposto a pegar em armas para enfrentar a ditadura militar. Queria voltar ao Brasil para ajudar a implantar uma guerra popular, como na China de Mao Tsé-Tung.

O aparato oficial montado no aeroporto demonstrou prestígio do PCdoB junto aos chineses; e também a expectativa dos anfitriões quanto às chances de uma revolução no maior país da América do Sul. O militante sentiu nos ombros o peso da responsabilidade. Lutaria por uma revolução comunista, mesmo com risco de ser preso ou morrer em combate.

CAPÍTULO 3

Com medo de morrer, Pedro Onça chama Dr. Juca

Ilha dos Perdidos, rio Araguaia, início dos anos 1970

O posseiro Pedro Onça visita o amigo Antônio da Helena quando chega um estranho. Alto, magro, aparenta menos de 30 anos e se apresenta como Dr. Juca. Chegou há menos de um mês e abriu uma farmácia perto dali, rio acima.

"Vendemos remédios e ainda tratamos algumas doencinhas", diz o sujeito, branco e de óculos. "Tem alguns companheiros que moram comigo e também podem ajudar em caso de necessidade", acrescenta, com simpatia e sem-cerimônia.

A presença de gente que vende remédio e se importa com a saúde dos moradores deixa Pedro Onça satisfeito. Não há um só médico num raio de mais de 100 quilômetros. É fácil morrer naquele lugar. O clima quente e úmido favorece as doenças tropicais. A leishmaniose castiga pele e carne. É doença infecciosa evolutiva que pode virar crônica e até matar. Provoca feridas que se transformam em úlceras indolores; em alguns casos, destrói a cartilagem do nariz, o interior da boca e a garganta. É transmitida por insetos que picam animais silvestres e depois picam os humanos. Também se morre de malária e febre amarela, transmitidas por mosquitos. O jeito do tal Dr. Juca também agrada Pedro Onça. Mostra-se educado e atencioso. Parece mesmo entender de doenças. Caso precise, vai procurar o sujeito.

O nome verdadeiro de Pedro Onça é Pedro Sandes. Caçador, certa vez disse a uma turma de catadores de castanha, com quem trabalhava, que buscaria algum bicho. Famintos, mas inexperientes na floresta, os companheiros duvidaram. Pedro garantiu que mataria um veado e, horas depois, voltou com um pendurado nas costas. A satisfação foi total.

"O Pedro é igual onça: pega o bicho que quer", disse Coriolano, chefe do grupo. Assim ganhou o apelido pelo qual ficou conhecido.

Pedro saiu de Barra do Corda, Maranhão, em 1952. Depois da morte da mãe, o pai não permitiu que estudasse. Tinha de trabalhar para ajudar no sustento dos irmãos mais novos. A chegada da madrasta revoltou o rapaz. Aproveitou a mudança da irmã mais velha para Tocantinópolis e foi junto. Tinha 17 anos.

O desejo de Pedro era trabalhar em garimpo. Começou pelo Chiqueirão, em Xambioá. Pegou malária. Voltou para a casa da irmã, ficou meses de cama. Sarou e voltou a garimpar. Permaneceu mais três anos, depois desistiu. O dinheiro mal dava para as despesas.

Decidiu atravessar para o Pará e colher castanha. A vida melhorou um pouco, mas o caboclo achou que chegara a hora de conseguir um bom pedaço de chão para viver tranquilo. Queria plantar roça e ter um quintal cheio de frutas. Estava cansado de vagar pelas fazendas dos outros. Um dia, andando pela floresta, gostou de um recanto no igarapé da Água Bonita. Mato fechado, com fartura de água. Tomou posse do lugar. Era solteiro, mas logo casou com Maria Francisca, a Chica, maranhense como ele.

O que Pedro mais gostava era de ficar no mato com Chica. Passaram a lua de mel ali mesmo, sem medo da escuridão das noites e do barulho dos bichos. Dormiram em redes amarradas nas árvores. Construíram um barraco de estacas de madeira e coberto com folhas de palmeira. O jovem casal aprendeu a conviver com os perigos da floresta. No início, nem podiam criar porcos, pois as onças atacavam.

Homens e mulheres precisavam de coragem para garantir um pedaço de chão no sul do Pará. Ninguém possuía títulos de propriedade. Posseiros sofriam com as tentativas de tomada das terras. As ações impunes dos grandes grileiros eram acobertadas pela PM, que, quando aparecia, agia como braço armado dos invasores.

A posse escolhida por Pedro Onça era uma das mais distantes do rio. A picada aberta por ele mesmo tinha mais de três léguas, cerca de 20 quilômetros. Usava o caminho feito a facão para ir até a cidade comprar açúcar, sal, querosene e outras coisas necessárias que não se produzem na roça.

Percorria a mata até a casa de João Lima, na beira do rio. Pegava uma canoa e atravessava para Xambioá. Costumava parar na casa do amigo Antônio da Helena, localizada em uma ilhota, perto do igarapé dos Perdidos, onde conheceu o Dr. Juca.

Falante e brincalhão, Pedro Onça tornou-se popular. Um dia, quando voltava para casa, sentiu os efeitos da malária e caiu doente enquanto estava na casa de Antônio da Helena. O corpo pegava fogo. Lembrou-se de quando ficou de cama na casa da irmã e teve medo de morrer. Havia poucas alternativas de ajuda.

Pedro Onça mandou chamar o Dr. Juca.

CAPÍTULO 4

O radical Michéas entra no partido que lhe serve

O primeiro compromisso dos brasileiros em Pequim foi almoçar em um restaurante do governo. Michéas admirou-se com a variedade de pratos desconhecidos. Estranhou molhos e temperos. Em seguida, foram para o alojamento. Antes de descansar, receberam um convite para o teatro. O espetáculo misturava malabarismo e ópera, parecia um circo, porém diferente de tudo o que estavam acostumados a ver no Brasil.

A viagem toda parecia uma escala em outro mundo. Michéas saiu de Goiás um ano antes. Ficou marcado pela polícia depois de visitar, na cadeia, um grupo de ativistas presos por assalto a um quartel de Anápolis, no interior. Perseguido pela repressão política, partiu para São Paulo e, de lá, para a China.

Iniciou atividades políticas no final dos anos 1950, quando morava em Belém. Participou da Juventude Operária Católica (JOC) e andou por Macapá, capital do Amapá, na época território federal. Participou do Grupo dos Onze, de Leonel Brizola. Mudou-se para Goiânia depois de trabalhar alguns meses na construção de Brasília.

Em Goiás, atuou no movimento estudantil secundarista e participou de manifestações de rua. Entrou para o PCdoB em 1962, quando o partido surgiu com a divisão do antigo PCB. O militante paraense tinha 25 anos e muita curiosidade por armas. Queria fabricá-las e, se possível, usá-las em uma revolução. Participou de treinamento de tiro no interior de Goiás. Visitou a região de Trombas e Formoso, depois da revolta liderada por José Porfírio, com um grupo de estudantes para atuar em campanhas de arrecadação de remédios, roupas e calçados para os camponeses.

* * *

O PCdoB é o lugar certo para o radical Michéas. O partido entende que a derrubada da ditadura não se dará por meio de eleições, mas sim pela luta armada. O curso na China faz parte da estratégia revolucionária da organização. Uma das causas do racha do antigo Partido Comunista do Brasil, sigla PCB, foram as divergências entre as duas correntes distintas que se formaram para a tomada do poder.

O grupo liderado por João Amazonas, Maurício Grabois, Ângelo Arroyo e Pedro Pomar defendia o caminho da violência. A facção encabeçada por Luiz Carlos Prestes, Giocondo Dias e Astrojildo Pereira dava prioridade à coexistência pacífica.

As diferenças se tornam evidentes nas discussões sobre os acontecimentos do XX Congresso do Partido Comunista da União Soviética, em 1956, quando o dirigente soviético Nikita Kruschev denuncia os crimes de Joseph Stalin, líder da União das Repúblicas Socialistas Soviéticas (URSS) desde 1927 até sua morte em 1953.

Kruschev comandou uma mudança de rumo na política soviética. Abandonou a doutrina da luta armada e passou a defender a transição pacífica como estratégia para se chegar ao socialismo. A corrente de João Amazonas alinhou-se aos stalinistas, manteve a defesa da violência revolucionária e adotou a definição de "revisionismo", usada pelo governo chinês para o rumo tomado por Kruschev. Ela interpretava o comportamento do dirigente soviético como uma traição à Revolução Russa, liderada por Lênin em 1917.

Luiz Carlos Prestes comanda a cúpula do partido no apoio à nova orientação da URSS. A divisão formaliza-se em 1962. Excluída por Prestes, a facção de João Amazonas se reorganiza com o nome de Partido Comunista do Brasil, mas perde a sigla antiga e adota a nova, PCdoB. Prestes mantém controle sobre a marca PCB, com novo nome — Partido Comunista Brasileiro.

O PCdoB afasta-se da Rússia e aproxima-se da China.

CAPÍTULO 5

Para o PCdoB, não há saída senão pegar em armas

A influência chinesa na concepção de tomada violenta do poder fica registrada na resolução *Guerra Popular — Caminho da Luta Armada no Brasil*, aprovada pelo Comitê Central do PCdoB em janeiro de 1969. O documento sacramenta a opção pelo caminho da revolução a partir da mobilização do campo.

A estratégia contém nove pontos:

1) A luta armada terá cunho eminentemente popular. Não poderá ser dirigida pela burguesia ou pela pequena burguesia. Será uma guerra do povo.
2) O terreno no qual se desenvolverá a guerra popular será fundamentalmente o interior.
3) A guerra de libertação do povo brasileiro será prolongada.
4) A guerra popular exigirá grandes recursos humanos e materiais. O povo fará sua guerra apoiado, principalmente, nas próprias forças.
5) A guerra de guerrilha será a forma principal de luta na fase inicial da guerra popular, sintetizada por Mao Tsé-Tung: "Quando o inimigo avança, recuamos; quando para, o fustigamos; quando se cansa, o atacamos; quando se retira, o perseguimos".
6) Será indispensável construir o exército popular. Mao Tsé-Tung ensina: "Sem um exército popular, não haverá nada para o povo".
7) Para o sucesso da guerra popular é vital a construção de bases de apoio no campo.
8) Para acumular forças e adquirir poderio, os combatentes do povo, na primeira fase da guerra popular, terão de desenvolver sua luta no quadro da defensiva estratégica.
9) A guerra popular deverá guiar-se por uma política correta.

A resolução de 1969 aposta no engajamento imediato da população ao projeto revolucionário. *Aos brasileiros não resta outra alternativa: erguer-se de armas nas mãos contra os militares retrógrados e os imperialistas ianques ou viver submissos aos reacionários do país e aos espoliadores estrangeiros.*

O partido aponta a *dominação imperialista* dos Estados Unidos como um dos principais fatores do atraso nacional. Com o consentimento do governo militar, os norte-americanos dominavam setores fundamentais da economia no Brasil e transformavam o País em colônia.

A escolha da guerra popular prolongada como estratégia representa uma diferenciação em relação ao "foco guerrilheiro" — modelo adotado na revolução cubana. O PCdoB considera a concepção colocada em prática por Fidel Castro e seus seguidores equivocada por desprezar a importância de um partido político do proletariado na condução do movimento armado de tomada do poder.

Pela teoria do "foco", a guerrilha se desenvolveria a partir de um núcleo central único, saído das cidades e situado em regiões pouco acessíveis. O crescimento do grupo inicial permitiria o desdobramento em outras colunas até a vitória final. Para o PCdoB, tratava-se de método baseado em atos heroicos de poucas pessoas, *idealistas e pequeno-burguesas.*

O "foquismo", segundo o partido, representa uma concepção puramente militar. Ignora a importância dos fatores políticos e da participação das massas na revolução. O modelo fracassou na Argentina, no Peru e, no caso mais conhecido, na Bolívia, onde Che Guevara foi morto pouco mais de um ano antes, ao tentar repetir a experiência cubana.

Da China, o PCdoB importou também princípios estabelecidos nas *Três Principais Regras de Disciplina* e nos *Oito Pontos de Atenção* — normas de comportamento revolucionário estabelecidas pelos comunistas liderados por Mao Tsé-Tung.

Os chineses pregavam: obedecer às ordens em todas as ações; não tomar uma simples agulha ou linha de coser das massas; entregar tudo o que for capturado; falar polidamente; pagar estritamente tudo o que comprar; devolver tudo o que tomar de empréstimo; pagar por tudo o que danificar; não agredir ou golpear as pessoas; não danificar plantações; não tomar liberdades com as mulheres; e não tratar mal os prisioneiros.

CAPÍTULO 6

Dois amigos sonham com a revolução

O partido avalia desde o início dos anos 1960 que o Bico do Papagaio oferece excelentes condições para a instalação de uma frente de luta armada. A floresta amazônica tem papel decisivo. O PCdoB se espelha em iniciativas semelhantes adotadas em países como Vietnã, Malásia e Angola.

A mata fechada do Araguaia protegeria os militantes e tornaria inútil a artilharia pesada das Forças Armadas. A caça abundante e outros alimentos extraídos da selva, como babaçu e castanha, facilitariam a sobrevivência dos guerrilheiros.

O rio Araguaia, largo e generoso, significaria fartura de peixes e facilidade de deslocamento em pequenas embarcações. E serviria de obstáculo natural para a movimentação das tropas regulares. O transporte terrestre constituiria mais um problema para os militares. Trilhas e picadas formariam um imenso labirinto de caminhos tortuosos, subidas e descidas, grotas e igarapés. Experientes nas caminhadas e nas viagens em lombos de burro por toda a região, os guerrilheiros disporiam de larga vantagem.

Nos estudos feitos pelos comunistas, aviões e helicópteros teriam aproveitamento limitado na guerra de guerrilha. Na mata fechada funcionariam apenas como meio de transporte, sem utilidade em combates. Sem treinamento específico, paraquedistas se transformariam em soldados de infantaria, com as mesmas dificuldades de adaptação às condições de luta.

A imensidão de terras desabitadas permitiria aos grupos armados vasto campo de manobras, distribuído pelos estados de Goiás, Maranhão, Pará e Mato Grosso. As Forças Armadas teriam de montar acampamentos às margens da Transamazônica e da Belém-Brasília, previam os comunistas. Isolados em longos trechos de estradas, os postos militares se tornariam alvos fáceis para ataques de surpresa dos guerrilheiros.

Os comunistas também contavam com as dificuldades de abastecimento dos soldados. As cidades da região não dispunham de estrutura para abrigar e alimentar tropas para uma grande manobra militar. Quando tentassem transportar suprimentos de Goiânia, Anápolis, Brasília e Belém, sofreriam ataques de sabotagem.

O PCdoB planeja nesse primeiro momento implantar três frentes guerrilheiras. Uma em Goiás, outra no Maranhão e, a terceira, no Pará. As duas primeiras seriam abortadas muito cedo por falta de estrutura. O partido concentrará esforços nas bases montadas nos municípios paraenses de Conceição do Araguaia, São João do Araguaia e Marabá.

A deflagração de uma guerra popular prolongada, nos moldes aplicados por Mao Tsé-Tung, permitiria a criação de uma zona liberada, controlada pelo movimento armado e sem a presença militar do governo. Pela estratégia imaginada, o sucesso da iniciativa no centro do País estenderia o movimento armado para o Nordeste, região mais populosa, castigada pela pobreza e berço natal de boa parte da população do Araguaia.

A Amazônia recebe nesse tempo, a cada dia, mais famílias fugidas da fome e da seca no Maranhão, Piauí, Ceará e Bahia. A maioria chega determinada a brigar pela sobrevivência. O sonho de um pedaço de terra esbarra nos grileiros, nos pistoleiros, na polícia e nos políticos corruptos.

Os camponeses revoltados com a miséria e os desmandos dos poderosos formam a massa que engrossará os destacamentos guerrilheiros treinados para iniciar uma revolução popular. Outros moradores formarão uma rede de apoio. As primeiras vitórias contra as Forças Armadas atrairão revolucionários e organizações de outras regiões — prevê a direção comunista. As derrotas sofridas pela guerrilha urbana empurrarão militantes das cidades para o campo e reforçarão a luta armada do Araguaia.

Os organizadores da guerrilha têm como certo o apoio maciço da população. Mesmo que no início os militares usem métodos demagógicos para tentar a aproximação, cedo ou tarde partirão para a violência e se isolarão dos moradores. As Forças Armadas se enfraquecerão e os comunistas comandarão a formação do exército regular para combater as tropas oficiais.

O terreno para a revolução parece pronto para o PCdoB.

* * *

O jovem comerciante Divino Ferreira de Souza entrou para o PCdoB junto com Michéas. Fez parte do grupo de militantes presos pelo assalto ao quartel de Anápolis. Os dois amigos, filhos de famílias pobres, compartilhavam do mesmo ideal. Sonhavam fazer uma revolução no Brasil. Em pouco tempo conheceram dirigentes nacionais da organização clandestina. Todos usavam codinomes. Aluísio, um deles, visitava Goiânia com frequência para passar orientações. Os destinos dos três voltariam a se cruzar anos depois, às margens do Araguaia.

Michéas tinha uma pequena marcenaria em Goiânia, mas vendeu-a para pagar as despesas da viagem para São Paulo. O resto do dinheiro entregou ao partido. Ao sair da prisão, Divino partiu com ele. Foram juntos para a China. Em Pequim, os dois dividiram um quarto no hotel de campo oferecido pelo governo comunista.

A caminho da capital chinesa, Michéas fez um novo amigo. João Carlos Haas Sobrinho, médico gaúcho, o havia impressionado desde o momento em que se conheceram em uma praça de São Paulo. Por acaso comeram no mesmo restaurante, frequentaram a mesma biblioteca e ficaram amigos.

Um dia João Carlos soube que Michéas sofria de uma doença venérea e sugeriu que procurasse um médico. Deu o endereço de um consultório. Para surpresa do novo paciente, quem o atendeu foi João. Assim descobriu a profissão dele. Algum tempo depois, João revelou que pertencia ao PCdoB. Gentil e prestativo, demonstrava educação refinada e falava várias línguas. Fazia contatos com a rede de apoio fora do Brasil e resolvia problemas de passagem e hospedagem. Também foi o único a saber, desde o início, que o destino final do grupo era a Academia Militar de Pequim. O médico preparava-se para combater no Araguaia.

CAPÍTULO 7

Segredos do Dr. Juca

João Carlos Haas Sobrinho e Dr. Juca são a mesma pessoa. Dois anos após desembarcar em Pequim para treinar guerrilha, o médico gaúcho passa-se por farmacêutico, enviado pelo PCdoB para ajudar na implantação das bases para a revolução. No Araguaia ficou responsável tanto pela saúde dos militantes como pela assistência à população. Fez parte da comissão militar instalada na selva amazônica.

No dia em que recebeu o recado sobre a doença de Pedro Onça, Juca atendeu de pronto. Examinou o paciente, aplicou remédio e deu soro. A melhora foi rápida. O caboclo caçador disse que não tinha como pagar. Era difícil obter dinheiro na região. Juca respondeu que não havia problema, receberia quando fosse possível, "o importante é a sua saúde".

Os modos gentis do Dr. Juca e a gratidão do caboclo resultaram em estreita amizade. Mas o dono da farmácia manteve em segredo a verdadeira profissão, a militância e os planos de implantação da guerrilha. O PCdoB preparava o movimento armado sem conhecimento da população.

Primeiro o partido estimularia lutas contra as desigualdades e injustiças. O engajamento dos moradores abriria caminho para o recrutamento de novos militantes. No futuro, eles se tornariam guerrilheiros.

Pedro Onça aproveitou um dia de andanças pela mata e passou na casa do médico. Conheceu outras pessoas que moravam com ele. Tinha um casal, Antônio e Dina; um velho negro, Zé Francisco; e dois rapazes, Jorge e Domingos. A maioria dizia ser de São Paulo. Ficaram conhecidos como *paulistas.*

O dinheiro para pagar Juca apareceu com a venda de castanhas colhidas na mata. As visitas aos *paulistas* se tornaram frequentes. A casa de Pedro Onça passou a ser ponto de parada dos forasteiros. Gostavam de ouvir histórias de caçadas e das frutas do quintal. Saíam com sacolas cheias de laranjas, bananas, limas, tangerinas. O caçador maranhense brincava com

Dina por causa do tamanho dos calçados que ela usava. Com jeito matreiro provocava a moça: "Eta baiana *dos pé* grande".

Dina sorria, bonachona.

Depois de um tempo chegaram mais dois casais. Ari e Áurea, Pedro e Ana. Falavam pouco sobre quem eram e o que estavam fazendo ali. Pedro era discreto, calado. Ana reclamava de tudo. Áurea, simpática, fundou uma pequena escola no povoado de Boa Vista e dava aulas para crianças. Ari quebrava o galho como dentista.

Um dia, Ana afirmou a Pedro Onça e Chica que iria embora com o marido. Não concordava com as atividades dos *paulistas.* Sem dar detalhes, falou sobre as reuniões secretas de todos os domingos. Outras pessoas chegariam para participar de uma grande caçada. Pedro Onça achou a ideia absurda e riu.

"Eles vão caçar o quê, eles não sabem caçar nada!", pensou.

Aquela história toda não fazia sentido.

CAPÍTULO 8

Treinando no gelo para lutar na selva

Michéas e os 14 companheiros começaram os treinamentos no dia seguinte à chegada em Pequim. Dois chineses serviam de intérpretes. De manhã tinham aulas teóricas de política; à noite, instruções militares. O inverno castigou os brasileiros; eles rastejavam na lama congelada até três horas seguidas.

Divididos em grupos, simulavam combates, ensaiavam táticas e estratégias. Manuseavam fuzis e metralhadoras. Aprenderam a poupar munição. Antes de gastar cartuchos, o alvo deveria ser muito bem observado.

Os chineses ensinavam que as ações militares deveriam estar subordinadas à orientação política, nunca o contrário. Michéas imaginava a doutrina adaptada ao Brasil. Entendia que a ditadura deveria ser substituída por um governo popular. As Forças Armadas nunca entregariam o poder; logo, o único caminho a seguir era o da luta armada, avaliava.

O inverno rigoroso revelou cenas desconhecidas para a maioria dos brasileiros. O país ficou coberto por uma camada branca, as crianças divertiam-se escorregando na neve. Naquele mundo gelado e distante, os militantes do PCdoB buscavam aprender lições para tentar implantar com sucesso uma revolução no Brasil. O modelo era a guerra popular prolongada que nasceu no campo e transformou a China em Estado comunista.

Os brasileiros conheceram o interior. Visitaram fazendas, fábricas, grandes e pequenas cidades. Conversaram com camponeses e operários. Em todos os momentos eram acompanhados por funcionários do governo, responsáveis pela segurança e pelo monitoramento dos passos dos estrangeiros.

O curso deveria durar seis meses, mas passou de um ano. O partido temia pela segurança dos militantes no retorno. Na viagem de ida, em Paris, todos tiveram os passaportes fotografados quando passaram pelo aeroporto de Orly. Durante escala no Paquistão, foram abordados por policiais que julgaram ser da CIA, a Central de Inteligência dos Estados Unidos. Ficaram cerca de duas horas parados dentro da aeronave. Os agentes queriam prender Divino Ferreira de Souza, mas desistiram e liberaram o avião para Pequim.

Para sair da China, foram separados em grupos. Michéas passou pela Espanha, pela Suíça e, mais uma vez, pela França. De Paris, voou para a América Latina. Passou por Bogotá, na Colômbia, e chegou a La Paz, na Bolívia. Andou de ônibus e carro antes de atravessar a pé a fronteira do Brasil em Corumbá, no Mato Grosso (hoje Mato Grosso do Sul). Seguiu de ônibus para o Rio. Procurou o PCdoB. Reuniu-se com João Amazonas, Elza Monerat e Carlos Danielli, os três dirigentes nacionais do partido. Recebeu a tarefa de realizar o trabalho de massa no Maranhão.

Trabalho de massa era a expressão usada pelas organizações de esquerda para definir as tentativas de aproximação entre os militantes e a população. Em São Luís, Michéas encontrou-se mais uma vez com o amigo Divino. João Carlos Haas Sobrinho completou o grupo.

Por mais de um ano, andaram pelo interior do Maranhão. Viajavam em direção ao Pará. Ajudavam agricultores nas lavouras e alertavam contra o descaso do governo com a região. Contavam histórias sobre as grandes cidades, nas quais o povo tinha serviços de saúde e educação. Todos deveriam possuir os mesmos direitos. João Carlos curava doentes, fazia partos e ganhava afilhados.

O médico montou uma clínica em Porto Franco, cidade à beira do rio Tocantins, na divisa com Goiás, e morou mais de um ano ali. Ganhou respeito e carinho da população, mas teve de sair às pressas. O Exército realizou investidas na área contra outras organizações de esquerda. Simulou combates e desmantelou aparelhos clandestinos. O nome e a foto de João Carlos apareceram em um cartaz de ativistas procurados pelas forças repressivas. Eram chamados de "terroristas".

João Carlos mudou para o sudeste do Pará. Foi morar perto de Pedro Onça, na casa de Paulo, economista gaúcho dono de um pedaço de terra em um lugar conhecido como Cachimbeiro, de frente para o rio Araguaia.

O médico continuaria ali o trabalho de massa.

CAPÍTULO 9

Entre a guerrilha e o amor, Pedro fica com o amor

Tereza Cristina, codinome Ana, e Pedro Albuquerque Neto chegam à região de Cigana no início de 1971. Saíram de São Paulo sem saber para onde seriam levados. No primeiro dia na mata, informam-lhes que estão em um campo de treinamento de guerrilha. Precisam entregar todos os pertences, inclusive as alianças. Ana mostra-se inconformada assim que bota os pés na floresta.

"Eu não sabia que vinha para uma guerrilha, eu vou sair daqui", diz a Pedro, "aqui eu não fico".

Militante disciplinado, mas também marido apaixonado, Pedro se vê dividido entre a lealdade ao partido e a revolta da mulher. Ana não comparece às reuniões. Dispõe-se apenas a participar dos treinamentos militares e outras tarefas que exigem andar pela mata. Torna-se exímia conhecedora das trilhas próximas. Só pensa em fugir.

Na roça, ao olhar para Ana, Pedro via seu desespero. Irada, ela batia o facão no chão e repetia, para ela mesma, em voz baixa: "Não fico, não fico, não fico!". A insatisfação aumenta quando ela engravida. O partido sugere o aborto, ela não concorda.

No dia em que os dois ficam sozinhos no acampamento, Ana avisa que aproveitará para fugir. Quer dar à luz longe da floresta. Pergunta se Pedro a acompanhará ou se ficará com os guerrilheiros. Pedro opta pela mulher grávida.

Apanham as poucas coisas que têm, entre elas um rádio e o par de alianças. Viajam de ônibus para o Piauí. Muito magros e sujos, assustam um casal de amigos em Teresina. Recebem abrigo, depois seguem para o Ceará. Ana, ou Tereza, continua até a casa de parentes no Recife.

Pedro chega a Fortaleza em junho de 1971. Fica clandestino até fevereiro de 1972. Sem documentos, tem a ideia de se dirigir ao Departamento de Ordem Política e Social (DOPS), para retirar a carteira de identidade. Pretende voltar aos estudos na Universidade Federal do Ceará.

CAPÍTULO 10

A desesperada fuga de Regina

A chegada ao Araguaia em 1970 causou profundo impacto em Lúcia Regina de Souza Martins. Companheira de Lúcio Petit da Silva, o Beto, Regina ficou decepcionada quando viu as condições do lugar. A casa rústica, a vida coletiva e os ensinamentos de guerrilha chocaram a jovem, formada em Obstetrícia pela Universidade de São Paulo.

No primeiro dia, adotou o nome Regina, recebeu um revólver 32 e um facão. Levou um susto, mas ficou calada.

O relacionamento com Lúcio, engenheiro formado no interior de Minas Gerais, também piorou. O companheiro passava dias fora de casa para cumprir tarefas do partido e mostrava-se insensível às reclamações. No meio de tanta gente, havia pouco espaço para a vida amorosa do casal. As mudanças abalaram o amor da jovem paulista. Tinha conhecido Lúcio durante as férias em uma praia do litoral de São Paulo e se apaixonou pelo rapaz brilhante, dinâmico e apreciador de poesia.

No Araguaia, o engenheiro promissor transforma-se em um sisudo e dogmático militante do PCdoB. Regina pouco sabe do partido e mudou para o Araguaia com a intenção de realizar trabalho social ao lado do companheiro. Imaginava uma cidade pequena, com um mínimo de estrutura, mas agora se depara com a mata fechada e isolada do mundo.

Sem liberdade para falar com o marido sobre a decepção em relação ao trabalho no campo, arquiteta sozinha uma maneira de fugir. Logo ao chegar, em vez de entregar todo o dinheiro ao partido, esconde parte no oco de uma árvore. Dá para pagar uma passagem de avião de alguma cidade da região para São Paulo.

Regina espera meses e meses sem conseguir uma maneira de deixar o Araguaia. Mora na Faveira, perto do vilarejo Ponta de Pedra. Convive, entre outros militantes, com Tio Mário, Dona Maria, Zé Carlos, Alice, Landin, Joca, Luís, Sônia, Fátima e Zezinho, um armeiro. Tem algumas instruções de tiro, mas não se julga apta nem tem intenção de enfrentar inimigos com armas na mão.

Gosta de Tio Mário, sempre brincalhão, mas detesta o jeito intransigente e ríspido de Dona Maria. Aos poucos, fica amiga de Sônia, ex-estudante de Medicina no Rio de Janeiro. A formação de obstetra ajuda na assistência à população, mas as condições de trabalho e a necessidade de improvisação assustam Regina. Trata das pessoas baleadas, faz partos e aprende a arrancar dentes. As condições de vida na mata mexem com sua saúde.

Um dia sentiu uma coceira no nariz, espirrou e expeliu uma lombriga de dez centímetros. Ficou horrorizada. Ao mesmo tempo, sentia-se fraca em decorrência de anemia. Orientada por Sônia, tomou vários comprimidos em um só dia e intoxicou-se. A situação piorou quando teve sintomas de brucelose, doença contraída pela ingestão de leite de vaca.

Mesmo com a saúde abalada, Regina ficou grávida. Por determinação do partido, tinha de abortar. Coube à inexperiente Sônia fazer a curetagem. Desesperada, a ex-estudante de Medicina pedia perdão à amiga pela violência do ato.

Os procedimentos inadequados e o acúmulo de doenças deixaram Regina em estado crítico. A jovem paulista teve medo de morrer no meio da mata. Queria sair da região, mas a Comissão Militar não permitia.

Uma conversa entre Sônia, Mário e Dona Maria mudou o destino da doente. Os três discutiam em voz baixa, mas houve um momento em que a ex-estudante de Medicina subiu o tom para protestar:

"Se a Regina não sair daqui, eu não me responsabilizo pela vida de nossa companheira", afirmou Sônia.

Mário rendeu-se aos argumentos, mesmo insatisfeito: "Se não tem outro jeito, vamos retirá-la".

Deitada e sem conseguir levantar de tanta fraqueza, Regina demorou a acreditar que, finalmente, deixaria o Araguaia.

A viagem começou com Regina no lombo de um burrinho apelidado de PT, abreviatura de Pica Torta. O animal tinha dois ferimentos no lombo — conhecidos como pisaduras — provocados pelo uso incorreto e excessivo de arreios. Lúcio, Dona Maria e Mário acompanharam a pé.

O fedor de carniça exalado pelo machucado do burrinho chegava forte às narinas de Regina. A obstetra tinha pena do animal.

"Ê, burrinho, não sei qual de nós dois está pior", pensava.

Quando chegaram à Transamazônica, Mário, Dona Maria e Regina pegaram um ônibus. Lúcio tomou o caminho de volta para a Faveira. À medida que o veículo avançava, a jovem via o companheiro diminuir de tamanho na estrada, até transformar-se em um ponto e desaparecer. Teve o pressentimento de que nunca mais veria o engenheiro brilhante.

Dona Maria viajou com Regina até Anápolis, interior de Goiás. No hospital, o médico ficou impressionado com o estado da paciente. Internou-a na mesma hora.

A velha comunista pretendia voltar com Regina para o Araguaia. Sem alternativa, avisou que tinha coisas para fazer e saiu.

Enfim, chegara a hora tão sonhada por Regina. Pela primeira vez, desde a viagem para o Araguaia, ficava sozinha e em condições de fugir. Esperou alguns minutos, andou até o consultório do médico e avisou que deixaria o hospital. O homem protestou, mas aceitou quando ela argumentou que viajaria para a casa dos pais.

Regina pagou a conta com o dinheiro que havia guardado no oco da árvore, andou até a rodoviária e tomou um ônibus para São Paulo. No dia 19 de dezembro, chegou à casa dos pais. Dona Maria retornou ao sudeste do Pará.

CAPÍTULO 11

Cid e Dona Maria correm o risco e viajam para São Paulo

Cid e Dona Maria deixaram o Araguaia no final de fevereiro de 1972 para compromissos em São Paulo. O discreto casal de velhos chamava pouca atenção nas viagens de ônibus pelo interior do País. Mas a atuação implacável dos organismos de repressão da ditadura tornava aqueles deslocamentos cada vez mais perigosos.

Os dois, na verdade, se chamavam João Amazonas e Elza Monerat. Viviam clandestinos desde o golpe de 1964.

João Amazonas de Souza Pedroso, secretário-geral do PCdoB, integrava o Birô Político montado para comandar a implantação da guerrilha. Morava na região da Faveira, às margens do Araguaia, e se revezava com Maurício Grabois e Ângelo Arroyo nos contatos feitos com os representantes da cúpula do partido das cidades.

Nos primeiros meses de 1972, a Comissão Militar da guerrilha reforçou cuidados com a segurança. Lúcia Regina de Souza Martins, mulher de Lúcio Petit da Silva, o Beto, tinha fugido fazia pouco tempo do hospital de Anápolis. Se fosse presa ou contasse aos parentes onde tinha vivido com o marido nos últimos 18 meses, colocaria em risco os preparativos de luta armada no sul do Pará. Os temores vinham aumentando desde a fuga de Pedro e Tereza em junho de 1971. O desaparecimento de Regina tornou a situação mais grave.

O secretário-geral viajava para participar de duas comemorações políticas. O PCdoB completava, naquele mês de fevereiro de 1972, dez anos da reorganização decorrente do racha do velho PCB, o Partido Comunista do Brasil, fundado em 1922. E, em março de 1972, os comunistas celebrariam os 50 anos da criação do Partido — origem das duas siglas remanescentes da divisão de 1962. A diferença fundamental entre os dois partidos estava na estratégia para, mesmo diante de uma ditadura militar, chegar ao poder, objetivo de todo partido político: o PCB optou pela "via pacífica"; o PCdoB, como vimos nos capítulos 5 e 6, optou pela luta armada.

Em São Paulo, Amazonas presidiria reuniões da Comissão Executiva e do Comitê Central destinadas a comemorar as duas datas. Apresentaria o documento *Cinquenta Anos de Luta*, relato histórico — elaborado no Araguaia — sobre meio século de experiência de um partido comunista no Brasil.

Elza de Lima Monerat, aos 59 anos, desfrutava de total confiança da direção do PCdoB. Militante desde os anos 1940, tinha a tarefa de acompanhar o principal dirigente do partido até São Paulo. Tentaria retomar contato com Regina. Saíram do Araguaia com a determinação de retornar no dia 14 de abril.

PARTE II

A PERSEGUIÇÃO

De março a setembro de 1972

Ministério da Justiça
DEPARTAMENTO DE POLÍCIA FEDERAL
DELEGACIA REGIONAL — CEARÁ

CONFIDENCIAL

000236 000174 0001

Fortaleza, em 17 / 03 / 72

MJ-DPF
CENTRO DE INFORMAÇÕES
002633 21 MAR 72
REGISTRO

Assunto: PC do B
Origem: SI/DR/CE
Difusão: CI/DPF - SNI/AFZ - CODI/10ªRM -SSP/CE - PM/CE -BASAER/SBFZ - EAM/CE
Doc. Origem:
Referência:
Anexo: FOTOGRAFIA.

INFORMAÇÃO Nº 166/SI/DR/CE/72

\- Foi preso por esta Delegacia Regional PEDRO ALBUQUERQUE NETO, filho de Mário Albuquerque e de Maria de Lourdes Miranda Albuquerque, nascido em 19 de junho de 1 944, casado, residente na Rua 251, conjunto Prefeito José Válter em Mondubim, por integrar a organização terrorista PC do B, estando foragido desta Capital há cerca de 2 anos.

Quando estudante, teve atividade atuante nos anos de 1966 a 1969, ocasião em que contava com a colaboração do movimento político-estudantil de tendência esquerdista de João de Paula Monteiro Ferreira, João Galba, Maria Ruth Barreto Cavalcante, Paulo Lincoln, Francisco Zamenhof, Raimundo Machado, Mário de Albuquerque, Nancy Mangabeira Urge, José Arlindo Soares José Genoino Neto, Bergson Gurjão Farias, Oséias Duarte de Oliveira e // Francisco Inácio de Almeida.

Participou do congresso ilegal da extinta UNE, realizado em Ibiúna, Estado de São Paulo, onde foi preso. De retorno a Fortaleza, trancou a / matrícula na Faculdade de Direito, indo para Recife, onde contactou com' Bezerra, passando a trabalhar entre os camponeses na área do canavial, de julho a dezembro de 1 969.

Para sua cobertura legal, empregou-se no escritório do advogado Antonio Barreto, cujo endereço disse ignorar. Em 1970, retornou a Fortaleza, tendo contactado com André, indivíduo careca, forte, 45 anos de idade, // branco, usa óculos escuros, integrante do comitê regional do PC do B e o distribuidor do jornal oficial da organização "A Classe Operária" neste / Estado.

CONFIDENCIAL

CAPÍTULO 12

Na tortura, Pedro dá pistas; e o espião entra na mata

Pedro Albuquerque Neto foi o primeiro guerrilheiro do Araguaia preso. Apanharam-no no DOPS quando tentava tirar a segunda via da carteira de identidade. Queria retomar os estudos depois de dois anos afastado da Faculdade de Direito.

Perseguido, entrara para a clandestinidade antes de viajar para o sul do Pará. Ao retornar, trabalhava na informalidade. Sobrevivia escondido em aparelhos do partido em Fortaleza, Recife e João Pessoa. Tinha participado apaixonadamente do movimento estudantil. Estava entre os mais de mil presos em Ibiúna, interior de São Paulo, no congresso da União Nacional dos Estudantes (UNE). Filho de comunistas, tinha dez anos de militância.

Na Polícia Federal, foi torturado e humilhado. Resistiu, mentiu e trocou nomes de pessoas e regiões. Xambioá, ele chamou de Xangri-Lá. Disse que tinha contato no PCdoB com André, que nunca existiu. Falou do suposto dirigente Mário Alves, militante histórico, morto pela repressão um ano antes. O verdadeiro Mário Alves nunca pertenceu ao PCdoB. Saiu do Partido Comunista Brasileiro para fundar, em 1968, o Partido Comunista Brasileiro Revolucionário — PCBR.

O prisioneiro negou pertencer ao PCdoB, mesmo desmentido durante acareação com José Sales Oliveira, outro militante preso. Sales aceitou colaborar com a polícia e testemunhou contra Pedro. O resultado foi mais tortura. Em duas semanas de sofrimento, Pedro deu pistas sobre suas atividades clandestinas. Um relatório descreve como o militante foi mandado pelo partido para São Paulo, junto com a esposa. Viajaram e se encontraram com um militante de codinome Lauro, branco, mais ou menos 45 anos, que o encaminhou para "Mário Alves". Em São Paulo, o casal recebeu a tarefa de viajar para Belém, onde teria outro contato.

Pelo depoimento de Pedro arquivado no CIE, o casal foi recebido em Belém por Paulo, cor clara, cabelos pretos, 33 anos, aproximadamente 1,70 m. Paulo conduziu os dois até Cigana, lugarejo no município de Conceição, sul do Pará. No local havia outros 15 militantes, divididos em cinco células (célula é o nome dado por alguns partidos às unidades mínimas na base da organização). O grupo constituía um destacamento formado para implantar um movimento de guerrilha no Bico do Papagaio.

No dia 17 de março de 1972, a Delegacia da PF de Fortaleza envia relato dos depoimentos de Pedro Albuquerque para órgãos de repressão. O CIE arquiva as duas páginas e meia do documento a partir do número 000236 00174 0001, todas com carimbo de *Confidencial.* Na conclusão o relatório informa que, na noite de 16 de março, Pedro tentou suicídio. Foi levado para um hospital. No pé da última folha, um aviso: "O destinatário é responsável pela manutenção do sigilo deste documento".

O CIE de Brasília retransmitiu no dia 21 de março de 1972 para a 8ª Região Militar (RM), de Belém, resumo do relatório recebido de Fortaleza. O telex nº 812-S-106-AF diz o seguinte:

> *Foi detido nesta delegacia Pedro Albuquerque Filho, militante do PCdoB, foragido desta área há cerca de dois anos. Pedro declarou ter estado com sua esposa no lugarejo Cigana, município de Conceição, no Pará, onde há campo de preparação de guerrilha rural dirigido pelos indivíduos Paulo e Vítor, ambos de São Paulo. Pedro e a mulher Tereza Cristina permaneceram no referido lugarejo por seis meses, junto com 15 indivíduos, sob treinamento. O casal abandonou o local no último mês de junho, quando guardava o aparelho enquanto os outros indivíduos faziam exercícios na mata. Pedro informou que as cidades de São Geraldo e Xangrilá são as mais próximas do campo de preparação de guerrilheiros. Esclareceu que para a fuga o casal apropriou-se de 30 mil cruzeiros da organização terrorista. Na noite do dia 17 de março, após prestar esses esclarecimentos, Pedro tentou suicidar-se seccionando as veias dos braços. Encontra-se agora em pronto-socorro de hospital.*

O texto telegráfico foi assinado pelo tenente-coronel Braga, do CIE/ADF, e pelo coronel Coelho Neto, subchefe do CIE.

O general de brigada Darcy Jardim de Mattos, comandante da 8ª RM, ordenou à seção de informação de Belém a elaboração de um plano secreto para investigar as pistas arrancadas de Pedro Albuquerque. Montou uma equipe de sete investigadores. Três da 5ª Companhia de Guardas do Exército, dentre eles um oficial comandante do grupo. A Marinha e a Aeronáutica forneceram os outros quatro agentes, dois de cada força.

A missão recebeu o nome de Operação Peixe I, em homenagem à Marinha e por um jogo de palavras. Imaginaram uma rede de pesca para capturar subversivos por meio de uma teia de informações.

* * *

Na casa dos pais, em São Paulo, depois de fugir do hospital de Anápolis, Lúcia Regina recuperava-se das doenças. Padecia com as consequências do aborto malfeito. Continuava com o feto na barriga, pois a inexperiente Sônia falhou na tentativa de fazer a curetagem.

As imagens do Araguaia não saíam de sua cabeça: a dureza da vida rural, a determinação do PCdoB de iniciar uma guerrilha, a desilusão com o marido, os problemas de saúde e a fuga no lombo do burrinho.

A obstetra paulista responsabilizava Lúcio por todo o sofrimento passado no Araguaia. Saiu de São Paulo para acompanhá-lo, mas pensava tratar-se de lugar menos selvagem. Esperava uma cidade pequena, na qual pudesse trabalhar com pessoas pobres. Não imaginava morar no meio do mato, nem tinha disposição para pegar em armas contra o governo federal.

Considerava Lúcio um homem honesto, puro, vibrante e idealista. Muito inteligente, o mais velho dos irmãos Petit gostava de ler e escrever poesias. Regina se lembrava de um verso:

Se caio preso, quem me trará você através das grades?

No Araguaia, porém, Lúcio dedicava-se apenas ao partido. A causa revolucionária se sobrepunha a todas as outras. Ficava, mesmo, acima da própria vida.

Depois da fuga de Anápolis, Lúcia Regina tinha medo de ser punida pelo PCdoB ou presa pela polícia. Acreditava que não sobreviveria. Um telefonema de Elza Monerat em um dos primeiros meses de 1972 aumentou os receios. Marcaram encontro e caminharam por uma rua.

"Você precisa voltar para o Araguaia", comunicou a velha comunista, em tom formal.

"Eu não vou", respondeu Lúcia Regina.

"Não é uma coisa que você decide. É o partido. Vou levar sua posição e a gente entra em contato", reagiu a comunista.

Um novo telefonema orientou Regina a procurar um enviado do PCdoB em frente a uma padaria, na Vila Mariana, bairro da capital paulista. O contato não apareceu. Depois de três tentativas, a fugitiva do Araguaia desistiu. Algum imprevisto acontecera ou, então, a pessoa enviada caíra nas mãos da polícia.

Com o feto na barriga e desiludida, Lúcia Regina tinha poucas esperanças de voltar a viver uma vida normal. Contava com o apoio do pai, funcionário do Banco do Brasil decidido a devolver a felicidade da filha.

* * *

Nilton chegou ao Araguaia na mesma época em que o general Darcy Jardim de Mattos montava a operação de combate aos militantes do PCdoB. Foi enviado em segredo pelo CIE, junto com os outros quatro homens da Veraneio para adiantar as investigações.

Na calma de Xambioá, o agente nunca cansava de admirar aquele rio de estranha beleza. Pensou na infância pobre vivida em uma pequena cidade do sertão brasileiro. Entrou no Exército para garantir a segurança financeira, gostou da vida nos quartéis e passou a devotar às Forças Armadas o mais profundo respeito.

Chamado para trabalhar na área de informações, aceitou com entusiasmo. Tinha fascínio pelo mundo dos romances policiais. Uma série, em especial, agradava o militar: *Gisele — A Espiã Nua que Abalou Paris*, de David Nasser, publicada no *Diário da Noite*. Explorava o charme e a sensualidade do mundo dos agentes secretos. Nilton chegou ao Araguaia na expectativa de viver uma aventura digna dos detetives de ficção.

As primeiras impressões logo acabaram com a visão romântica das publicações. A realidade do vilarejo de garimpeiros, com choças rudimentares, ruas esburacadas e gente sofrida, tirava o encanto da missão. Na erma corrutela não havia hotéis de luxo nem mulheres glamourosas. Havia somente um povo simples, pobre e alheio aos problemas externos.

O Brasil reproduzia em cenário regional o conflito mundial entre comunistas e capitalistas. Sofríamos as consequências da Guerra Fria, o confronto dos dois grandes blocos liderados por União Soviética e Estados Unidos, formados no fim da Segunda Guerra, depois de 1946. As superpotências disputavam, país por país, o controle político, econômico e militar nos quatro cantos da Terra.

As Forças Armadas brasileiras investiam pesadamente contra o avanço do *perigo vermelho*. O combate aos comunistas transformou-se em base da doutrina de segurança nacional formulada pela Escola Superior de Guerra (ESG), instituição responsável pela elaboração teórica do regime militar. Nilton estava no Araguaia para executar a orientação definida nos escalões superiores.

Decidiu passar a noite em Xambioá. Precisava atravessar o rio, mas antes precisava descansar. Não havia pensões com um mínimo de conforto em São Geraldo. No dia seguinte, entraria na mata para observar a movimentação dos comunistas.

CONFIDENCIAL

DEPARTAMENTO DE POLICIA FEDERAL
DELEGACIA REGIONAL/CE.

cont. Info. nº 166/72 Fl.3

000236 000174 0003

-de ser preso, evitou qualquer contacto ou vínculo empregatício, passando a trabalhar, por conta própria, em corretagem de seguros.

No corrente ano, pretendeu voltar à Faculdade de Direito, precisando de documentos para efetivar aquela medida, isto é, a reabertura de matrícula, ocasião em que foi preso por elementos da Delegacia de Ordem Política e Social e conduzido a este Delegacia Regional.

Neste Órgão, o referido indivíduo, quando da tomada de declarações em cartório e mesmo quando acareado com José Sales de Oliveira, que o apontou como um dos integrantes do PC do B neste Estado, negou sua vinculação ao referido partido, só esclarecendo o que acima está exposto em entrevista extra-autos, devidamente gravada.

Na noite de ontem, após a entrevista, alegando estar com fortes cólicas intestinais, por volta das 23 horas, solicitou ao plantonista para ir ao banheiro, onde, trancando-se pela parte interna, seccionou as veias de ambos os braços, sofrendo forte hemorragia e face a demora em sair do sanitário, a porta foi arrombada pelo policial e tomadas as providências para a remoção de Pedro Albuquerque Neto para o pronto socorro, onde recebeu socorros médicos.

CONFIDENCIAL

CAPÍTULO 13

A missão de Nélio, antiguerrilheiro convicto

O tenente Nélio da Mata Rezende pertencia à 5ª Companhia de Guardas de Belém, unidade de elite da 8ª RM com atribuições de Polícia do Exército.

Em março de 1972, Nélio recebe do major Floriano Barbosa de Amorim Filho a missão de comandar o grupo de agentes escalados para a Operação Peixe I, na região de Marabá. Trabalharão à paisana e se apresentarão como fazendeiros à procura de terras para comprar. Na verdade, seguirão pistas fornecidas por Pedro Albuquerque.

Em 1969, Nélio cursava o segundo ano de Geologia na Universidade Federal do Pará. Convocado para servir no Núcleo de Preparação de Oficiais da Reserva (NPOR), fez 45 dias de instrução no 2º Batalhão de Infantaria de Selva (BIS). Em agosto de 1970, entrou para a 5ª Companhia de Guardas. Terceiro filho do sargento do Exército, Dultevir Lázaro dos Anjos da Mata Rezende, Nélio e os cinco irmãos estudaram em bons colégios de Manaus e Belém. A mãe, Elvira, nasceu em berço de ouro. Pertencia a uma família bem-sucedida no ramo da borracha e estudou no Colégio Americano Batista, escola tradicional do Recife.

Casada, conservou os hábitos refinados. Empenhou-se na formação dos filhos. Dultevir morreu em 1969, e o major Amorim tornou-se a maior referência de vida para o tenente Nélio. Com espírito educador, passava exemplos de cultura, solidariedade e ponderação para os comandados.

Naquele dia de março de 1972, o tenente Nélio sente-se honrado com a chance de comandar uma equipe, em missão especial, no interior do estado. Notícias sobre ações violentas executadas por guerrilheiros urbanos circulam nos quartéis. Desde meados do ano anterior, a comunidade de informações falava sobre o deslocamento de subversivos para o Bico do Papagaio. A influência exercida pelo pai militar reforça a disposição de arriscar-se para impedir o avanço do movimento comunista. Ele discorda da tomada violenta do poder.

Naquele instante Nélio era um antiguerrilheiro convicto.

OPERAÇÃO "PEIXE I"

DIRETRIZ DO COMANDANTE DA 8ª R M

Face ao Informe recebido (TELEX nº 812-S-106/AP de 21 Mar).

1 . Estudos preliminares sôbre:

- pesquisa e levantamento de área indicada, c/precisão;
- Análise mais detalhada do informe e da área, em conjunto com o M2/IV DN e A2/1ªZAé, para um posterior planejamento de conduta;

2 . Manter, a todo custo, o máximo sigilo de pesquisa e, se for o caso, de operação.

3 . O planejamento ficará a cargo da 2ª Seção do EMR/8.

4 . Para a pesquisa, "in loco", todo o pessoal deverá ser empregado em trajes civis e típicos da região;

5 . Em principio, deverá ser empregado uma turma de Busca de Informe, constituida de 5 elementos de cada Força Armada.

a) GEN BDA DARCY JARDIM DE MATTOS
COMANDANTE DA 8ª REGIÃO MILITAR

CONFERE;

RAUL AUGUSTO BORGES - TEN CEL
CHEFE DA 2ª SEC E M R/8

SECRETO

CAPÍTULO 14

Operação Peixe I: Nélio se arrependerá do que disse

MISSÃO

— Realizar operações de informações na Região 40 km SE de Marabá, no lugarejo denominado CIGANA, a fim de localizar e identificar terroristas homiziados num campo de preparação de guerrilha rural.

O planejamento da Operação Peixe I foi assinado pelo tenente-coronel Raul Augusto Borges, chefe da Segunda Seção da 8ª RM, a mando do general Darcy Jardim de Mattos. A primeira das três páginas e meia do documento recebeu o número 000236 000174 0014; e as outras em sequência.

A operação teria duas fases. Na primeira, os investigadores sairiam para confirmar a presença de guerrilheiros no sul do Pará. Na segunda, seria feito "o isolamento, cerco e redução do inimigo". Essa etapa estava sujeita a novas orientações. O documento observa que os inimigos mostram-se ativos. Exploram as condições precárias de vida do povo e as divergências entre empresas e colonos. Os agentes secretos de Belém ficam autorizados a efetuar prisões. Em caso de captura pelo inimigo, devem desfazer-se do armamento.

O general Darcy baixa diretriz. Exige sigilo absoluto. Os agentes devem usar trajes civis para se confundir com a população. No protocolo do CIE, o documento recebe o número 000236 000174 0013.

Pelo planejamento, os sete homens viajariam juntos de avião até Marabá. Tinham seis dias para cumprir a missão, a partir de 27 de março. O chefe da operação, um tenente, ficaria na cidade. Os outros seguiriam em busca do lugarejo Cigana, parte por terra, parte pelos rios Tocantins, Araguaia e afluentes. Levariam três metralhadoras leves e cada agente teria um revólver.

No dia 27 saem de Marabá e chegam a São João do Araguaia, no encontro dos rios Araguaia e Tocantins. Um relato sobre os dois primeiros dias, arquivado com o título *Sumário dos Informes Colhidos*, mostra que os agentes começaram a obter ali mesmo informações sobre guerrilheiros na região. Sem assinatura, o documento de duas páginas tem carimbo de *secreto* e protocolo número 000236 000174 0019/20 no CIE.

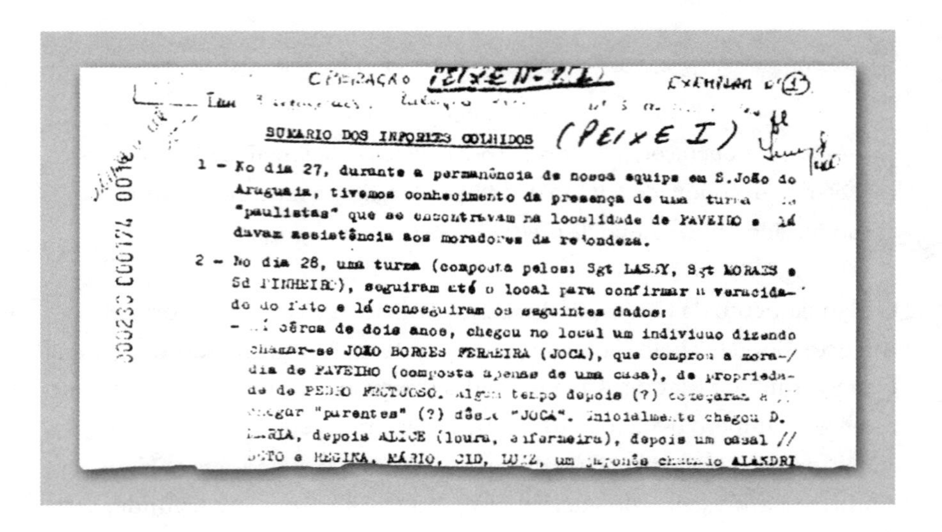

SUMARIO DOS INFORMES COLHIDOS (PEIXE I)

1 - No dia 27, durante a permanência de nossa equipe em S.João do Araguaia, tivemos conhecimento da presença de uma turma [illegible] "paulistas" que se encontravam na localidade de FAVEIRO e lá davam assistência aos moradores da redondeza.

2 - No dia 28, uma turma (composta pelos: Sgt LASSY, Sgt MORAES e Sd PINHEIRO), seguiram até o local para confirmar a veracidade do fato e lá conseguiram os seguintes dados:
- [illegible] cêrca de dois anos, chegou no local um indivíduo dizendo chamar-se JOÃO BORGES FERREIRA (JOCA), que comprou a morada de FAVEIRO (composta apenas de uma casa), de propriedade de PEDRO FRUTUOSO. Algum tempo depois (?) começaram a chegar "parentes" (?) dêsse "JOCA". Inicialmente chegou D. MARIA, depois ALICE (loura, enfermeira), depois um casal // BETO e REGINA, MÁRIO, CID, LUIZ, um japonês chamado ALANDRI

Em São João do Araguaia, os militares fazem perguntas e têm as primeiras informações sobre uma "turma de *paulistas*" que vivia na Faveira, perto dali. Sabem que o grupo presta assistência social aos moradores. Dois sargentos, Lassy e Moraes, e o soldado Pinheiro seguem para o local. Descobrem que João Borges Ferreira, tratado por Joca, comprou a casa e as terras de Pedro Frutuoso. O novo proprietário começou a receber pessoas apresentadas aos moradores como parentes.

A primeira a chegar, contam os moradores, foi Dona Maria, senhora de idade. Em seguida, a enfermeira Alice, loura. Depois, um casal, Beto e Regina; e mais três sujeitos, Mário, Cid e Luiz. O documento registra a presença de um "japonês" chamado Alandrine, acompanhado de um irmão, Zezinho. Por último, apareceu José Carlos, homem alto, moreno, de bigode e suíças. José Carlos andava curvado e chegou doente.

Os agentes de Belém suspeitam de que se trate de um militante da ALN com experiência em atuação política em uma área ao norte, à beira do rio, muito próxima aos campos de treinamento montados pelo PCdoB no

Araguaia. Nome desse suspeito: João Alberto Capiberibe, que três décadas mais tarde se tornaria senador da República.

Os moradores contam que Joca e os companheiros deixaram o lugar quando a Transamazônica começou a ser construída. O grupo cruzou a estrada e se estabeleceu no interior da mata. O sítio da Faveira ficou com Eduardo Rodrigues Brito, responsável por tomar conta da taberna ali instalada.

Todo fim de mês, contam os moradores, Joca passa na Faveira para tratar de assuntos do sítio com Eduardo ou receber mais "parentes". Quando vai embora, pega o rumo da mata em uma picada. Pernoita no cruzamento com a Transamazônica, na altura do quilômetro 72, a partir de Marabá, e se instala na casa de Raimundo Preto, capataz da fazenda Azibino e mecânico da empresa Mendes Júnior. A partir dali o destino de Joca é ignorado. Entra na floresta na direção oeste, sem deixar mais pistas.

Os moradores dizem que Alice, a enfermeira, ficou doente de aftosa e foi levada para Goiás ou Mato Grosso por Dona Maria, descrita como solteirona de aproximadamente 35 anos. Dona Maria, na verdade, é o codinome de Elza de Lima Monerat, veterana militante comunista. No início da guerrilha, tinha 59 anos.

Em uma das passagens pelo sítio da Faveira, Joca contou que, em junho de 1971, um casal de amigos saiu da região por não se adaptar à vida na mata. Falava de Pedro Albuquerque e Tereza Cristina, fugitivos do Destacamento C. Os investigadores de Belém também ficam sabendo que Eduardo tem uma filha chamada Irene, de mais ou menos 20 anos. Estuda no colégio de Marabá e mora no Hotel São Félix. Os agentes ressaltariam no documento que Irene não se parecia com Eduardo nem demonstrava ter condições financeiras de se manter hospedada em hotel. Supuseram que ela fosse o contato dos guerrilheiros na cidade.

Os militares veem indícios de equipamentos de comunicação. É o local no qual Joca e os companheiros instalaram uma antena de rádio. Como nada mais há ali, os militares não podem identificar o tipo de aparelhagem usada. Relatariam o aparecimento de um elemento suspeito na Faveira. Apresenta-se como Joaquim Januário Rocha e faz várias perguntas aos investigadores. Ele mora alguns metros rio abaixo.

Inicialmente os militares ouvem que os *paulistas* andam armados com revólver. Alice tem uma pistola. Depois, os agentes souberam que os guerrilheiros possuíam metralhadora Ina, calibre 45, mais três armas com luneta e alimentação de baixo para cima, e diversos equipamentos de caça calibre 20 e 16 mm.

Tinham fama de excelentes atiradores, especialmente Joca e Alice. Na Faveira, mantinham a porta de um quarto sempre fechada. Os investigadores avaliaram que se tratava de um depósito de armamentos.

O sumário da Operação Peixe I revelou que nos quatro primeiros dias os militares erraram a localização de Cigana. Os comandantes determinaram a realização de investigações em um lugar com esse nome a 40 quilômetros de Marabá. Os agentes nada encontraram no local.

Souberam de outro lugarejo Cigana, às margens do Sororó. Acreditavam que essa pista fosse boa, pois ficava perto de Xambioá, cidade de Goiás com nome semelhante a Xangri-Lá, referência dada por Pedro Albuquerque.

A equipe de investigadores retornou a Belém dia 31 de março pela manhã. A segunda fase foi suspensa, pois a operação teria de ser reavaliada. O confronto com o PCdoB exigia reforço do efetivo. Os guerrilheiros estavam mais preparados para o confronto na mata do que os militares.

* * *

O nome de Nélio não aparece no relatório da Operação Peixe I. Depois de comandar as primeiras investigações no Araguaia, o tenente apresenta-se ao general Darcy Jardim. O coronel Borges, oficial de informações, participa da conversa. O general Darcy quer saber sobre as chances de sucesso de nova ação, em curto prazo, contra os guerrilheiros. Nesse momento, o Exército desconhece o terreno e não sabe a quantidade nem a localização exata e sequer a estrutura do inimigo. Mesmo assim, o tenente Nélio defende diante do superior a realização imediata de uma missão de combate. A Operação Peixe II começava a ser montada.

Um dia Nélio lamentaria, com toda intensidade, as palavras proferidas ao general.

CAPÍTULO 15

Na mata, dois ex-deputados comandam a guerrilha

Os militares não sabiam, mas no primeiro dia de investigação obtiveram preciosas informações sobre a presença de integrantes da cúpula do PCdoB na área da guerrilha. Misturados a outros militantes, Cid e Mário eram, na verdade, João Amazonas de Souza Pedroso e Maurício Grabois, ex-deputados federais, integrantes do Comitê Central do partido.

Amazonas ocupava a secretaria-geral do PCdoB desde o racha com o PCB, em 1962. No Araguaia, Grabois comandava a Comissão Militar. O filho, André Grabois, também estava na área. Usava o codinome Zé Carlos. Pela descrição, foi confundido com João Alberto Capiberibe.

Grabois e Amazonas foram morar no sudeste do Pará no final dos anos 1960. O envolvimento direto dos dois demonstrava a importância dada pelo partido à organização do movimento armado. Dona Maria, ou Elza Monerat, fazia a ligação entre a guerrilha e as cidades. Muitas vezes acompanhou militantes a caminho do Araguaia. Participou de entrevistas feitas por João Amazonas com os escolhidos para a luta no campo.

Sem noção da importância das informações, os militares ignoraram os nomes de Cid, Mário e Dona Maria na etapa seguinte das investigações. Alice, Beto, Regina e Luiz eram guerrilheiros e também foram desprezados. Os agentes saíram em busca de Eduardo, Irene, Raimundo Preto e Januário, os quatro moradores da região não ligados diretamente ao movimento.

De todos os *paulistas*, apenas Joca, ex-comandante do Destacamento A, despertou o interesse dos agentes de Belém.

CAPÍTULO 16

Operação Peixe II: perguntaram demais, perderam o sigilo

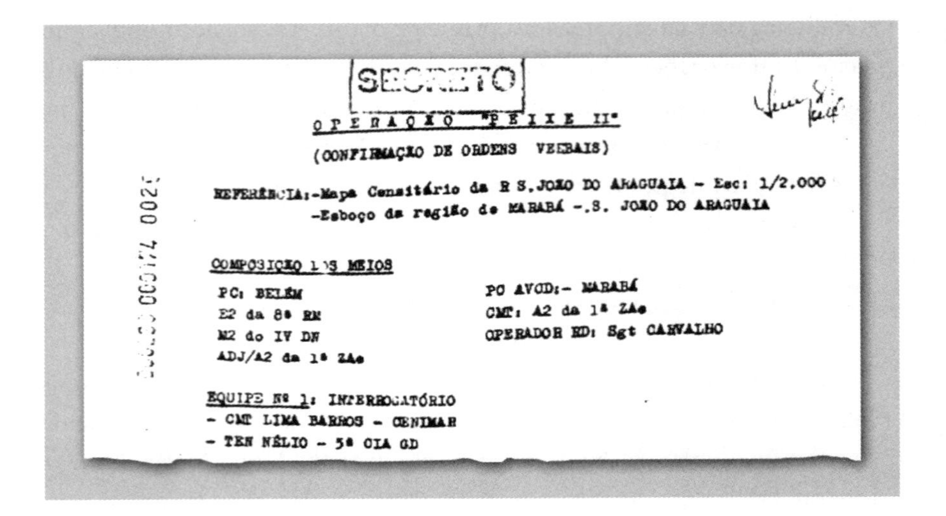
SECRETO

OPERAÇÃO "PEIXE II"

(CONFIRMAÇÃO DE ORDENS VERBAIS)

REFERÊNCIA:-Mapa Censitário da R S.JOÃO DO ARAGUAIA - Esc: 1/2.000
-Esboço da região de MARABÁ -.S. JOÃO DO ARAGUAIA

COMPOSIÇÃO DOS MEIOS

PC: BELÉM
E2 da 8ª RM
M2 do IV DN
ADJ/A2 da 1ª ZAe

PC AVCD:- MARABÁ
CMT: A2 da 1ª ZAe
OPERADOR RD: Sgt CARVALHO

EQUIPE Nº 1: INTERROGATÓRIO
- CMT LIMA BARROS - CENIMAR
- TEN NÉLIO - 5ª CIA GD

MISSÃO

— Realizar operação de informações, de maior amplitude, a fim de aprisionar quatro elementos-chave para o levantamento das atividades dos *paulistas* na área: Eduardo Brito, "Irene", Raimundo Preto e "Joca".

— Ficar em condições de, em seguida às prisões dos quatro elementos, realizar uma operação de maior envergadura, de cerco ao provável campo de treinamento, para capturar os elementos nele existentes.

O general Darcy Jardim e o tenente-coronel Raul Augusto Borges montaram a Operação Peixe II ainda sem ter certeza sobre as atividades desenvolvidas pelos *paulistas* na área. No documento *Confirmação de Ordens Verbais,* os dois militares expõem as hipóteses de que sejam subversivos, contrabandistas ou *hippies.*

Os 14 agentes da Operação Peixe II foram divididos em três grupos. A equipe nº 1, baseada em Marabá, faria os interrogatórios. Tinha autonomia para manter suspeitos presos. Participaram o capitão de fragata Lima

Barros, do Centro de Informações da Marinha, e o tenente Nélio. O sargento Rui, do 4° Distrito Naval, e o sargento Santa Cruz, do 2° BIS, de Belém, faziam ligação com os outros grupos.

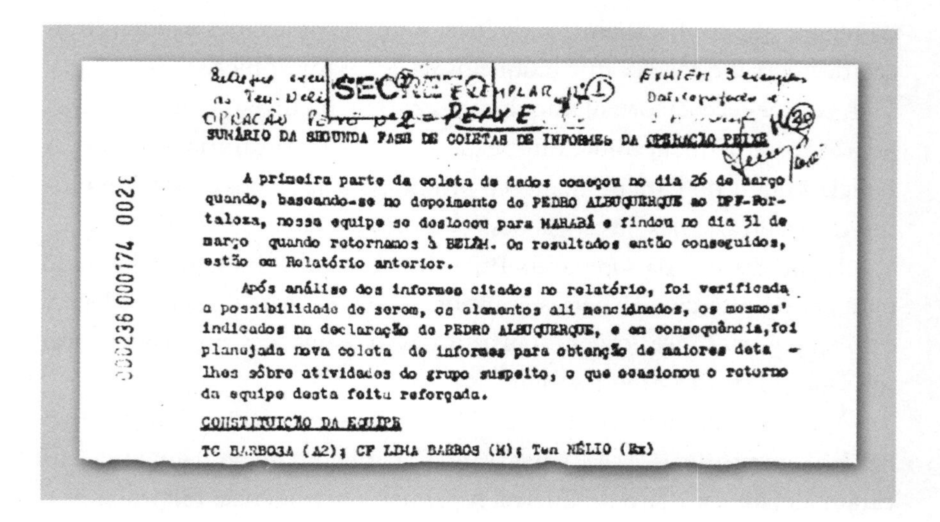

SECRETO

EXEMPLAR Nº 1

OPERAÇÃO PEIXE

SUMÁRIO DA SEGUNDA FASE DE COLETAS DE INFORMES DA OPERAÇÃO PEIXE

A primeira parte da coleta de dados começou no dia 26 de março quando, baseando-se no depoimento de PEDRO ALBUQUERQUE ao DPF-Fortaleza, nossa equipe se deslocou para MARABÁ e findou no dia 31 de março quando retornamos à BELÉM. Os resultados então conseguidos, estão em Relatório anterior.

Após análise dos informes citados no relatório, foi verificada a possibilidade de serem, os elementos ali mencionados, os mesmos' indicados na declaração de PEDRO ALBUQUERQUE, e em consequência, foi planejada nova coleta de informes para obtenção de maiores detalhes sôbre atividades do grupo suspeito, o que ocasionou o retorno da equipe desta feita reforçada.

CONSTITUIÇÃO DA EQUIPE

TC BARBOSA (A2); CF LIMA BARROS (M); Ten NÉLIO (Ex)

000236 000174 0028

Segundo o *Sumário da Segunda Fase de Coletas de Informes da Operação Peixe*, assinado pelo tenente Nélio, o tenente-coronel Barbosa incorporou-se à equipe 1 na execução da Operação Peixe II. São três páginas, protocoladas no CIE a partir do número 000236 000174 0028.

O posto avançado em Marabá teria estação de rádio para se comunicar com a 8ª RM e com a 1ª Zona Aérea. O sargento Carvalho, responsável pela base de rádio na Serra das Andorinhas, operava o equipamento.

De acordo com a *Confirmação de Ordens Verbais*, a equipe nº 2 recebeu a missão de atacar a Faveira para tentar prender Januário, Eduardo, Irene e Raimundo Preto. Se alguém mais aparecesse, e fosse considerado suspeito, deveria ser levado. O mesmo grupo manteria o sítio sob vigilância e usaria estafetas para se comunicar com o Posto Avançado de Marabá. Desta equipe fizeram parte o taifeiro Pinheiro e o sargento Cabral, da 1ª Zona Aérea, os sargentos Furtado e Lourine, do IV Distrito Naval, e os sargentos Morais e Bahia, da 5ª Companhia de Guardas.

Coube à equipe 3, composta pelos sargentos Lacy, do IV Distrito Naval, Nascimento, da 1ª Zona Aérea, e Hélio, da 8ª RM, a busca de informes e captura perto da Transamazônica. O objetivo era fechar a passagem para tentar pegar o morador Raimundo Preto e o paulista Joca.

Os militares mantiveram sob vigilância o Hotel São Félix, em Marabá. Contaram com a colaboração de um soldado do Tiro de Guerra, morador da região, que conhecia amigos de Joca. Ajudaria os agentes na identificação de guerrilheiros durante bloqueios na Transamazônica.

A equipe recebeu orientação de se preparar para investir sobre o "Alvo". Se não fosse bem-sucedida, um pelotão do 2° BIS assumiria a missão. A Polícia Militar do Pará permaneceu pronta para apoiar as ações. Em último caso, entraria nas investigações.

Os integrantes da Operação Peixe II receberam dinheiro adiantado para pagamento de seis diárias. A última recomendação do general Darcy e do tenente-coronel Borges foi insistir nas investigações em Cigana, local revelado por Pedro Albuquerque.

O relatório de Nélio conta que os 15 homens saíram de Belém no dia 3 de abril em um avião C-47. Chegaram a Marabá no início da manhã e ficaram alojados no Tiro de Guerra. A primeira providência foi procurar o prefeito, Helmano Melo, "elemento de alta confiança". O relatório não informa o pedido feito ao prefeito, nem a razão da confiança depositada no político de Marabá. Helmano Melo era militar da reserva e servira juntamente com o pai do tenente Nélio. Procurado pelo filho do amigo, emprestou um jipe para os agentes.

Armados com fuzis, os militares da equipe 2 foram até a Faveira e prenderam Eduardo e Januário, que foram levados para interrogatório no Tiro de Guerra e liberados em seguida. O relatório do tenente afirma que Januário foi recapturado.

Januário era doente mental, segundo o texto de duas páginas, arquivadas no CIE com o número 000236 000174 0023/24. Um terceiro documento secreto intitulado *Operação "Peixe II" (INFO)* também registra a recaptura de Eduardo Brito. Nas buscas na Faveira, os investigadores encontraram objetos deixados pelos guerrilheiros. Apreenderam cartuchos de espingarda 16, cápsulas vazias de revólver 38, um barco com motor de popa, material de limpeza de armamento, pólvora e chumbo.

Interrogada, Irene demonstrou não ter relações com o grupo do PCdoB. Raimundo Preto, o capataz, colaborou. Ajudou os agentes a traçar um esboço da mata onde os comunistas estariam acampados. As indicações permitiram localizar a Fazenda Pernambuco. Joca deveria passar pelo local no dia 8 de abril.

A equipe de informações traçou um perfil dos *paulistas.* Davam assistência médica e distribuíam remédios. Não tinham atividades agrícolas que justificassem a presença na região nem entendiam do assunto. Praticavam muito tiro ao alvo, andavam armados com revólver, pistola ou espingarda. Recebiam material pesado nunca mostrado aos moradores. Os agentes imaginaram que fossem equipamentos para fabricação de armamentos. Tantas evidências levaram Nélio a ironizar a hipótese formulada pelos superiores de que os *paulistas* fossem *hippies.*

A primeira seria de que fossem mesmo uns insatisfeitos da vida urbana e estivessem ali recolhidos levando vida de eremitas (o que sabemos não acontecer), diz o texto do tenente. E conclui: *A outra resposta, como diria Sherlock, é elementar.*

A certeza de seguir a pista certa levou o comando da operação a reforçar a equipe encarregada de vigiar a Transamazônica com a turma enviada à Faveira. Entre os dias 7 e 12 de abril, 11 homens ficaram de tocaia perto do quilômetro 73 da rodovia. Queriam pegar Joca, mas o guerrilheiro não apareceu.

Nélio elogiou o esforço dos agentes: *Durante cinco dias consecutivos, dormiram no chão, sobre folhas de palmeiras ou sobre redes armadas em uma cabana bastante rústica, abandonada, à margem da trilha que vigiavam.* Também alertou sobre a necessidade de equipamento portátil de rádio, com capacidade para distâncias médias de 50 quilômetros. Sem aparelhos assim, ficava difícil a comunicação na mata. O tenente registra o apoio da população: *Muitas vezes voluntariamente*, ressalta.

O documento *Operação "Peixe II" (INFO)* aponta erros no comportamento dos agentes e conclui que os homens das Forças Armadas circularam muito em uma região de poucos habitantes. Perguntaram demais; a missão perdeu o sigilo e nenhum guerrilheiro foi preso. O documento constata a falta de pessoal de informação qualificado.

Um pelotão do 2° BIS assumiu a missão no dia 12 de abril e ultrapassou a equipe de investigadores sob o comando de Nélio.

Começava a Operação Peixe III.

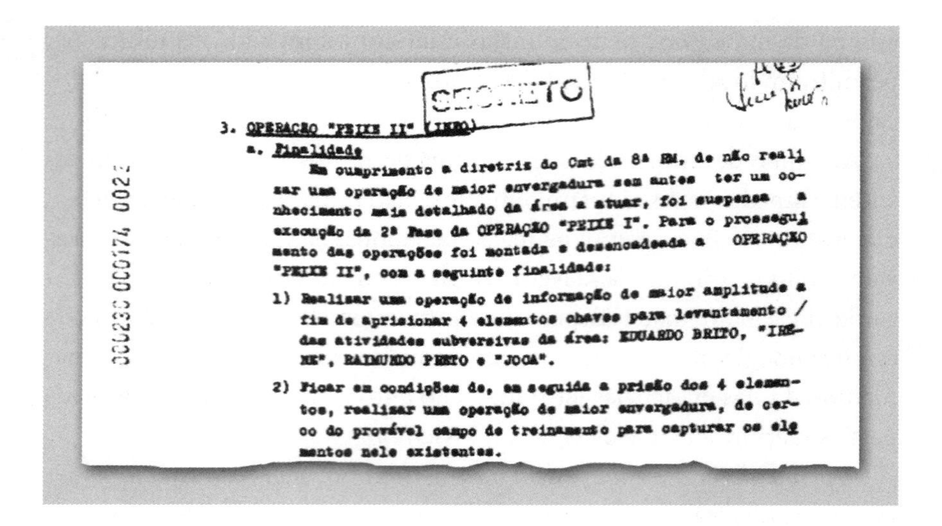

SECRETO

3. OPERAÇÃO "PEIXE II" ([illegible])

a. Finalidade

Em cumprimento a diretriz do Cmt da 8ª RM, de não reali
zar uma operação de maior envergadura sem antes ter um conhecimento mais detalhado da área a atuar, foi suspensa a
execução da 2ª Fase da OPERAÇÃO "PEIXE I". Para o prossegui
mento das operações foi montada e desencadeada a OPERAÇÃO
"PEIXE II", com a seguinte finalidade:

1) Realizar uma operação de informação de maior amplitude a
fim de aprisionar 4 elementos chaves para levantamento /
das atividades subversivas da área: EDUARDO BRITO, "IRE-
NE", RAIMUNDO PRETO e "JOCA".

2) Ficar em condições de, em seguida a prisão dos 4 elementos, realizar uma operação de maior envergadura, de cerco do provável campo de treinamento para capturar os ele
mentos nele existentes.

* * *

As complicações na gravidez de Lúcia Regina provocaram o aborto da criança em abril de 1972. Rompia-se mais um vínculo da obstetra paulista com o engenheiro Lúcio Petit. O PCdoB deixou de fazer contatos.

Longe do Araguaia, ela recordava os 18 meses vividos com os militantes do partido. Guardava poucas lembranças boas. Uma delas, a primeira refeição na Faveira. Tinha piranha, refogado de mamão verde, quibebe de abóbora e feijão guandu. Tudo fresquinho, saboroso e diferente da comida paulista.

Regina admirava a família do morador Eduardo, negro alto, ereto, simpático e empreendedor. Vizinho dos militantes do PCdoB, destacava-se dos outros habitantes da região pela capacidade de iniciativa. Tinha um barco, plantava, vendia e comprava produtos. Interessado em ampliar os negócios, Eduardo havia montado um engenho de cana, puxado por boi, para fazer garapa e rapadura. A educação das crianças e a personalidade da mulher do morador, Maria, encantavam a companheira de Lúcio Petit.

Meses depois de abandonar a Faveira, Regina enchia-se de gratidão por Sônia. Sem a intervenção da amiga, pensava, poderia ter morrido. Jamais esqueceria os pedidos de perdão feitos pela ex-estudante de Medicina enquanto tentava realizar a curetagem. Gostou de Sônia desde quando a conheceu. Branca, cabelos escuros, lábios grossos e olhos grandes, compunha um tipo bem brasileiro. Muito meiga, chamava de "amado" um namorado deixado no Rio.

As duas trocavam confidências. Certa vez, em uma trincheira construída no meio da floresta, Sônia confessou sentir atração por Joca. Não acreditava em uma relação futura, mas gostava do rapaz. A confidência encorajou Regina a falar sobre a vontade de abandonar o Araguaia. Pensou melhor e mudou de ideia. Teve medo de não ser compreendida.

Tinha saudades de Landin, militante com mais de 40 anos. Muito sensível e apegado à família, deixada em São Paulo, carregava no bolso a foto três por quatro de uma filha pequena, de pouco mais de cinco anos. Landin deu a única aula de tiro recebida por Regina. Os dois disparos feitos deixaram a aprendiz com medo da arma.

Um dia chegou a pensar em se abrir com o prestativo militante. Teve um impulso de falar sobre a descrença com a guerrilha e sobre a vontade de voltar para São Paulo. Refletiu um pouco mais e, mais uma vez, desistiu.

Em outra ocasião, o gesto de um companheiro comoveu Lúcia Regina. Apresentava-se como Paulo. Bonito, pele clara e porte elegante, tinha 20 e poucos anos. Em cima de uma cabana, onde os dois trocavam a cobertura de palha, o rapaz a presenteou com uma calça grossa, fechada no tornozelo com um elástico e um zíper.

"Eu usava para esquiar", contou Paulo.

"Não é muito quente?", questionou Regina.

"Não. À noite, na mata, faz muito frio. Você pode precisar."

O autor do presente tinha o apelido de Paulo Paquetá.

CAPÍTULO 17

Novo problema amoroso: Alice e Zé Carlos ficam juntos

Mário, Dona Maria e Joca chegaram à Faveira em dezembro de 1967. O desembarque dos três foi narrado em texto do PCdoB apreendido pelos militares, no qual erroneamente grafam "Paveira".

No dia de Natal, 25 de dezembro de 1967, um "motor" corta as águas do Araguaia que, nessa época do ano, é majestoso, muito largo e límpido, sobrevoado por ciganas e gaivotas. O barco aproxima-se da margem esquerda, encosta em um lugar denominado Paveira. Dele desembarcam três pessoas: um homem de seus 50 e poucos anos, Mário; uma mulher, também idosa, Dona Maria; e um jovem de feições modestas e olhos brilhantes, Joca. Vão viver aqui, em um sítio onde há muitas mangueiras e uma casinha de telha carcomida pelo tempo.

A identidade de Joca tornou-se um mistério para os militares. Apresentava-se como João Bispo Ferreira Borges. Tinha um castanhal, no qual trabalhavam "parentes", um barco e um comércio. Sabia andar pela mata e ficou muito conhecido. Nos meses seguintes chegaram Zé Carlos, Alice, Beto, Regina e Luiz.

Durante o tempo passado no Araguaia, Lúcia Regina pouco conheceu Joca. O rapaz tinha uma casa na Faveira, mas quase não aparecia. Sério, gentil e educado, demonstrava compreensão pelos novatos. Um dia viu a dificuldade dela em cortar uma árvore. O facão batia e voltava, devolvido pela planta.

Com paciência, Joca ensinou Regina. Bastava inclinar um pouco a lâmina, para não atingir a madeira em ângulo reto. A novata aprendeu a lição.

Sentia antipatia por Elza Monerat, a Dona Maria. A velha dirigente mostrava-se sempre formal e amarga. Chamava a atenção de todos e não gostava das brincadeiras de Mário, o mais experiente dirigente do PCdoB no Araguaia.

Na memória de Lúcia Regina, o comandante da Faveira, Zé Carlos, parecia um pouco atrapalhado. Forte, meio desengonçado, usava óculos de lentes grossas e cabelos curtos. Andava com os pés abertos e chutava a vegetação por onde passava. Ganhou de Dona Maria o apelido de Arranca-Toco.

Um dos mais preparados, para Regina, era um militante tratado por Zezinho, responsável pela oficina de armas. O sujeito demonstrava intimidade com a natureza e tinha condições de sobreviver sozinho na mata. Mesmo assim, certa vez foi mordido por um bicho ao enfiar a mão em um buraco.

No Destacamento A, Zezinho tinha o apelido de Ari.

* * *

O comércio no Araguaia funcionava bastante na base da troca. Os lavradores levavam ovos, babaçu, castanha-do-pará, milho, mandioca e farinha. Compravam sabão, açúcar, sal, café, querosene e remédio. A malária atacava novos e antigos moradores. Joca foi o primeiro. Passou meses de cama por conta de uma terçã maligna, forma mais agressiva da malária.

O veterano Mário sobreviveu a duas terçãs. Dona Maria sofreu com a sezão impiedosa. O mesmo aconteceu com Zé Carlos. O guerrilheiro Geraldo padeceu 13 dias e quase morreu. Dina caminhou semanas na mata enquanto curtia a doença.

Aos poucos, aprenderam a conviver com a malária. Empregavam técnicas de prevenção precárias, aprendidas com a população. Não tomavam banho no rio à noite, faziam fumaça para afugentar os mosquitos e usavam mosquiteiros para dormir. As febres continuaram.

Quando Joca caiu doente, foi substituído em muitas tarefas por Crimeia Alice Schmidt de Almeida, 23 anos, codinome Alice. Ela estava no Araguaia desde janeiro de 1969. Entrou para o movimento estudantil muito cedo. Era filha de um ferroviário que pertenceu ao PCB e, no racha de 1962, optou pelo PCdoB. Nasceu em Santos, passou a infância no interior de Minas e a adolescência em Belo Horizonte.

Passou no vestibular para enfermagem na Universidade Federal do Rio de Janeiro. Pensava em trabalhar no campo. Logo assumiu a presidência do Diretório Acadêmico. Presa no Congresso da União Nacional dos Estudantes (UNE) de Ibiúna, saiu, mas continuou procurada. Achava mais seguro viver na área rural. A edição do AI-5, em 13 de dezembro de 1968, precipitou a mudança para o Pará. Viajou de ônibus, acompanhada por João Amazonas.

As estradas esburacadas prolongaram a jornada. De São Paulo a Faveira, gastaram quase uma semana. Em uma parada coberta por folhas de babaçu, os passageiros desceram, comeram prato feito e dormiram em redes armadas nas paredes. No dia seguinte, o motorista acordou todo mundo de manhã.

Alice foi a primeira mulher a se engajar em um dos destacamentos da guerrilha. Dona Maria fazia a ligação com as cidades, mas não tinha função na estrutura montada na selva. A chegada da estudante de enfermagem desagradou os militantes já habituados ao local, que preferiam homens para aquele tipo de trabalho. No caminho para o Araguaia, Amazonas falou sobre algumas dificuldades na selva.

"Você vai ter de levar umas toalhinhas de pano, pois lá não tem absorvente", avisou o velho Cid.

Ela parou em uma loja em Anápolis. Só tinha tecido verde. Comprou aquele mesmo. Em outro momento da viagem, Alice ficou irritada com Amazonas. O líder comunista afirmou que o engajamento de outras mulheres dependeria do desempenho dela.

"Por que você cobra isso das mulheres?", reage a jovem. "Se o primeiro homem a chegar aqui não desse certo não haveria guerrilha?"

A cobrança pareceu excessiva, mas mesmo assim aceitou o desafio. O batismo de Alice no trabalho pesado deu-se na construção de uma cerca. Com Joca doente, teve de carregar mourões e esticar arame. Também trabalhou na roça com os camponeses. Assim como outros guerrilheiros, falava pouco para não revelar a total falta de conhecimento da vida rural. Escutava, calada, as experiências contadas pela população.

Nos primeiros dias, Alice aborreceu Zé Carlos de tanto filar cigarros. Os dois se desentenderam ainda no barco, no dia em que ela chegou.

"Você parece louca", exclamou o militante. "Veio da civilização, não trouxe cigarros e agora fica fumando os meus."

"Não adiantava nada trazer, de todo jeito iria acabar", respondeu a novata.

"É, mas agora vou ter de dividir os meus", concluiu o guerrilheiro.

Os dois ficaram algum tempo estremecidos, mas o trabalho na mata os aproximou. Começaram a namorar. O relacionamento criou um problema.

O partido desestimulava aventuras amorosas entre guerrilheiros, permitindo apenas relacionamentos "sérios". Alguns militantes eram apresentados à população como parentes uns dos outros. Mesmo fora da guerrilha, o PCdoB se caracterizava pelo conservadorismo na orientação do comportamento dos militantes. Qualquer atitude que pudesse ser interpretada como promiscuidade sofreria discriminação.

Zé Carlos não queria contar para os outros. Conhecia bem o pensamento da cúpula do partido. Alice não sabia do parentesco entre o namorado e o comandante militar da guerrilha. Dona Maria, principalmente, parecia celibatária. A presença austera de João Amazonas aumentava a apreensão dos jovens.

Um dia Alice chamou todo mundo para anunciar a novidade.

"Eu e o Zé Carlos estamos vivendo juntos", sapecou a militante.

O silêncio inicial foi quebrado por uma inconfundível e envelhecida voz feminina.

"Perdemos uma companheira", reagiu Dona Maria.

A mais nova se defendeu:

"Não entendi."

Casais de guerrilheiros se formaram nas matas do Araguaia; outros se desfizeram.

SECRETO

MINISTÉRIO DO EXÉRCITO — Belém, Pa, 10 Abr 72 — fl 29

C M A - 8ª R M — Referência: Relatório Info/2ª Seção

3ª S E Ç Ã O

000236 000174 0037

P L A N O D E O P E R A Ç Õ E S "PEIXE" III

Crt: Mapa Municipal Censitário - 1970 SÃO JOÃO DE ARAGUAIA - PA
Esbôço: K SE MARABÁ ": E= 1/2.000 (Aprox)

Composição Meios

- Elemento de ligação MARABÁ - QBR/8; Reserva de Comando: Cap LUIZ EURICO ROQUETEEL RANGEL
- Pelotão "PESAG"
  - Cmt - 1º Ten DAITER QUEIROZ MAIA
    2º Sgt MANOEL NAZARÉ RAMALHO
    3º Sgt RAIMUNDO DE LIMA BARBOSA
    " LAUDEGAR SARAIVA DA SILVA
    Cabo JOSÉ MARIA DA SILVA
    " SILVIO ALFREDO DA COSTA BARRADAS
    " LINDOMAR FELIPE MEDEIROS
    Sd 161 (1a) JOSÉ RAIMUNDO NUNES MARTINS
    " 145 (AP) CONSTANTINO PIEDADE FERNANDES
    " 185 (") SANDOVAL RODRIGUES RIBEIRO
    " 184 (") SONDOVAL GONÇALVES DA SILVA
    " 221 (") SAMUEL DAVI MACEDO DE MORAES
    " 215 (") LUIZ CARLOS CAVALCANTE DE OLIVEIRA
    " 214 (") MOISES GERMIAS ATAIDE DO NASCIMENTO
    " 217 (") JOSÉ PEREIRA DA SILVA
    " 136 (2ª) JOAQUIM DIAS CHAGAS
    " 137 (") JOSÉ BRITO DE LIMA
    " 210 (") LUIZ CLAUDIO DA SILVA
    " 207 (") JOÃO ILDIR OLIVEIRA DA SILVA
    " 209 (") JOSÉ RIBAMAR DA SILVA
    " 211 (") RAIMUNDO NUNES DA SILVA
    " 135 (") PEDRO PAULO LALOR CARDOSO
    " 195 (") NELSON FERNANDES BARROS
    " 112 (") HENRIQUE DE SOUZA

1 - S I T U A Ç Ã O

a. Inimigo

Anexo "A" - Info (omitido)

b. Forças amigas

1) Forças Terrestres

....

....

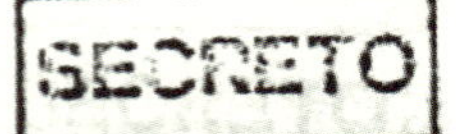

-continua-

CAPÍTULO 18

Operação Peixe III: chefe guerrilheiro escapa por um triz

HIPÓTESE

– Existência de elementos suspeitos ou subversivos na Região do "A L V O", num total aproximado de 11 homens.

MISSÃO

– Incursionar para Oeste, na altura do km 72 da Transamazônica, numa profundidade de aproximadamente 24 km, até a região do "A L V O".

EXECUÇÃO

– O pelotão "P E S A G", por meio de ações rápidas, violentas se necessário, e de surpresa, deverá aproximar-se, cercar e neutralizar e/ou destruir o "A L V O".

A tropa avança sobre o acampamento guerrilheiro no dia 12 de abril. O "Alvo" fica no lugar conhecido como Chega com Jeito. Os militares encontram apenas fogo aceso e sobras de comida nas panelas. Os *paulistas* fugiram duas horas antes. Sem procurar muito, os homens do Exército encontram livros considerados subversivos e anotações em um quadro. Vasculham a área em busca de outras pistas.

O ataque ao "Alvo" fracassou. Falhou a ação repressiva executada por um pelotão antiguerrilha, o PESAG, com 24 integrantes. O tenente Daiter Queiroz Maia comandou 17 soldados (José Raimundo Nunes Mateus, Constantino Piedade Fernandes, Sandoval Rodrigues Ribeiro, Sandoval Gonçalves da Silva, Samuel Davi Macedo de Moraes, Luiz Carlos Cavalcante de Oliveira, Moisés Geremias Ataíde do Nascimento, José (ilegível) da Silva, Joaquim Dias Chagas, José Brito de Lima, Luiz Claudio da Silva, João (ilegível) Teixeira da Silva, José Ribamar da Silva, Raimundo Nunes da Silva, Pedro Paulo Dalor Cardoso, Nelson Fernandes Barros e Henrique de Souza), três cabos (José Maria da Silva, Silvio Alfredo da Costa

Barradas, Lindomar Felipe Negreiros) e três sargentos (Manoel Nazaré Ramalho, Raimundo de Lima Barbosa e Laudegar Saraiva da Silva). O capitão Luiz Eurico Roquete Rangel fez a ligação entre Marabá e Belém. Um avião C-47 da 1ª Zona Aérea transportou a tropa de Belém a Marabá. O 4º Distrito Naval manteve quatro homens de informação na área.

A 8ª RM produziu três documentos sobre a movimentação de tropas de Belém no Araguaia entre 11 e 29 de abril. São 14 páginas protocoladas pelo CIE a partir do número 000236 000174 0032. O *Plano de Operações "Peixe III"* teve assinatura do general Darcy Jardim de Mattos e foi conferido pelo coronel Alair de Almeida Pitta, chefe da 3ª Seção da 8ª RM.

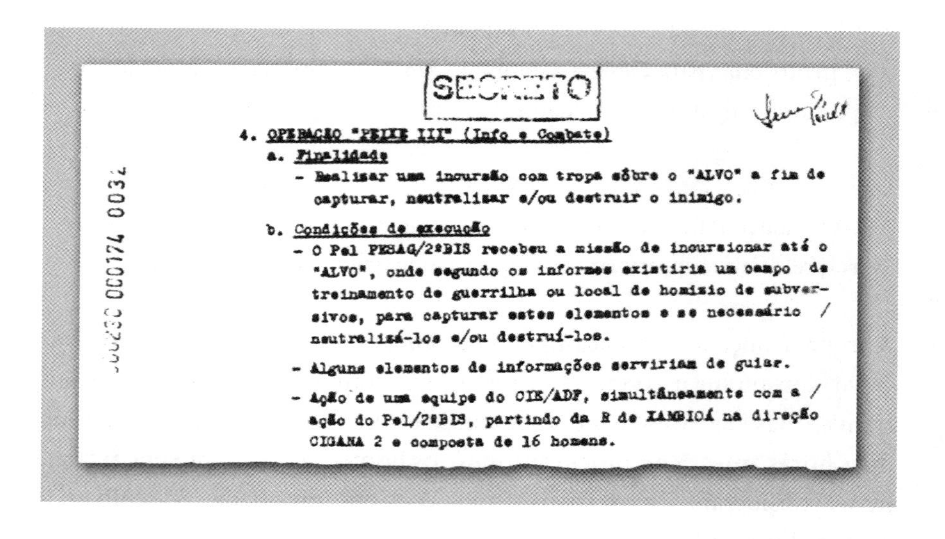

SECRETO

000236 000174 0032

4. OPERAÇÃO "PEIXE III" (Info e Combate)

a. Finalidade

- Realisar uma incursão com tropa sôbre o "ALVO" a fim de capturar, neutralisar e/ou destruir o inimigo.

b. Condições de execução

- O Pel PESAG/2ºBIS recebeu a missão de incursionar até o "ALVO", onde segundo os informes existiria um campo de treinamento de guerrilha ou local de homizio de subversivos, para capturar estes elementos e se necessário / neutralizá-los e/ou destruí-los.

- Alguns elementos de informações serviriam de guiar.

- Ação de uma equipe do CIE/ADF, simultâneamente com a / ação do Pel/2ºBIS, partindo da R de XAMBIOÁ na direção CIGANA 2 e composta de 16 homens.

Os outros dois documentos são *Operação "Peixe III" (Info e Combate)* e um relatório detalhado, sem título, da movimentação das tropas. Ambos registraram a participação do CIE, que enviou 15 homens de Brasília para Xambioá. A missão dos agentes ligados ao gabinete do ministro do Exército transcorreu paralela à ação dos militares da 8ª RM e ganhou o nome de Operação Cigana.

* * *

O "Alvo", ou Chega com Jeito, tinha três casas: duas eram camufladas na mata. Nos dias seguintes à descoberta, os militares encontraram uma metralhadora em fabricação; um torno; um cano de espingarda; livros sobre armamentos e medicina; munição calibre 38; armadilhas feitas com caixa de madeira e latas de óleo, com acionador de tração; máquina de costura para confeccionar uniformes marrons e mochilas. Fixada em um quadro, a escala de trabalho mostrava horários de reuniões e treinamentos de marcha, emboscada e primeiros socorros.

Os investigadores recolheram textos sobre comunismo e orientações a respeito de objetos essenciais a um guerrilheiro — o combatente deveria ter sempre consigo duas bússolas, fita isolante, algum remédio e canivete; na mochila, corda e cobertura plástica. Foram recolhidas dez malas de objetos.

O "Alvo" ficava em uma clareira, mas não se via a picada aberta para chegar lá. Duzentos metros antes da primeira casa, fora da trilha, havia um posto de vigia camuflado. Um cipó atravessado na trilha era amarrado a um guerrilheiro deitado em uma rede. Se alguém passasse pela picada, a sentinela sentiria o puxão e correria por um atalho para avisar os companheiros.

Antes da casa, havia uma trincheira para guardar armamento. Dali se avistava a trilha de acesso ao acampamento. Os militares estiveram na casa em que moravam dois irmãos "japoneses" ou "chineses", segundo a descrição dos moradores. Eram Alandrine e Zezinho. Os *paulistas* usavam o local para fazer paradas ao deslocar-se do lugar conhecido como Metade para o "Alvo".

Quando as forças repressivas chegaram, essa casa também havia sido abandonada.

* * *

Naquele dia 12, os agentes de Belém estiveram bem perto de Maurício Grabois, o Mário, comandante militar da guerrilha. Na época com 60 anos, o dirigente comunista encontrava-se em Chega com Jeito e fugiu para a mata com outros guerrilheiros. Os integrantes do Destacamento A tomavam precauções extras desde a fuga de Pedro e Ana, seguida pela fuga de Regina, mulher de Beto. Passaram a dormir na mata. Deixavam redes e faziam comida na casa principal para manter as aparências, mas na maior parte do tempo só o cozinheiro ficava no local. Montaram um sistema de sentinelas. Dessa forma ficaram mais atentos a informações sobre a presença de militares na região.

* * *

No início de abril, o guerrilheiro Piauí descobre em São Domingos do Araguaia que um grupo procura pelos *paulistas.* Deixa o burro, a cangalha e a capa na casa de Adão Rodrigues Lima e Salviana Xavier Lima. Dá a desculpa de que a estrada não está boa para cavalgar. Voltaria depois para pegar. E foge para a mata a pé.

Meia hora depois, soldados fardados e à paisana chegam à casa. Dizem-se compradores de pele. As suspeitas de Piauí e dos companheiros transformam-se em certeza por volta das nove da manhã do dia 12, quando o filho de Adão aparece no Chega com Jeito para comprar café. O pai mandou o garoto dizer que precisava preparar o café da manhã para "um grupo de amigos dos paulistas" — 12 homens de roupas novas, camisas azuis e calças *jeans,* que carregavam armas novas e um "relógio que dá o rumo" (bússola). Tinham pernoitado na casa do camponês, a mais de três léguas, cerca de 20 quilômetros.

O recado foi entendido: presença de estranhos. Como toda região de migrantes, o sul do Pará atraía gente interessada em trabalhar, mas também bandidos e fugitivos. Mesmo sem saber o que os *paulistas* faziam, o morador achou bom avisá-los. Naquele lugar isolado, de poucos vizinhos, trocaram favores e se tornaram amigos.

Mário senta em um tronco para conversar com o garoto. Os *paulistas,* explica, fugiram das cidades para o Araguaia porque não concordam com o governo e são perseguidos por isso. Agora têm de entrar na mata e enfrentar os forasteiros enviados para pegá-los. Para não despertar suspeitas, escreve o preço do café em um papel, como se fosse a conta para pagar depois.

"Quando eles chegarem, não estaremos mais aqui. Vamos deixar umas coisas e uns animais. Pode falar para o seu pai ficar com eles", diz o dirigente comunista.

O menino sai e começa o corre-corre dos guerrilheiros. Montam sentinelas e avaliam que têm pelo menos quatro horas antes da chegada dos agentes. Na casa principal, chamada de Peazão, moram Sônia, Divino, Mário, Zé Carlos, Alice e o armeiro Zezinho, depois tratado por Ari — para não se confundir com o Zezinho do Destacamento B, codinome de Michéas Gomes de Almeida, aquele que vimos chegar à China no Capítulo 2. Em outra casa, o Peazinho, ficam Zebão e Manoel.

Todos se movimentam para esconder o que for possível antes da fuga. Ao mesmo tempo, preparam o almoço. Há pouca coisa, pois carregaram tudo para a mata. O mais importante é a máquina de costura. No Peazinho há comida, principalmente arroz e milho. Deixam tudo camuflado.

Pronto o almoço por volta de onze horas, comem arroz, feijão, abóbora e carne de caça. Sobra pouco, o fogo continua aceso no fogão de lenha. Resolvem esperar os agentes para ter ideia de quem enfrentariam. Passa das duas da tarde quando os militares chegam. Os guerrilheiros ainda carregam suprimentos para esconderijos próximos.

À espreita, os guerrilheiros veem os homens do PESAG cercar a casinha. De repente, um helicóptero. Não dá mais para ficar ali, é muito poder militar. Maurício Grabois e os outros se embrenham na mata. O fogo aceso fica para trás.

Começava a guerra para o Destacamento A.

CAPÍTULO 19

Regulamento fixa direitos e deveres do combatente

Quando os agentes atacaram Chega com Jeito, o PCdoB ainda não havia concluído a preparação da luta armada. Os Destacamentos B e C estavam incompletos. Alguns militantes ainda se deslocavam para a região, outros mal tinham chegado. Nem mesmo sabiam se orientar na mata.

A insuficiência de armamento, munição e treinamento militar deixava os comunistas vulneráveis às investidas inimigas e sem tempo para treinamentos. Poucos atiravam bem e as armas eram insuficientes. Os mais experientes tinham passado pela China, mas eram minoria.

Também faltava muito para a integração com a população atingir o nível ideal. Os *paulistas* tinham o respeito e a gratidão dos moradores. Mas o tempo de conhecimento foi insuficiente para aprofundar o relacionamento, falar de política e, mais importante, recrutar guerrilheiros.

Apesar dos problemas, as Forças Guerrilheiras do Araguaia estão nesse momento constituídas e organizadas. Têm um *Regulamento Militar* e um *Regulamento da Justiça Militar Revolucionária*, dois documentos escritos em 1971 por Mário e Joaquim após intensas discussões entre os militantes na mata. Surge uma organização com hierarquia de exército regular, simplificada e influenciada pelo modelo revolucionário chinês.

O *Regulamento Militar* fixa regras de conduta para a relação interna dos guerrilheiros e para o contato com os moradores:

As Forças Guerrilheiras regem-se pelo seguinte Regulamento Militar:

I - DO COMBATENTE

1. *Combatente é todo integrante das Forças Guerrilheiras. Não há distinção entre os combatentes, a não ser pelas funções que exercem.*

UMA CÓPIA-EXTRA DESTE DOCUMENTO (REGULAMENTO MILITAR E REGULAMENTO DA JUSTIÇA MILITAR REVOLUCIONÁRIA), ENCONTRA-SE DE POSSE DO SR. CEL EICHLER, SUBCHEFE DO CIE.x-x-x-x-x-x-x-x-x-x-x-

BRASÍLIA, DF, 26 de março de 1992

FRANCISCO FLÁVIO NOGUEIRA CARNEIRO - CEL
CHEFE DA S/105

Em 1992, os militares catalogavam e arquivavam os documentos apreendidos dos guerrilheiros

2. *O combatente ingressa voluntária e conscientemente nas Forças Guerrilheiras, dispondo-se a se orientar pelos seguintes princípios:*

   a) *estar disposto a enfrentar e vencer todas as dificuldades*
   b) *estar decidido a lutar até a vitória final*
   c) *estar resolvido a se tornar um verdadeiro revolucionário*

3. *O combatente deve aprimorar suas qualidades morais. Esforçar-se para:*

   a) *ter um estilo de vida simples e de trabalho duro*
   b) *viver, pensar e combater como um lutador a serviço do povo*
   c) *desenvolver a confiança em si mesmo e ser modesto*
   d) *cultivar permanentemente o espírito de iniciativa, audácia e responsabilidade*
   e) *ser fraternal e solidário com os companheiros e com as pessoas do povo*

4. *O combatente deve observar a mais estrita disciplina que consiste em:*

   a) *obedecer sem vacilação às ordens de comando em todos os níveis*
   b) *cumprir os Regulamentos e Normas das Forças Guerrilheiras*
   c) *exercer integralmente seu dever quando investido em funções de comando, não podendo abrir mão das prerrogativas do cargo, nem delegar a outros seus poderes*

5. *O combatente tem o direito de:*

    a) *apresentar sugestões que podem ou não ser aceitas pelo comando*
    b) *criticar companheiros nas ocasiões oportunas, isto é, nas reuniões de Grupo ou de Chefes de Grupo, tendo em vista o aperfeiçoamento da atividade militar*

6. *O combatente tem o dever de:*

    a) *zelar permanentemente pelo seu armamento e equipamento, ter as armas e munições sempre em condições de uso*
    b) *cuidar continuamente do seu preparo militar, de seu preparo físico e da elevação de sua consciência política*
    c) *preocupar-se constantemente com a segurança do conjunto das Forças Guerrilheiras, observar sigilo, não revelar segredos e manter severa vigilância contra qualquer infiltração do inimigo.*

Nos itens seguintes, o *Regulamento* estabelecia limites de atuação dos grupos, dos destacamentos e da Comissão Militar. Os grupos constituíam as unidades militares de base das Forças Guerrilheiras. Compostos de sete combatentes, zelavam pela alimentação e operavam em ações isoladas, ou em conjunto, sob o comando do destacamento. Tinham um chefe e um substituto eventual.

Os destacamentos agiam com relativa autonomia, sob a direção da Comissão Militar. Possuíam áreas delimitadas para as operações. Cada um tinha um comandante e um vice-comandante.

O comandante exercia pleno poder de decisão sobre todos os assuntos do destacamento. O vice o substituía nas ausências e atuava também como comissário político, responsável pela elevação do nível político e da consciência dos combatentes.

A Comissão Militar comandava as Forças Guerrilheiras. Tinha atribuição de planejar, coordenar e dirigir as operações. As principais decisões eram submetidas ao Birô Político, órgão superior, ligado à direção do PCdoB. Responsável pela designação da Comissão Militar, o Birô Político tinha poder sobre a criação de novas unidades da guerrilha. Decidia sobre nomeação e destituição dos comandantes e vice-comandantes dos destacamentos.

Os guerrilheiros deveriam tratar-se por "companheiro", "companheira". No contato com a população, obrigavam-se a prestar ajuda, na medida do possível, a respeitar famílias, hábitos, costumes. Sem arrogância, fariam propaganda revolucionária entre as massas. O que comprassem pagariam. O que tomassem emprestado devolveriam.

Prisioneiros seriam identificados, não receberiam maus-tratos, ganhariam comida e, se feridos, teriam atendimento médico. Só conversariam com os encarregados do interrogatório, não conheceriam os combatentes nem seus armamentos.

O regulamento impunha disciplina rígida com três níveis diferentes de punição: infrações *leves*, advertência particular ou diante do grupo; *sérias*, crítica do comandante na presença dos outros combatentes — o chefe maior do destacamento podia ainda aplicar pena suficiente para o transgressor *compreender o erro cometido*; em caso de infrações *muito graves*, o comandante encaminhava o acusado para decisão por parte da Justiça Militar Revolucionária.

CAPÍTULO 20

Justiça Revolucionária prevê pena de morte para traição

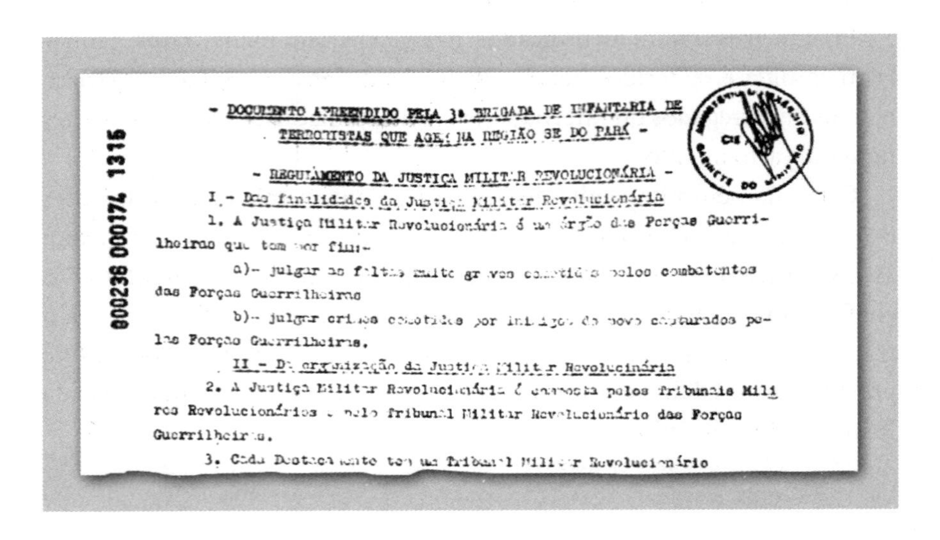

- DOCUMENTO APREENDIDO PELA 3ª BRIGADA DE INFANTARIA DE TERRORISTAS QUE AGEM NA REGIÃO SE DO PARÁ -

- REGULAMENTO DA JUSTIÇA MILITAR REVOLUCIONÁRIA -

I - Das finalidades da Justiça Militar Revolucionária

1. A Justiça Militar Revolucionária é um órgão das Forças Guerrilheiras que tem por fim:-

a)- julgar as faltas muito graves cometidas pelos combatentos das Forças Guerrilheiras

b)- julgar crimes cometidos por inimigos do povo capturados pelas Forças Guerrilheiras.

II - Da organização da Justiça Militar Revolucinária

2. A Justiça Militar Revolucionária é composta pelos Tribunais Militares Revolucionários e pelo Tribunal Militar Revolucionário das Forças Guerrilheiras.

3. Cada Destacamento tem um Tribunal Militar Revolucionário

800236 000174 1315

O *Regulamento da Justiça Militar Revolucionária* fixou punições para faltas muito graves e para crimes cometidos pelos *inimigos do povo* capturados. Agressões físicas a companheiros e violência contra as massas eram reprimidas com privação de uso de armas por determinado período, suspensão de funções ou expulsão. Quem roubasse também seria excluído.

Em um estágio muito grave, combatentes condenados por atos de covardia diante do inimigo morreriam fuzilados. O mesmo se aplicava a casos de violência contra a mulher, homicídio e traição à revolução. Crimes praticados por *inimigos do povo* também acarretavam execução ou, na melhor das hipóteses, execração pública.

O Tribunal Militar Revolucionário, convocado por iniciativa do comandante e presidido pelo vice, julgava acusados de infrações graves. Aceitava-se, como atenuante, boa conduta, reconhecimento do erro e desejo de corrigir-se.

Os condenados podiam apelar para o Tribunal Militar Revolucionário das Forças Guerrilheiras, instância máxima da justiça comunista no Araguaia. Tinha entre seus membros dois integrantes do Birô Político, um da Comissão Militar e um comandante ou vice-comandante de destacamento. Os quatro elegeriam o presidente, que não teria poder de voto.

O mesmo tribunal julgava comandantes de destacamento, vice-comandantes e membros da Comissão Militar acusados de infrações muito graves. Nos casos mais extremos, os culpados pagavam com a própria vida.

A Comissão Militar providenciava a execução imediata.

CAPÍTULO 21

Dois jovens presos, humilhados e espancados

Dia 14 de abril de 1972. O Exército prende dois rapazes suspeitos de envolvimento com a guerrilha. Danilo Carneiro tentava sair da região pela Transamazônica. Eduardo José Monteiro Teixeira entrava no Pará de balsa, depois de passar por Araguatins, em Goiás. Interrogados na hora, nada revelam de importante, mas ficam detidos.

Na mochila de Eduardo os militares encontram um calção novo, igual a outros apreendidos no acampamento de Chega com Jeito. A fisionomia do prisioneiro lembra aos agentes a de certo Onofre, relacionado em uma lista de procurados pelos organismos de repressão política. Apenas semelhança.

O tenente Nélio passa por uma *blitz* na Transamazônica quando vê um desconhecido, preso, cercado de praças do Exército. Os militares zombam do prisioneiro. Um deles aproxima-se e esmurra o rapaz, com força, na altura do abdome. Inconformado com a violência contra um indefeso, Nélio manda o soldado parar. O oficial reflete naquele momento sobre o quanto alguns homens são altivos e valentes quando desfrutam de segurança, mas covardes e submissos nas situações desfavoráveis. O jovem que apanhava era Eduardo Monteiro.

Amarrado em uma carroceria, Eduardo viu quando dois soldados pegaram um rapaz pelos braços e pelas pernas, balançaram e jogaram em cima do caminhão. O impacto da queda machucou ainda mais o jovem, com os pés em carne viva. Tratava-se de Danilo Carneiro, guerrilheiro liberado para abandonar a área de confronto armado.

Os prisioneiros seguiram para averiguações em Belém. Os dois militavam no PCdoB.

* * *

1968. Eduardo José Monteiro Teixeira passa no vestibular de Direito da Universidade Federal da Bahia. O clima de agitação estudantil contamina o rapaz cheio de idealismo. As palavras de ordem contra o acordo MEC/USAID embalam discursos e passeatas pelas ruas. Salvador vive a explosão do movimento tropicalista, puxado por Caetano Veloso e Gilberto Gil. O mundo ouve Beatles, Rolling Stones e faz a revolução sexual.

A juventude quer tomar o poder e mudar os valores do "sistema". Em maio de 1968, o movimento liderado em Paris pelo estudante franco-alemão Daniel Cohn-Bendit, o Dani, le Rouge (Dani, o Vermelho), sacode a França e inspira colegas de todo o planeta. Espalham-se palavras de ordem como "É proibido proibir" e "Amai-vos uns aos outros". Nos Estados Unidos, a mudança nos costumes, a ideologia *hippie* e os protestos contra o envio de soldados para a Guerra do Vietnã abalam os alicerces do conservadorismo.

Um irmão de Eduardo, Antônio Carlos, cursa o quarto ano de Geologia e namora a colega Dinalva Oliveira, a Dina. O casal tem atuação de destaque no efervescente movimento estudantil baiano. Quando se formam, mudam-se para o Rio de Janeiro.

No primeiro ano de Direito, Eduardo elege-se para o Diretório Acadêmico. Na função de secretário, imprime e vende apostilas. Em vez de comprar livros caros, os estudantes pagam mais barato e colaboram com as finanças da direção do movimento.

Uma assembleia convocada para protestar contra o AI-5 chega ao conhecimento da repressão. A polícia prende os organizadores — entre eles, Eduardo Monteiro.

Durante 40 dias, os estudantes sofrem humilhações e torturas psicológicas. Solto, Eduardo quer retornar aos estudos. Em março de 1970, tenta matrícula na Universidade Federal da Bahia, mas recebe a notícia de que foi jubilado. Os colegas de prisão conseguem vagas em uma universidade privada.

A família de Eduardo, vítima da decadência do cacau, não podia arcar com as despesas de um curso pago. Ele buscou trabalho para se sustentar, mas não conseguiu. Soube que as empresas consultavam a Polícia Federal antes de contratar. Sua ficha estava suja.

Sem emprego, Eduardo mudou-se para o Recife. Casou com uma estudante de Pernambuco chamada Fátima e, por algum tempo, viveu à custa da sogra. A falta de perspectivas levou o casal a mudar-se para o Rio. Alguns meses se passaram até o rapaz conseguir trabalho em uma livraria. Logo seu irmão Antônio seguiu com Dina para a guerrilha no Pará. Em abril de 1972, Eduardo tomou o mesmo caminho, na companhia de Elza Monerat e Rioko Kayano. Fátima ficou para trás.

CAPÍTULO 22

Operação Cigana: Pedro enfrenta o inferno em vida

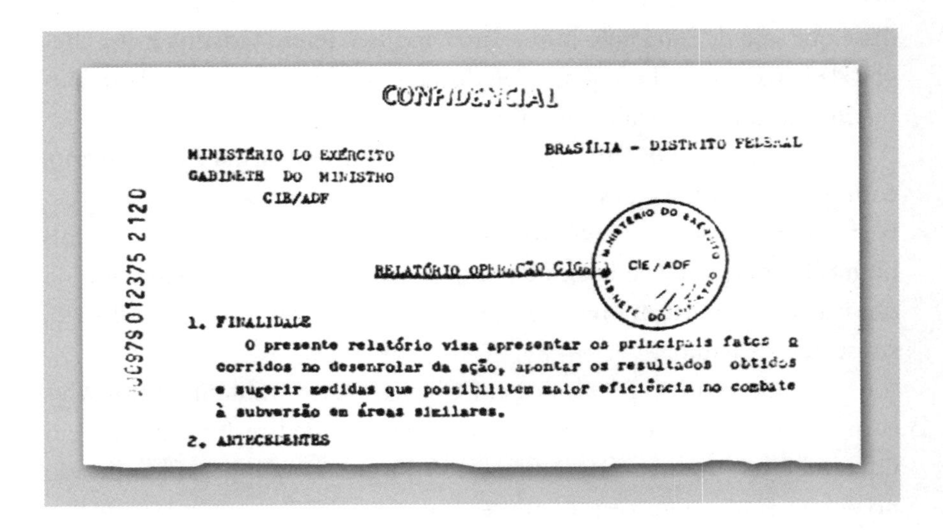
CONFIDENCIAL

MINISTÉRIO DO EXÉRCITO
GABINETE DO MINISTRO
CIE/ADF

BRASÍLIA - DISTRITO FEDERAL

CIE / ADF

RELATÓRIO OPERAÇÃO CIGANA

1. FINALIDADE

O presente relatório visa apresentar os principais fatos ocorridos no desenrolar da ação, apontar os resultados obtidos e sugerir medidas que possibilitem maior eficiência no combate à subversão em áreas similares.

2. ANTECEDENTES

Quinze homens do Exército deixam Brasília no dia 11 de abril de 1972. Fazem parte de uma ação conjunta executada por equipes do CIE, do CMP e da 3ª Brigada de Infantaria. Batizada de Operação Cigana, tem à frente um tenente-coronel do CIE, Carlos Sérgio Torres.

Enquanto militares de Belém atacam a região da Transamazônica, os agentes do CIE, entre eles Lício Maciel e João Pedro, agiram na área conhecida como Caianos. Saem de Brasília em um C-47 da FAB. Levam junto o prisioneiro Pedro Albuquerque, transportado de Fortaleza para Brasília por oficiais de informação. Chegam à goiana Araguaína e pegam um caminhão para Xambioá.

A viagem dura quatro horas e meia. O coronel Borges, um dos mentores das operações Peixe I e Peixe II, participou, em Brasília, da organização da nova missão. Viajou com os militares que levavam Pedro para a incursão humilhante, mas seguiu de Araguaína para Belém e não entrou na mata.

No dia da chegada, uma equipe é designada para reconhecer os locais às margens do Araguaia apontados pelo prisioneiro no depoimento. Pedro não colabora. Mostra-se desorientado, nervoso. Diz coisas desconexas. O relatório da Operação Cigana, feito para o ministro Orlando Geisel, detalha informações extraídas de Albuquerque. Sob tortura, o militante disse que saiu de São Paulo junto com a mulher Tereza Cristina e que chegou de barco ao local no qual viveu durante seis meses. As áreas de treinamento ficavam nas localidades de Caianos, Cachimbeiro e Cigana.

O casal Antônio e Dina age como recepcionista, afirma o documento, com base em declarações de Pedro. Os dois mantêm pequeno comércio perto do rio Araguaia. Paulo Rodrigues é uma espécie de líder do PCdoB no local. Compra e vende animais e gêneros alimentícios. Possui fazenda nos Caianos, onde moram o dentista Ari, a mulher dele, Áurea, e Gilberto, substituto de Paulo.

A casa de Pedro e Tereza fica em Cigana. Outro militante, Vítor, vive com eles. Quando o casal Pedro-Tereza fugiu, o médico Juca morava em Cachimbeiro, junto com José Francisco, Jorge e Domingos, identificado no documento como o estudante cearense Dower Moraes Cavalcante.

Os agentes do CIE cruzaram informações arrancadas de Pedro Albuquerque com relatos dos agentes de Belém e chegaram à conclusão de que descobriram grupos diferentes de guerrilheiros. Decidem sair de Xambioá no sentido inverso ao tomado pelo casal durante a fuga. Saem rumo a Cigana no dia 12 de abril, mesma data do deslocamento dos agentes de Belém na direção de Chega com Jeito. Alugam dois barcos e sobem o rio. Sempre com Pedro Albuquerque, visitam casa por casa em busca de Antônio e Dina.

Depois de seis horas, acham a choupana do casal. Vazia. Encontram fotos dos dois. Vizinhos informam que saíram em janeiro, na companhia de Paulo Rodrigues, com destino a Pau Preto. No caminho para Cigana, descobrem nos Caianos um acampamento desativado. Os militantes do PCdoB tinham desaparecido mais de três meses antes. Os agentes recebem informação de que o lugar era usado para tiro ao alvo, exercícios de deslocamento e noções de judô.

Nas buscas, os militares encontram medicamentos e material escolar. Os depoimentos dos camponeses reforçam a impressão do respeito conquistado pelos guerrilheiros. Eles disseram que voltariam a Caianos em fevereiro, mas não voltaram. A professora Áurea e o marido, o dentista Ari, deixaram notícia de que tinham viajado em janeiro para Anápolis. Moradores suspeitavam que estivessem todos na fazenda de Pedro Onça e nas regiões de Pau Preto e Perdidos.

O grupo enviado aos Caianos fica encarregado de seguir para Pedro Onça. Uma equipe é destacada para realizar buscas na segunda fazenda de Paulo Rodrigues, em Cachimbeiro. Duas outras seguem para Pau Preto.

Em Cigana, a população reconhece Pedro Albuquerque.

* * *

Arildo Valadão, o Ari, e Áurea Eliza Pereira viviam a aventura de uma paixão de juventude em luta contra o governo militar na Amazônia brasileira. Conheceram-se no curso de Física da Universidade Federal do Rio de Janeiro. Ele nasceu no Espírito Santo. Ela, em Minas Gerais. Moravam longe dos pais e envolveram-se com o movimento estudantil.

Os dois ficaram ainda mais unidos quando Ari presidiu o Diretório Acadêmico do Instituto de Física. Áurea participou da mesma chapa. Namoraram, e casaram às dez horas da manhã do dia 6 de fevereiro de 1970, em um cartório do Rio, contra a vontade da família do rapaz. A mãe, Helena, e alguns dos seis irmãos achavam que era muito cedo para contrair matrimônio. O caçula Arildo completara 21 anos em dezembro. A noiva nem chegara aos 20. Não haviam concluído a faculdade, não tinham emprego formal.

O jovem casal desapareceu do Rio em julho. Antes da fuga, Arildo escreveu uma carta para a mãe. Contou as razões do abandono do curso e da ausência prolongada de Cachoeiro do Itapemirim, onde vivia a família Valadão no interior do Espírito Santo.

A decisão de sair do Rio devia-se a uma denúncia de "subversão" feita contra Arildo por um rapaz preso pela repressão. *Nós vivemos num regime militar*, afirmou na carta. *Basta uma pequena acusação, mesmo desprovida de fundamento como é esta, pra que os "guardiões da democracia" passem a perseguir o acusado.*

Ficar no Rio representava expor-se ao perigo de cair nas mãos do inimigo. *Como a senhora deve saber, eles não se limitam a prender e procurar saber se é inocente ou culpado, mas logo designam as pessoas por culpados e então as submetem a torturas horríveis*, escreveu Arildo. *E depois pode-se ficar preso, incomunicável, anos e anos. Isto tudo, é claro, seria bem pior do que o que eu resolvi fazer.*

Com o prédio cercado pela polícia, o casal resolveu seguir para o interior, contou o filho na carta. *Acredite, mamãe, esta é a melhor solução para tal problema. De outra forma, estaríamos correndo sérios riscos que resultariam num sofrimento maior para nós todos.*

A família Valadão não sabia, mas os dois jovens militavam no PCdoB e viajavam para o Araguaia orientados pelo partido.

Com quatro páginas manuscritas, o texto revelou o estado de espírito do estudante para a nova fase da vida. *A senhora não deve se preocupar com nada, pois bem sabe que somos jovens, fortes, dispostos, prontos a enfrentar tudo*, ponderou Arildo, falando em nome dele e de Áurea. *Minha querida mamãe, nós, apesar de algum tombo passageiro, seremos vitoriosos, inevitavelmente, inapelavelmente.* Em outro trecho, faz planos: *Algum dia estaremos novamente juntos e, então, todas estas coisas serão coisas de um passado distante e nós riremos juntos e satisfeitos quando lembrarmos delas.*

Enquanto perdurasse a situação de clandestinidade, interromperiam as correspondências com os parentes. *Tenho certeza de que a senhora saberá enfrentar esse período com ânimo e com coragem*, afirmou no último parágrafo. As palavras, em tom de confiança na força materna, levaram o peso do pedido emocionado feito por um caçula.

Em abril de 1972, Ari e Áurea lutavam de armas na mão contra as Forças Armadas nas matas do Araguaia.

* * *

Helena Almokdice Valadão sofria com a falta de notícias de Arildo. Muito religiosa, católica praticante, imaginava o filho distante de movimentos armados e partidos comunistas. A carta recebida quase dois anos antes, no entanto, alimentava maus pressentimentos. Tinha medo das consequências da valentia do caçula.

A família de Áurea, no sul de Minas, também nada sabia do paradeiro do casal. No Rio, amigos disseram tê-los visto pela última vez durante uma passeata na avenida Rio Branco. Viúva, sem dinheiro, Helena costurou por muito tempo para sustentar os filhos pequenos. Com ajuda de uma família amiga, dedicação e um pouco de sorte, tornou-se titular de um cartório em Cachoeiro do Itapemirim. Agora, com todos crescidos, tinha a chance de aposentar-se e levar uma vida mais tranquila.

Com o desaparecimento de Arildo, perdeu a vontade de fazer planos. Pensava no filho o tempo todo. Desde pequeno, o caçula gostava de estudar e demonstrou interesse pelos assuntos da igreja. Destacou-se como aluno aplicado no Liceu Muniz Freire, colégio estadual com tradição na região. Aprendeu inglês e exerceu liderança entre os colegas. Ajudou a fundar o Clube da Amizade Católica, o CAC, e, quando terminou o segundo grau, prestou vestibular para Física na USP e na UFRJ. Passou nos dois e optou pelo Rio.

Na universidade, Arildo obteve bom desempenho, atuava como monitor de turma e tinha bolsa para ajudar nas despesas. O mesmo se passava com Áurea, também respeitada pelos professores. De repente, os dois jogaram tudo para o ar e sumiram sem deixar pistas. A ausência prolongada do filho abalou a saúde de Helena. A força demonstrada depois da morte do marido esvaeceu-se com o desaparecimento do filho mais novo. O tom da carta, com referências a prisões e torturas, aumentava a preocupação da mãe.

O mais velho dos homens, Roberto, soube um pouco mais sobre a militância do irmão em visita ao Rio poucos meses antes da fuga. Arildo mostrou documentos do PCdoB e demonstrou simpatia pelas propostas do partido, mas não falou sobre vinculação política nem sobre luta armada.

A irmã mais velha, Marlene, muito católica, considerava-se uma espécie de segunda mãe de Arildo e recusava-se a acreditar na sua conversão ao comunismo. Helena caiu em depressão.

* * *

O partido preparava os militantes para morrer na luta. Apanhados, jamais deveriam colaborar com a repressão. Nada poderiam revelar que ajudasse na captura dos guerrilheiros, mesmo torturados. Muitos guardavam a última munição para cometer suicídio, em caso de prisão.

Nas mãos da repressão há quase dois meses, Pedro Albuquerque alterna momentos de resistência e fraqueza. Apanhou muito. Os policiais perguntavam sobre Tereza. Grávida, seria mais sensível às torturas. Pedro não revelou o paradeiro da mulher.

Os torturadores conhecem bem o PCdoB do Ceará. Sabem que o partido defende a luta armada no campo e fazem insistentes perguntas sobre onde o casal passou os últimos dois anos.

Nos delírios de torturado, Pedro vê um garoto entrar na cela com uma caixa de gilete na mão. Na realidade, não sabe como conseguiu as lâminas. Vai ao banheiro e faz um corte profundo nas veias dos braços, na altura dos cotovelos. Pedro aprendeu na guerrilha que cortar os pulsos dificilmente leva à morte. Por isso escolhe a dobra dos braços. Sobrevive. Levado ao hospital, recupera-se. Mas passa a mostrar-se paranoico. Fica cinco dias sem ir ao banheiro, com medo de ser obrigado a beber a urina. Recebe para ler um exemplar do livro *Sidarta*, do escritor alemão Hermann Hesse. Quer isolar-se do mundo.

Os delírios aumentam. Pedro acaba amarrado na cama depois de gritar "bando de fascistas!" como um desesperado. As agressões físicas deixaram Pedro desequilibrado. Mesmo quando está lúcido, mostra sinais de loucura. Aproveita-se da confusão mental para despistar os agentes. Obrigado a reconhecer os locais nos quais treinou guerrilha, caminha pelas trilhas sem virar-se para os lados, com olhos vidrados, fixos em coisas que não existem na realidade. Entorpecido, pisa em poças d'água e tromba em árvores. Nada revela.

O comportamento alucinado de Pedro confunde os militares, mas não o salva de torturas e humilhações. É levado até a casa de um morador de quem se tornou amigo quando morou na área. Pedro é padrinho de um filho do caboclo. Na frente do compadre, é chamado de "mentiroso" pelos agentes por aceitar batizar o menino. Comunistas não acreditam em Deus, repetem os agentes. Fica amarrado do lado de fora da casa. Tem de comer como cachorro, o prato no chão, sem ajuda das mãos.

Em outro ponto da mata, viveu momentos de terror no chão de um barraco. Deitado, amarrado em estacas, debateu-se com ratos e cutias durante noites escuras. Na cadeia de Xambioá, foi colocado em uma cela sem privada. Comia, bebia, urinava e defecava no mesmo lugar. Com as mãos sujas levava os alimentos à boca.

Certo dia Pedro ouve gritos femininos na cela ao lado. Parecem urros de dor em sessão de tortura. Um militar diz a Pedro que se trata de Tereza.

"Bando de covardes, batendo em uma mulher!", reage.

Não é Tereza, é pressão psicológica. Outro dia, na mata, um agente passa a cavalo com um bebê no colo. De longe, o militar diz que se trata de Izabela, a filha do casal. Mais uma mentira. Na delegacia, deixam Pedro nu e pendurado no teto. Fora da realidade, entregue aos torturadores, sente-se um animal, um burro. Do lado de fora, outra vez sem roupa, fica sentado em uma corrente. Ao mesmo tempo, um agente da repressão aplica choques elétricos nos cortes feitos nos braços, abertos desde a tentativa de suicídio.

Os homens do CIE levam Pedro de volta a Brasília.

CAPÍTULO 23

A guerra chega ao Destacamento B, do incendiário Flávio

Flávio e Zé Fogoió, do Destacamento B, souberam do ataque das Forças Armadas quando voltavam para casa depois de 12 dias de trabalho e caminhadas na floresta. Viram no mato um sinal deixado por um companheiro para avisar sobre a presença do inimigo.

"Começou a guerra", exclamou Fogoió.

Andam rápido até o Ponto de Apoio, perto do rio Gameleira. Ao chegar, encontram o comandante do destacamento, um negro enorme. Com chapéu de couro na cabeça e uma Parabellum na mão direita, o chefe guerrilheiro parece ainda mais alto.

"Aquilo que tanto almejávamos chegou. É a vez da luta armada, é a hora da libertação do nosso povo", anuncia o comandante.

Emocionados, os militantes se abraçam, com urras e vivas à revolução. Flávio recebe a tarefa de reunir outros companheiros em um ponto dentro da mata. Parte na mesma hora.

Em dois anos de Araguaia, Flávio aprendeu a se deslocar na selva. Conhece a Serra das Andorinhas, os rios, as grotas e as trilhas. Consegue cruzar trechos de 20 quilômetros sem se perder. Enquanto caminha, pensa no quanto mudou de vida.

Nascido em Araguari, Minas, estudava Arquitetura na Universidade Federal do Rio. Em 1968, foi fotografado quando queimava uma viatura da polícia durante os protestos pela morte do estudante Edson Luís de Lima Souto. O paraense de 16 anos, natural de Belém, aluno do Instituto Cooperativa de Ensino, no Rio, foi assassinado por um policial militar com um tiro de pistola calibre 45. A PM invadiu o galpão em que acontecia uma assembleia estudantil para organizar uma passeata contra a demora do governo estadual em construir o restaurante universitário — o antigo, chamado Calabouço, havia sido derrubado para a construção de um trevo rodoviário.

Publicada na revista *Manchete*, a foto obrigou Flávio a se esconder. Mesmo assim, acabou preso por distribuir panfletos contra a ditadura. Passou a viver clandestinamente em Belo Horizonte. Viajou para o Araguaia em 1970. Na mata, precisou derrubar árvores a machado para construir casas, plantar roças e caçar bichos para comer. As mãos ficaram calejadas.

Certo de defender uma ideologia justa e crente na vitória contra a ditadura, Flávio se jogou de corpo e alma na nova vida. Aos poucos, a selva deixou de ser a barreira impenetrável, densa e misteriosa dos primeiros dias. Transformou-se em uma amiga avarandada e frondosa, abundante em água e alimentos.

"A mata é nossa segunda mãe", diziam os comunistas do Araguaia.

As caçadas rendiam refeições com carne de veado, anta, caititu, onça, mutum, jacu, jacubim, tamanduá, jabuti, paca, tatu e cutia. A floresta complementava a alimentação com palmito, coco babaçu, castanha-do-pará, frutas e mel. Flávio cumpriu a tarefa de chamar os companheiros para uma reunião. Nos dias seguintes, os militantes do PCdoB refugiados na mata se organizariam em três destacamentos armados para enfrentar a repressão do governo militar.

* * *

A base do Destacamento B fica perto do rio Gameleira, região do povoado de Santa Cruz, Pará. Os guerrilheiros moram em três casas de madeira, cobertas com folhas de babaçu. Plantam milho, arroz, banana e outras frutas.

Osvaldo Orlando da Costa, o Osvaldão, comanda o destacamento. Mineiro de Passa Quatro, nascido em 27 de abril de 1938, é um dos mais populares militantes do PCdoB no Araguaia. Vive na área desde 1966. Fez o Centro Preparatório de Oficiais da Reserva (CPOR). Estudou Geologia na antiga Tchecoslováquia. Morou no Rio e foi campeão carioca de boxe pelo Botafogo. Muito forte, tem quase dois metros de altura e calça 48.

Instrutor de combate na selva, Osvaldão desfruta de liderança inconteste entre os companheiros. Gosta de falar, cozinhar e ajudar os amigos. Viveu muito tempo na mata, trabalhou em garimpos e fazendas. Foi mariscador, tropeiro, garimpeiro, roceiro e pescador. A figura do gigante negro e prestativo fez fama no Araguaia.

* * *

O potiguar Glênio Fernandes de Sá encantou-se com o comandante desde a chegada à Gameleira em julho de 1970. Ao desembarcar junto com Geraldo e Zeca, foi recebido pelo grandalhão e por um velhinho franzino, o Tio Cid. Os dois anfitriões estavam armados.

Militante do PCdoB em Mossoró, Natal e Fortaleza, Glênio ofereceu-se para participar do trabalho no campo depois de ler o documento *Guerra Popular — Caminho da Luta Armada no Brasil.* Teve grande participação no movimento estudantil secundarista antes de se mudar para o Araguaia.

A nova vida representou um desafio para Glênio. Até aquele momento, ainda não havia destacamentos do PCdoB organizados na região. Logo de início teve de aprender a cortar mato com facão. Usou meias como luvas, mas as mãos inexperientes ficaram cheias de calos. Em menos de um mês, teve a primeira crise de malária. Comprimidos Aralen, à base de quinino, dominaram a febre.

Quando Glênio chegou, a base da Gameleira tinha apenas uma casa. Os comunistas, conhecidos por mineiros pelos vizinhos, construíram outra. Mais tarde, com a chegada de outros militantes do PCdoB, fariam uma terceira moradia. Em seguida, comprariam um castanhal em nome de Ferreira, Guilherme Ribeiro Ribas, ex-estudante secundarista de São Paulo.

O lugar ficou conhecido como Castanhal do Ferreira.

O momento mais feliz aconteceu no último dia de dezembro de 1971. Satisfeitos com o resultado do trabalho na mata, os aprendizes de guerrilheiros resolveram comemorar o novo ano. Em volta das casas, havia quatro roças de milho, uma de arroz e um castanhal. Osvaldão matou um veado mateiro e protagonizou uma cena inesquecível.

Em fila indiana, guerrilheiros chegam ao Castanhal do Ferreira cantando a *Internacional*, hino da Internacional Socialista. Osvaldão lidera o grupo com o veado nas costas. O velho Cid se emociona ao ouvir o hino entoado na mata pelos camaradas armados e pula pelo terreiro da casa feito criança.

A festa teve polenta, feijão, arroz, palmito de babaçu, leite de castanha-do-pará e carne de veado, paca e caititu. Vinte pessoas participaram da celebração. Os comunistas jogaram vôlei, cantaram, recitaram poesias. Tomaram sembereba de bacaba, bebida local. A noite de lua clara tornou a festa ainda mais prazerosa.

* * *

Felizes com o grau de organização alcançado, os comunistas iniciam nova fase do trabalho de implantação da guerrilha. A Comissão Militar cria três destacamentos de luta armada: o da Gameleira, na região da Palestina, o B; o A, na região de São João do Araguaia; e o C, em Conceição do Araguaia.

Grileiros de terra intensificavam a ação contra os posseiros. Pedro Ferreira da Silva, conhecido como Pedro Mineiro, invadiu uma gleba ocupada pelos comunistas. Osvaldão expulsou o sujeito e ganhou ainda mais respeito por parte da população.

Meados de abril de 1972. Os integrantes do Destacamento B recebem a informação de que o Exército invadiu a base A, o Chega com Jeito. Os outros decidem entrar na mata. Matam o cachorro do acampamento: o animal poderia chamar a atenção dos agentes da repressão. Matam também as galinhas, depenadas e embaladas para a caminhada. Deixam milho e arroz armazenados. Pedem a dois moradores amigos para cuidar das roças e de uma mula. Esvaziam as casas e entram na mata em marcha militar. Levam armas, mochilas, panelas, remédios, mantimentos, livros. Apagam rastros e escondem parte da bagagem em depósitos construídos na floresta.

Geraldo avisaria os companheiros do Destacamento C, nos Caianos. Dado o recado, voltaria pela mata e se encontraria com os companheiros em um ponto combinado. A partir daquele momento, os seguidores de Osvaldão assumiriam a condição de guerrilheiros.

* * *

Março de 1971. Danilo Carneiro chega ao Araguaia. Não se adapta desde o primeiro dia e pede ao PCdoB para sair da área. O partido resiste, mas acaba concordando. Fica decidido que Danilo será liberado quando as forças repressivas deixarem a região. A presença militar aumentou nos últimos tempos. Maurício Grabois alerta para a demora da espera. Pode levar meses ou anos.

Sem alternativa, Danilo aceita.

Acontece o contrário do prometido. Danilo é liberado na noite de 12 de abril de 1972, quando o comando da guerrilha tem certeza de que os militares atacam a área. Recebe 120 cruzeiros e a sugestão de pedir ajuda a um morador para ser conduzido até a Transamazônica. No dia seguinte, com a colaboração do camponês Sidônio, Danilo chega à rodovia. Viajam de mula. São parados, revistados e liberados por uma patrulha do Exército. Sidônio volta e o militante dorme uma noite no barraco de outro morador.

Danilo toma um ônibus na manhã seguinte e é abordado mais uma vez. Sem documentos, fica detido para averiguações. O mesmo acontece com Sidônio em sua viagem de volta. O camponês fala sobre os *paulistas* que moram em Metade e conta que conduziu Danilo até a Transamazônica. Ali o guerrilheiro é espancado e teve sua cabeça colocada debaixo da roda de um Jipe que estava atolado. O atrito da roda arrancou seus cabelos. Dali é levado para Marabá.

* * *

Um relatório dos agentes sobre o dia 15 registra a prisão de um morador da Faveira. É descrito como um preto "que parece ser da área e conhecer muita coisa". Nenhuma informação a mais. O documento revela que os interrogatórios até aquele momento pouco adiantaram. Danilo e o camponês disseram nada saber sobre a guerrilha.

O militante preso fala mais, no dia seguinte. Segundo relatório de 15 de abril da Operação Peixe III, Danilo revelou que manteve contato e conversou, durante um ano, com o grupo subversivo atuante na região do lugarejo Metade. Contou confusa história sobre como foi parar no meio da floresta amazônica.

Danilo disse que estudou três meses no Curso Santo Antônio, no Rio, avenida Getúlio Vargas, para tentar vaga no vestibular para Ciências Humanas; conheceu Rubens, moreno, 1,75 m, compleição mediana, entre 20

AS OPERAÇÕES ATÉ O MOMENTO - 15 ABR

1. A tropa - 1 Pel - iniciou o investimento sôbre o "Alvo" a partir km 72 da Transamazônica através da trilha na selva.
Ao chegar ao Alvo já estava abandonado. Tudo estava no local, inclusive fogo no fogão. Consta que somente duas pessoas estavam no Alvo e que fugiram cerca de 2 horas antes da chegada da tropa.

2. Na Região de XAMBIOÁ está atuando uma equipe de 16 homens do CIEx/Brasília (Elm do CMP). Estão contando com o concurso do PEDRO (elemento que deu os informes iniciais da operação tôda). Já descobriram um centro de treinamento de guerrilheiros em CAIANO desativado a partir de 7 de janeiro de 1972. Não foi encontrado armamento embora possuíssem espingardas, carabinas "URKO" e revolveres. No centro de treinamento eram ministrados deslocamentos entre dois pontos, tiro e noções de judô. Foi encontrado estoque de medicamentos e material escolar. Os subversivos eram muito bem aceitos

000236 000174 0041

e 30 anos de idade, olhos castanhos; depois do curso, voltou a encontrar-se com Rubens na praia de Copacabana; havia deixado emprego na Light; aceitou proposta de trabalho feita por Rubens.

Os interrogadores ouviram Danilo dizer que teve um novo encontro com Rubens em Belo Horizonte. Recebeu uma passagem de ônibus e a senha "tem cigarro Hollywood?" para um contato em Goiânia.

Os destinos seguintes foram Anápolis, em Goiás, e Imperatriz, no Maranhão. Em cada cidade era aguardado por alguém com novas orientações e pequenas quantias de dinheiro. No total, recebeu 37 cruzeiros para as despesas.

Tomou um barco em Imperatriz e encontrou-se com Rubens com novas instruções. Seguiu a pé até Metade. No lugarejo conviveu por mais ou menos um ano com Cristina, Nelito, Waldir, Antônio e Fátima, última a chegar. Eram todos guerrilheiros do PCdoB. Os únicos moradores do lugar citados por Danilo foram Joaquim e Sidônio.

* * *

Otacílio Alves de Miranda, afrodescendente, chegou ao sudeste do Pará em maio de 1955. Trabalhou como tropeiro, cortador de pasto e castanheiro. Em 1969, empregou-se como gerente da Fazenda Mundo Novo. Em pouco tempo, comprou um barco. Ao lado da mulher, Felicidade, vivia em paz.

A compra do barco ampliou as possibilidades de trabalho de Otacílio, conhecido como Baiano entre os amigos do Araguaia. Nas viagens pelos rios da região, vendia miudezas e mantimentos. Com intenção de aumentar a clientela, certa vez parou na Faveira, onde se estabelecera um grupo de desconhecidos.

Meu nome é Otacilio Alves de Miranda, nascí dia 10 de Fevereiro de 1929, na Cidade de Morpará, Município de Queimada, Estado da Bahia, aonde eu fiquei até os 26 anos de idade, durante o tempo em que lá morei, trabalhava como tropeiro, então deixei a Bahia no dia 24 de Dezembro de 1954, cheguei aqui dia 10 de Maio de 1955.

Quando cheguei aquí em Marabá, fui trabalhar como tropeiro para o Ananias Costa, trabalhei durante' [illegible] anos com ele; então em 1959 resolví trabalhar com o Osório Pinheiro na Fazenda Macacheira, onde trabalhei durante' um ano, durante este tempo que com ele trabalhei, fui cortador de juquira e castanheiro; em 1960 fui para Imperatriz-Maranhão, e no final do referido ano ou seja Dezembro, retornei à Marabá e procurei o Srº. Salumy, na esparança de arranjar novo serviço, então o Salumy me disse que na Fazenda Olho D'agua não havia vaga para mim; mas que em outra --

O contato deu resultados. Dona Maria, uma das moradoras, costumava encomendar querosene. Os outros também faziam pequenas compras. Um dia, recebeu a notícia de que todos se mudariam para São Domingos das Latas.

Em uma das viagens pelo Araguaia, Baiano ouviu o amigo Alberico dizer que Joca, amigo de Dona Maria, era terrorista. Logo em seguida, soube da prisão de Eduardo Brito, vizinho da turma da Faveira.

A vida do barqueiro começou a mudar para pior no dia 4 de abril de 1972. Por determinação do tenente-coronel Raul Augusto Borges, Baiano recebeu ordem de prisão de um soldado do Exército. Teve autorização apenas para pegar dinheiro e documentos.

Ficou três dias preso no lugarejo conhecido como Jatobá. Depois, quase uma semana em Marabá, antes de ser levado a Belém. Na capital do Pará, viu Eduardo Brito por alguns momentos. Depois, não teve mais contato com o amigo da Faveira.

Otacílio seria o "preto" citado no relatório do dia 15.

* * *

O relatório de 16 de abril de 1972, dos agentes de Belém, recomenda o vasculhamento da área em busca de outros acampamentos. Pede o envio de mais helicópteros e informa que o único usado pelo Exército pertence à Meridional, uma das dezenas de empresas nacionais e multinacionais instaladas na Amazônia — mineradoras, madeireiras, agropecuárias. Outra vez os militares encontram tralhas dos guerrilheiros e exemplares de literatura subversiva.

Estouram novas bases de treinamento de luta armada em Abóbora, Sítio da Viúva e Castanhal do Ferreira. Mais informações apontam atividades suspeitas também em Gameleira e Castanhal do Osvaldinho.

Um documento da 8ª RM, com data de 15 de abril, demonstra que o comando da operação em Marabá julga ter guarnecido todos os possíveis pontos de escape. Um pelotão da PM fecha a Transamazônica. Outro, da 5ª Companhia de Guardas, está na PA-70 (hoje BR-222: são 221 quilômetros que ligam Marabá a Dom Eliseu, um dos principais eixos de integração do Estado do Pará).

Um terceiro pelotão, do BIS, pressiona do "Alvo" em direção a Metade. Os agentes do CIE cercam a saída por Xambioá.

O mesmo documento reclama da dificuldade de comunicação na selva. Ressalta que os pelotões ficam isolados uns dos outros. A única ligação continua entre Marabá e a sede da 8ª RM. Para piorar, o único helicóptero disponível, aquele pertencente à empresa Meridional, tem de ser devolvido.

Por falta de aeronaves, os militares deixam de executar uma manobra para tentar surpreender guerrilheiros em Metade. Agentes da 8ª RM souberam da existência de um campo de treinamento no lugar e planejaram uma missão de emergência.

O pelotão que estava na área do "Alvo", perto da Transamazônica, seria deslocado para Metade com a missão de vasculhar a área e impedir a fuga dos militantes do PCdoB. Sem helicóptero, não foi possível transportar a tropa.

O documento *Operação Peixe III (Info e Combate)* aponta mais uma série de falhas nas primeiras tentativas de atacar os guerrilheiros. Reclama da absoluta falta de pessoal habilitado, que atue à paisana, em número suficiente para investir em situação de superioridade sobre o "Alvo". A carência de agentes preparados, segundo o registro, impediu a realização simultânea de ações dos agentes de Belém e de homens do CIE deslocados para São Geraldo.

Os militares informam a descoberta de novos centros de treinamento de guerrilha em locais distantes um ou dois dias a pé no meio da mata, o que exige efetivo maior. A circunstância leva o Exército a enviar mais dois pelotões, com 20 homens cada, para a área do conflito. Um pertence ao 2º BIS e outro à 5ª Companhia de Guardas, ambos de Belém. A PM do Pará reforça a operação com mais um pelotão.

A 8ª RM pede que o Comando Militar da Amazônia (CMA) faça contato com o IV Exército, com sede no Recife, para que se realizem operações de informação em Imperatriz e Estreito, no Maranhão. Pede o mesmo ao CMP em relação ao norte de Goiás.

O documento recomenda trabalho paciente e meticuloso. Os guerrilheiros evitam confronto direto e confundem os militares. Os *paulistas* talvez tentassem sair da área, mas poderiam estar espalhados na selva ou escondidos em outros centros de treinamento. O texto propõe a concentração de forças nas operações de informação. As equipes devem ser menores, mais qualificadas e agressivas. As tropas, recolhidas a Belém.

O relatório de 16 de abril termina com uma lista bem-humorada de recados do autor do documento para os comandantes da 8ª RM:

– Aqui em MARABÁ, tudo bem
– Multidões de PIUNS E MORIÇOCAS
– Abraços a todos
– Até breve
– Logo que puder enviarei novas noticias estas não foram revisadas devem ter erros de portugues.

* * *

Eduardo José Monteiro Teixeira foi preso quando entrava no Pará junto com a militante Rioko Kayano. Eram conduzidos por Elza Monerat. Os três viajavam de ônibus desde Anápolis, interior de Goiás, mas fingiam não se conhecer.

Passaram por Araguatins e tentavam cruzar o Araguaia de balsa quando pegaram Eduardo. Os agentes o acharam muito nervoso ao ser abordado. O saco de viagem continha livros "comunistas", um par de coturnos pretos, uma bússola, um calção, corda em rolo e roupas sujas, segundo os relatos militares do dia 15 de abril.

Rioko e Elza assistiram quietas à prisão de Eduardo. Seguiram viagem de ônibus e chegaram a Marabá no fim da tarde. Dormiram no mesmo quarto de um hotel. No dia seguinte, Elza instruiu Rioko a tomar sozinha um ônibus-leito para Belém.

Marcaram de se encontrar em um ponto a caminho de São Paulo dois dias depois, entre meio-dia e uma hora da tarde.

Serra das Andorinhas, Araguaia

FOTO MYRIAN LUIZ ALVES

Faveira, primeira moradia dos integrantes do Destacamento A

ÁLBUM DE MORADOR DE PORTO FRANCO

João Carlos Haas Sobrinho: comemoração em Porto Franco

Xambioá vista de São Geraldo

Michéas Gomes de Almeida (Zezinho)

Soldados da China comunista

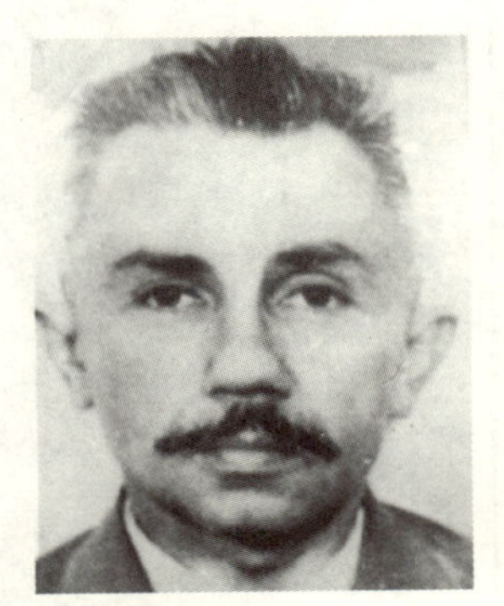
João Amazonas (Cid)

Major Lício Augusto Ribeiro Maciel

O general-presidente Emílio Garrastazu Médici

Mao Tsé-Tung

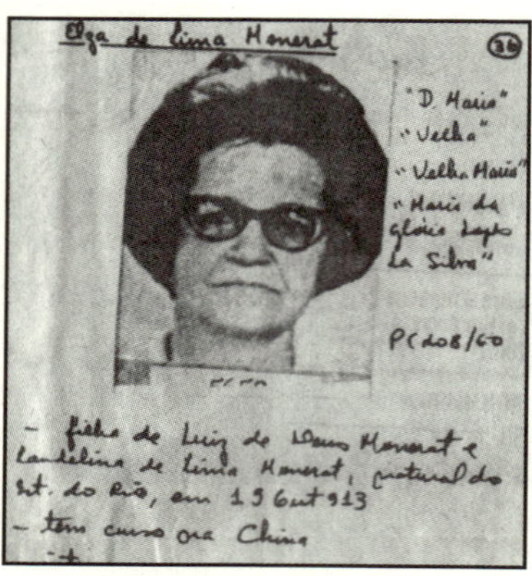

Elza de Lima Monerat (Dona Maria)

Regilena da Silva Carvalho (Lena)

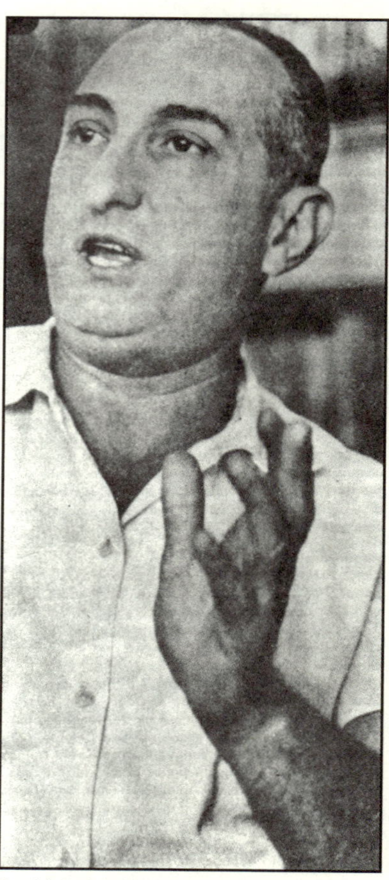
Maurício Grabois (Mário)

Ângelo Arroyo (Joaquim)

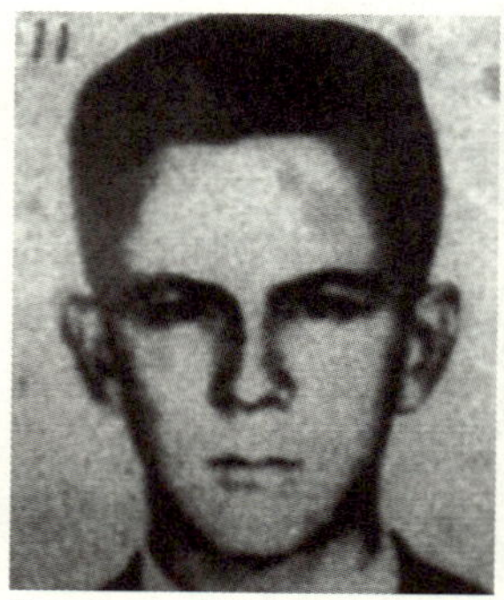
Divino Ferreira de Souza (Nunes)

Líbero Giancarlo Castiglia (Joca)

O livro preferido do agente secreto Nilton

Osvaldo Orlando da Costa (Osvaldão)

Lúcia Maria de Souza (Sônia)

Crimeia Schimdt de Almeida (Alice)

Danilo Carneiro (Nilo)

Antônio de Pádua Costa (Piauí)

André Grabois (Zé Carlos)

O ARAGUAIA E SEU POVO

FOTOS AGÊNCIA ESTADO

CAPÍTULO 24

Dina carregava um saco de arroz nas costas: 60 quilos

Dina despertou a atenção dos militares. Tinha fama de valente, destemida. Dizia-se que acertava tiro em limão jogado no ar. Baiana, nasceu em Argoim, vilarejo do município de Castro Alves, entre Feira de Santana e Itaberaba. Dedicada e trabalhadora, mudou-se para Salvador e estudou Geologia. Na faculdade conheceu o marido, Antônio Carlos Monteiro Teixeira. Ativistas no movimento estudantil, se formaram e foram morar no Rio. Depois seguiram para o Araguaia. Sertaneja, Dina tinha experiência de roça, sabia sobreviver no mato.

A formação acadêmica facilitava o reconhecimento de lugares pelas cores das rochas, pela inclinação do terreno, pelo tipo de solo e vegetação. Dina e Antônio fizeram um mapa de toda a área, usado pelos três destacamentos. O refúgio, diziam, estava na região do Xingu, melhor lugar para os guerrilheiros se protegerem caso houvesse necessidade de retirada diante de ataques militares.

Dina aprendeu a fazer partos e ganhou o respeito dos moradores pela quantidade de mulheres e crianças que salvou. Andava pela mata a qualquer hora do dia ou da noite. De temperamento forte, levou o discreto marido a ser conhecido como "Antônio da Dina". Tornou-se uma das poucas guerrilheiras sem dificuldades de adaptação ao trabalho na selva.

A força física de Dina impressionava. Certa vez, a militante Lúcia, a Baianinha, viu Dina chegar com um saco de arroz nas costas — cerca de 60 quilos.

A geóloga baiana virou referência de combatente para outras militantes enviadas ao Araguaia pelo PCdoB.

* * *

No início da tarde de 13 de abril de 1972, os agentes do CIE enviados a Pau Preto tomam conhecimento da ocupação de uma base guerrilheira por homens da 8ª RM. Os comunistas haviam fugido. Na avaliação dos militares, tentariam passar por São Geraldo e Xambioá.

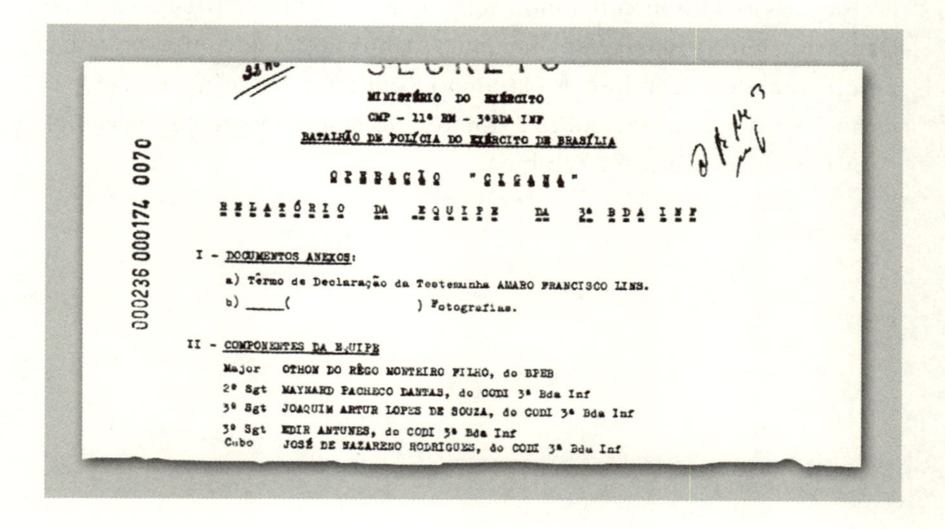

000236 000174 0070

MINISTÉRIO DO EXÉRCITO
CMP - 11ª RM - 3ªBDA INF
BATALHÃO DE POLÍCIA DO EXÉRCITO DE BRASÍLIA

OPERAÇÃO "CIGANA"

RELATÓRIO DA EQUIPE DA 3ª BDA INF

I - DOCUMENTOS ANEXOS:

a) Têrmo de Declaração da Testemunha AMARO FRANCISCO LINS.

b) _____( ) Fotografias.

II - COMPONENTES DA EQUIPE

Major OTHON DO RÊGO MONTEIRO FILHO, do BPEB
2º Sgt MAYNARD PACHECO DANTAS, do CODI 3ª Bda Inf
3º Sgt JOAQUIM ARTUR LOPES DE SOUZA, do CODI 3ª Bda Inf
3º Sgt EDIR ANTUNES, do CODI 3ª Bda Inf
Cabo JOSÉ DE NAZARENO RODRIGUES, do CODI 3ª Bda Inf

O grupo destacado para investigar Pedro Onça desloca-se para bloquear as passagens pelas duas cidades. Cercam as saídas de Araguanã e Remanso dos Botos, em Goiás.

Os militares registram as ações em dois documentos para o ministro do Exército. Um deles, *Relatório Operação Cigana*, recebe o número 979 012375 2120 nos arquivos do CIE. O segundo, *Relatório da Missão Xambioá*, leva a assinatura do capitão Hamilton Ribeiro Saldanha de Menezes. Nas prateleiras do centro de informação, ganha o número 000236 000174 9345.

Outras movimentações de abril são descritas no documento *Operação Cigana — Relatório da Equipe da 3ª Brigada de Infantaria*, carimbado com o número 000236 000174 0070 pelo CIE.

No final da tarde do dia 13, os investigadores chegam a Xambioá com o prisioneiro Francisco Amaro Lins, identificado como peão da fazenda de Paulo Rodrigues, nos Caianos. Os militares não sabem, mas o homem apanhado tem longa trajetória no PCdoB e conhece muito a respeito da preparação da guerrilha.

Amaro foi preso por agentes do CODI da 3ª Brigada de Infantaria, de Brasília, chefiados pelo major Othon do Rêgo Monteiro Filho, do Batalhão de Polícia do Exército de Brasília (BPEB).

Na missão, Othon comandou o segundo-sargento Maynard Pacheco Dantas, os terceiros-sargentos Joaquim Arthur Lopes de Souza, o Ivan; e Edir Antunes e o cabo José de Nazareno Rodrigues. No relatório da Operação Cigana, o major refere-se a Amaro Lins como "ex-amigo" de Paulo.

Amaro ficou preso em Xambioá.

CAPÍTULO 25

O caso de Neuza e Amaro: ele preso; ela sem nada entender

Neuza Rodrigues nasceu no norte de Goiás, antes da criação do estado do Tocantins. Filha de camponeses, cabocla morena, magra e bonita, casou muito nova com o vizinho Dagoberto. Tiveram uma filha, Maria da Cruz. Em pouco tempo, o casal se separou. A filha ficou com o ex-marido e Neuza foi morar na casa de um cunhado à beira do Araguaia.

Em 1968, chega à região um grupo de estranhos. Um deles, Amaro, se interessa por Neuza. Tem 48 anos e trabalha como gerente da fazenda de Paulo Rodrigues, outro forasteiro. A camponesa resiste a Amaro. Vinte e sete anos mais moça, saiu há pouco de um casamento e não está interessada em outro compromisso.

Os parentes de Neuza prestavam serviços nas fazendas de Paulo Rodrigues, uma no povoado de Boa Vista e a outra nos Caianos, e aprovaram as investidas de Amaro. Queriam evitar a tentação de uma mulher descasada pela vida fácil nos garimpos. Os *paulistas* pagavam direito e pareciam pessoas de bem. As visitas de Amaro ficaram mais frequentes. Neuza resolveu ceder à vontade da família e foi morar com Amaro nos Caianos. Não sabia que o segundo marido guardava um segredo decisivo para o futuro do casal.

Amaro foi para a região se integrar à guerrilha do PCdoB. No Rio de Janeiro trabalhava como operário e militava no partido. Para manter as aparências no Araguaia, trabalhou durante algum tempo como gerente de Paulo Rodrigues.

Paulo morava na outra fazenda, em Boa Vista, quando recebeu um bilhete de Amaro com o aviso do casamento. Três dias depois da mudança de Neuza, o "patrão" apareceu nos Caianos. Despojou-se das duas armas, uma espingarda 16 mm e um revólver calibre 38, e chamou o gerente para uma conversa particular. O dia clareava. Os dois passaram toda a manhã no fundo do quintal, no mangueiro dos porcos.

Neuza fez café e esperou. Não tinha ideia do que se passava. Na hierarquia do PCdoB, Amaro estava subordinado a Paulo. O partido proibia o envolvimento amoroso de militantes com moradores da região, norma criada para evitar a quebra de sigilo da organização. Tinham de adotar uma conduta austera para obter respeito por parte da população. Na conversa, Paulo comunicou a Amaro uma decisão do partido. O gerente da fazenda teria de optar entre a guerrilha e a cabocla.

Amaro escolheu Neuza. Prometeu lealdade ao partido, mas queria viver aquele amor. Na mesma noite, Neuza foi dormir na casa da irmã Constância Vieira Dias. Amaro a acompanhou. No caminho contou que teriam de sair da fazenda de Paulo e que tinha um plano antigo: pretendia tomar posse de uma área no meio do mato.

Os dois saíram no dia seguinte, de mochila nas costas, em busca das terras. Encontraram um lugar com água, cercado de floresta fechada. Amaro perguntou se Neuza tinha coragem de dormir ali. Ela respondeu que sim, adorava entrar na mata.

Ele roçou em volta, cortou uns paus para armar as forquilhas e fazer um barraco. Montaram acampamento e acenderam fogo. O lugar se chamava Água Salobra. Ali viveriam 14 anos em clima de lua de mel. Passaram também a melhor parte de uma longa história de amor e sofrimento.

No acerto de contas com Paulo Rodrigues, Amaro levou, como "pagamento", um saco de arroz com casca, um saco de feijão, uma lata de banha, bacia, panela, torradeira e moinho de café. Daria para o começo. Uma semana depois de chegar a Água Salobra, receberam visitas: dois tios de Neuza, Raimundo José Veloso e Joaquim Rodrigues de Araújo; e um cunhado, Chico Vieira.

Resolveram trabalhar todos juntos em uma roça. Os três passavam a semana na casa de Amaro e Neuza. Na sexta-feira iam embora para os Caianos e voltavam na segunda. Quando os mantimentos recebidos de Paulo acabaram, tiveram de conseguir mais. Sem banha de porco para cozinhar, Neuza quebrava coco babaçu para tirar óleo. Compraram outras coisas fiado, no armazém do Lalu, em Araguanã, pagas posteriormente com o dinheiro da colheita.

Enquanto arrumavam a terra e ajeitavam a vida, Neuza ficou grávida. Em 22 de abril de 1970, nasceu Valdemir. O Dr. Juca havia prometido fazer o parto. Mas, quando chegou, o menino já havia nascido. O médico deu instruções, examinou o umbigo malcortado e foi embora.

Em outra ocasião, o Dr. Juca apareceu para uma visita e encontrou Neuza com leishmaniose no pé. Receitou duas caixas de Glucantina, para tomar dia sim, dia não. O dinheiro deu para comprar apenas uma caixa. Depois de 20 dias, Neuza sarou e ficou para sempre grata ao médico gaúcho.

A sociedade na roça acabou depois da primeira colheita. Joaquim ficou morando em uma casa vizinha; os outros dois voltaram para os Caianos. Em dezembro de 1971, Paulo chamou Raimundo José Veloso, o Raimundinho, para ser vaqueiro. Precisava de alguém de confiança para tomar conta da fazenda. Faria uma longa viagem. O tio de Neuza aceitou o serviço. Em janeiro de 1972, Paulo entrou na mata e não deu mais notícias. Com ele foram também os outros *paulistas.*

Quando caiu nas mãos do Exército, Amaro estava afastado da fazenda de Paulo e desligado do partido fazia quase três anos. Os agentes das Forças Armadas chegaram no dia 11 de abril de 1972. Disseram-se amigos de Dina e Paulo e pediram informações sobre os dois. Amaro respondeu que não os via desde dezembro. Tinham viajado para um lugar chamado Abóbora, mas não sabia se continuavam lá.

A camponesa continuou sem ter ideia do que se passava. Os homens do Exército entraram na casa e vasculharam o quarto sem pedir licença. Os únicos papéis encontrados foram documentos pessoais e uma revista *Veja*, antiga. As perguntas continuaram.

Os militares demonstraram saber muito da vida de Amaro e Neuza. Haviam conversado com os tios Raimundinho e Joaquim. A pressão aumentou. Exigiram que Amaro falasse mais sobre o paradeiro dos *paulistas.* Se não colaborasse, seria levado para "passear". E avisaram:

"Essa guerra é longa".

Amaro foi preso, amarrado e colocado em cima de um cavalo. Neuza quis ir junto, mas os agentes não permitiram. Responderam que ela era inocente e seguiram viagem rumo à casa de Joaquim. Neuza ficou na posse, no meio do mato, sozinha com o filho Valdemir. Sem saber dos acontecimentos, esperou ansiosa pela volta do marido.

CAPÍTULO 26

O cerco se aperta em torno de 15 comunistas

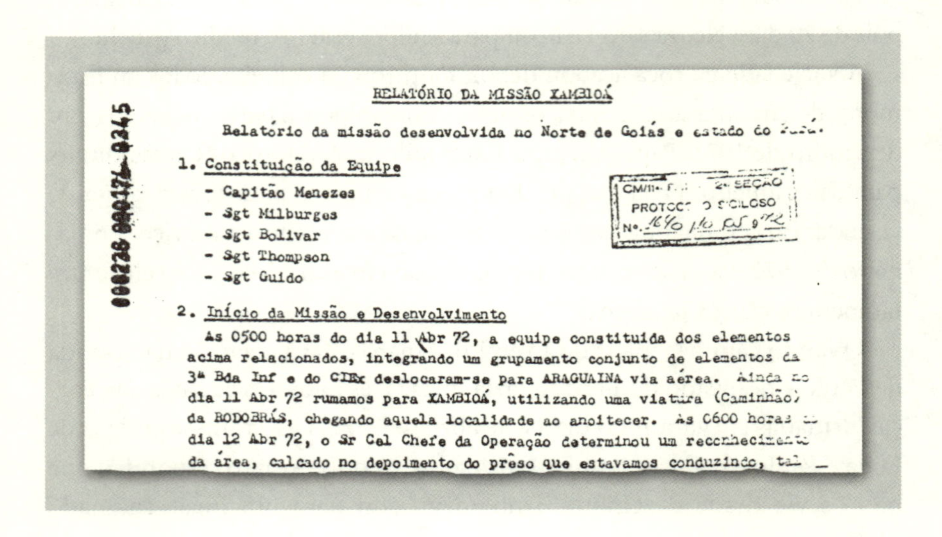

RELATÓRIO DA MISSÃO XAMBIOÁ

Relatório da missão desenvolvida no Norte de Goiás e estado do [illegible]

1. Constituição da Equipe
   - Capitão Menezes
   - Sgt Milburges
   - Sgt Bolivar
   - Sgt Thompson
   - Sgt Guido

CM/11ª [illegible] 2ª SEÇÃO
PROTOCOLO SIGILOSO
Nº. 1640 / 10 05 972

2. Início da Missão e Desenvolvimento

As 0500 horas do dia 11 Abr 72, a equipe constituida dos elementos acima relacionados, integrando um grupamento conjunto de elementos da 3ª Bda Inf e do CIEx deslocaram-se para ARAGUAINA via aérea. Ainda no dia 11 Abr 72 rumamos para XAMBIOÁ, utilizando uma viatura (Caminhão) da RODOBRÁS, chegando aquela localidade ao anoitecer. As 0600 horas do dia 12 Abr 72, o Sr Cel Chefe da Operação determinou um reconhecimento da área, calcado no depoimento do prêso que estavamos conduzindo, tal _

Cinco homens partem rumo a Pau Preto na manhã do dia 14 de abril de 1972. O capitão Hamilton Ribeiro Saldanha de Menezes comanda os sargentos do CIE Milburges, Bolívar, Thompson e Guido. Chegam às proximidades do acampamento dos guerrilheiros às dez da noite e juntam-se aos militares do CMP, instalados no local desde o dia anterior.

Um dos oficiais presentes em Pau Preto ordena um cerco à casa dos comunistas na manhã seguinte. A ação começa com o dia ainda escuro. Os guerrilheiros, alertados pelos latidos do cão, fogem. Deixam para trás dez bombas de fabricação caseira, dez mochilas confeccionadas no local, oficina de reparação de rádio, estoque de medicamentos, arroz suficiente para encher um caminhão, dez sacos de feijão e abóbora, um saco de sopa Maggi, 30 facões, uma máquina de costura, fivelas, presilhas, 50 peças de roupas, caixas de absorvente feminino e dez malas. Os três fugitivos andam descalços, os homens estão sem camisa.

Um relatório sobre a Operação Peixe III feito por militares de Belém fornece detalhes sobre a missão. Os homens do CIE encontraram ainda três bússolas idênticas à apreendida com Jeová. Ele se refere ao esquerdista Jeová Assis Gomes, militante da ALN, reconhecido num jogo de futebol em Guaraí (atualmente no Tocantins), pelos agentes da 11ª RM, comandados pelo major Lício Maciel, que por acaso assistiam à partida. Jeová foi morto em pleno campo, em 9 de janeiro de 1972.

Em Pau Preto, os militares não encontraram armamento. Apenas dez quilos de munição calibre 38 e uma chumbeira. A casa ficava em lugar de difícil acesso. Tudo indicava que fosse usada para estocar munições. Os militares supunham que havia outros depósitos, mas para se certificarem precisariam vasculhar a área. Isso exigiria o uso de helicópteros, mas possuíam apenas um, aquele emprestado da empresa Meridional.

Os agentes ofereceram o material e os alimentos apreendidos à população, mas ninguém aceitou. Os moradores alegaram medo de represália por parte dos *paulistas*. Os homens do Exército guardaram algumas amostras e tocaram fogo no restante.

Nas ações, um mateiro indicado pela serraria Ímpar ajudou os militares. A empresa possuía uma estação SSB que falava com São Paulo. O aparelho foi o único meio de comunicação disponível na área até 18 de abril, quando chegaria uma estação da 8ª RM.

As chuvas impediram o retorno das equipes de Pau Preto no dia 14 de abril. No mesmo dia chega a Xambioá o E2/8ª RM para troca de informações. Viajam em táxi aéreo e pernoitam na cidade. Saem no início da manhã do dia seguinte.

O oficial decide retornar para Xambioá com as equipes. Chegam à cidade às dez horas da noite do dia 15. Falam sobre a fuga dos guerrilheiros. Mais uma vez os agentes pedem um helicóptero. Às cinco da tarde chega um, da empresa Meridional, emprestado. Tem pouco combustível.

Três missões são planejadas para o helicóptero. Equipes deveriam reconhecer as áreas de Mutum, Pedro Onça e São Domingos da Lata. Fretam um táxi aéreo no dia 16 para buscar combustível. O helicóptero tinha três horas de autonomia.

A primeira equipe segue para Mutum. Encontra duas casas, desocupadas pelos guerrilheiros, com grande quantidade de medicamentos e víveres. Novamente tentam distribuir à população, mas ninguém aceita, conforme afirmaria o relatório.

O helicóptero volta para Xambioá. Não pode realizar a segunda missão porque o comandante da 8ª RM ordena, em mensagem passada pelo rádio, que o aparelho seja usado na visita do presidente da Meridional à Serra do Norte.

Às quatro da tarde, os agentes do CIE recebem de dois guias a informação de que Antônio e Dina estão na região de Sobra de Terra, próxima ao Castanhal do Noleto. Quatro militares e um mateiro seguem de táxi aéreo e aterrissam no castanhal. No dia 17, os agentes que pernoitaram em Sobra de Terra chegam a Xambioá por volta das dez da manhã. Dizem que ouviram falar em uma reunião de 13 "terroristas" em três casas. Confirmam a presença de Dina, Antônio e outros. Às onze horas o chefe da operação do CIE/ADF parte para Marabá. Pretende transmitir a informação para Belém e acertar um plano de ataque aos guerrilheiros localizados.

Em Marabá o comando da operação esboça um plano, mas a ação só poderia ser executada com o uso de helicóptero. O deslocamento a pé exigiria 13 horas de marcha forçada no meio da mata.

Sem noção dos problemas enfrentados com deslocamentos via aérea, o E2/8ª levou ao oficial do CIE o descontentamento do E3/8ª por causa do uso de helicóptero em missões de combate. Diziam que o aparelho da empresa Meridional tinha sido cedido apenas para "*salvamento de vida humana*".

O militar do CIE disse não saber da restrição. Pediu o helicóptero para as ações de perseguição aos guerrilheiros. Um pedido de desculpas encerrou a discussão, mas o clima continuou tenso.

O dono de um castanhal colocou seis mateiros à disposição do CIE. Sob comando do delegado de Xambioá, Carlos Teixeira Marra, ficaram encarregados de vigiar os comunistas em Sobra de Terra. Se abandonassem as três casas, seriam rastreados.

O comando dos agentes do CIE em Xambioá pediu reforço de dez homens e mais munição a Brasília. Insistiu na necessidade de um helicóptero. A estação de rádio da 8ª RM foi transferida de Marabá para Xambioá, mas estava sem microfone e só ficou em condições de uso no dia seguinte.

No início da tarde do dia 18, os agentes receberam mensagem do delegado enviado a Sobra de Terra. A vigilância sobre os comunistas era feita em condições precárias. Precisava de reforço urgente. No fim da tarde, o E2 chegou em Xambioá de helicóptero.

O helicóptero usado pelo E2 levou, em duas viagens, seis homens e um pouco de munição para ajudar na vigília às três casas cheias de comunistas. Na segunda descida, os passageiros souberam da prisão de um guerrilheiro. Tinha no bolso um bilhete do chefe da base de Gameleira para a base de Sobra de Terra. Alertava para a movimentação de tropas do Exército.

Nada mais se sabia a respeito do prisioneiro.

Naquela noite, 12 homens armados ficaram encarregados de manter o cerco em Sobra de Terra. Os comunistas eram 15. O chefe da operação do CIE insistiu com o E2 na necessidade de um helicóptero ao amanhecer. O cerco se apertava.

* * *

Elza Monerat deixou Rioko Kayano no hotel de Marabá, tomou um ônibus na direção de Imperatriz, dormiu na divisa do Pará com o Maranhão e chegou a Anápolis. Precisava avisar João Amazonas da presença do Exército e da prisão de Eduardo Monteiro Teixeira. O secretário-geral do PCdoB voltava para o Araguaia e passaria pela cidade goiana naquele dia.

A velha comunista ficou à espreita na rodoviária. João não demorou muito a aparecer. Elza fez um sinal, de longe, para o camarada não embarcar rumo ao Araguaia. Os dois retornaram a São Paulo em dias diferentes.

CAPÍTULO 27

Traído pelo cão, combatente de codinome Geraldo é preso

O guerrilheiro precisa andar rápido para voltar ao ponto, perto da base da Gameleira. Com uma mochila nas costas, caminha apressado por trilhas e picadas, embora as normas de segurança recomendem deslocamentos pelo meio do mato, onde há menos riscos de encontrar inimigos. Se não chegar ao destino até aquela noite, perderá contato com os companheiros do Destacamento B.

No dia anterior, Geraldo saiu da Gameleira com a tarefa de alertar os guerrilheiros do Destacamento C, nos Caianos, sobre a investida dos militares na região. O acampamento estava abandonado. A notícia chegou antes. Perguntou pelos amigos aos moradores, mas não conseguiu pistas. Dormiu no mato e acordou cedo para alcançar os companheiros do B. Levaria um dia inteiro para percorrer os 30 quilômetros até o ponto combinado na selva. Agora, com medo de não dar tempo, segue pela picada.

Militante do PCdoB, Geraldo vive no Araguaia desde 1969. Alto, magro e com sotaque nordestino, confunde-se com os moradores da região. Conhece bem a mata, planta roça e caça no vale do rio Gameleira. Escondido da população faz treinamento militar. Pertence ao Destacamento comandado por Osvaldão, um dos primeiros comunistas a chegar ao Araguaia.

Osvaldão pretende entrar para o interior da mata com mais de 20 guerrilheiros naquela noite. Os ataques inesperados dos militares recomendam a manobra de recuo. Antes, precisava apenas avisar o Destacamento C da presença das forças repressivas. Geraldo daria o recado e voltaria para se reintegrar a tempo de também se embrenhar na floresta.

Depois de uma curva da picada, na manhã de 18 de abril de 1972, Geraldo avista um grupo de homens à paisana. Acelera o passo e chama a atenção de um dos sujeitos, o sargento Marra. Tem de parar para dar explicações. O policial sabe das andanças de alguém em busca dos companheiros.

"Por que você andou procurando pelos terroristas?", pergunta Marra.

"Eu não sabia, só vim para fazer negócio com eles", responde Geraldo.

O militante do PCdoB conta a versão de que tem negócio de arroz com alguns moradores dos Caianos. Nervoso, diz que nada sabe sobre guerrilha. Não convence. Acaba preso e amarrado pelo grupo do sargento. O delegado quer levar o prisioneiro de volta à casa dos "terroristas". A pé e puxado por um cavaleiro, Geraldo pensa em como agir. Tem de resistir calado pelo menos um dia para não entregar o local no qual se juntaria ao destacamento comandado por Osvaldão.

Disposto a morrer, como aprendeu nos treinamentos, decide fugir. Com um gesto rápido, puxa a corda com força, se desprende do cavaleiro e corre.

"Pode atirar", grita o guerrilheiro, enquanto faz zigue-zague no meio do mato.

Uma bala pega o braço direito de raspão. Geraldo segue correndo, mas enrosca-se em uma moita e cai. Fatigado, não consegue levantar. Recapturado, ouve a conclusão do sargento Marra.

"Agricultor daqui não manda atirar desse jeito."

A caminhada continua até as casas visitadas por Geraldo no dia anterior. No chão de uma das residências, o militante do PCdoB vê um vira-lata se aproximar. O animal cheira o prisioneiro e abana o rabo.

"Tá vendo? O cachorro dos terroristas conhece o sujeito!", exclama o sargento Marra.

As agressões físicas aumentam. Primeiro, tapas fortes nos ouvidos, no jargão policial conhecidos como "telefones". Depois, os homens do sargento Marra enfiam a cabeça de Geraldo na água. Querem saber onde está Paulo, o chefe dos Caianos.

Diante das negativas do prisioneiro, as torturas se intensificam. Põem Geraldo de pé em cima de latas de leite condensado abertas. Nem assim os policiais conseguem informações. O prisioneiro de fato não sabe onde Paulo se encontra. Comandante do Destacamento C, Paulo levou os guerrilheiros para local ignorado pelos moradores assim que ouviu falar dos primeiros ataques dos militares. Geraldo repete que desconhece o rumo tomado pelos *paulistas* dos Caianos e as torturas continuam.

Os policiais nada perguntavam sobre os guerrilheiros da Gameleira. Até aquele momento, as informações obtidas pelos agentes da repressão apontavam para as bases dos destacamentos A e C. Se, em lugar de prenderem, tivessem seguido Geraldo, pegariam de surpresa os combatentes treinados por Osvaldão.

O interrogatório começou por volta das sete horas da manhã. No início da tarde, chegam agentes do CIE em um helicóptero. Fazem mais perguntas sobre Paulo e ameaçam furar a barriga do prisioneiro com uma faca. Antes do anoitecer, os policiais amarram Geraldo em uma árvore. Um dos homens faz uma foto do prisioneiro. Na madrugada, mais torturas. Cansado, machucado e humilhado, o militante do PCdoB tem o consolo de uma lambida do vira-lata da casa.

O mesmo helicóptero que trouxe os agentes do CIE leva Geraldo para Xambioá no início da tarde de 19 de abril. O guerrilheiro conseguiu guardar segredo sobre os movimentos dos companheiros da Gameleira. Escapará da morte e terá papel importante na política nacional 30 anos mais tarde.

CAPÍTULO 28

Três rapazes chegam bem no meio da guerra

No meio da tarde do mesmo dia da prisão de Geraldo, três rapazes chegam a Xambioá. O mais velho, Daniel, estava no interior desde 1966. Os outros dois, Chico e Miguel, pisam pela primeira vez na região do conflito para reforçar a guerrilha. Militantes do PCdoB no movimento estudantil do Rio de Janeiro, passaram por São Paulo e encontraram Daniel em Anápolis, antes de chegarem a Xambioá.

Os três pretendem dormir em um hotel perto da rodoviária, mas Vítor os recebe com a informação de que as Forças Armadas chegaram. Militares circulam por toda parte. Vítor orienta Daniel, Chico e Miguel a atravessar o rio. Devem esperar na igreja de São Geraldo. Um grupo de homens do Exército está no local, e os rapazes desistem. Entram no mato e encontram outro guerrilheiro, Jorge, com dois burros. A partir daí, Chico e Miguel acompanham Jorge. Vítor fica, pois irá mais tarde. Daniel tentaria entrar em contato com um grupo de guerrilheiros na mata.

A tranquilidade de Jorge impressiona Miguel. Sorridente e brincalhão, o sujeito não demonstra apreensão alguma com os militares. Mostra-se confiante e seguro. Os dois novatos, assustados, pouco falam. Procuram, antes de tudo, entender a situação.

“Eita mundão sem porteira!”, exclama o animado Jorge ao entrar na floresta.

A frase típica do interior do País soa bem engraçada com a pronúncia de sotaque nordestino do rapaz. Um grupo de guerrilheiros aguarda o trio em Esperancinha. Os novatos são apresentados a Paulo Rodrigues, Dina, José Francisco, Domingos, Josias, Lúcia, Ari e Áurea. Abraços apertados e cumprimentos dos companheiros dão as boas-vindas. Alguns falam em nova etapa na luta, todos aparentam tranquilidade nos corações, mas têm um pouco de pressa.

Ao anoitecer, escondem grande quantidade de suprimentos em volta do acampamento. Entram na mata, caminham cerca de 20 minutos e param. Vítor, vice-comandante do destacamento, chega em seguida e ali decidem dormir.

CAPÍTULO 29

Fracasso por causa de uma Coca-Cola. Geraldo é Genoino

A proximidade dos combatentes deixa o ambiente tenso em Sobra de Terra. Militares e mateiros dividem a angústia de passar a noite em claro, à espreita, responsáveis por impedir a fuga dos guerrilheiros.

Em minoria, os militares decidem não atacar. Contam com a presença da tropa na manhã seguinte para dar um golpe certeiro. A noite escura e úmida aumenta o cansaço dos agentes, pouco acostumados com a vida na selva. Estão exaustos. Durante dias, caminharam sem os confortos da vida urbana. Dormiam em redes e comiam o que aparecia pela frente. À noite, sonhavam com lençóis brancos, travesseiros limpos, comida caseira e quente. Ao amanhecer, se tudo der certo, muitos voltarão para Xambioá no helicóptero da tropa de reforço.

O dia 19 de abril de 1972 amanhece claro, com ótima visibilidade. Duas mensagens enviadas de Xambioá para o E2 imploram por um helicóptero para ajudar na ação. O táxi aéreo não está na cidade. Chega às duas da tarde e logo leva um grupo para Sobra de Terra. Mas, na avaliação do comando, a quantidade de homens é insuficiente para travar combate vitorioso contra aproximadamente 15 comunistas.

Meia hora depois, o helicóptero da 8ª RM aterrissa em Xambioá com o E3. O aparelho sai em seguida com mais um grupo para Sobra de Terra. O grupo volta logo depois com a informação de que os guerrilheiros romperam o cerco. Não há mais como persegui-los. Fugiram na direção da Gameleira. O helicóptero chegou tarde demais.

O enviado de Belém explica as razões do atraso. O aparelho foi usado no transporte de refrigerantes e ração para tropas do CMA em serviço nas imediações de Marabá. *Este apoio era muito importante para levantar o moral da tropa*, argumentou o representante da 8ª RM.

* * *

Os homens do CIE que participaram do cerco fracassado em Sobra de Terra ficaram revoltados. O Exército perdeu a chance de ouro de abalar a guerrilha logo no primeiro mês de confronto. Noites e dias de sacrifício em vão porque o helicóptero precisou levar Coca-Cola para as tropas da 8ª RM.

Os agentes do CIE interpretaram o episódio como uma demonstração de que os chefes militares de Belém privilegiavam seus homens. Aos poucos, ficavam evidentes as divergências entre os comandos do Planalto e da Amazônia. Havia disputa pelo controle das operações.

O problema existia porque o confronto se dava em área limítrofe de três comandos. O da Amazônia, com sede em Manaus; o do Planalto, com sede em Brasília; e o IV Exército, no Recife.

O Pará, onde os guerrilheiros se escondiam, pertencia ao comando da Amazônia, mas os inimigos se movimentavam muito em Xambioá, de Goiás, jurisdição do Planalto. O Maranhão, do outro lado do rio, servia de apoio e também de porta de entrada para os comunistas. Ficava na área do IV Exército.

Os conflitos de jurisdição tornavam as decisões mais lentas e atrapalhavam a coordenação das ações repressivas.

* * *

O chefe de operações do CIE em Xambioá, coronel Carlos Sérgio Torres, pede na mesma hora para retirar os agentes de Brasília da missão. Está indignado com a demora da 8ª RM no aproveitamento do trabalho feito pelos homens de informação. O emprego do helicóptero no transporte de refrigerantes para a tropa naquelas circunstâncias foi a gota d'água.

O pedido do chefe de operações é aceito no dia seguinte, 20 de abril. Às quatro da tarde chega a Xambioá um helicóptero da FAB com cinco homens enviados para atuar na região de Santa Cruz, localizada quatro horas de barco rio abaixo. O local é a via de escape natural dos guerrilheiros escondidos na Gameleira e tem de ser guarnecido.

No dia 21 de abril, uma sexta-feira, a equipe enviada a Santa Cruz volta a Xambioá. Às nove da manhã, a equipe comandada pelo major

Othon do Rêgo Monteiro Filho embarca num avião da FAB em Araguaína com destino a Brasília. No sábado, logo depois do meio-dia, agentes do CIE tomam o mesmo destino.

* * *

O bilhete com a inscrição *C: exército na área. cmte B*, encontrado com o guerrilheiro preso, confirma a informação sobre a existência de uma base subversiva na Gameleira, na margem esquerda do Araguaia, abaixo de Xambioá. Somente cinco dias depois, já em Brasília, o Exército identifica o comunista que usa o codinome Geraldo. Trata-se do cearense José Genoino Neto, ex-diretor da União Nacional dos Estudantes, clandestino desde 1968. Preso no congresso de Ibiúna, depois de solto mudou-se para o Araguaia.

Os combatentes do Destacamento B ainda aguardam o retorno de Geraldo. Mais de uma semana depois da retirada para o interior da mata, acompanharam a distância quando soldados do Exército invadiram a base da Gameleira. Queimaram duas casas, os paióis de milho e arroz e cortaram as árvores frutíferas. Sem sair da clareira, disparavam tiros a esmo.

Sem saber da prisão de Geraldo, Osvaldão destaca Glênio para esperar o companheiro em um ponto combinado — um barraco velho, caindo aos pedaços. O guerrilheiro potiguar fica uma semana no lugar. Passa fome e medo. Uma noite, antes de dormir, matou uma cobra jararacuçu. Em outro momento, viu um helicóptero militar sobrevoar o local no qual se escondia.

Uma semana depois, Flávio foi buscá-lo e, antes de se dirigir para o novo acampamento, dormiram mais uma noite na mata.

* * *

A casa de João José dos Santos, conhecido como João Felipe, ficava à beira de uma estrada na região da Gameleira. Tinha oito filhos com Maria Francisca. Osvaldo e os amigos sempre passavam por lá para tirar um dedo de prosa.

Um dia chegam homens do Exército e dizem que os vizinhos "boa gente" são "terroristas". Acreditam que João Felipe vai colaborar com os guerrilheiros e o levam preso para Xambioá. O caboclo apanha com tala de coqueiro assada. Fica com o corpo todo inchado de tanta pancada. Os militares querem saber onde estão os *paulistas*.

Para aguentar o sofrimento, João Felipe apega-se a Deus. Na mente repete a frase:

"Nem jumento leva surra desse jeito".

Geraldo preso no Araguaia. Só depois se soube que era José Genoino Neto, hoje presidente do PT

CAPÍTULO 30

Relatório aponta acertos e erros da Operação Cigana

Houve falha na tentativa de preservar o sigilo das operações. Em menos de 48 horas, a presença de "federais" na região era de conhecimento público. O uso de botas militares mostrou-se inadequado. Muitos coturnos foram abandonados no mato. Funcionava melhor um calçado civil tipo "topa tudo". A ração militar praticamente não foi usada. Era pesada e ocupava espaço demais. As equipes preferiram comer nas casas dos moradores ou aproveitar a capacidade dos mateiros de encontrar alimentos na floresta.

O relatório da Operação Cigana, assinado pelo capitão Menezes, afirma que a população recebeu indenização pelas refeições fornecidas às tropas. Os camponeses desmentem.

Os barcos a motor foram um meio de transporte eficiente. Havia muitos em Xambioá disponíveis para aluguel. No meio da mata, os militares enfrentaram problemas com a falta de costume no trato com os burros, essenciais nos deslocamentos. Muitos agentes apresentaram assaduras e escoriações depois das longas cavalgadas.

Um helicóptero resolveria o problema, alerta de novo o documento. Marchas de 12 a 18 horas poderiam ser substituídas por voos de dez minutos. As tropas chegariam ao destino descansadas. As caminhadas desgastavam os militares sem experiência com a vida na mata.

A falta de rádio para falar com Brasília forçou o uso de uma estação SSB da Serraria Ímpar, com sede em São Geraldo. Funcionou, mas apresentou inconvenientes. O maior foi a quebra de sigilo das operações. As mensagens eram enviadas para a sede da empresa em São Paulo. De lá, repassadas por telefone para o II Exército. Só depois chegavam a Brasília. Sem estações de pequeno alcance, algumas equipes perderam-se na mata. O chefe de operações ficou 48 horas sem notícias do grupo deslocado para Pau Preto.

O relatório desaconselhou o uso de metralhadoras Thompson, muito pesadas. A portátil MP 5 AHK, mais leve, funcionou bem. Fuzis FAL também tiveram bom desempenho na mata, mas pesam muito e facilitam a identificação dos militares. O documento recomenda o uso de espingardas .30', porque se parecem com as armas dos camponeses.

As granadas de mão não funcionaram depois de longas caminhadas na mata úmida. Por segurança, os militantes envolviam as armas automáticas em plástico durante os deslocamentos, mas em condições de atirar a qualquer momento. O M 79 mostrou-se útil. Trata-se de um lança-granadas portátil, usado por copilotos no ar e também por agentes em terra, para lançar gás lacrimogêneo e fumaça.

Os militares reprovaram, por falta de durabilidade e conforto, as mochilas encontradas no mercado. As confeccionadas com sacos de farinha tiveram bom resultado, mas o ideal eram as bolsas tipo bornal de oficial. As redes de náilon desagradaram no tamanho e na capacidade de proteção contra frio e mosquitos. Os coldres de couro esgarçaram depois de algumas travessias de igarapés. O uso de bússola e cantil era indispensável.

Todos deveriam carregar substância química para tratamento de água. As equipes levaram soro antiofídico, seringa plástica, mertiolate, esparadrapo, comprimidos de Aralen para malária e também para dor de cabeça e diarreia, repelentes, Neocid, colírio, sal entérico, pomada Hipoglós e picrato de butesin para queimaduras. De todos os produtos levados, só o soro antiofídico não foi usado.

A conclusão do relatório aponta boas chances na luta contra guerrilheiros na selva. Mas reclama da falta de meios de comunicação eficientes, particularmente para curtas distâncias. Recomenda o emprego de efetivos pequenos e bem selecionados. Helicópteros são indispensáveis.

O relatório avalia que comunistas possuíam depósitos de suprimentos e tinham facilidade para se dispersar e se reunir em situações de emergência. O documento descreve os guerrilheiros como pessoas perfeitamente adaptadas à área, conhecedoras dos terrenos e das trilhas, com calçados adequados. Chama a atenção para os cuidados tomados pelos inimigos na montagem da infraestrutura, seguindo princípios adotados em outras experiências de guerrilha rural.

Os depósitos de comida e remédios ficavam a um dia de caminhada um do outro para facilitar a sobrevivência em caso de ataques. Camuflados, permitiam boa visão das picadas de acesso. Tinham caminhos escondidos para casos de fuga de emergência. Cães alertavam a chegada de estranhos.

Os guerrilheiros aproveitaram-se da "ineficácia marcante" das autoridades locais para sensibilizar a população com ações de assistência social, opina o capitão Menezes. Confundidos com outros tantos forasteiros, firmaram laços de amizade. Deixavam-se trair apenas pelos sinais aparentes de conhecimentos de nível superior em relação aos moradores. Apesar do esforço em parecerem moradores do campo, demonstravam pouca intimidade com trabalhos braçais.

O relatório terminava com a apresentação de dados úteis para o prosseguimento da perseguição. Pedia a adequação do equipamento, a atuação na área social para neutralizar o trabalho dos guerrilheiros e o estabelecimento de um meio de comunicação, pelo menos com Araguaína. Para isso, sugeria a transferência de um telégrafo da PM para Xambioá.

A última sugestão para o sucesso no enfrentamento com os comunistas foi instalar uma caixa postal, em Brasília, exclusiva para a coleta de informações sobre a guerrilha.

* * *

Pouco depois de chegar ao acampamento, Glênio tem uma surpresa. Vê-se cercado pelas guerrilheiras Maria Dina, Suely, Tuca, Walquíria e Lia. As moças cantam *Parabéns pra Você*, abraçam e beijam o companheiro do Rio Grande do Norte. Glênio completa 22 anos naquele dia, mas a data quase lhe passou despercebida.

Por decisão da Comissão Militar, o Destacamento B desloca-se para um ponto ainda mais no interior da mata. Os combatentes comunistas colocam em prática todo o treinamento adquirido. Tomam todo cuidado com fogo e fumaça e evitam confronto com o inimigo.

Têm problemas com alimentação. Há muita gente para pouca comida e muitos não sabem caçar. Alguns pegam malária. Passam a ter mais cuidados com a higiene das vasilhas para evitar a proliferação de doenças. Apesar das dificuldades, o moral permanece elevado.

Glênio continua deficiente nos deslocamentos pela selva. Sem dominar a geografia, fica fora de visitas feitas pelos companheiros aos moradores. Para compensar, ajuda na cozinha e busca água em um igarapé. Ainda assim, considera-se meio inútil. Osvaldão o procura e diz que, naquele momento, todos devem tomar muito cuidado.

"O companheiro precisa reconhecer que tem dificuldades de orientação", diz o comandante.

As palavras francas do líder deixam Glênio um pouco mais confortado.

CAPÍTULO 31

“Que bicho feio!”

O barulho do helicóptero assustou a família de Pedro Onça. O vento das hélices faz ondas no pasto verdinho. Os porcos roncam e os cavalos saem em disparada. Pedrinho, o filho mais velho, agarra-se às pernas de Chica, grávida do terceiro bebê, e chora a gritar:

“Que bicho feio! Que bicho feio!”

A aeronave para sobre uma moita de capim alto. Mal toca o chão, oito militares à paisana saltam. Os agentes do CIE chegam fazendo perguntas.

“Cadê o povo daí, aquele pessoal teu?”, pergunta um homem loiro que parece ser o chefe.

“Pessoal meu, não”, responde Pedro Onça, “pessoal meu só eu, a mulher e os menino”, completa.

O militar esclarece. Procura o grupo que tinha fugido para a mata. Refere-se ao Dr. Juca como compadre de Pedro Onça, que nega o laço religioso. O agente fala o nome de todos, a começar por Dina. O caboclo conhece alguns. Outros, não. O homem insiste em saber o paradeiro do grupo. Quer conhecer a fazenda em que os *paulistas* moram. Pedro Onça serve de guia. As terras foram vendidas para um sujeito conhecido como Zé do Gado. O novo dono também afirma desconhecer o paradeiro dos antigos proprietários.

Chica viu quando empurraram o marido para dentro do helicóptero. O aparelho levantou voo e ela, buchuda com um barrigão enorme, ficou ali parada, do lado de fora da casa, sem acreditar no que acontecia. Pensou na roça, cheia de arroz maduro para colher.

O helicóptero levou Pedro Onça para Xambioá. Um dos agentes, ao ouvir uma negativa, apertou a brasa do cigarro contra o braço do caboclo. Queria saber mais sobre os *paulistas.* Desbocado tanto quanto honesto, o posseiro reagiu:

“Ó, eu não sou cão para você ficar me triscando cigarro não; não sou o cão para ninguém me queimar, não”.

Pedro Onça foi solto no mesmo dia. Se os guerrilheiros o procurassem, deveria avisar o Exército o mais rápido possível — caso contrário voltaria para a prisão. O caboclo amigo do Dr. Juca ainda teria outras experiências com a repressão militar no Araguaia.

CAPÍTULO 32

O sofrimento do barqueiro Baiano e a saga da família Petit

O tenente-coronel Borges manda chamar o barqueiro Baiano depois de 15 dias preso em Belém. Diz-lhe que ele é "terrorista". O preso volta à cela sem entender nada. No dia seguinte, por volta das cinco horas da manhã, põem Baiano em um avião com destino a Brasília. Junto viaja uma moça com características de japonesa.

Tratava-se de Rioko Kayano.

Ao chegar à capital da República, envolveram a cabeça de Baiano com um saco de lona. Percorreu a cidade de carro até que se viu colocado em uma cela. Recebeu ordens para tirar a roupa e ficou nu por muito tempo. No dia seguinte, logo cedo, viu várias fotos de pessoas apresentadas pelos militares. Reconheceu apenas Dona Maria.

Mais quatro dias se passaram até que os militares novamente chamaram o barqueiro. Baiano viu quando colocaram grampos em suas orelhas, presos por fios. De repente, começou a receber choques elétricos pelos "brincos". O morador do Araguaia rolou no chão de tanta dor.

Um major chamado Othon queria saber de uma estrada entre Xambioá e Marabá. Baiano disse que não existia. Mais choques. Nada. Os militares decidiram levar o barqueiro de volta ao Pará. Antes, um deles ameaçou:

"Se tentar fugir, será fuzilado".

Dentro do avião, na região da guerrilha, os homens do Exército olhavam para baixo e voltaram a perguntar pela estrada.

"Eu disse que não tinha", defendeu-se Baiano.

A aeronave pousa em Araguatins. O barqueiro tenta falar com um rapaz desconhecido. Um cabo vê a cena e, com a arma em riste, grita:

"Eu lhe dou um tiro na cara!"

A rotina de sofrimento continua nos dias seguintes. Sem poder ver a esposa, o barqueiro passa horas exposto ao sol, amarrado. Levado de um lado para outro, ouve ameaças de morte o tempo todo. Só toma banho de vez em quando.

Um dia o major Othon procura o barqueiro para dizer que, em breve, será solto. Sugere a Baiano voltar a Brasília para pegar uma indenização pelo tempo preso pelo Exército. O governo pagaria também por um relógio tomado dele.

"Não quero ir. Só se for obrigado. Pode mandar o dinheiro pelo banco e o relógio pelo correio."

* * *

Os integrantes do Destacamento C andam sem parar desde a chegada dos dois novos companheiros. Miguel procura se adaptar às circunstâncias. Na primeira manhã, recebeu um revólver calibre 38. Praticou tiro poucas vezes na vida, sempre de brincadeira; agora está com as Forças Armadas brasileiras no seu encalço.

O clima de tranquilidade aos poucos desaparece. Domingos e Lúcia, mais jovens que Miguel, se mostram simpáticos, mas parecem inseguros diante da situação. Oito guerrilheiros saíram cedo em busca de suprimentos deixados para trás. Pretendem guardar em grutas mais difíceis de localizar. Ficaram Vítor, Zé Francisco, Chico e Miguel.

Voltam a se encontrar no meio da tarde. Os que saíram retornam sem nada. Logo chega Antônio "da Dina" e informa que o Exército invadiu um acampamento. Levaram tudo o que acharam. Só deixaram um cacho de bananas.

Antes de anoitecer seguem em direção à Serra das Andorinhas. No dia seguinte, Paulo e Domingos deixam o destacamento para tentar contato com a Comissão Militar. Querem orientação do comando guerrilheiro para os próximos passos. Vítor desmancha os rastros e Jorge fica na chefia do grupo.

Os guerrilheiros se preparam para mais uma jornada de marcha, conforme ordens de Jorge. Andam vários dias até chegar a Pau Preto. Ouvem barulho de helicóptero sobrevoando, o nervosismo aumenta e acampam perto do lugarejo. Ari e Áurea saem para cobrir um "ponto" com Paulo e Domingos.

Três dias se passam. Encontram o grupo de Pau Preto, onde estavam Mundico, Carlito, Cazuza, Jaime, Lena, Maria e Daniel, o mesmo com quem Miguel viajou de Anápolis até Xambioá.

Jaime, Antônio, Jorge e Vítor fizeram uma reunião e resolveram separar os grupos. Ficariam cem metros distantes um do outro, por medida de segurança — um terreno muito pisado facilitaria o trabalho dos militares. Vez por outra ouvem barulho de helicópteros e tiros de metralhadora. Entre eles paira um clima de medo.

De repente falta comida e de nada adianta avistar veados ou porcos do mato, pois a presença do militares inibe as caçadas. O barulho de tiros e o fogo alertariam os inimigos. Dina e Miguel vão com Carlito a um esconderijo. Voltam com um pouco de castanha e milho. Sem outro tipo de alimento, muitos ficam com diarreia.

A guerrilha transformou-se em fuga para o Destacamento C. A correria permanente deixa o ambiente cada vez mais tenso. Em vez de atacar militares, os guerrilheiros procuram comida e esconderijos. Nem falar um pouco mais alto se permitem. Se o vento estiver contra eles, o som das vozes pode ser ouvido a quilômetros. Melhor evitar.

Os deslocamentos dependem da experiência dos mais velhos. Desprovidos de mapa, guiam-se pelos conhecimentos adquiridos, principalmente pelo casal de geólogos, Dina e Antônio.

Para aumentar a apreensão, Paulo e Domingos não voltaram e o Destacamento C vaga sem rumo à espera das orientações da Comissão Militar.

* * *

O casal de militantes Jaime e Lena se conheceu em Itajubá, interior de Minas. Ele cursava Engenharia e ela tentava passar no vestibular. Começaram a namorar e casaram antes de viverem clandestinos sob a proteção do PCdoB. Mudaram para o Araguaia em maio de 1971.

Jaime Petit da Silva tinha na guerrilha os irmãos Lúcio, o Beto do Destacamento A, e a professora Maria Lúcia, moradora da região dos Caianos. Uma tragédia familiar marcou o passado dos três combatentes do PCdoB.

O pai dos guerrilheiros, José Bernardino da Silva Júnior, morreu aos 56 anos assassinado com uma punhalada pelas costas quando trabalhava como administrador de uma fazenda de café no interior de São Paulo. A mãe, Julieta Petit da Silva, muito mais nova, ficou viúva aos 28 anos com os filhos Lúcio, Jaime, Laura e grávida de Maria Lúcia. Para criar os quatro, dependeu da ajuda de parentes.

A família cresceu unida para enfrentar as dificuldades da falta de José Bernardino. O circunspecto Lúcio, o mais velho, destacava-se nos estudos e estimulava os irmãos a também obterem bom rendimento escolar. Adolescente, trabalhou em uma beneficiadora de feijão para colaborar com as despesas da casa.

Lúcio e Jaime pescavam lambaris e pegavam rãs para complementar a mistura das refeições. Com a ajuda de um tio, Lúcio mudou-se para Itajubá, onde cursou o científico e entrou para a escola de Engenharia. Tornou-se líder estudantil.

O extrovertido Jaime morou no Rio, onde tinha um casal de irmãos mais velhos, filhos do primeiro casamento do pai. Depois, juntou-se a Lúcio em Minas, fez o científico e, também, passou no vestibular para Engenharia. Influenciado por Lúcio, envolveu-se nas lutas dos estudantes.

Quando os dois visitavam a família, no interior de São Paulo, levavam livros e textos políticos para Maria Lúcia. A caçula lia tudo com avidez e, cada vez mais, demonstrava interesse em participar dos movimentos de contestação contra a ditadura.

Julieta ainda teve mais um filho, Clóvis, de outro relacionamento. Muito ligado a Maria Lúcia, o garoto observava a movimentação dos irmãos mais velhos.

Formado engenheiro, Lúcio mudou-se para São Paulo. Levou a mãe, Clóvis e Maria Lúcia para morar com ele. A irmã terminou o científico com intenção de seguir a carreira de professora. Em seguida, aceitou a proposta de fazer trabalho no campo para o PCdoB. Antes de mudar para o Araguaia, morou durante algum tempo no norte de Goiás.

Maria Lúcia, Jaime e Lena integraram-se ao Destacamento C da guerrilha. Lúcio e a companheira, Regina, incorporaram-se ao A, na região da Faveira. Em São Paulo, Julieta acompanhava a distância o engajamento político dos três filhos e das duas noras. Sem saber com exatidão o que faziam, temia os riscos do enfrentamento contra o governo militar.

AGÊNCIA ESTADO

General Orlando Geisel

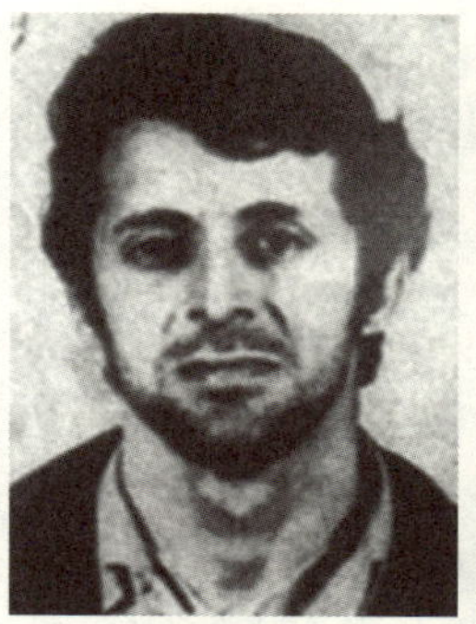

Ciro Flávio Salazar de Oliveira (Flávio)

José Humberto Bronca (Fogoió)

Glênio Fernandes de Sá

FOLHA IMAGEM

Rioko Kayano

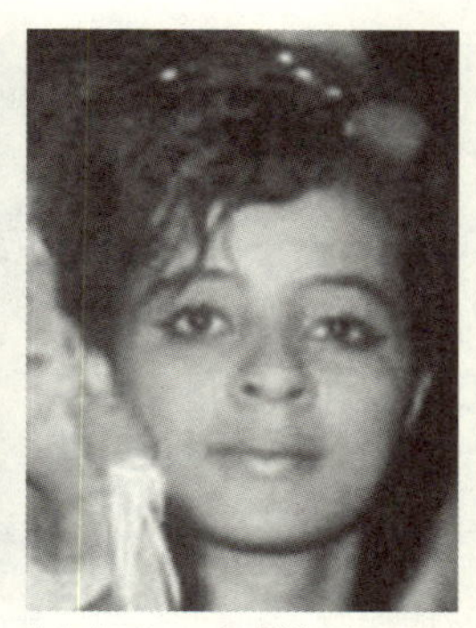

Helenira Resende (Fátima)

ÁLBUM DE FAMÍLIA

Uirassu Assis Batista (Valdir)

Nelson Lima Piauhy (Nelito)

ÁLBUM DE FAMÍLIA

Walquíria Afonso Costa (Walk)

ÁLBUM DE FAMÍLIA

Dinaelza Soares Santana Coqueiro (Mariadina)

ÁLBUM DE FAMÍLIA

Telma Regina Cordeiro Corrêa (Lia)

ÁLBUM DE FAMÍLIA

Luiza Augusta Garlippe (Tuca)

Dagoberto Alves Costa (Miguel)

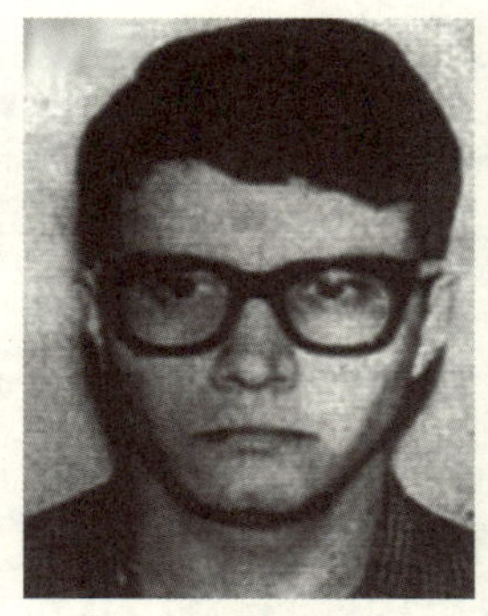

José Toledo de Oliveira (Vítor)

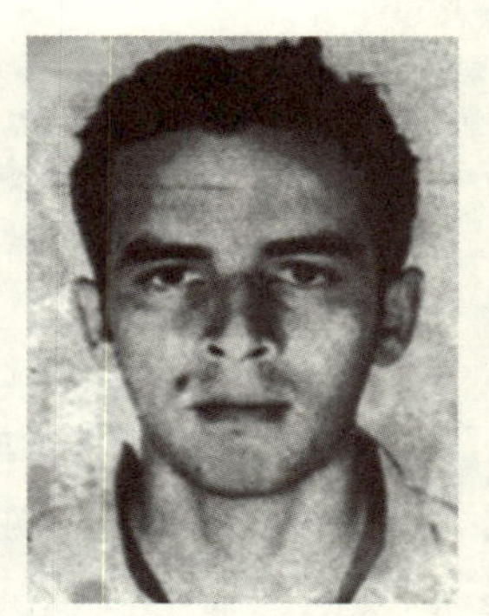

Dower Cavalcante (Domingos)

ÁLBUM DE FAMÍLIA

Dinalva Oliveira Teixeira (Dina) e Antônio Carlos Monteiro Teixeira (Antônio da Dina)

Adriano Fonseca Filho (Chicão)

Luzia Reis Ribeiro (Lúcia)

MINISTÉRIO DO EXÉRCITO
COMANDO MILITAR DA AMAZÔNIA
8ª REGIÃO MILITAR
QUARTEL GENERAL/2

SECRETO

Belém,PA, de maio de 1972

OPERAÇÃO "PEIXE" Nº 6

REUNIÃO DO DIA 02 MAI 72

LOCAL:- 1ª ZONA AÉREA
HORA:- 15,00 horas
PARTICIPANTES:- Cel RODOPIANO, Ten Cel PINHO, Cel ASSIS, Cap SIROTEAU
da 1ª Zona Aérea.
- Cmt SEIDEL, do IV DN
- Cel DOUGLAS, da PbE
- Ten Cel BORGES, da 8ª RM

- x -

- Considerando as possibilidades do Inimigo estabelecidas no Estudo da Situação e mais o informe obtido pela A-2 da 1ªZAé, de que / na R de COURO DOURO e GAMELEIRA estava homisiado grande parte dos // "paulistas";
- Considerando a Diretriz do Cmt da 8ª RM, de transformar as / ações em operações de Info.
Foi debatido, imenores detalhes, a execução dessa operação, a / qual ficou decidido:

1. Lançar uma Equipe de 12 homens (Sendo 1 Oficial)
 - MA - 4 - DAVID, LACY, FURTADO e LURINE
 - AE - 3 - CABRAL, NASCIMENTO - Cb enfermeiro
 - PM - 3 -
 - EX - 3 - MORAES - ROSA, NELIO
 12

 Distribuição na área:
 3 - 1 Eq em MARABÁ - 1 Of Sup, 3 Agentes e 1 Operador
 3 - 1 Eq em ARAGUATINS - 3 Agentes, sendo 1 Of e 1 Oper
 6 - 1 Eq em XAMBIOÁ - 1 Of Info - 6 Agentes e 1 Oper
2. MISSÕES:
 As equipes de MARABÁ e ARAGUATINS teriam as missões de obter Informes nas imediações das cidades, através transamazônica, [illegible] e Km 96, respectivamente.
 A equipe de XAMBIOÁ seria subdivididas em outras duas:
 - Dir CACALINHO - PONTE SENA - COURO DANTAS
 - Dir STA CRUZ - GAMELEIRA
 A Operação será faseada:
 1ª Fase:-Coleta de Info - duração até 10 dias
 2ª Fase :-Localização do inimigo - quantidade
 -Verificação do itinerário de fuga do inimigo.
 3ª Fase:- Investida.

SECRETO

CAPÍTULO 33

Operação Peixe IV: um rapaz brincalhão entra na história

Um grupo de comandantes militares mantém encontro sigiloso no quartel da 1ª Zona Aérea, na tarde de 3 de maio de 1972. As três Forças estão presentes. Da Aeronáutica, o coronel Rodopiano, o coronel Assis, o tenente-coronel Pinho e o capitão Sirotenu. O comandante Seidel, do IV Distrito Naval, representa a Marinha. O Exército enviou o tenente-coronel Borges. Da Polícia Militar do Pará participa o coronel Douglas.

O encontro serve para a montagem da Operação Peixe IV. As ações anteriores avançaram, mas haviam fracassado no essencial, avaliam os oficiais. Faltaram informações suficientes para os comandantes saberem o número e o paradeiro dos inimigos. Os guerrilheiros continuavam sem identificação.

Doze homens recebem orientação de infiltrar-se na população para aprofundar as investigações. Da Marinha, David e os sargentos Lacy, Furtado e Lourine. Da Aeronáutica, os sargentos Cabral e Nascimento. O Exército indica o sargento Morais, o cabo Rosa e o tenente Nélio, único oficial do grupo e mais uma vez comandante da missão. Os escolhidos têm experiência em operações secretas anteriores.

A Polícia Militar do Pará integra a equipe com três homens. O coronel Douglas incorpora-se ao grupo com documentos falsos. O Incra emprega um deles como geólogo. Uma Ação Cívico-Social (Aciso) é preparada para mascarar a presença dos militares na região.

As Acisos eram iniciativas de assistência social executadas pelos militares para contrabalançar o trabalho de conquista dos moradores da região pelos guerrilheiros. Um clínico geral e três enfermeiros, um deles sargento, receberam ordens de integrar o grupo destacado para combater a guerrilha.

Três militares seguiram para Marabá, três para Araguatins e seis para Xambioá. O dinheiro necessário para a missão ficou dividido entre o tenente

Belém, 051700 MAI 72

QG 8ªRM/8

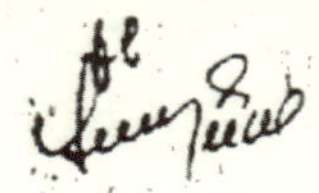

OPERAÇÃO "PEIXE" Nº 4

(Confirmação ordens verbais)

1 - SITUAÇÃO

Ultimado o vasculhamento prescrito no Relatório Sumário / de 24 Abr 72, é a seguinte a alteração existente:

a. Inimigo

1) Não foi encontrado no reduto vasculhado e destruído;
2) Os elementos capturados o foram quando em trânsito na área (saindo ou entrando);
3) Encontrado grande quantidade de material e literatura subversiva e/ou destruído;
4) No momento, está desarticulado e evitando confronto direto.
5) Possibilidades:
   a) Homisiados ~~na selva, para dificultar sua localização;~~ em outros redutos redutos ainda não identificados;
   b) Dispersos na selva, para dificultar sua localização;
   c) Continuam evadindo-se da área;
   d) Atuam com elementos de O Info, com a finalidade de desorientar as ações de Buscas e Vasculhamentos;
   e) Homiziados em Fazendas e/ou centros urbanos com proteção de elementos das Fôrças de sustentação.

b. Fôrças amigas

1) IV DN - 1ªZAé - PM/PA
   - Conforme entendimentos realizados, entre os respectivos comandos, atuam em conjunto com as demais fôrças de segurança da área.
   - Para prosseguimento das Operações, integrar, com elementos especializados em informações, a equipe da 8ª RM;
   - Ficou em condições de reforçar ou apoiar a ação de informações ou operações.

2) C M A
   - Conforme entendimentos pessoais entre Cmdo do CMA e 8ª RM, integrar elementos especializados em Informações a Operação Peixe nº 4.

c. M I S S Ã O

Realizar uma operação de Informações na região de MARABÁ-XAMBIOÁ, já delimitada pelas operações ~~intensivas~~ anteriores, particularmente, na Direção STA CRUZ-GAMELEIRA e COCALINHO - COURO DANTAS, com equipes do Sistema de Informações da área da 8ª RM, ...

Nélio, um sargento e um cabo. Levaram uma máquina fotográfica e utensílios típicos de médicos e enfermeiros.

As comunicações seriam feitas com três estações operadas da 8ª RM e uma do 4º Distrito Naval. Estafetas fariam contatos entre as equipes e os postos fixos. As transmissões de mensagens usariam novos códigos para reforçar o sigilo da missão.

* * *

Odílio da Cruz Rosa era um rapaz alegre e brincalhão. Aos 18 anos, concluiu o curso científico no Colégio Estadual Padre Carvalho, em Belém. Filho de Salvador Rosa, ex-militar da Marinha, alistou-se no Exército e serviu no 2º BIS, em Belém. Apaixonou-se pela vida nos quartéis. Fez curso de promoção para cabo, passou para a 5ª Companhia de Guardas e logo entrou para o serviço secreto. Orgulhava-se de participar das solenidades oficiais e de trabalhar na segurança do Comando. Vivia rodeado de amigos, gostava de praticar atletismo e jogar futebol.

Naquele mês de maio recebe ordens do Exército para participar de uma missão sigilosa no sudeste do Estado. Tranquilo, despede-se da mãe, Olindina, do pai e do irmão, Adolfo, mais moço. Parece despreocupado com os riscos da viagem.

Nada falou sobre guerrilheiros escondidos na mata.

* * *

O plano de ação da Operação Peixe IV foi detalhado pelo general Darcy Jardim de Mattos em três páginas intituladas "Confirmação de Ordens Verbais". Com data de 5 de maio de 1972, o documento recebe o número 000236 000174 0051 nos arquivos do CIE. O tenente-coronel Raul Augusto Borges também assina as páginas. As ordens eram claras:

MISSÃO

— Realizar uma operação de informações na região de Marabá-Xambioá, já delimitada pelas operações anteriores, particularmente na direção de Santa Cruz-Gameleira e Cocalinho-Couro D'Antas, com equipes do Sistema de Informações da área da 8ª RM, com a finalidade de aprofundar os dados de localização e identificação do inimigo.

INIMIGO

– No momento, está desarticulado e evita confronto direto
– Não foi encontrado no reduto vasculhado e destruído
– Os elementos capturados; o foram quando em trânsito na área, entrando ou saindo
– Encontrada grande quantidade de material e literatura subversiva e/ou destruído

Naquela altura das investigações, os comandantes da repressão no Araguaia nada sabem sobre o paradeiro dos inimigos. Os militares de Belém simulam quatro cenários. No primeiro, os guerrilheiros estariam recolhidos a acampamentos camuflados. Na segunda alternativa, teriam se dispersado pela floresta. Terceira possibilidade: os comunistas continuam fugindo da área. Quarta opção: encontram-se homiziados em fazendas ou vilarejos, protegidos pela população.

Ao preparar a operação, o general Darcy alerta os comandados para ações de contrainformação dos inimigos. Se necessário, contariam com reforços de agentes especializados da Marinha e da Aeronáutica.

CAPÍTULO 34

A morte do agente secreto

Um avião da FAB transporta de Belém para Xambioá o tenente Nélio, o sargento Morais e o cabo Rosa, do Exército, além do sargento Lourine, da Marinha. Todos à paisana. No dia 7 de maio, os quatro pegam carona em barcos das equipes de geologia da Companhia de Pesquisa de Recursos Minerais (CPRM) e do Departamento Nacional de Produção Mineral (DNPM), órgãos do governo federal responsáveis pelo mapeamento geológico da região.

Por ser geólogo, Nélio infiltra-se facilmente entre os verdadeiros pesquisadores. Os barcos descem com os quatro militares até o vilarejo de Santa Cruz, do lado paraense. A imponência do rio, a serenidade da paisagem e, ao fundo, a beleza da Serra das Andorinhas impressionam o tenente. O bucolismo do cenário contrasta com o estado de espírito dos agentes. Os perigos da missão provocam inquietação e medo.

Os quatro homens vão para Couro D'Antas. Deram a desculpa de existir indícios de minerais radioativos no lugarejo. Em Santa Cruz, contratam o mateiro José Bezerra, o China. O cavalo do morador leva as mochilas com os mantimentos.

Mesmo à paisana, os militares andam armados de revólveres, prática comum na região. Mas um dos homens insiste em levar uma metralhadora, um descuido inexplicável por parte dos investigadores. Nenhuma equipe de pesquisadores usaria uma arma daquelas. Ela denunciava a identidade real dos quatro homens, embora não garantisse superioridade militar suficiente para enfrentar os inimigos acostumados com a selva. O fato chegou a ser comentado entre eles, mas deram pouca importância e seguiram em frente.

Um dia o tenente Nélio se arrependeria por não ter encerrado a missão naquele momento.

Guiados pelo morador, os militares partiram rumo a Couro D'Antas, passando por trilhas estreitas abertas na selva fechada. Perguntaram pelos *paulistas* e o mateiro desviou o caminho para levá-los até onde morava um grupo deles.

Chegaram ao local, próximo ao rio Gameleira, por volta das três da tarde. Naquele momento, não conseguiram mais esconder suas verdadeiras identidades e se aproximaram dispostos a enfrentar os inimigos. Encontraram o lugar vazio e sob silêncio absoluto.

Os guerrilheiros haviam abandonado a fazenda. No meio da mata os agentes encontraram uma pista de obstáculos usada para treinamento militar. Voltaram para a trilha inicial e dormiram acantonados nos barracos de colonos. Tiveram uma noite tensa. As emoções do dia passado e a expectativa de encontrar guerrilheiros na floresta mexiam com os nervos dos militares.

Amanhece. Os agentes saem cedo. Por sugestão do mateiro, seguem por um caminho antigo, meio abandonado. Em muitos trechos, têm de reabrir a passagem a facão. A presença do cavalo complica a caminhada. No meio da tarde, param em uma grota para descansar. Escolhem um lugar afastado da trilha.

Ficam às margens de um riozinho, bonito local em que um filete de água corre entre bancos de areia de cerca de dez metros de largura. Os barrancos da grota encobrem os militares e o guia. Os cinco merendam e se refestelam na pequena praia. Por momentos esquecem as regras básicas de segurança. Nélio aproveita e abastece o cantil, purificado com Hidrosteril.

Espalhados num raio de cerca de cinco metros quadrados, os homens enviados pelas Forças Armadas têm um momento de calma no meio da selva. O cabo Rosa, com a metralhadora empunhada, afasta-se para o tenente Nélio sentar-se ao lado dele. O clima é de tranquilidade.

Pouca gente sabe, mas Nélio e Rosa se conhecem desde antes de entrar para o Exército. A mãe do cabo, Olindina, e a irmã, Matilde, frequentavam a casa dos avós do tenente. Anos depois, os dois se encontrariam no quartel e iriam juntos para a floresta perseguir comunistas. Agora estão ali conversando quando, de repente, Rosa olha na direção da trilha e se espanta.

"Olha ali", diz ao chefe da missão.

Nélio volta-se para o rumo apontado pelo amigo e vê dois homens. Um, negro, alto e forte; o outro, jovem, magro e branco.

Guerrilheiros e militares foram pegos de surpresa. Os dois lados se assustaram. Quando o tenente mirou a trilha, o negro já levantava a espingarda para fazer pontaria. Foi tudo muito rápido. Nélio ouviu tiros e rolou pelo chão, tentando se proteger na margem do riacho. Tinha um revólver calibre 32, mas o barranco prejudicou seu campo de visão.

Mesmo assim o tenente atira meio às cegas, na direção dos guerrilheiros. Vê o cabo ser atingido por um disparo. Ficam todos em silêncio por alguns minutos. Rosa, então, chama pelo velho amigo, entre gemidos:

"Nélio, Nélio, estou ferido, tá doendo... Não me abandona".

Atingido na virilha, o cabo Rosa fala assim mesmo, sem mencionar a patente do chefe, como a hierarquia exige. O comandante da missão responde de pronto:

"Espera, que eu já vou aí".

De onde está, Nélio consegue apenas ver o cabo, estirado na areia na outra margem. Os outros militares e os guerrilheiros desapareceram na mata. O tenente corre meio abaixado para atravessar o riacho e chegar até o corpo do amigo ferido. Rosa não se mexe.

Nélio pega a metralhadora e se protege, mais uma vez, no barranco do riacho. Anda um pouco, sem sair da grota, para verificar se ainda há alguém na área. Tudo quieto, apenas o cavalo amarrado ali perto. O tenente volta para onde está o cabo e constata o tamanho da tragédia daquela tarde.

O cabo Rosa morreu com um tiro entre as pernas e tornou-se o primeiro militar morto por guerrilheiros no Araguaia.

O sargento Morais também foi atingido com um tiro na clavícula direita. Ele e Lourine fugiram pela mata sem saber se os dois companheiros estavam vivos ou mortos.

Desorientado, o comandante da missão revista o corpo. Pega os documentos e o relógio do amigo e, de novo, checa os arredores. Fica por um bom tempo sem saber o que fazer. Encontra-se sozinho em local desconhecido, ignora a situação dos outros dois militares e do mateiro, não tem a menor ideia sobre o melhor caminho para sair da floresta e, ainda por cima, tem o corpo de um amigo para cuidar.

O tenente tenta chegar até o cavalo, mas o animal está arisco por causa do tiroteio. Com muito custo, consegue pegar a mochila amarrada no arreio. Procura um lugar para passar a noite. Escolhe um canto de onde tem boa visão do cenário. Aplicava os treinamentos recebidos nos cursos de sobrevivência na selva. Escurece rápido, mas Nélio não consegue dormir.

Os bichos da floresta fizeram barulho durante toda a noite. Quando o dia amanhece, Nélio ouve ruído de gente. Dois homens surgem pela trilha. O tenente certifica-se de que andam sozinhos e aparece com a metralhadora engatilhada.

Os dois moradores informam que o sargento Morais foi ferido e transportado para Xambioá, ou São Geraldo, eles não têm certeza. Em seguida, os três jogam o corpo do cabo Rosa sobre o cavalo. Um dos moradores conduz o animal na direção de Santa Cruz pelo mesmo caminho percorrido, naquela manhã, antes de encontrar o tenente.

Por questões de segurança, Nélio tomou outra trilha, acompanhado do segundo homem. O tenente e o colono abriram mato da grota até a Gameleira. De lá rumaram para Santa Cruz. A presença do camponês conhecedor da floresta foi uma dádiva para Nélio. Logo que começaram a caminhar o militar perdeu o controle ao ouvir um barulho na mata. Sem pensar duas vezes, disparou uma rajada de metralhadora. Tratava-se apenas de um tatu.

O tenente percebeu que pôs a vida do morador em risco e, dali em diante, tentou ficar calmo. Os dois chegaram ao destino à tardinha. A presença de militares não era mais segredo para a população e, de imediato, moradores providenciaram alojamento e segurança para Nélio. O tenente ficou na casa de um sujeito apresentado como delegado de Santa Cruz, portador de hanseníase, ou lepra, como muitos habitantes da região.

Nélio teve medo de pegar a doença. Pediu para dormir no escuro e, em vez de deitar na rede, passou a noite no chão. Abalado pelo embate com os inimigos, manteve a metralhadora sobre o corpo enquanto tentava descansar. Ele não sabia, mas muito perto dali o guerrilheiro Amaury mantinha uma farmácia para se relacionar com os moradores.

* * *

A campainha toca no meio da tarde. Dia 9 de maio de 1972. Adolfo cochila na rede. Sentado de frente para a televisão, Salvador levanta-se para abrir a porta. Entra o tenente Pedro Paulo, da 5ª Companhia. Cumprimenta o dono da casa com ar preocupado e explica a razão da visita. Foi enviado pelo Exército para informar sobre um "acidente" sofrido pelo cabo Odílio Rosa na região de Marabá.

Os parentes do rapaz ficaram em alerta. Mas que acidente? Não sabem se Odílio está ferido ou morto. Na manhã seguinte, uma assistente social do Exército chega à casa da família. Traz a notícia da morte do rapaz alegre e brincalhão, aos 26 anos.

As palavras da mulher equivalem a um pontaço no coração dos Rosa. A experiência militar ajuda Salvador a enfrentar a tristeza calado. A mãe, Olindina, apresenta sintomas de derrame cerebral. Fica no Hospital Geral do Exército por alguns dias e recupera as forças.

A irmã mais velha, Matilde, muito ligada ao rapaz, sofre mais que todos. Chora, desespera-se e entra em estado de choque. O Exército encarrega uma atendente do Serviço Social de iniciar procedimentos para o enterro do rapaz. A atendente cuidaria também da burocracia para o recebimento de pensão militar pela morte do cabo.

Os dias passavam e o corpo do cabo Rosa não chegava para os funerais. A ansiedade da família aumentou.

A PRIMEIRA BAIXA MILITAR

REPÚBLICA FEDERATIVA DO BRASIL

REGISTRO CIVIL

CARTÓRIO DO 3.º OFÍCIO

ESTADO DO PARÁ — MUNICIPIO DE BELEM — DISTRITO DA CAPITAL

Eduardo Santos OFICIAL VITALICIO DO CARTÓRIO DO 3.º OFICIO, DE REGISTRO CIVIL E NASCIMENTO E ÓBITOS DA COMARCA DE BELÉM, CAPITAL DO ESTADO DO PARA, REPUBLICA FEDERATIVA DO BRASIL, POR NOMEAÇÃO LEGAL.

ÓBITO N.º * 51.198 *

Certifico que a Fls. 48 * do Livro N.º 38 * de Registro de Óbito foi registrado no Dia 18 * de Maio * de 1972 * o Assento de * ODILIO CRUZ ROSA *

Falecido à : os oito(08) * Dia de Maio * de mil novecentos e setenta e dois (1972) * às 14:30 * horas, em : na localidade de Couto D'Auta,na cidade de Marabá,neste Estado *

do Sexo : masculino * de Côr : ** Profissão : militar *

Natural de : Pará *

Domiciliado em : Belém * e Residente : na Av. Julio Cezar,s/n, nesta cidade * com : 25anos* de Idade, Estado Civil Solteiro *

Filho de : * Salvador Pires Rosa *

Profissão : ** Natural de : **

e Residente : **

e de : * Olindina Aniceta da Cruz *

Profissão : ** Natural de : **

e Residente : **

Foi declarante : Luiz Santos *

Sendo o Atestado de Óbito firmado pelo Dr. Roberto Macedo *

Que dou como causa da Morte : hemorragia interna - ferida perfuro contusa(bala), homicidio *

O sepultamento será feito no cemitério de : São Jorge *

Observações : **

*

REGISTRO CIVIL

O referido é verdade e dou fé.

ISENTO DE SELO EX-VI DA ALTERAÇÃO 58.ª DA LEI 3519, DE 30 DE DEZEMBRO DE 1958

Belém, 18 de Dezembro de 1995 *

Oficial

O cabo Odílio Rosa foi o primeiro militar a tombar na guerrilha, mas a família não foi informada sobre as circunstâncias da morte. A certidão de óbito, de 1995, registra que foi morte por homicídio

ÁLBUM DE FAMÍLIA

No centro, erguendo o troféu, o cabo Odílio Cruz Rosa, cujo corpo ficou dez dias na mata, sem resgate

ÁLBUM DE FAMÍLIA

O primeiro a esquerda é o soldado Adolfo Rosa, irmão de Odílio, que também combateu na guerrilha do Araguaia

CAPÍTULO 35

Foi Osvaldão quem matou o brincalhão cabo Rosa?

O vilarejo de Santa Cruz fica na região do Destacamento A, mas o Destacamento B está sempre por ali — o grupo de 23 guerrilheiros comandados por Osvaldo Orlando da Costa, o Osvaldão, um dos mais populares militantes do PCdoB no Araguaia, falante e prestativo. Terá partido dele o tiro que matou o cabo Rosa? O instrutor de combate na selva desfruta de liderança inconteste entre os companheiros. No relato sobre a Operação Peixe, os militares acusam Osvaldão de ameaçar moradores para que não ajudassem os agentes da repressão.

O companheiro de Osvaldão no tiroteio da grota foi Cilon da Cunha Brun, gaúcho de São Sepé, ex-presidente do Centro Acadêmico de Economia da Pontifícia Universidade Católica de São Paulo, codinome Simão. Ele também pertencia ao Destacamento B da guerrilha, com base na Gameleira.

Naquele 8 de maio, dois tiros foram disparados: um matou o cabo Rosa e o outro feriu o sargento Morais.

* * *

Um documento secreto com o título *Operação Peixe IV (INFO)* mascara a derrota dos militares no primeiro confronto com os guerrilheiros. Recebe do CIE o número 000236 000174 0046. Sem assinatura, as duas páginas e meia descrevem os resultados obtidos na execução das ações.

O relatório ressalta a superioridade numérica — quatro contra dois — para fazer uma avaliação positiva do combate. Os agentes tinham arma automática, os comunistas portavam espingarda e revólver calibre 38, observa o autor anônimo do documento. Chama atenção para o fato de a equipe ser formada por homens com experiência em missões de informação.

"Em condições normais", segundo o texto, as Forças Armadas teriam levado vantagem. As baixas teriam ocorrido por conta do fator surpresa.

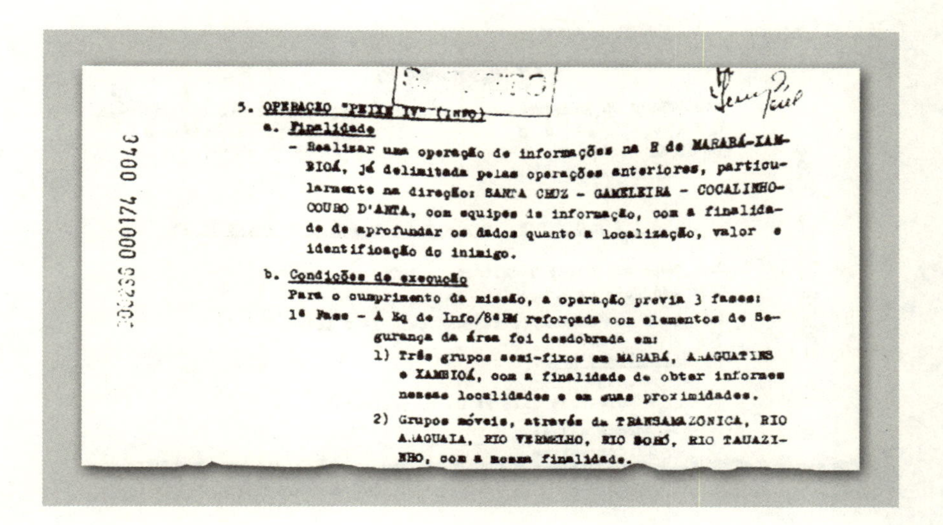
5. OPERAÇÃO "PEIXE IV" (INFO)

a. Finalidade

- Realizar uma operação de informações na R de MARABÁ-XAMBIOÁ, já delimitada pelas operações anteriores, particularmente na direção: SANTA CRUZ - GAMELEIRA - COCALINHO-COURO D'ANTA, com equipes de informação, com a finalidade de aprofundar os dados quanto a localização, valor e identificação do inimigo.

b. Condições de execução

Para o cumprimento da missão, a operação previa 3 fases:

1ª Fase - A Eq de Info/8ªRM reforçada com elementos de Segurança da área foi desdobrada em:

1) Três grupos semi-fixos em MARABÁ, ARAGUATINS e XAMBIOÁ, com a finalidade de obter informes nessas localidades e em suas proximidades.

2) Grupos móveis, através da TRANSAMAZONICA, RIO ARAGUAIA, RIO VERMELHO, RIO SORÓ, RIO TAUAZINHO, com a mesma finalidade.

As investigações sobre a Operação Peixe IV nada acrescentam ao pouco que os militares sabiam a respeito dos comunistas. Os agentes investiram em pistas falsas ou sem importância. Nas localidades de Palestina e Viração de Cima, encontraram material de trabalho de Dionísio Vitorette, agrimensor catarinense de Tubarão. O sujeito nada tinha a ver com a guerrilha. Um senhor de São Domingos falou de duas cavernas enormes, prováveis bases de guerrilheiros, mas a informação não foi confirmada.

Em São Domingos do Capim, prendem José Abreu de Aragão, cearense de Ipueiras. Moradores dizem que o homem desaparece toda vez que militares e policiais passam pela região. Nada mais fica registrado sobre Aragão no relatório da Operação Peixe IV.

A 8ª RM fracassava no combate aos guerrilheiros.

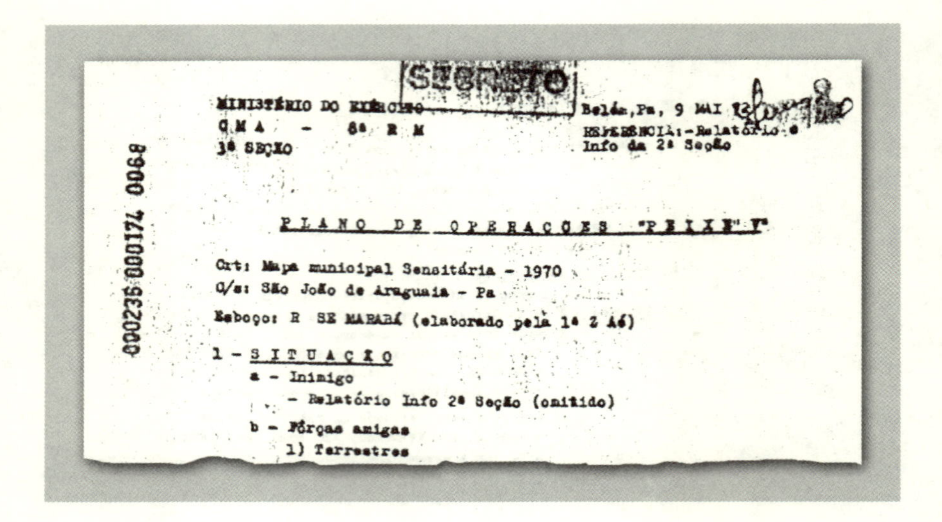

SECRETO

MINISTÉRIO DO EXÉRCITO
C M A - 8ª R M
3ª SEÇÃO

Belém, Pa, 9 MAI 72
REFERÊNCIA: - Relatório e Info da 2ª Seção

PLANO DE OPERAÇÕES "PEIXE" V

Crt: Mapa municipal Sensitária - 1970
C/s: São João de Araguaia - Pa
Esboço: R SE MARABÁ (elaborado pela 1ª Z Aé)

1 - SITUAÇÃO
a - Inimigo
- Relatório Info 2ª Seção (omitido)
b - Fôrças amigas
1) Terrestres

000235 000174 0068

HIPÓTESE

— O inimigo que emboscou a equipe de informações teria feito prisioneiro um elemento da equipe e ferido ou morto um segundo elemento da mesma equipe.

MISSÃO

— Realizar operações de resgate do pessoal de informações que se interiorizou. Manter a segurança do pessoal em operações na área de Xambioá. Realizar operações de cerco para neutralizar e/ou destruir o inimigo.

Quando montam a operação de resgate das vítimas dos guerrilheiros, em 9 de maio de 1972, os comandantes da repressão no Araguaia ainda desconhecem a dimensão das baixas no caminho de Couro D'Antas. Dois sobreviventes fugiram para Xambioá; falta resgatar os outros.

Os chefes em Belém desconhecem o que aconteceu com o tenente Nélio e o cabo Rosa.

Em caráter de emergência, o coronel José Maria Romaguera prepara o Plano de Operações Peixe V. Assina o documento no mesmo dia 9 de maio, na função de comandante da 8ª RM, cargo antes ocupado pelo general Darcy Jardim de Mattos. O responsável pela Terceira Seção, tenente-coronel José Ferreira da Silva, subscreve o texto.

Dois pelotões do 2º BIS se deslocam para a operação. A execução do plano fica por conta do major Moreira, da base de Xambioá. No mesmo dia, os militares têm certeza da morte do cabo, abandonado pelo camponês mateiro. Os moradores espalham o boato de que os guerrilheiros ameaçam de morte quem se aproximar para resgatar o corpo.

* * *

Uma folha arquivada no CIE, com o número 000236 000174 0409, revela informações repassadas via rádio ao comando superior pelos militares baseados em Xambioá. A mensagem nº 2 foi enviada no dia 18 de maio, às nove da manhã, com as primeiras notícias sobre o resgate do corpo do cabo Rosa.

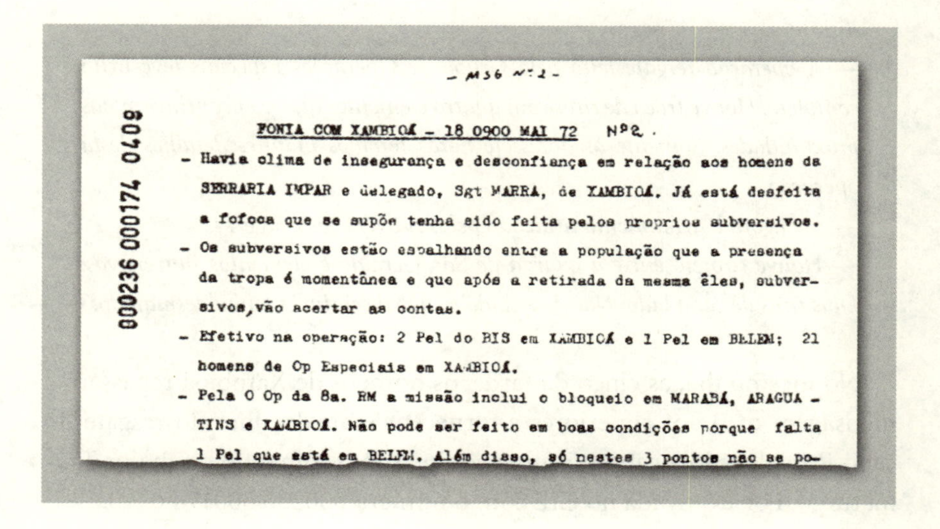

\- MSG Nº 2 -

000236 000174 0409

FONIA COM XAMBIOÁ - 18 0900 MAI 72 Nº2.

\- Havia clima de insegurança e desconfiança em relação aos homens da SERRARIA IMPAR e delegado, Sgt MARRA, de XAMBIOÁ. Já está desfeita a fofoca que se supõe tenha sido feita pelos proprios subversivos.

\- Os subversivos estão espalhando entre a população que a presença da tropa é momentânea e que após a retirada da mesma êles, subversivos, vão acertar as contas.

\- Efetivo na operação: 2 Pel do BIS em XAMBIOÁ e 1 Pel em BELEM; 21 homens de Op Especiais em XAMBIOÁ.

\- Pela O Op da 8a. RM a missão inclui o bloqueio em MARABÁ, ARAGUATINS e XAMBIOÁ. Não pode ser feito em boas condições porque falta 1 Pel que está em BELEM. Além disso, só nestes 3 pontos não se po-

MSG Nº 2 – FONIA COM XAMBIOÁ – 18 0900 MAI 72

— Havia clima de insegurança e desconfiança em relação aos homens da Serraria Ímpar e delegado, sargento Marra, de Xambioá. Já está desfeita a fofoca que se supõe tenha sido feita pelos próprios subversivos.

— Os subversivos estão espalhando entre a população que a presença da tropa é momentânea e que após a retirada da mesma eles, subversivos, vão acertar as contas.

— Pela Ordem de Operações da 8ª Região Militar, a missão inclui bloqueio em Marabá, Araguatins e Xambioá. Não pode ser feito em boas condições porque falta um pelotão que está em Belém. Além disso, só nestes três pontos não se pode dizer que o bloqueio está feito porque existem outros pontos que precisam ser bloqueados. É necessário que o CMP/11ª RM se encarregue do bloqueio e patrulhamento no Araguaia. Os subversivos estão transitando livremente pelo rio e adjacências. O tenente-coronel Gastão solicitou mudança da Ordem de Operações da 8ª Região Militar tendo em vista efetivar o bloqueio, mas até agora não obteve resposta do chefe do Estado Maior da 8ª Região Militar.

— Os subversivos estão dispersos em grupos de até oito homens que se furtam ao combate fugindo para a mata quando da aproximação da tropa.

— São conhecidos nove focos. Seis já foram batidos, faltando os três mais distantes.

— A operação resgate feita pelo Grupo de Operações Especiais teve êxito completo. Houve troca de tiros com quatro elementos que se encontravam nas proximidades. Somente às dezessete horas teremos maiores detalhes desta operação.

— Até agora o armamento utilizado pelos subversivos é 38 e 44.

— Houve tiroteio entre a guarda de São Geraldo e elementos subversivos. Dois tiros de cada lado. Não é verdadeiro que a sentinela tenha desmaiado.

No mesmo dia, às cinco da tarde, os homens de Xambioá repassam a mensagem nº 3 aos superiores e fornecem mais detalhes do resgate do cabo Rosa, levado a cabo por uma equipe sob o comando do major Taumaturgo. Foi arquivada no CIE com o número 000236 000174 0410.

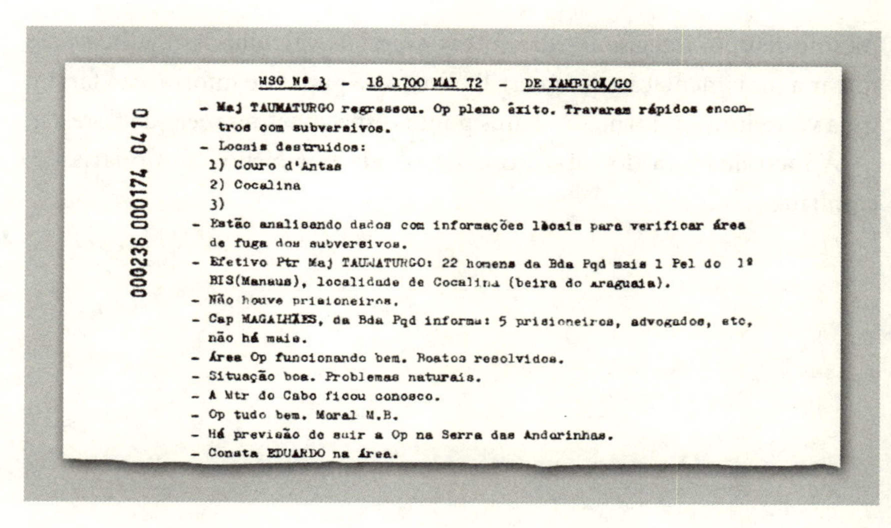

000236 000174 0410

MSG Nº 3 - 18 1700 MAI 72 - DE XAMBIOÁ/GO

- Maj TAUMATURGO regressou. Op pleno êxito. Travaram rápidos encontros com subversivos.
- Locais destruidos:
  1) Couro d'Antas
  2) Cocalina
  3)
- Estão analisando dados com informações lòcais para verificar área de fuga dos subversivos.
- Efetivo Ptr Maj TAUMATURGO: 22 homens da Bda Pqd mais 1 Pel do 1º BIS(Manaus), localidade de Cocalina (beira do Araguaia).
- Não houve prisioneiros.
- Cap MAGALHÃES, da Bda Pqd informa: 5 prisioneiros, advogados, etc, não há mais.
- Área Op funcionando bem. Boatos resolvidos.
- Situação boa. Problemas naturais.
- A Mtr do Cabo ficou conosco.
- Op tudo bem. Moral M.B.
- Há previsão de sair a Op na Serra das Andorinhas.
- Consta EDUARDO na Área.

MSG Nº 3 – 18 1700 MAI 72 – DE XAMBIOÁ/GO

— Major Taumaturgo regressou. Op pleno êxito. Travaram rápidos encontros com subversivos.

— Locais destruídos: Couro D'Antas e Cocalina.

— Estão analisando dados com informações locais para verificar área de fuga dos subversivos.

— Efetivo de patrulha do major Taumaturgo: 22 homens da Brigada de Paraquedistas, mais um pelotão do 1º BIS, de Manaus, na localidade de Cocalina, à beira do Araguaia.

— Não houve prisioneiros.

— Capitão Magalhães, da Brigada de Paraquedistas, informa: 5 prisioneiros, advogados etc., não há mais.

— Área de operações funcionando bem. Boatos resolvidos.

— Situação boa. Problemas naturais.

— A metralhadora do cabo ficou conosco.

— Operação tudo bem. Moral M.B. (muito bom).

— Há previsão de sair a operação na Serra das Andorinhas.

— Consta Eduardo na área.

Para os dez dias seguintes, os militares preparam a ocupação da Serra das Andorinhas, considerada passagem obrigatória de comunistas em fuga. Ao mesmo tempo, integrantes das forças especiais vasculhariam a área para forçar a movimentação dos guerrilheiros. As equipes de informação fariam uma varredura em torno de alguns pontos específicos no meio da floresta.

A metralhadora do cabo Rosa, devolvida por Nélio, continuaria em combate.

CAPÍTULO 36

Militares em emergência, guerrilheiros em desânimo

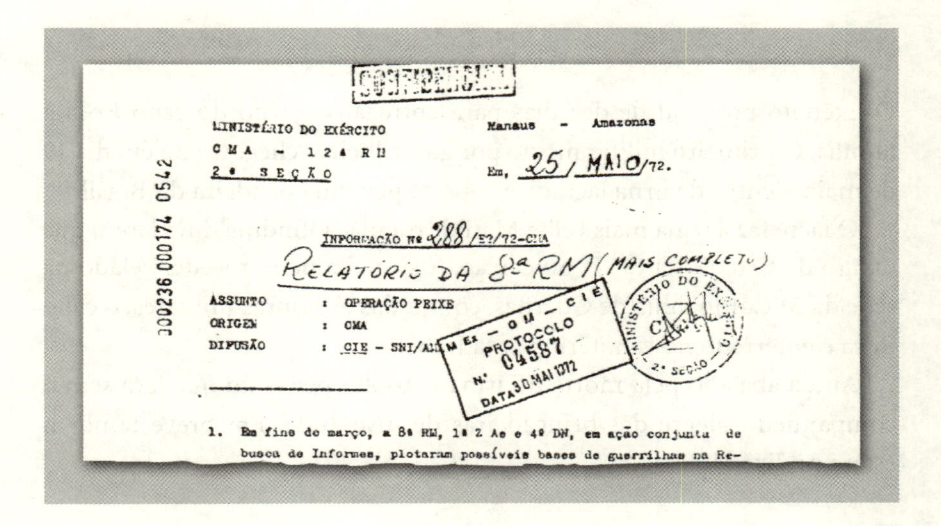

000236 000174 0542

MINISTÉRIO DO EXÉRCITO
CMA - 12ª RM
2ª SEÇÃO

Manaus - Amazonas
Em, 25/ MAIO/72.

INFORMAÇÃO Nº 288 /E2/72-CMA

RELATÓRIO DA 8ª RM (MAIS COMPLETO)

ASSUNTO : OPERAÇÃO PEIXE
ORIGEM : CMA
DIFUSÃO : CIE - SNI/A...

M Ex - GM - CIE
PROTOCOLO
Nº 04587
DATA 30 MAI 1972

MINISTÉRIO DO EXÉRCITO
2ª SEÇÃO

1. Em fins de março, a 8ª RM, 1ª Z Ae e 4º DN, em ação conjunta de busca de Informes, plotaram possíveis bases de guerrilhas na Re-

Os sucessivos fracassos das tentativas de apanhar os guerrilheiros provocam reunião de emergência no dia 11 de maio, no Quartel-General da 8ª RM. Participam representantes do CMP, CIE, CISA, 10ª RM, 8ª RM, IV Exército, 4º Distrito Naval e da Brigada de Paraquedistas.

Enquanto o comando se reúne, o corpo do cabo Rosa continuava na selva, ao relento. O encontro fica registrado no relatório de informação número 288 do Comando Militar da Amazônia, de 25 de maio, e protocolado nos arquivos do CIE a partir do número 000236 000174 0542. Os chefes militares reunidos em Belém decidem empregar tropas ostensivas na região de Xambioá.

Os comandantes estabeleceram como missão prioritária o resgate do corpo largado no mato. Deslocam-se para lá dois pelotões do 2º BIS, um do 1º BIS e um destacamento de Forças Especiais, os paraquedistas. Desta vez, dispõem de helicópteros e aviões de observação.

Primeiro os militares tentam localizar o corpo com a ajuda de mateiros. Não dá certo. O relatório do CMA atribui o fracasso a ameaças de morte feitas pelos comunistas a quem tentasse resgatar a primeira vítima da guerrilha. Entram em ação, então, os paraquedistas e um pelotão do 1º BIS. O corpo do cabo Rosa é retirado da mata no dia 17 de maio, mais de uma semana depois do encontro com Osvaldão e Simão.

* * *

O Exército precisou de dez dias para entregar o corpo do cabo Rosa à família. O primeiro militar morto por guerrilheiros chegou a Belém dia 19 de maio, dentro de urna lacrada e coberta por uma bandeira do Brasil.

O lacre faz a irmã mais velha Matilde e a mãe Olindina duvidarem que Odílio da Cruz Rosa esteja no caixão. A suspeita não procede. Velado na sede da 5ª Companhia de Guardas, com todas as honras militares, o cabo Rosa é enterrado no cemitério Santa Isabel.

Ainda abalado pela morte do irmão, Adolfo pensa no que fará sem o companheiro alegre das brincadeiras de juventude. Em breve também estará no Exército.

* * *

O relatório de 25 de maio avalia as baixas inimigas até aquele momento. Quatro prisões: Eduardo José Monteiro Teixeira, Danilo Carneiro, José Genoino Neto e Rioko Kayano. Sobre os habitantes atingidos pela repressão, o documento faz referência vaga. "*Foram presos ainda alguns moradores da região que colaboravam com os guerrilheiros em toda a área.*" Assim mesmo, sem nomes ou endereços.

O documento identifica Danilo como ex-estudante na Guanabara, fugitivo da base guerrilheira de Metade. Banido da universidade com base no decreto 477, de 26 de fevereiro de 1969, foi apanhado quando tentava sair da área da guerrilha pela Transamazônica.

Genoino Neto usava o codinome Geraldo, mas o relatório de 25 de maio o chama de Osvaldo. Preso por agentes do CIE, pertencia ao Destacamento B, na região da Gameleira, afirma o documento. A participação do delegado de Xambioá, Carlos Marra, na prisão de Genoino é omitida no relatório de 25 de maio.

A ex-estudante paulista Rioko Kayano, avistada pelo barqueiro Baiano no avião em que o levaram para Brasília, foi presa pelas Forças Armadas quando se encontrava hospedada em um hotel de Marabá. Caiu antes de conseguir tomar um ônibus para deixar a cidade. Estivera presa antes no Dops de São Paulo e na Operação Bandeirantes, segundo o documento do CMA.

Eduardo foi identificado como organizador e líder do movimento estudantil na Bahia em 1968. Irmão de Antônio Carlos Monteiro Teixeira, também jubilado com base no decreto 477.

As Forças Armadas ainda não sabiam, mas Antônio Carlos vivia na região. Casado com Dinalva Oliveira Teixeira, ficou conhecido como "Antônio da Dina".

* * *

O general Olavo Vianna Moog estava na reunião de Belém no dia 11 de maio. Comandante militar do Planalto, área contígua à região da guerrilha, prontificou-se a cooperar no combate aos subversivos. Fez questão de participar e pôs as tropas à disposição.

Ficou acertado que a 3ª Brigada de Infantaria enviaria, no mais curto prazo, três pelotões para Xambioá e três para Araguatins. Enquanto estivessem na área de operações, integrariam o Destacamento de Força Terrestre da 8ª RM.

* * *

As operações de busca na selva rendem aos agentes documentos sobre a estrutura dos inimigos. Descobrem que a guerrilha se divide em grupos de sete combatentes. Três destas equipes formam um destacamento.

Os destacamentos se subordinam à Comissão Militar, vinculada ao Birô Político, mais alta instância da guerrilha. Naquele momento, os investigadores supõem que haja aproximadamente 50 guerrilheiros na área. Onze estariam na região de Pau Preto e Abóbora, 14 na Gameleira.

Acreditam que os comunistas fugitivos das bases descobertas estejam escondidos na mata a sudoeste de Xambioá.

As últimas informações obtidas pelos militares alertam para indícios de que os guerrilheiros ainda frequentam os acampamentos destruídos, em busca de comida e armamentos escondidos.

* * *

O corre-corre do Destacamento C permanece. O nervoso comandante Paulo e Domingos ainda não voltaram da tentativa de encontrar a Comissão Militar. Miguel acha as condições da guerrilha cada vez mais precárias. Não dá para entender a falta de um sistema melhor de comunicação entre os destacamentos. Em sua cabeça é inacreditável, mas as ligações e transmissões de mensagens entre as três áreas se restringem a contatos pessoais.

A ameaça representada pela presença dos militares aumenta a cada dia e alguns episódios provocam pânico entre os comunistas. O sobrevoo de um teco-teco antecede a chegada de um helicóptero. Rajadas de metralhadoras disparadas do alto varrem a área durante cerca de dez minutos. As árvores mais finas são cortadas ao meio. As mais grossas servem de proteção para os guerrilheiros. Uma chuva de fragmentos de madeira forra o chão da floresta e por sorte não atinge ninguém.

Num fim de tarde, Josias se aproxima de Miguel com jeito abatido e explana seu pensamento:

"Isso não vai dar certo".

"Espera um pouco. Vamos aguardar os acontecimentos. Veja o que aconteceu no Vietnã. A guerra tem desdobramentos, vamos aguardar", responde Miguel, sem muita convicção.

E de fato Miguel acredita na possibilidade de vitória da guerrilha sobre os militares, mas as palavras de Josias o deixam balançado. A deficiência dos armamentos, o despreparo dos militantes e a diferença numérica entre os dois lados começam a preocupar.

Dias depois, Miguel amarrou a rede perto de Antônio da Dina. Desde a chegada ao Araguaia sentia admiração pelo geólogo baiano. Inteligente, ponderado e profundo conhecedor da região, demonstrava sabedoria nas discussões práticas e teóricas. Entendia de estratégia e conhecia os barulhos da mata. Miguel desabafou.

"O companheiro Josias está confuso com a situação da guerrilha. E eu também sinto tudo meio nebuloso."

Antônio da Dina olhou com atenção para Miguel. Sem pronunciar uma palavra, esfregou as mãos e, olhando nos olhos do companheiro, assentiu com a cabeça. Tinha expressão dura, compenetrada. Mesmo calado, deixava clara a descrença no sucesso do movimento. Mas, fiel ao partido, nada dizia para não baixar o moral dos companheiros. Com aquele gesto silencioso, ganhou ainda mais respeito do novato.

A realidade na mata fez Miguel mudar de opinião em relação aos dirigentes do PCdoB. Antes de ir para o Araguaia, havia formado a imagem de homens infalíveis e de revolucionários de grande conhecimento. Quando se encontrou com João Amazonas, avistou sobre a mesa um exemplar de *Geopolítica do Brasil*, do general Golbery do Couto e Silva.

O jovem militante se impressionou com o interesse do velho comunista pela obra de Golbery. Amazonas demonstrava ser líder preocupado com as grandes questões nacionais e atualizado em relação ao pensamento da época. Naquele momento, no Araguaia, Miguel sentia-se desamparado e sem direção a seguir.

* * *

Um dia, por acaso, o Destacamento C reencontrou Paulo e Domingos. Os dois não haviam encontrado a Comissão Militar. Mesmo assim, houve um momento de comemoração. Ari e Áurea também estavam presentes. Por mais de uma semana Paulo cuidara de Domingos, abatido pela malária. Sem a atenção do comandante, talvez não tivesse sobrevivido.

Fizeram uma reunião e todos os militantes puderam falar. Decidiram voltar às bases para continuar o trabalho de massa. Ninguém manifestou vontade de desistir. Acreditavam no apoio dos amigos camponeses. Os três grupos saíram separados. O de Antônio da Dina seguiu para Sobra de Terra; o de Jaime, para Pau Preto; e o de Jorge, para a região dos Caianos.

CAPÍTULO 37

A Guerrilha do Araguaia comunica que existe

-COMUNICADO Nº 1-

Aos posseiros, trabalhadores do campo e a todas as pessoas progressistas do Sul do PARÁ, oeste do MARANHÃO e norte de GOIÁS.

Aos moradores dos municípios de MARABÁ, SÃO JOÃO DO ARAGUAIA, CONCEIÇÃO DO ARAGUAIA, ARAGUATINS, XAMBIOÁ, IMPERATRIZ, TOCANTINÓPOLIS, PORTO FRANCO E ARAGUAÍNA.

Ao povo brasileiro.

No passado mês de abril, tropas do Exército, em operações conjuntas com a Aeronáutica, Marinha e Polícia Militar do Pará, atacaram de surpresa antigos moradores das margens do Rio Araguaia e de diversos locais situados entre entre SÃO DOMINGOS DAS LATAS e SÃO GERALDO, prendendo e espancando diversas pessoas, queimando casas, destruindo depósitos de arroz e outros cereais e danificando plantações. Este traiçoeiro ato de violência praticado contra honestos trabalhadores do campo é mais um dos inúmeros crimes que a ditadura militar vem cometendo em todo o país contra camponeses, operários, estudantes, democratas e patriotas. O go-

Um documento de 25 de maio de 1972 torna pública a existência da guerrilha. Assinado pelo Comando das Forças Guerrilheiras do Araguaia, o Comunicado nº 1 dirige-se aos brasileiros e, em especial, a posseiros, trabalhadores do campo e pessoas *progressistas* do sul do Pará, oeste do Maranhão e norte de Goiás. Omite a participação do partido. A resistência contra os militares, pelo documento, parece consequência da organização espontânea dos moradores da região. Nenhuma palavra sobre o treinamento realizado e patrocinado durante seis anos no Bico do Papagaio pelo PCdoB. Eles autodenominam-se *revolucionários.*

As forças guerrilheiras conclamam o povo a resistir à *odiosa* ditadura militar. Rejeitam o rótulo de *marginais*, *contrabandistas* e *assaltantes de banco*, alardeado pela repressão. Apontam como inimigos *os grandes magnatas*, os grileiros e os *gringos* norte-americanos, ocupantes de vastas extensões de terras no Norte e no Nordeste.

O documento relata confrontos com as Forças Armadas desde o início de abril. Narra o encontro com os inimigos perto de Santa Cruz, fala da morte de um militar. Tudo em português correto e repleto de expressões típicas da esquerda urbana.

O comunicado acusa os militares de atacar de surpresa antigos moradores da região, de prender, espancar, destruir depósitos e incendiar casas. Culpa a ditadura militar pela repressão abusiva em todo o País contra camponeses, operários, estudantes, democratas e patriotas. As pessoas agredidas, todas conhecidas, eram pessoas *corretas, dedicadas ao trabalho e amigas dos pobres.* Diante do arbítrio, os perseguidos se armaram para enfrentar o Exército, segundo o comunicado.

O texto não estabelece distinção entre militantes do PCdoB em treinamento de guerrilha e moradores alheios ao movimento. *Muitos habitantes* perseguidos pelo Exército fugiram para as matas do Pará, Goiás e Maranhão. Formaram destacamentos armados para combater os *soldados da ditadura.*

O comando guerrilheiro anuncia a criação da União Pela Liberdade e Pelos Direitos do Povo (ULDP), *ampla frente popular* de mobilização pelo progresso e bem-estar da população. Combateria fome, miséria, abandono e opressão. Tratava-se de uma organização criada pelo partido com o objetivo de ampliar as bases da guerrilha, reforçar os laços dos militantes com a população e montar uma rede de informações na região.

A nova organização abria as portas para todos os explorados pelos *grileiros gananciosos.* Conclamava:

O povo unido e armado derrotará seus inimigos.
Abaixo a grilagem!
Viva a liberdade!
Morra a ditadura militar!
Por um Brasil livre e independente!
Em algum lugar da Amazônia, 25 de maio de 1972.

Comando das Forças Guerrilheiras do Araguaia

CAPÍTULO 38

"A revolução abrirá o caminho para uma nova vida"

ANEXO "H"

- DOCUMENTO APREENDIDO DE TERRORISTAS QUE AGEM NA REGIÃO SE DO PARÁ -

-EM DEFESA DO POVO POBRE E PELO PROGRESSO DO INTERIOR-

Nada mais difícil, mais duro, mais sofrido que a vida dos milhões de brasileiros pobres do interior do País. Carecem de tudo e não têm nenhum direito, encontram-se em completo abandono. Particularmente no norte e nordeste, as condições de existência são as piores possíveis. Vive-se no atraso e na ignorância. O interior está parado, não conta com o auxílio de ninguém.

A terra está nas mãos de uma pequena minoria. Para usá-la, o lavrador tem que se sujeitar ao pagamento da meia ou da terça. As terras devolutas, onde o homem do interior pode trabalhar, vão ficando cada vez mais longe dos povoados, da beira dos rios e das estradas. Os ricos tomam conta dos melhores terrenos. E os grileiros expulsam constantemente

A União pela Liberdade e pelos Direitos do Povo (ULDP), anunciada em 25 de maio de 1972, como vimos no capítulo anterior, lança manifesto em defesa dos brasileiros pobres. Denuncia desmandos. Os ricos ficam com as melhores terras devolutas, os latifundiários usam artifícios jurídicos para se apoderar das propriedades ocupadas pelos camponeses. Os grileiros expulsam posseiros com a ajuda de pistoleiros e policiais. Os lavradores têm de pagar aos poderosos até metade do que produzem. O governo usa a polícia para cobrar impostos.

As Forças Armadas servem aos interesses dos exploradores. Companhias matam trabalhadores para não pagar dívidas, poucas pessoas sabem ler ou escrever. Crianças sofrem com vermes. O manifesto brada por uma *revolução popular*. O PCdoB, sem assumir a responsabilidade pela organização da guerrilha, aponta para os moradores do Araguaia o caminho aprendido na China. A revolução libertará o Brasil dos obstáculos para o progresso e levará ao poder um governo *realmente* do povo. Sem luta, não se fará a revolução. O povo do interior deve levantar-se para exigir direitos, juntar-se aos trabalhadores das cidades, aos estudantes e a todos que se rebelem contra os poderosos. Unidos, se tornarão invencíveis.

Com o manifesto, a guerrilha lançou as bases para a revolta popular. O documento divulgou 27 reivindicações imediatas. A ULDP proclamou:

1 – *Terra para trabalhar e título de propriedade de posse*
2 – *Combate à grilagem, com castigo severo para os grileiros*
3 – *Preços mínimos justos para os produtos da região*
4 – *Facilidades para deslocamento da produção e financiamento para compra de animais*
5 – *Proteção à mão de obra nos castanhais, na extração da madeira ou nas grandes fazendas*
6 – *Direitos dos garimpeiros ao trabalho livre na região, com atividade regulamentada pelo governo*
7 – *Liberdade de caça e pesca para alimentação dos moradores, com permissão de venda de pele apenas dos animais mortos para consumo; proibição da matança generalizada com objetivos comerciais*
8 – *Liberdade para coletar, quebrar e vender o babaçu*
9 – *Redução dos impostos para o trabalho na terra e para o pequeno comércio; isenção para pequenos e médios lavradores; fim da participação da polícia na cobrança dos tributos*
10 – *Direito de todo lavrador ou trabalhador na selva possuir arma de caça e defesa pessoal*
11 – *Assistência médica nos distritos, com postos ambulantes instalados em barcos e caminhões; atendimento gratuito para doenças endêmicas e pago, a preços módicos, para as evitáveis, como a sífilis*
12 – *Criação de escolas nos povoados, nas margens dos grandes rios e nas proximidades de plantações; construção de internatos para crianças de locais distantes*
13 – *Fim das arbitrariedades da polícia contra o povo, sem cobrança pelas diligências e por autorizações para festas; respeito dos policiais pelos lavradores e, em especial, pelas mulheres*
14 – *Casamento civil e registro de nascimento gratuito*
15 – *Proteção à mulher; em caso de separação, direito a uma parte da produção do casal e dos bens domésticos; ajuda à maternidade; cursos práticos para formação de parteiras*

16 – *Trabalho, instrução e educação física para os jovens; construção de campos de futebol e basquete, pistas de atletismo e ajuda à criação de centros recreativos*

17 – *Respeito a todas as manifestações religiosas, com permissão para a prática da pajelança, terecô e espiritismo*

18 – *Liberdade de reunião, discussão e crítica das autoridades; direito à organização de associações e eleição dos representantes, sem qualquer tipo de pressão*

19 – *Criação de comitês populares para administrar os distritos e povoados e resolver as desavenças entre os moradores*

20 – *Eleição livre do prefeito, de um conselho administrativo dos municípios e comitês populares nos bairros das cidades*

21 – *Emprego de boa parte dos impostos na construção de estradas, pavimentação de ruas, instalação de luz e água, manutenção de escolas e serviços médicos*

22 – *Planos de urbanização e desenvolvimento das cidades, facilidades para a construção de casas, estímulo à criação de bibliotecas e rádios*

23 – *Distribuição das terras públicas abandonadas, perto das cidades e povoados, para os habitantes cultivarem por um ano*

24 – *Aproveitamento racional das grandes áreas não cultivadas em torno das cidades para a criação de granjas e plantações rentáveis*

25 – *Defesa da terra dos índios, com a ajuda do governo, e respeito aos hábitos e costumes dos povos indígenas*

26 – *Reflorestamento e aproveitamento total das árvores derrubadas na exploração da madeira em larga escala; direito do posseiro à madeira da posse*

27 – *Respeito à propriedade privada, sem prejuízo à coletividade; apoio às iniciativas privadas progressistas, à pequena e média indústrias e ao artesanato*

A revolução abrirá o caminho para uma nova vida.

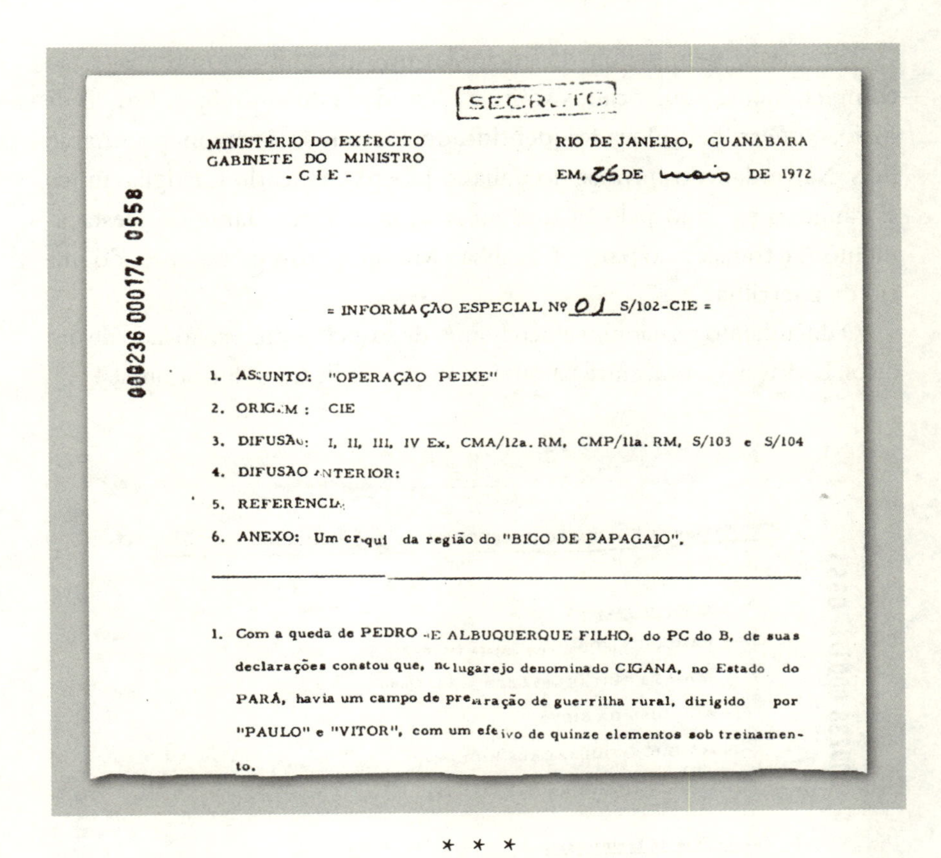
SECRETO

MINISTÉRIO DO EXÉRCITO
GABINETE DO MINISTRO
- C I E -

RIO DE JANEIRO, GUANABARA
EM, 26 DE maio DE 1972

000236 000174 0558

= INFORMAÇÃO ESPECIAL Nº 01 S/102-CIE =

1. ASSUNTO: "OPERAÇÃO PEIXE"
2. ORIGEM : CIE
3. DIFUSÃO: I, II, III, IV Ex, CMA/12a. RM, CMP/11a. RM, S/103 e S/104
4. DIFUSÃO ANTERIOR:
5. REFERÊNCIA:
6. ANEXO: Um croqui da região do "BICO DE PAPAGAIO".

1. Com a queda de PEDRO DE ALBUQUERQUE FILHO, do PC do B, de suas declarações constou que, no lugarejo denominado CIGANA, no Estado do PARÁ, havia um campo de preparação de guerrilha rural, dirigido por "PAULO" e "VITOR", com um efetivo de quinze elementos sob treinamento.

* * *

O CIE baseou-se no relatório do Comando Militar da Amazônia para preparar no dia 26 de maio a *Informação Especial nº* 01. O documento foi distribuído para os comandos militares de todas as regiões do Brasil. Em cinco páginas e meia, o CIE fez um balanço das investigações. Nos arquivos, as folhas ficaram guardadas a partir do número 000236 000174 0558.

O texto revela que Albuquerque não foi o primeiro preso político a falar sobre campos de treinamento de luta armada na Amazônia. Antes dele, Gilberto Thelmo Sidnei Marques, militante da ALN, preso em São Paulo, referiu-se ao Bico do Papagaio como área trabalhada pela esquerda. PCdoB, Ação Popular e PCB atuavam na área desde 1968, segundo o documento. Na região da guerrilha, as primeiras informações importantes sobre os *paulistas* foram obtidas pelos agentes de passagem por São João do Araguaia.

Um mês e meio depois do início das investigações, os militares estão completamente equivocados sobre a identidade dos inimigos. Em 26 de maio, o guerrilheiro Joca foi identificado como João Amazonas ou Aarão Reis. Na verdade, tratava-se do italiano Líbero Giancarlo Castiglia, único estrangeiro enviado pelo PCdoB ao Araguaia, comandante do Destacamento A e transferido para a Comissão Militar quatro meses antes do início da guerrilha.

O documento relacionou cinco nomes de suspeitos presos. Ao lado de um deles, Lourival Moura, entre parênteses surge a indicação: "Suicidou-se".

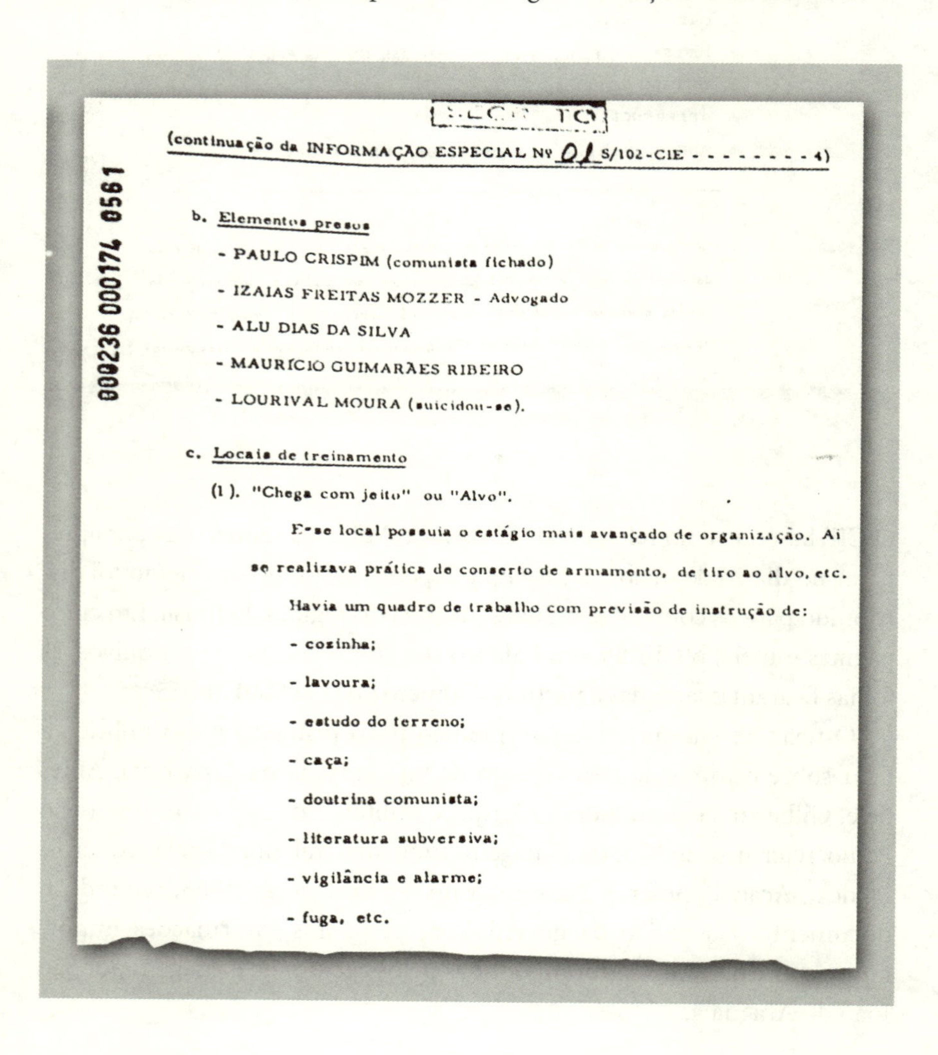
SECRETO

(continuação da INFORMAÇÃO ESPECIAL Nº 01 S/102-CIE - - - - - - - - 4)

000236 000174 0561

b. Elementos presos

- PAULO CRISPIM (comunista fichado)
- IZAIAS FREITAS MOZZER - Advogado
- ALU DIAS DA SILVA
- MAURÍCIO GUIMARÃES RIBEIRO
- LOURIVAL MOURA (suicidou-se).

c. Locais de treinamento

(1). "Chega com jeito" ou "Alvo".

Esse local possuia o estágio mais avançado de organização. Ai se realizava prática de conserto de armamento, de tiro ao alvo, etc.

Havia um quadro de trabalho com previsão de instrução de:

- cozinha;
- lavoura;
- estudo do terreno;
- caça;
- doutrina comunista;
- literatura subversiva;
- vigilância e alarme;
- fuga, etc.

CAPÍTULO 39

Primeiro caboclo morto aparece na cela enforcado

Lourival de Moura Paulino trabalhava como barqueiro no Araguaia. Também tocava lavoura. No dia 18 de maio de 1972 chega à Delegacia de Xambioá depois de ter sido preso pelo Exército. Acusado de colaborar com os subversivos, é interrogado durante três dias.

O caboclo aparece morto dentro da cela no dia 21 de maio. Um dos filhos, que veio fazer uma visita e trazer algumas coisas, vê a cena: o pai, dependurado em uma corda, pelo pescoço. No dia seguinte o corpo segue para o enterro, em Marabá.

Outro suspeito preso, Paulo Crispim, é identificado apenas como "comunista fichado"; e Izaías Freitas Mozzer, como "advogado". Nada fica registrado sobre os presos Maurício Guimarães Ribeiro e Alu Dias da Silva — o dono da bodega que vendia fiado para Amaro e Neuza em Araguanã.

O documento omite as prisões de Eduardo Brito, Januário, Pedro Onça e José de Abreu Aragão. Também não informa que os guerrilheiros Eduardo Monteiro Teixeira, Danilo Carneiro, Amaro Lins e José Genoino foram capturados. Tampouco avisa sobre a morte do cabo Rosa e as dificuldades para resgatar o corpo na selva.

A base de treinamento de Chega com Jeito, o "Alvo", é considerada pelo CIE o local onde os guerrilheiros atingiram o estágio mais avançado de organização. Ali consertam armas, praticam tiro, plantam, armazenam comida, estudam a doutrina comunista e simulam fugas.

O texto cita "elementos japoneses ou chineses" que desapareceram da área. O suposto oriental anteriormente chamado de Alandrine teve o nome alterado para Mandini neste documento.

Em 25 de maio, havia na região dois pelotões do 2º BIS, de Belém, um pelotão do 1º BIS, de Manaus, três pelotões do CMP, um grupo de Forças Especiais da Brigada Aerotransportadora, do Rio, além do apoio de militares da FAB e da Marinha. O tenente-coronel Gastão Baptista, do 2º BIS, comandava as ações.

CAPÍTULO 40

Ordem de Operações: "estar sempre em condições de atirar"

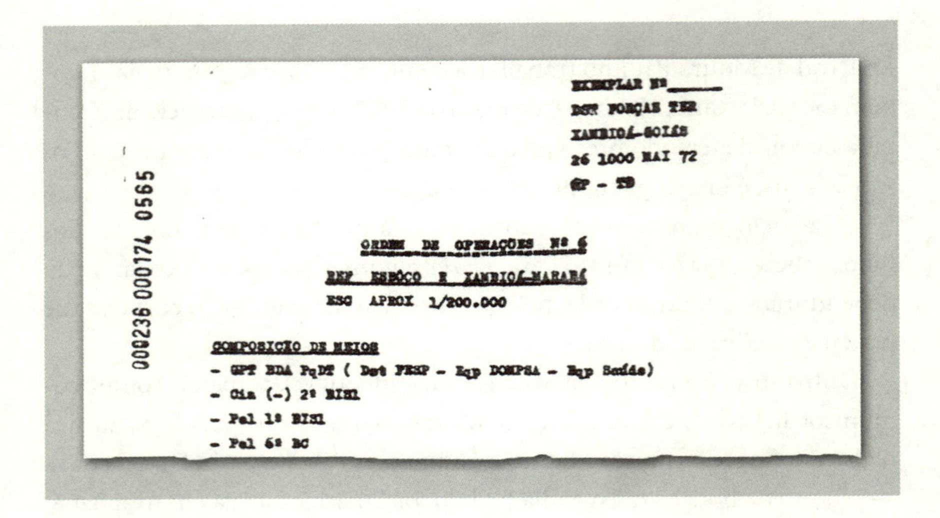

EXEMPLAR Nº_____
DST FORÇAS TER
XAMBIOÁ-GOIÁS
26 1000 MAI 72
GP - [illegible]

000236 000174 0565

ORDEM DE OPERAÇÕES Nº 6
REF ESBÔCO E XAMBIOÁ-MARABÁ
ESC APROX 1/200.000

COMPOSIÇÃO DE MEIOS
- GPT BDA PqDT (Dst FESP - Eqp DOMPSA - Eqp Saúde)
- Cia (-) 2º BIS1
- Pel 1º BIS1
- Pel 6º BC

MISSÃO

— Atuar na região conflagrada a fim de reconhecer, procurar contato, buscar, capturar ou destruir o inimigo.

SITUAÇÃO DAS FORÇAS INIMIGAS

1) *Consta haver alguns grupos de subversivos, com efetivos reduzidos, nas imediações de Esperancinha, Gameleira, Castanhal do Alexandre e Castanhal da Viúva. O efetivo não chega a um total de 30 elementos nessas localidades*

2) *Há movimentos de elementos suspeitos nas localidades imediatamente ao sul da Transamazônica (São Domingos, Metade, Alvo, Consolação, Palestina)*

3) Os subversivos podem:

- *Inquietar nossas tropas e a população local por meio de ação psicológica.*
- *Deslocar-se através da selva, evitando nossas tropas.*
- *Internar-se na selva por tempo indeterminado.*
- *Eventualmente, atuar por meio de emboscadas.*
- *Executar atos de sabotagem.*
- *Continuar mantendo seus suprimentos, por intermédio de simpatizantes ou colaboradores sediados em Marabá, Araguatins e Xambioá.*
- *Retirar-se para outras áreas.*

O tenente-coronel Gastão assina a Ordem de Operações nº 6 do dia 26 de maio de 1972. Depois, comanda a maior movimentação de tropas contra a guerrilha até aquele momento, preparada para durar 15 dias. A Ordem prevê a atuação do Destacamento da Força Terrestre ao nordeste da Serra das Andorinhas, com o objetivo de impedir a circulação e a chegada de guerrilheiros aos pontos de suprimento. A missão fica dividida em três fases.

A primeira durará cinco dias. O Exército ocupará a área para acossar e emboscar os guerrilheiros. Na segunda fase, de quatro dias, as tropas vão reconhecer as proximidades e vasculhar a área com ações executadas a partir de helicópteros. Na terceira, cerrarão forças sobre a Serra das Andorinhas para destruir os inimigos. Se necessário, o comandante poderá acionar apoio de fogo aéreo da FAB, que também ficará responsável por lançar provimentos dos aviões e helicópteros aos militares. A turma de Saúde cuidaria primeiro da tropa. Se possível, atenderia a população civil.

A *Ordem de Operações* denominou 27 de maio como o "Dia D" para o início do deslocamento da Base de Comando em direção a Xambioá. A movimentação das tropas começaria às seis da manhã. Os militares foram orientados a realizar emboscadas durante as horas de luz do dia. Nos ataques aos inimigos deveriam dar preferência aos postos de abastecimento. À noite podiam agir em pontos específicos definidos pelo comando.

O documento feito pelo coronel Gastão registrou nas duas últimas páginas da *Ordem de Operações* as seguintes recomendações:

— *Não abandonar os fuzis em nenhuma hipótese*

— *Jamais se descuidar, mesmo que o inimigo pareça não existir*

— *Alerta constante, nos altos para descanso ou para apanhar água, extremidades atentas (caso do cabo)*

— *Pernoite em locais diferentes e sempre com guarda, para a tropa e para emboscar*

— *Estrita obediência ao comandante — disciplina e paciência*

— *Disciplina de luzes (cigarros, lanternas etc.) e silêncio*

— *Não andar durante a noite. Parar e emboscar*

— *Cuidar para não atirar a esmo; durante a noite muitos animais andam na selva*

— *Máximo cuidado nos deslocamentos para apanhar gêneros*

— *Se o inimigo apontar dando voz de prisão, imediatamente atire sobre ele e os demais integrantes atiram em torno*

— *Não se deixe cair prisioneiro; daí a necessidade de estar sempre em condições de atirar*

— *Não deixar vestígios, restos de ração etc. Enterrar tudo*

— *As patrulhas que conduzirem mateiro deverão uniformizá-lo*

— *Às vezes os subversivos andam à noite, principalmente quando tem lua*

— *Outras ocasiões utilizam lanternas para seus deslocamentos*

— *Normalmente os subversivos caçam utilizando cachorros e espingardas; atenção para os latidos*

— *Destruir tudo o que for identificado como sendo do inimigo*

— *Cuidado para não destruir pertences ou propriedades de residentes da região*

— *Máximo cuidado para não fazer vítimas inocentes; existem mateiros no trabalho de derrubada do mato*

— *Cuidado para o suprimento não cair em mãos inimigas*

— *Especial atenção a partir do dia D+10 (décimo dia), quando haverá um vasculhamento geral na área*

A Ordem de Operações nº 6 teve a subscrição do major Cláudio Netto de Primio, abaixo do nome de Gastão Baptista de Carvalho.

O Exército tem 244 homens na região do confronto no dia 29 de maio. São 25 oficiais e 219 praças, segundo o documento *Mapa da Força — Dia,* assinado pelo major Wladir Cavalcante de Souza Lima, chefe da 1ª Seção do Estado Maior da 8ª RM e arquivado no CIE com o número 000236 000174 0575.

Em um encontro com guerrilheiros na região de Pau Preto, nesse dia 29 de maio, o terceiro-sargento do Exército Raymundo Barbosa, lotado na Brigada Paraquedista, leva um tiro no ombro direito.

CAPÍTULO 41

Torturado, Eduardo conta como chegou à guerrilha

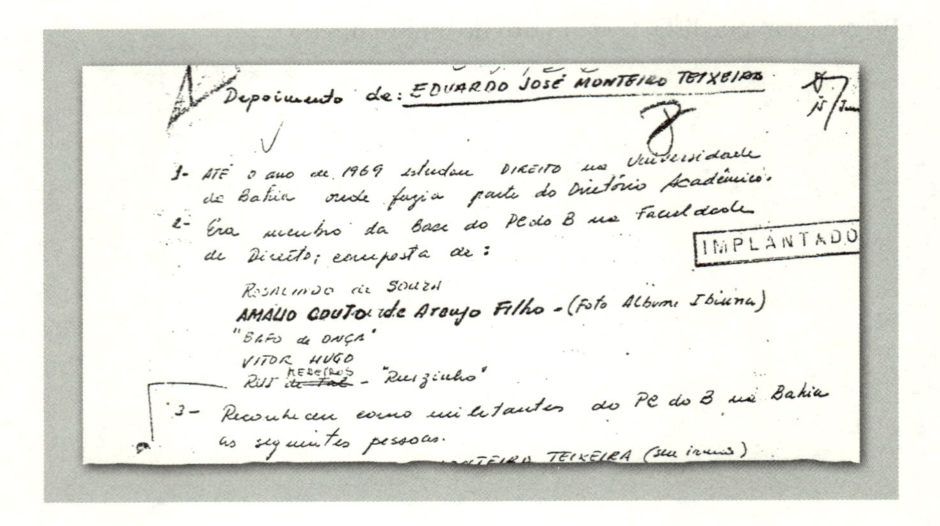
Depoimento de: EDUARDO JOSÉ MONTEIRO TEIXEIRA

1- ATÉ o ano de 1969 estudou DIREITO na Universidade de Bahia onde fazia parte do Diretório Acadêmico.

2- Era membro da Base do PCdoB na Faculdade de Direito; composta de:

IMPLANTADO

ROSALINDO de SOUZA

AMALIO COUTO de Araujo Filho - (Foto Album Ibiuna)

"BAFO de ONÇA"

VITOR HUGO

RUI MEDEIROS - "Ruizinho"

3- Reconheceu como militantes do PCdoB na Bahia as seguintes pessoas.

TEIXEIRA (seu irmão)

Nas semanas seguintes à prisão, Eduardo Monteiro é torturado e transferido para o Pelotão de Investigações Criminais (PIC). Em Brasília, recebe pancadas e choques elétricos. Aos poucos, fala sobre como chegou ao Araguaia. Dois documentos guardados pelos serviços de informação das Forças Armadas reproduzem depoimentos. Um deles, sem data, tem apenas uma página e poucos detalhes da vida do militante. O outro, de 31 de maio de 1972, ocupa oito folhas de papel ofício. Revela métodos de recrutamento de guerrilheiros pelo PCdoB. Ambos manuscritos, a maior parte na primeira pessoa. O restante, na terceira. Alguns fatos narrados já conhecemos com outras palavras no Capítulo 21, "Dois jovens presos, humilhados e espancados".

Eduardo fez curso de madureza (atual supletivo) nos anos de 1966 e 1967. Teve os primeiros contatos com o partido logo depois de entrar para a Faculdade de Direito da Bahia, em março de 1968. Citou nomes. Amálio Couto de Araújo Filho, Rosalindo de Souza, Aurélio Miguel Pinto Dória, João Bafo-de-Onça, Rui Medeiros, Demerval, Victor Hugo, Sara, Juraci,

Silvinha e Abel. Eduardo não sabia, mas dois deles, Rosalindo e Demerval, estavam no Araguaia para treinamento de luta armada.

Amálio era ligado a Rafael, dirigente regional do partido. Comparado pelos agentes com fotos de subversivos procurados, Rafael teria sido identificado como José Barbosa Oliveira, militante comunista com passagem pela China.

Em 1968 Eduardo elegeu-se secretário adjunto do Diretório Acadêmico, em chapa presidida por Rosalindo. A diretoria e outros militantes do movimento estudantil foram suspensos no fim do ano. Impedidos de frequentar as aulas no início de 1969, os alunos convocaram uma assembleia geral. A polícia chegou e prendeu Amálio, Rui Medeiros, Victor Hugo, João Bafo-de-Onça e outro estudante que Eduardo não recordou o nome. Ficaram na cadeia mais de 30 dias.

Foi nessa época que seu irmão Antônio Carlos casou com a colega do curso de Geologia, Dina. Eles se formaram e mudaram para o Rio de Janeiro. Logo em seguida, narra Eduardo, ele também casou com Fátima, uma colega de faculdade. Deu aulas em um curso de madureza. Manteve as ligações com o PCdoB, mas desistiu de estudar Direito. Não gostava do curso.

Eduardo e Fátima ficaram durante algum tempo no Recife, longe do partido. Sem emprego, foram para o Rio. Procuraram Antônio e Dina. Com eles, em Botafogo, vivia o amigo Rosalindo. Passaram a morar juntos.

Antônio e Dina eram funcionários do DNPM. Eduardo conseguiu emprego na livraria Entrelivros; Fátima, na Mesbla, depois na Camel Modas.

Eduardo disse no depoimento que, quando Antônio Carlos recebia algum integrante do PCdoB para reuniões sigilosas, tinha de sair de casa com Fátima para não verem as pessoas. Medida de segurança do partido. Às vezes, ficavam trancados no quarto de empregada.

No início de 1970, o casal foi para uma pensão na Gávea. A ligação com o PCdoB passou a ser feita por meio de Lutero, identificado pelos agentes da repressão como Benedito de Carvalho, outro comunista com passagem pela China. O primeiro ponto com Lutero deu-se na avenida Suburbana. Logo na primeira conversa discutiram a possibilidade de Eduardo trabalhar no campo. No segundo encontro, apareceu Lauro. Tratava-se de Lincoln Cordeiro Oest, dirigente comunista também enviado à China pelo PCdoB.

Lauro e Lutero um dia levaram Eduardo e Fátima, de olhos fechados, para uma reunião em um aparelho. Era uma casa espaçosa e malmobiliada, segundo Eduardo. Para chegar ao lugar, viajaram meia hora em uma Kombi verde, abaixados e de olhos fechados.

Um militante de codinome Antônio aguardava os quatro. Os militares o identificaram como José Antônio Botelho. No aparelho, vários documentos do PCdoB foram lidos e discutidos. Voltaram a conversar sobre trabalho no campo. Passaram o dia inteiro no lugar.

O ponto seguinte foi em São Paulo. Apanhados por Antônio, seguiram de olhos vendados em um automóvel DKW. Cinco ou seis pessoas estavam na casa, todos homens. No depoimento, Eduardo lembrou-se de um deles, sujeito alto, meio careca, branco, mais ou menos 30 anos, aparência de operário e sotaque de espanhol.

O casal foi submetido a um interrogatório. Os homens pareciam formar uma comissão de seleção de militantes do partido. Testavam o nível de doutrinação dos dois. Voltaram para o Rio e aguardaram novas orientações.

Em junho Lutero os procurou. Deveriam ir para a Bahia e procurar por Rafael. Emília, irmã de Eduardo, ajudou no contato em Salvador. Fátima viajou para o Recife a pedido da mãe. Eduardo recebeu a missão de fazer um trabalho de campo próximo a Itapetinga, no interior do Estado. Depois de quatro dias, desistiu. De volta ao Recife reencontrou Fátima e ficou afastado da política até junho de 1971. Restabeleceu contato com o PCdoB quando Expedito Rufino, integrante do partido, os visitou.

Em setembro a irmã Emília, a Mila, chegou ao Recife. Mila era diretora da UNE, posta na ilegalidade. Vivia escondida de *aparelho* em *aparelho*. Fazia a ligação entre militantes de diferentes estados e ajudava a direção do partido. Em Pernambuco, Mila aguardava novas orientações.

Em março Expedito recebe um telegrama de Lutero. O texto diz: *Aniversário 50 anos bodas de ouro dos velhos. Ir dia 01ABR para o Rio. A firma custeará as despesas*. Era a senha para os três.

Mila, Eduardo e Expedito chegaram ao Rio e ficaram em uma pensão na avenida Presidente Vargas. Tiveram um ponto com Lauro e Lutero. Foram apanhados no Méier na mesma Kombi verde e levados para a casa em que Eduardo estivera em 1970. Outra vez viajaram de olhos fechados, deitados no chão do carro.

No aparelho, Eduardo recebe ordem de ir para o campo, onde há necessidade de militantes. O ponto seguinte dá-se na rodoviária de São Paulo no dia 9 de abril, às cinco da tarde. No local, encontra-se com Antônio e Elza Monerat, a Dona Maria.

Elza dá dinheiro a Eduardo para comprar roupas e instruções para um novo ponto em Anápolis. Na cidade goiana, os dois se reencontram. Rioko Kayano junta-se a eles e seguem para Tocantinópolis.

Como vimos no capítulo 21, Eduardo foi preso no dia seguinte, quando tentava atravessar o rio Araguaia.

CAPÍTULO 42

Morre o primeiro guerrilheiro: Bergson Gurjão, Jorge, o brincalhão

Os guerrilheiros do Destacamento C desafiam a presença ostensiva dos agentes da repressão ao longo de todo o mês de maio de 1972. O cearense Bergson Gurjão Farias, o Jorge, passa um dia pela casa de Pedro Onça, como gostava de fazer antes da chegada do Exército. Alto e brincalhão, é o mais extrovertido dos *paulistas* conhecidos de Chica e do marido. Mas Jorge está mais sério nesse dia. Quebra o silêncio sobre a condição de guerrilheiro e fala um pouco a respeito do sentimento que nutre pela experiência armada:

"Nós gostamos daqui. Nós vivemos aqui e vamos vencer. Se eles matarem nós todinhos, outros virão para o nosso lugar e voltarão a formar a mesma irmandade".

O tempo de convivência com os moradores transformou o estudante em um autêntico caboclo. Jorge era nordestino, pele queimada de sol, dentes estragados pelas condições precárias de vida, mas possuía bom humor admirável, disposição para trabalhar e muito conhecimento da mata.

No dia 2 de junho Pedro Onça volta a encontrar-se com Jorge, desta vez à beira de um rio. Há outros guerrilheiros por perto.

"Rapaz, o trem tá grosso", comenta o camponês, referindo-se ao Exército.

"É, mas a gente vai aí, meio devagar", responde simpático o guerrilheiro.

Foi a última vez que o caboclo viu o amigo brincalhão.

* * *

Paulo, Áurea, Ari, Luzia, Domingos, Miguel e Josias aguardavam o fim da conversa escondidos na mata. O grupo tinha pressa de chegar à casa de outro camponês conhecido como Cearensinho. O homem aceitara comprar um rolo de fumo para o comandante do Destacamento C.

Paulo considerava Cearensinho um amigo. Conheciam-se há muito tempo, muitas vezes Paulo ajudara o caboclo e acreditava em gestos de reciprocidade. Mesmo depois da chegada do Exército, o camponês se dispusera a fazer alguns favores. Neuza e Amaro desconfiavam do sujeito. Fazia algum tempo que o Exército oferecia dinheiro por informações. Muitos moradores pareciam gostar da proposta.

Apesar do alerta, Bergson guiava o grupo. Rumavam ao encontro de Cearensinho para cumprir o trato feito com Paulo, ou seja, pegar o rolo de fumo. Antes de alcançar a casa, uma rajada de metralhadoras cortou o silêncio da manhã. O guerrilheiro Jorge morreu com o corpo crivado de balas. Os outros fugiram. Dispersaram-se no mato, um para cada lado.

Em vez de levar um rolo de fumo para o amigo, Cearensinho chamou o Exército.

* * *

Perto dali, em uma fazenda do Incra no município de Marabá, o soldado Milton Santa Brígida Ferreira, da 5ª Companhia de Guardas, sofre um ferimento transfixante no pé direito em uma refrega com outros guerrilheiros.

CAPÍTULO 43

O Incra entra na guerra

O governo militar tem pressa em colonizar as margens da Transamazônica. O projeto Brasil Grande e o uso da área por organizações esquerdistas recomendam a ocupação imediata da região. Desde junho de 1971, 19 voluntários do Incra baseados em Marabá e Altamira trabalham na criação de agrovilas e pontos de apoio para os lavradores chegados de vários pontos do País, a maioria do Nordeste.

Um dos voluntários, Moacir de Almeida Gomes, aceitou a proposta feita pelo órgão federal para tentar amenizar uma grande tristeza. Pouco tempo antes do convite, a mulher dele morreu aos 30 anos vítima de miocardite. Longe do Rio, onde moravam, poderia reverter a depressão.

Durante um ano Moacir trabalhou na construção de galpões para os colonos recém-chegados e nos contatos com fornecedores do Incra. Em junho de 1972, recebe nova missão, confiada pelo executor do projeto de ocupação da área, o catarinense Adeloide Olivo, engenheiro-agrônomo.

"Temos a determinação de construir uma estrada ligando Brejo Grande a Santa Cruz. O mais rápido possível!", anuncia o chefe do Incra.

A rodovia deve passar pelo Castanhal da Viúva e pela Gameleira, locais suspeitos de abrigar guerrilheiros comunistas. O tempo exíguo inviabiliza a realização de serviços de topografia. Aos 35 anos, e ainda com pouco conhecimento da mata, Moacir teria de improvisar uma solução para o problema.

O funcionário do Incra contrata homens experientes na área para ajudá-lo a marcar o rumo da estrada. Escolhe os mariscadores Zé Quileu, Expedito e Raimundo Nego. Os três moram em Palestina e conhecem todos os caminhos e acidentes geográficos da região.

No Araguaia denominam-se mariscadores os caçadores que vivem de vender peles de animais. Muitos trabalham também em garimpos. Zé Quileu, um dos contratados, é muito amigo do guerrilheiro Osvaldão.

Antes da chegada do Exército, os dois costumavam percorrer a mata juntos, dias e dias seguidos, à procura de bichos para caçar.

Moacir ouvia falar sobre pessoas estranhas nas proximidades de Palestina e Brejo Grande desde o final de 1971. Diferentes dos moradores mais antigos, frequentavam pouco as cidades e pagavam preços mais altos pelos produtos comprados da população. Pareciam ter interesse em agradar os caboclos. Com a construção da Transamazônica, mudaram-se para pontos mais distantes na mata.

Sem tempo a perder, Moacir e os três mariscadores começam a abrir os 40 quilômetros de estrada entre Brejo Grande e Santa Cruz.

No início dos anos 70, o governo tentou colonizar as terras ao longo da rodovia Transamazônica. Foi um fracasso.

CAPÍTULO 44

José Genoino Neto, o Geraldo, depõe após sessões de tortura

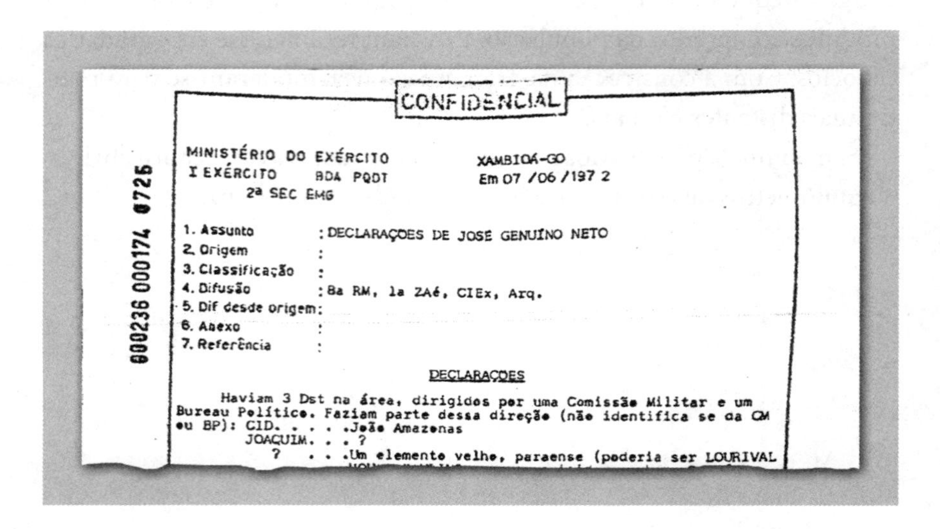

CONFIDENCIAL

MINISTÉRIO DO EXÉRCITO
I EXÉRCITO BDA PQDT
2ª SEC EMG

XAMBIOÁ-GO
Em 07 /06 /197 2

000236 000174 0725

1. Assunto : DECLARAÇOES DE JOSE GENUÍNO NETO
2. Origem :
3. Classificação :
4. Difusão : 8a RM, la ZAé, CIEx, Arq.
5. Dif desde origem:
6. Anexo :
7. Referência :

DECLARAÇOES

Haviam 3 Dst na área, dirigidos por uma Comissão Militar e um Bureau Político. Faziam parte dessa direção (não identifica se da CM ou BP): CID. . . . .João Amazonas
JOAQUIM. . . ?
? . . .Um elemento velho, paraense (poderia ser LOURIVAL

Geraldo é desmascarado no quinto dia depois de apanhado pelo grupo de mateiros comandados pelo delegado de Xambioá, Carlos Marra. Já está em Brasília, na sede do PIC. Os militares comparam o homem que se diz camponês com o álbum dos estudantes presos em Ibiúna. Reconhecem o cearense José Genoino Neto, 26 anos, ex-diretor da UNE.

O preso cursava Filosofia e Direito na Universidade Federal do Ceará quando se mudou para o Araguaia. Nascido na terra de Antônio Conselheiro, Quixeramobim, viveu uma infância pobre com a família de camponeses. Em Fortaleza, fez carreira meteórica no movimento estudantil.

Ainda no primeiro ano presidiu o Diretório Acadêmico da Faculdade de Filosofia. O rapaz do interior, carismático e combativo, chamou a atenção do PCdoB. Entrou para o partido pouco tempo depois, recrutado por Pedro Albuquerque. As manifestações de rua agitavam a capital do Ceará.

Apoiado pelo PCdoB, elegeu-se presidente do Diretório Central dos Estudantes da UFC. Teve como vice Bergson Gurjão Farias, aluno de

Química. De volta à cadeia de Xambioá, Genoino reconhece a foto do antigo companheiro — o guerrilheiro Jorge, morto em combate.

No mesmo dia, Genoino presencia a chegada de um oficial paraquedista ferido. Um camponês contou que o militar participou de um combate contra um grupo de guerrilheiros. No tiroteio, Jorge morreu.

Um relatório feito em Xambioá, pela Brigada de Paraquedistas, no dia 7 de junho de 1972, resume as declarações prestadas por Genoino até aquele momento.* O documento recebeu número 000236 000174 0725 nos arquivos do CIE. Um pacote de panfletos encontrado na mochila de Jorge aumenta as torturas em Genoino. A descoberta do *Regulamento Militar da Guerrilha* e do *Regulamento da Justiça Militar Revolucionária* dá aos agentes da repressão a certeza da existência de um movimento armado comunista, com estrutura de exército.

Genoino foi torturado durante toda a tarde do dia 7. Contou que havia três destacamentos de guerrilheiros na área, dirigidos por uma Comissão Militar e um Birô Político. Informou também que Cid, identificado como João Amazonas, e Joaquim faziam parte do comando guerrilheiro. Não esclareceu quem era o comandante Joaquim. Falou sobre um terceiro integrante da cúpula, um homem velho, paraense. Os agentes suspeitaram de que se tratava de Lourival de Moura Paulino, morador da região morto depois de preso pelo Exército. Genoino não reconheceu a foto do sujeito apresentada pelos militares.

O relatório sobre os depoimentos de Genoino mostra que o Destacamento A ficava ao sul da Transamazônica. Operava completo, com 21 guerrilheiros, um comandante e um subcomandante. O Destacamento B agia a sudeste, leste e nordeste da Serra das Andorinhas. Tinha dois combatentes a menos.

Os guerrilheiros do Destacamento C atuavam a oeste e sudoeste da Serra das Andorinhas. Faltavam três militantes para completar o efetivo de 21 integrantes desejado pela direção do partido.

As informações mais detalhadas se referem ao Destacamento B, ao qual Genoino pertenceu. O guerrilheiro falou os codinomes dos 20 companheiros e as armas usadas. Não revelou as identidades verdadeiras. Osvaldão comandava o destacamento, armado de rifle calibre 44, pistola 7.65

** Leia íntegra dos depoimentos de José Genoino nos Anexos deste livro.*

e revólver calibre 38. Zé Fogoió, segundo na hierarquia, carregava revólver calibre 38 e rifle calibre 44.

Os outros 20 combatentes estavam distribuídos em três grupos, como nos outros dois destacamentos. O da Gameleira, antes comandado por Geraldo, tinha dois pontos de apoio. Os outros integrantes eram o subcomandante Amaury e os guerrilheiros Glênio, Suely, Tuca, Peri e Mané.

O comandante do grupo do Castanhal do Alexandre era Zé Ferreira, segundo o depoimento. Flávio, o subcomandante. Os guerrilheiros Gilberto, Raul, Aparício e Walquíria completavam a equipe.

O grupo de Couro D'Antas tinha os guerrilheiros Lourival, Lia, Dina e Simão, comandados por Zezinho. O subcomandante era João Goiano. Todos os combatentes carregavam revólver calibre 38, quase todos uma espingarda calibre 16, 20 ou 36. A de Geraldo era calibre 16, a de Zezinho tinha cano duplo. Amaury portava rifle 44; Zé Ferreira, um 44. Lia usava apenas o 38.

Genoino explicou aos agentes que tinha saído do Destacamento B com a responsabilidade de contatar Vítor, subcomandante do Destacamento C. Levava um bilhete com o aviso de que as Forças Armadas estavam na área. Deveria voltar até a noite do dia 18 de abril, quando foi preso. Se não retornasse até terça-feira, três dias depois Osvaldão se embrenharia na mata com os outros guerrilheiros.

E assim aconteceu.

CAPÍTULO 45

A vida de combatente só dura 52 dias para Miguel

A mochila de Miguel ficou para trás na correria do tiroteio. O guerrilheiro viu quando Jorge recebeu a saraivada de balas dos militares emboscados no local do trato com Cearensinho. Conseguiu levar o revólver calibre 38 e cerca de dez munições. Caminhou sem direção dentro da mata. Por sorte, encontrou Domingos e Ari. A morte de Jorge abala os militantes do PCdoB. Depois de alguns dias todos os sobreviventes do Destacamento C se reúnem. O comandante também apareceu.

Paulo mal consegue disfarçar a angústia. Treinado na China, mas estreante em luta real, o economista gaúcho é o único comandante com responsabilidade de ter no destacamento quatro recém-chegados e sem experiência alguma na selva. Sem tempo para treinamento militar, Luzia, Josias, Chico e Miguel não conseguiam sequer se deslocar sozinhos pelas trilhas, grotas e igarapés. A morte de Jorge deixa Paulo ainda mais tenso.

"Mataram nosso companheiro", lastima o comandante guerrilheiro, emocionado, com a boca trêmula e os punhos cerrados.

Com menos de 1,70 m, forte e atarracado, procura manter a liderança sobre os combatentes. Corajoso, costuma ouvir os mais experientes antes de tomar decisões e gosta de demonstrar espírito combativo. Usa sempre palavras de estímulo aos companheiros. No entanto, a força superior do inimigo e as condições desfavoráveis de luta tornaram as escolhas do comandante sem consequências práticas.

* * *

Os guerrilheiros montaram acampamento e alguns saíram para tentar contato ou procurar comida. Pegaram as redes e desapareceram na mata. Ficaram Miguel, Baianinha e Domingos. Por alguns momentos, Miguel ficou sozinho. De repente, viu um incêndio na mata. Teve medo. Os militares tinham percebido a presença dos comunistas e tocaram fogo para que saíssem do esconderijo. O guerrilheiro viu os inimigos de perto. Deu um salto, pulou um riacho e fugiu entre as árvores.

Os militares não foram atrás. Não entraram no interior da selva. Miguel sentou-se no chão, tirou a camisa azul, por causa do calor e do medo de ser identificado pela cor, encostou-se em uma árvore e pensou na vida. Lembrou-se das recomendações de Domingos. Se ficasse perdido, deveria seguir um riacho. Com certeza encontraria alguém.

Segue o conselho. Desce por um riozinho até anoitecer. Para, colhe alguns cocos e vê que neles há alguns bichinhos. Espeta-os e engole. Sobe em uma árvore para dormir. Sobrevive quatro dias dessa maneira. Continua pela margem do riacho até avistar a casa de um camponês. O tempo que passou percorrendo a mata, o desespero de encontrar os inimigos, a fome e o medo deixaram Miguel em estado deplorável. As calças caem, mesmo com o cinto apertado até o último furo. Quando chegou ao Araguaia, pesava 75 quilos. Perdeu pelo menos 30 nas andanças sem destino. Quando olha, vê o dono da casa comer alguma coisa. O estômago do guerrilheiro fala mais alto que a precaução.

"Rapaz, me dá o que comer. Estou morrendo de fome", implora Miguel. Em seguida, pergunta se o caboclo conhece Pedro Onça.

"Senta aí", responde o dono da casa, depois de observar o recém-chegado de cima abaixo.

Levanta-se, entra na casa e volta com um prato branco, aquele de estanho esmaltado, cheio de leite com farinha.

Os olhos de Miguel se arregalam. O jovem militante sorve a primeira colherada com voracidade. Nem chega a completar a segunda e a bota de um soldado chuta o prato para longe. Cerca de oito homens apareceram de repente. Um deles encosta o cano de uma FAL na cabeça do guerrilheiro.

Sua trajetória de combatente durou 52 dias.

* * *

O Comando das Forças Guerrilheiras do Araguaia volta a manifestar-se em meados de junho. A mensagem aparece em forma de carta a um deputado federal anônimo, para ser divulgada entre congressistas, democratas e meios de comunicação. Explica as razões da resistência armada, contra o governo, em algum ponto da selva amazônica.

A carta narra a fuga para a mata depois dos ataques das Forças Armadas e da Polícia Militar. Relata a ocorrência de choques armados entre guerrilheiros e soldados, com ferimentos, prisões e mortes dos dois lados. Na versão do comando esquerdista, os mais resolutos pegaram em armas para responder à brutalidade da repressão.

Fazem parte da resistência armada filhos do lugar e pessoas procedentes das grandes cidades, operários, estudantes e profissionais liberais. Alguns sofriam perseguição política. Na região todos vivem da mesma forma e enfrentam a aspereza da vida na roça. Sentem-se identificados com os problemas do interior e estimados pela população.

Nenhuma palavra sobre a preparação da guerrilha desde 1966.

O texto faz um longo relato sobre a dureza da vida na região, sem assistência de espécie alguma. Volta a denunciar a grilagem de terras no Araguaia. Diz que a fome e as doenças, como malária e leishmaniose, constituem o flagelo dos moradores.

Os trabalhadores dos castanhais e madeireiras nada recebem depois de meses de trabalho. Vendem tudo barato e têm de pagar caro pelo que compram. Qualquer soldado se arroga o direito de espancar, humilhar e extorquir os moradores, prossegue o documento. As grandes companhias, muitas estrangeiras, tomam conta de dezenas de centenas de milhares de hectares de terra, estimuladas pelos incentivos fiscais. Os posseiros levantam-se em defesa das glebas em que moram e trabalham. A gente sofrida do Araguaia precisa encontrar o caminho para reclamar os direitos.

Os que empunham armas e recorrem ao antigo e provado método da guerrilha dão o primeiro passo na direção das conquistas, diz a mensagem, e no futuro os brasileiros do interior se levantarão para mudar o País. Os comunistas embrenhados na selva do Pará alimentam a esperança de contar com o apoio de *patriotas* e *democratas* dos grandes centros urbanos.

A mensagem dirigida ao deputado anônimo denuncia prisões e torturas durante interrogatórios policiais. Faz referência ao AI-5, instrumento de cerceamento dos direitos individuais dos cidadãos, diz que os generais não podem falar em desenvolvimento e êxito financeiro, pois o Brasil vive profunda crise social, há desemprego e muitas pessoas nem conseguem acesso a escolas. Nas palavras dirigidas aos brasileiros, os militantes caçados pela ditadura em plena floresta revelam sonhos de um País melhor.

Os guerrilheiros treinados pelo PCdoB para liderar uma revolução com inspiração chinesa apresentavam ao Brasil uma proposta de governo com amplas *franquias democráticas.* Nenhuma referência fizeram a socialismo ou comunismo. Concluíam o documento assim:

De um recanto da selva amazônica, sul do Pará, junho de 1972
Comando das Forças Guerrilheiras do Araguaia

CAPÍTULO 46

A 8ª RM perde espaço para o Comando do Planalto

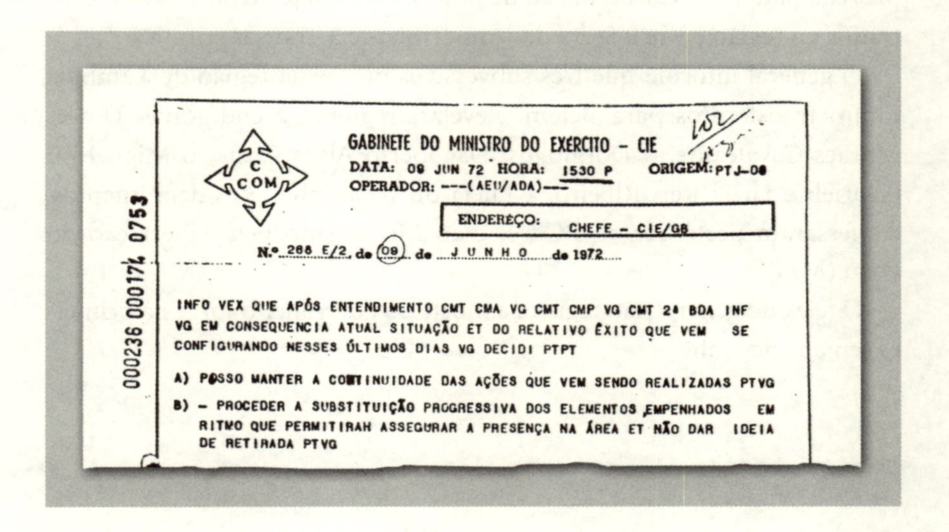

GABINETE DO MINISTRO DO EXÉRCITO - CIE

DATA: 09 JUN 72 HORA: 1530 P ORIGEM: PTJ-08

OPERADOR: ---(AEU/ADA)---

ENDEREÇO: CHEFE - CIE/GB

N.º 288 E/2 de 09 de JUNHO de 1972

INFO VEX QUE APÓS ENTENDIMENTO CMT CMA VG CMT CMP VG CMT 2ª BDA INF VG EM CONSEQUENCIA ATUAL SITUAÇÃO ET DO RELATIVO ÊXITO QUE VEM SE CONFIGURANDO NESSES ÚLTIMOS DIAS VG DECIDI PTPT

A) POSSO MANTER A CONTINUIDADE DAS AÇÕES QUE VEM SENDO REALIZADAS PTVG

B) - PROCEDER A SUBSTITUIÇÃO PROGRESSIVA DOS ELEMENTOS EMPENHADOS EM RITMO QUE PERMITIRAH ASSEGURAR A PRESENÇA NA ÁREA ET NÃO DAR IDEIA DE RETIRADA PTVG

000236 000174 0753

Na avaliação do general Darcy Jardim, os militares obtiveram "relativo êxito" até aquele momento. No dia 9 de junho de 1972, o comandante da 8ª RM transmite um telex para o chefe do CIE-GB com as últimas decisões tomadas.

Aos poucos, as tropas seriam substituídas de maneira que parecesse um "reforço" do efetivo. Em uma semana, a manobra estaria concluída. As mudanças foram acertadas em comum acordo entre o general e os Comandos Militares da Amazônia, do Planalto e a 2ª Brigada de Infantaria Motorizada, de Niterói. A mensagem termina com uma cobrança financeira:

"*O recebimento das duas parcelas de Cr$ 20.000,00 darah tranquilidade as operações por cerca de vinte dias PT.*"

A 8ª RM perdia espaço para a 3ª Brigada de Infantaria de Brasília.

* * *

Quatro dias depois o general Darcy envia nova mensagem, endereçada ao CIE e ao CMA. Afirma que a substituição da tropa se processou como planejado. O tenente-coronel José Ferreira da Silva assumiria o comando no lugar do tenente-coronel Gastão.

Um pelotão da IA/34B, de Macapá, seria incorporado ao combate. O governo do Pará daria apoio material e pessoal a uma operação de Aciso prevista para começar no dia 20 de junho. Os esforços continuavam centrados na região entre a Serra das Andorinhas e a Transamazônica.

O general informa que três subversivos presos na região de Xambioá foram transferidos para Belém. Revelaram nome e codinome: Dower Moraes Cavalcante, o Domingos; Dagoberto Alves Costa, o Miguel ou Gabriel; e Luzia Reis Ribeiro, a Lúcia ou Baianinha. Nos depoimentos, confessaram pertencer ao PCdoB e ao Movimento pela Libertação do Povo (MLP).

O telex do general não registra a morte do guerrilheiro Jorge na primeira semana de junho.

CAPÍTULO 47

Traição: em vez dos amigos, Raimundo avisou o Exército

A guerrilheira Lúcia, ou Baianinha, fugiu durante três dias pela mata antes de ser presa no dia 8 de junho por uma equipe do Exército. Foi delatada por um morador a quem, faminta, pediu ajuda. O codinome fornecido pelo partido e o apelido dado pela população do Araguaia ocultavam a identidade de Luzia Reis Ribeiro, ex-estudante de Ciências Sociais da Universidade Federal de Salvador, militante do PCdoB.

Filha de família de classe média alta de Jequié, Bahia, a segunda dos nove filhos cresceu em ambiente harmonioso. Estudou piano até os 13 anos. O pai, João, tinha um curtume e cinco lojas de comércio de couro. A mãe, Cândida, esbanjava afeto. O casal trabalhou para dar formação universitária à prole.

Luzia desde cedo demonstrou interesse pelas agitações estudantis. Ainda no colégio, por volta de 1965, formou um grupo de estudo com alguns amigos para discutir política, literatura, poesia e marxismo. Somavam cerca de 15 pessoas. Entre elas, um casal de namorados, Wandick Reidner Pereira Coqueiro e Dinaelza Santana.

O grupo condenava a ditadura militar instalada em 1964 e buscava informação para contestar o regime. Os jovens leram e discutiram *A Mãe*, de Máximo Gorki; *Os Miseráveis*, de Victor Hugo; *A Metamorfose*, de Franz Kafka; *Os Sertões*, de Euclides da Cunha; e outros tantos livros de autores como Caio Prado Jr., uma das mais importantes referências teóricas da esquerda na época. Luzia namorava o artista plástico Antônio Luiz. Em uma das produções mais ousadas, encenaram *Arena Conta Zumbi*, de Gianfrancesco Guarnieri, no teatro paroquial. Alguns documentos do Partido Comunista Brasileiro (PCB) circularam entre os jovens politizados de Jequié.

Em 1968, Luzia e a irmã Noélia mudam-se para Salvador, onde a família comprou um apartamento. Os amigos Wandick e Dinaelza seguem no mesmo caminho. Quando chegam, a capital baiana está contaminada pelas agitações estudantis que sacodem o mundo.

As passeatas desafiam a repressão. Armados de pedras e bodoques (estilingues), secundaristas e universitários enfrentam os cassetetes e as bombas de gás. Os estudantes protestam contra o acordo MEC/USAID e gritam palavras de ordem contra a ditadura. As manifestações estimulam o engajamento político dos jovens revoltados com o sistema. Contestam a ditadura, defendem a liberdade. As organizações de esquerda disputam os jovens. PCB, PCdoB e AP radicalizam o discurso para atrair os mais engajados.

* * *

Depois de ler todos os documentos, Luzia e alguns amigos ficaram simpáticos ao PCdoB e à AP pela possibilidade de realizar trabalhos políticos na zona rural. Entre eles estava Uirassu Assis Batista, um dos líderes do movimento secundarista na Bahia. As duas organizações ensinavam que a revolução brasileira começaria com uma aliança entre camponeses e operários e, em seguida, ganharia o apoio de estudantes e profissionais liberais da pequena burguesia e da burguesia nacionalista.

O PCdoB e a AP enalteciam as experiências da China e da Albânia, embora o modelo de revolução idealizado também guardasse semelhanças com os levantes vitoriosos em Cuba e na Rússia. A discussão da conjuntura internacional ocupava boa parte das discussões dos estudantes nas reuniões secretas e nas assembleias vigiadas pela repressão.

A edição do AI-5, em 13 de dezembro de 1968, atingiu em cheio todos os envolvidos em movimentos políticos nas universidades. Muitos tomaram o caminho da clandestinidade. Acabaram as passeatas em Salvador. Na época Luzia percebeu o desaparecimento de Rosalindo, Antônio Carlos e Dinalva.

Dois jovens do PCdoB tiveram papel importante no crescimento do movimento secundarista na Bahia: Uirassu Assis Batista e José Lima Piauhy Dourado. Eles atuavam nos grêmios estudantis e recrutavam novos militantes para o partido.

O trio de Jequié passou no vestibular em 1969. Luzia para Ciências Sociais, Dinaelza para Geografia e Wandick para Economia. Muito cedo tiveram de substituir os militantes empurrados para a clandestinidade. Com a proteção do AI-5, a repressão abafou o movimento de massa e restou aos novos líderes fazer um trabalho silencioso, como formiguinhas.

Wandick, Dinaelza, Luzia e a irmã, Noélia, pertenciam ao comitê universitário do PCdoB em Salvador. O partido orientou os militantes a participar dos Diretórios Acadêmicos e entidades legais nos quais pudessem fazer política com discrição. Ganhavam também uma desculpa para realizar reuniões e transitar por toda a universidade. Aproveitavam para fazer contatos com integrantes de outras organizações e de outras escolas.

Aos poucos, os novos militantes se infiltravam pelas universidades e tentavam reorganizar as entidades estudantis desestruturadas pela perseguição do governo. Formaram uma comissão para recriar a União dos Estudantes da Bahia (UEB), coordenada por Wandick. Faziam comícios-relâmpago, distribuíam panfletos dentro das escolas e nos pontos de ônibus para mobilizar a sociedade contra o governo.

A UNE e a União Brasileira dos Estudantes Secundaristas (UBES) resistiam na clandestinidade. Uma militante conhecida como Preta, de São Paulo, e dois cearenses, Antônio Teodoro de Castro e Custódio Saraiva Neto, tiveram participação importante nesse período. Os três seguiriam mais tarde para o Araguaia.

Militante do PCdoB e dirigente da UNE, a carismática Preta ajudava a organizar o movimento estudantil nas principais capitais do País. Mulata alta, falante e combativa, passava energia e entusiasmo para os companheiros. Viajava clandestina de um estado para outro para cumprir as tarefas do partido. Mudou para o Araguaia depois de ter sido presa e torturada em São Paulo. Boa parte do trabalho de Preta passou a ser feito nas capitais por Emília Monteiro Teixeira, a Mila, irmã de Eduardo e Antônio Monteiro. Perseguida pela ditadura, a UNE sobrevivia clandestina pela ação dos militantes do PCdoB.

A repressão fechava o cerco sobre as universidades para combater os ativistas políticos no nascedouro. A partir de 1970, as notícias de prisões, torturas e mortes ficaram cada vez mais constantes. Ninguém podia falar de política em público para não afrontar o regime militar. O medo tomou conta dos estudantes.

Agentes do governo estiveram em Jequié à procura dos subversivos. Ameaçaram as famílias e aumentaram o clima de insegurança dos militantes do PCdoB. A perseguição continuou em 1971. Tentaram pegar Luzia no colégio estadual em que dava aulas, mas por sorte, naquele dia, ela faltou.

O partido mandou que saísse do apartamento no qual morava com a irmã Noélia e os dois irmãos. A militante obedeceu. Passou a dormir cada noite em um lugar diferente. Casa de colegas, amigos progressistas. Viveu dois meses indo e vindo. Andava pelas ruas com medo, mas tinha de cumprir as tarefas do partido no movimento estudantil.

O Comitê Regional ofereceu duas alternativas. Ela tinha a opção de ficar em Salvador, mas o risco de cair nas mãos da repressão era grande. Ou então iria para uma área especial realizar trabalho de campo. Se aceitasse a segunda alternativa, sabia que o caminho não tinha volta. Não poderia visitar a família, nem se comunicar com parente algum.

As prisões e mortes nas organizações de esquerda se intensificaram. Em outubro de 1971, Luzia deixou a Bahia rumo à área especial. Não tinha ideia do que faria nos meses seguintes. Viajou de ônibus para o Rio, ficou na casa de parentes. Recebeu orientação para levar uma vida pacata. Ao chegar ao Rio, teve contato com Maria Célia Corrêa e Tobias Pereira Júnior, estudantes da cidade também escalados para o trabalho de campo. Por duas vezes, foram levados a São Paulo por Lincoln Cordeiro Oest. Tiveram encontros com Mário e outros dirigentes do partido. Conheceu um militante tratado por Paulo.

Luzia foi acolhida com muito carinho pela família de Maria Célia durante dois meses. Os pais da nova amiga mostravam a cidade em agradáveis passeios de carro. Seu Edgar sabia da viagem das duas para uma tarefa sigilosa do PCdoB. O filho, Elmo, partira pouco tempo antes com o mesmo objetivo, acompanhado de Telma Regina Cordeiro Corrêa.

Lincoln marcava encontros semanais com Luzia, cada vez em um bairro diferente. Fazia muitas perguntas para se certificar da convicção da militante em relação ao trabalho de campo. Queria ter certeza do grau de comprometimento da jovem baiana com a luta do partido.

Em janeiro de 1972, Luzia seguiu para São Paulo acompanhada de Maria Célia e Tobias. Os três estavam prontos para cumprir a tarefa. Novamente encontraram os dirigentes do partido. Grabois gostava de brincar com os camaradas. O velho comunista caiu na gargalhada quando viu as malas preparadas por Luzia e Maria Célia para a viagem. A baiana levava fronhas e lençóis finos bordados pela mãe. A carioca carregava perfumes. As duas levavam camisolas e vestidos elegantes.

Sem parar de rir, Grabois aconselhou as duas a doar os belos objetos para a população do campo. Luzia não entendeu bem as restrições. Para ela, a noção de zona rural era o sertão da Bahia. Não imaginava a possibilidade de dormir em redes armadas no meio do mato, sem travesseiros para as fronhas bordadas. Grabois alertou que muitas daquelas coisas eram inadequadas para a tarefa e que podiam ficar para trás. A viagem, avisou, não tinha volta. De vez em quando, poderia escrever cartas, mas nada de ficar entrando e saindo da área escolhida para o trabalho de campo.

As pressões continuavam em Jequié contra os parentes dos militantes. Telefonemas anônimos ameaçavam matar os pais de Luzia. A família ficou traumatizada. Wandick e Dinaelza partiram para o Araguaia junto com Demerval. A irmã Noélia caiu na clandestinidade ao lado do marido Carlos Augusto.

Maria Célia, Luzia, Tobias e Paulo Rodrigues pegaram um ônibus na rodoviária de São Paulo rumo ao Araguaia no dia 2 de janeiro de 1972. Alegres, os três estudantes demonstravam boas expectativas com relação à nova etapa da vida. Estavam dispostos a enfrentar todos os obstáculos da luta para tornar o Brasil socialista.

Durante a viagem, não podiam falar de política para não chamar a atenção dos outros passageiros. Nas paradas, longe de todos, eles se soltavam um pouco mais. As duas moças trocaram confidências sobre a vida pessoal. Maria Célia mostrou-se ansiosa para encontrar o noivo, João Carlos Wisnesky, enviado antes pelo PCdoB ao Araguaia. Também queria ver o irmão, Elmo, e a cunhada, Telma. Luzia falou da família numerosa, dos oito irmãos. Levava fotos dos menores, para matar a saudade. O grupo de amigos de classe média, no auge da juventude, se dispunha a lutar contra a ditadura militar.

Em Anápolis, encontraram Elza Monerat. A partir dali, Paulo Rodrigues conduziu Tobias e Luzia em uma longa viagem através da Belém-Brasília e da Transamazônica. Maria Célia ficou com Elza para não viajarem todos juntos. Pela janela do ônibus, Luzia conheceu um Brasil diferente da Bahia e das grandes capitais. Viu a beleza agreste do cerrado do Centro-Oeste com poucas casas à beira da estrada, movimentada apenas pela passagem dos caminhões fazendo a rota sul-norte do País. O ônibus parava a toda hora para pegar e deixar passageiros.

Uma gente humilde subia a bordo. Muitos levavam galinhas e cachorros. A viagem lembrava as que fez entre Jequié e Juazeiro, à beira do rio São Francisco.

A visão da Transamazônica, aberta na floresta virgem, a fez sonhar. Naquele fim de mundo os militantes nunca seriam presos. Saltaram do ônibus em Xambioá. Paulo os levou para merendar em uma pensão. Luzia e Tobias foram apresentados como sobrinhos. Comeram ovo frito, pão e café. Caminharam até a beira do rio para encontrar dois militantes instalados na região.

Jorge e Vítor receberam os três com sorrisos largos e afetuosos. Luzia reparou nos dentes estragados dos dois e achou engraçado; ao mesmo tempo pensava: aqueles militantes tinham conseguido se integrar à população. Atravessaram de canoa para São Geraldo, a cidadezinha plantada na boca da mata de frente para o rio. Dois cavalos amarrados em uma árvore aguardavam os guerrilheiros. Os novatos montaram e os veteranos seguiram a pé. Na escuridão da noite, guiavam-se apenas pela luz de lanternas. O primeiro contato com a floresta deixa Luzia impressionada. De um momento para o outro a teoria vira realidade. Chegou a hora de colocar em prática os sonhos revolucionários.

* * *

Logo Luzia percebe as dificuldades. Andam por picadas abertas na mata, passam por grotas e igarapés. Mosquitos picam sem piedade. Vítor e Jorge riem e contam casos engraçados sobre a adaptação dos militantes à região. Luzia seria uma mulher do campo em um mundo desconhecido. Os jovens estudantes perseguidos nas cidades se embrenham na Amazônia dispostos a atender às carências da população esquecida pelas autoridades. Sobram ânimo e vontade de mudar o Brasil.

No meio da madrugada chegam a Esperancinha. Ari, Áurea e Domingos demonstram muita alegria ao ver Luzia e Tobias. Na mesma hora, os recém-chegados ganham os codinomes Lúcia e Josias. Cada um apanha uma rede, um par de botas e duas mudas de roupa. Quando pegam no sono, ratos enormes sobem e descem pelas cordas das redes. Os mosquitos, o úmido frio noturno e a comida incomodam os novatos. O café da manhã, com leite de castanha e farinha de puba, intoxica Lúcia. Placas vermelhas aparecem no corpo da baianinha.

Passam a morar em uma cabana sem paredes, coberta de palha, com um quartinho de folha de babaçu para trocar de roupa e guardar mantimentos. As casas mais próximas ficam três quilômetros distantes.

No dia seguinte, o grupo tem uma reunião. Josias e Lúcia fazem minucioso relato da situação do PCdoB nas cidades, falam das prisões e das dificuldades de ampliação do movimento junto à população urbana. Ouvem os mais antigos em Esperancinha contar a experiência do trabalho na zona rural. Aprendem que não podem perder de vista a luta contra a ditadura. Não estão ali apenas para fugir da repressão e conscientizar a população sobre a luta armada.

* * *

Todas as noites ouviam a rádio Tirana, da Albânia. Acordavam às cinco da manhã. Faziam ginástica e a primeira refeição. Depois, cada um recebia uma tarefa. No primeiro dia, Josias saiu com Vítor e Áurea para uma caçada. Domingos e Ari ficaram limpando um pedaço de capoeira para plantar roça.

A tarefa de Lúcia foi fazer um depósito para esconder cinco latas de farinha na mata. Junto com Jorge, passou óleo queimado nas vasilhas, recurso usado contra a corrosão do metal. Enquanto Jorge cavava, ela conversava. Na hora de forrar, ela ajudou. Primeiro as pedras, ensinou Jorge, depois as latas. Aquele tipo de depósito existia em vários pontos da mata. Servia para guardar milho, feijão, sal, açúcar, farinha, enlatados, munição e remédios. Por razões de segurança, somente Paulo, comandante do destacamento, Vítor, o sub, e Jorge, chefe de grupo, sabiam onde ficavam.

Terminaram de esconder a farinha por volta das quatro da tarde. O trio responsável pela caçada só voltou dois dias depois, com um pequeno bicho abatido. A saída serviu mais para treinamento de Josias do que pelo alimento obtido.

Lúcia teve muita dificuldade de adaptação. Pequena e sem experiência em atividades físicas, criava artimanhas para cumprir as tarefas. Ficou responsável pelo suprimento de lenha do acampamento. Cortar madeira servia de exercício para carregar fuzil e transportar companheiro ferido. Sem disposição para trabalhar com o machado, a baianinha catava a lenha solta no mato. Paulo empenhava-se em mostrar para Lúcia a importância dos treinamentos. Guerrilheiro tinha de fazer exercício físico e aprender a sobreviver na selva. Precisava matar jabuti, saber orientar-se, preparar-se para dias difíceis. Mas ela não ligava muito, nem sabia cozinhar quando deixou a casa dos pais no interior da Bahia.

Paulo impunha regras rigorosas. Nervoso, muitas vezes exaltado, dizia que a disciplina dos combatentes tinha mais importância em uma guerrilha do que em um Exército regular. Mais antiga na região, a sorridente Áurea animava a militante baiana:

"Tudo é questão de tempo e força de vontade. Comigo também foi difícil, eu não sabia fazer muitas coisas, mas depois aprendi".

Tinha voz doce, carinhosa e sonhadora. Adaptou-se muito bem ao trabalho de campo do PCdoB e orgulhava-se de participar da guerrilha.

Poucos dias depois da chegada dos novatos ao Destacamento C, três integrantes da Comissão Militar estiveram no acampamento. Mário, Pedro e Juca disseram que os militantes costumavam se encantar com as belezas do Araguaia, a amizade da população, e ficavam perfeitamente integrados àquela vida rural. Muitos talvez encontrassem dificuldades para voltar às cidades, mas era necessário não perder a luta de vista.

Juca perguntou se Lúcia aceitava servir de cobaia para a experiência de um remédio contra malária. A militante baiana topou, recebeu três injeções e nunca teve a doença, ao contrário de quase todos os outros guerrilheiros. O médico observava tudo e anotava. Nas conversas com os companheiros, insistia na orientação pela mata sem bússola. Lúcia não tinha noção do perigo quando entrou para a guerrilha, não recebera formação militar, como os que foram para a China, e não sabia o que era uma guerra.

Mesmo depois de algum tempo ainda sofria repreensões pelos descuidos. Gastava mais de três horas para lavar mantimentos e roupas no riacho. Queria passar tudo na água e esfregar muito. Só que a rede ficava suja porque demorava muito a secar. Um dia foi surpreendida por uma voz enérgica:

"Largue tudo, senão você morre".

Era apenas brincadeira de um companheiro, mas servia de lição. Quando começou a guerra, Lúcia não sabia atirar, recebera apenas três aulas. Se encontrasse um inimigo, teria poucas chances de se defender. Levava no ombro um rifle antigo e pesado. Os braços ficavam dormentes e inchados. Compadecido, o velho Zé Francisco pegava o rifle e dava para Lúcia uma espingarda 20, mais leve. Um dia, a militante desistiu e devolveu a arma pesada para Paulo. O comandante fez críticas duras à atitude da guerrilheira.

No trabalho de massas, Lúcia participou de algumas visitas a moradores. Não se falava de política, muito menos de guerrilha. Conversavam sobre roça, caçadas, problemas da terra. A militante baiana era apresentada como irmã de Jorge, Domingos e Josias.

Participaram de mutirões com a população para preparar a terra. No acampamento do Pau Preto, colhiam arroz e milho. Sem produzir tudo o que consumiam, compravam o que faltava com dinheiro dado por Paulo. O comandante buscara o pacote de notas em São Paulo, embalado em um saco de papel marrom, desses usados para embrulhar pão.

Jorge se apresentava como mais velho dos quatro "irmãos". Trabalhador, forte e alegre, tinha muitos amigos e até um compadre. No barraco, à noite, cantava músicas de Noel Rosa, para felicidade da romântica Lúcia. O falso parentesco justificava o fato de os quatro viverem juntos em um barraco.

Um pouco afastados, em outra cabana, moravam Áurea, Ari e Vítor. O jovem Dower, o Domingos, sonhava um dia estudar Medicina. Aprendia muita coisa sobre as doenças da região com Juca. Por ler as bulas, virou "bulista" para os moradores. Muitas vezes, tomou coragem e receitou os remédios mais conhecidos, como se fosse médico.

Relacionamentos amorosos com pessoas da região estavam proibidos pelo partido. Mas Jorge quebrava a regra nas constantes viagens que fazia a São Geraldo. Voltava sempre falando que se encontrara com um xodó no povoado.

* * *

O Exército atacava de forma implacável. Lúcia teve de aprender a viver em fuga, nunca dormir tranquila nem comer despreocupada. Andava assustada, atenta a todo barulho. Não podia ir muito longe do grupo. Muitos saíam para uma tarefa e não voltavam. Por sugestão de Juca, Josias e Lúcia passaram uns tempos em Pau Preto, onde morava o grupo sob o comando de Dina, a mais bem preparada das guerrilheiras do Araguaia. Foram três visitas, e uma delas durou uma semana.

Dina havia chegado à região dois anos antes e tinha muito a ensinar aos novatos. Acreditava na adaptação dos militantes urbanos e todos pegariam gosto pela vida rural. Dizia ser necessário não cair em desânimo, nem esquecer a pobreza e o abandono daquele povo do interior do Brasil. Dia após dia, dava exemplos de força e coragem. Tinha preparo físico de fazer inveja aos homens. Certa vez carregou sozinha um saco de arroz da casa de um vizinho até o acampamento dos guerrilheiros, como vimos no Capítulo 24.

O avanço dos militares fez com que os grupos dos Caianos e do Pau Preto se juntassem. Antônio da Dina sofria com feridas na perna, tratadas com carinho pela esposa. A guerrilheira limpava as chagas e amarrava gaze para proteção contra poeira e insetos.

O clima de camaradagem entre os companheiros reforçou as convicções de Lúcia na revolução. A jovem baiana acreditava na luta armada como única forma de libertar a população explorada do campo. Mesmo com todos os riscos, em nenhum momento se arrependeu de ter entrado para a guerrilha. Continuava disposta a morrer para livrar o Brasil da ditadura.

A presença cada vez mais ostensiva do Exército na mata acostumou os guerrilheiros a conviver com o risco de morte. As dificuldades passadas nas cidades nem se comparavam com a dureza da vida na floresta.

* * *

Lúcia e Dina ficaram amigas. Costumavam armar as redes juntas, uma em cima da outra, como um beliche. Um plástico amarrado acima das duas servia de teto contra as chuvas constantes. Tornaram-se confidentes. Falavam de amor, sexo, revolução.

Em uma dessas conversas Dina confessa gostar de Antônio como se o companheiro tivesse passado a ser como irmão, não mais como homem. Faz algum tempo está apaixonada por outro guerrilheiro, Pedro, integrante da comissão militar.

Um dia, Lúcia sai com Domingos pela mata para cumprir uma tarefa. Andam a certa distância um do outro. Encarregado de camuflar as mochilas do grupo, Miguel fica para trás. De repente, um tiroteio rompe o silêncio da tarde.

"Corre, Lúcia", ordena Domingos.

A baianinha certifica-se de que o Exército ataca. Assustada, foge. Helicópteros sobrevoam e bombas explodem na floresta. Aos tropeções, atravessa o riacho da Água Bonita e se distancia dos tiros. Os militares pegaram Domingos e Miguel, pensa. Se chegassem um pouco mais tarde encontrariam o grupo inteiro reunido.

Desde o início, Lúcia sabia dos riscos de morrer ou cair presa e sofrer torturas. Preparava-se para enfrentar interrogatórios e processos judiciais. Sozinha na mata, perseguida pelo Exército, sentiu muito medo, mas continuava disposta a perder a vida pela revolução. Carregava um facão, uma espingarda 20, marca Beretta, e um saco plástico. A mochila ficou para trás.

* * *

Lúcia andou mata adentro durante dois dias em busca de contato com o Destacamento C. Esperava encontrar Ari e Áurea no ponto combinado. Ia e voltava ao local, mas os amigos não apareciam. Foi procurar Raimundo, morador das redondezas e compadre de Jorge.

A intenção era pedir que Raimundo chamasse o posseiro Pedro Onça, ou Chica, considerados de total confiança pelos companheiros. Pretendia retomar contato com o destacamento e relatar a emboscada sofrida. Estava ansiosa, também, por notícias dos companheiros Domingos e Miguel.

A guerrilheira encontrou a cabana de Raimundo, mas esperou a noite cair para se aproximar. Bateu na porta e foi bem recebida pelo casal de compadres de Jorge. Deram farofa de ovo e café para Lúcia matar a fome. Prometeram levar o recado para Pedro. A baianinha saiu para dormir escondida no mato. Voltaria no dia seguinte para encontrar o casal amigo, se tudo desse certo.

Quando Lúcia voltou, na manhã seguinte, a mulher de Raimundo a convidou a entrar. Ao botar o pé na sala, viu surgir homens de todos os cantos da casa. Em vez de chamar Pedro Onça e Chica, o casal de camponeses avisou o Exército. Traída, caiu nas mãos da repressão.

Ao chegar à base militar, em Xambioá, Lúcia saltou da canoa com as mãos amarradas. Os militares formaram um círculo e cerca de trinta homens a espancaram e a jogaram de um para o outro. Deram-lhe socos e pontapés, a despiram e deitaram-na no chão. Depois de alguns minutos sob chutes, Lúcia, quase desfalecida, foi jogada no rio Araguaia, onde um dos homens mergulhou a cabeça da moça segurando-a dentro d'água.

Dali, já melhor, foi levada a uma tenda, onde passou a receber choques elétricos enquanto era interrogada.

Mais vezes foi espancada e jogada ao rio, até perder a noção do tempo, pois não podia dormir.

Depois de alguns dias mostraram-lhe Domingos, o companheiro de destacamento, deitado no chão, muito roxo e com a cabeça e boca sangrando. Lúcia pensou aterrorizada que o amigo estava morto, mas, para seu alívio, Domingos mexeu a perna.

Já em estado físico deplorável, os dois foram levados para Belém. Durante a viagem o avião militar permaneceu com a rampa semiaberta. O vento aterrorizava-os. Logo um dos militares apontou sua metralhadora para a cabeça dos dois guerrilheiros, mas atiraram para fora. Naquele momento Lúcia imaginou-se morta.

Em Belém, ao ser acareada com Domingos, o Dower, ela assustou-se com o aspecto do amigo de luta. Levada sozinha para o PIC, em Brasília, passou por identificação, sessão de fotos e, despida, sofreu humilhações.

Ao escutar as canções entoadas na prisão, descobriu estar rodeada de presos políticos. Eles cantavam para animar os companheiros e, mesmo tão deprimida com toda a situação, ela começou a se sentir viva.

As sessões de torturas continuaram durante vários dias e, na maior parte das vezes, aconteciam no meio da noite. Durante os interrogatórios, não conseguia identificar os algozes, pois estava sempre encapuzada.

Além dos castigos físicos, ela sofria as torturas psicológicas, os militares mostravam-lhe fotos de cadáveres com o crânio esmigalhado e ameaçavam deixá-la do mesmo jeito.

CAPÍTULO 48

Preso pendurado no avião: “Se não falar, cortamos a corda”

Os soldados cercam Miguel na casa do camponês. Dão chutes, tapas e coronhadas. Fazem perguntas e batem sem parar.

“Cadê teus amigos?”

“Não sei, estão perdidos por aí.”

“Onde estão os chineses?”

“Que chineses?”

“Onde estão os cubanos?”

“Que cubanos? Sei de cubano nenhum.”

Começam a dar choques elétricos. Nos dedos dos pés, das mãos e nas orelhas, intercalados com mais pancadas e perguntas. Da casa do caboclo, os militares levam Miguel de helicóptero para a base de Xambioá. Continuam os choques elétricos. Durante o voo, ameaçam jogar o guerrilheiro para fora do aparelho.

Quando desce em Xambioá, o guerrilheiro leva um tapa na cara de um agente do Cenimar. Domingos e Baianinha chegaram antes. Mais tempo nas mãos dos militares, o companheiro do Destacamento C também apanhou. Ao levar o comunista para Belém em um avião das Forças Armadas, os militares o amarram pelo tornozelo e o deixam meio pendurado na porta traseira, aberta com a rampa estendida e apontada para baixo.

“Se tu não falar, nós vamos cortar a corda. Tu vai descer direto.”

“Eu falo, pode deixar que eu falo. Pelo amor de Deus, puxa essa desgraça”, grita Miguel sem pestanejar.

O tratamento na capital paraense melhorou um pouco. Miguel dormiu em um quartel. Quando acordou, pôde tomar o primeiro banho desde muito tempo. Passou por um interrogatório, sem tortura, comandado por um homem do SNI. Ele mostrava fotos e perguntava se o prisioneiro conhecia. Logo nas primeiras amostras, Miguel percebeu que nas fotografias dos militantes capturados ou mortos havia um pequeno *X*. Assim, pôde confirmar os nomes de alguns sem entregar outros.

Os presos sofreram alguma tortura em Belém, mas o pior ainda estava por vir. O próximo destino dos guerrilheiros seria o PIC.

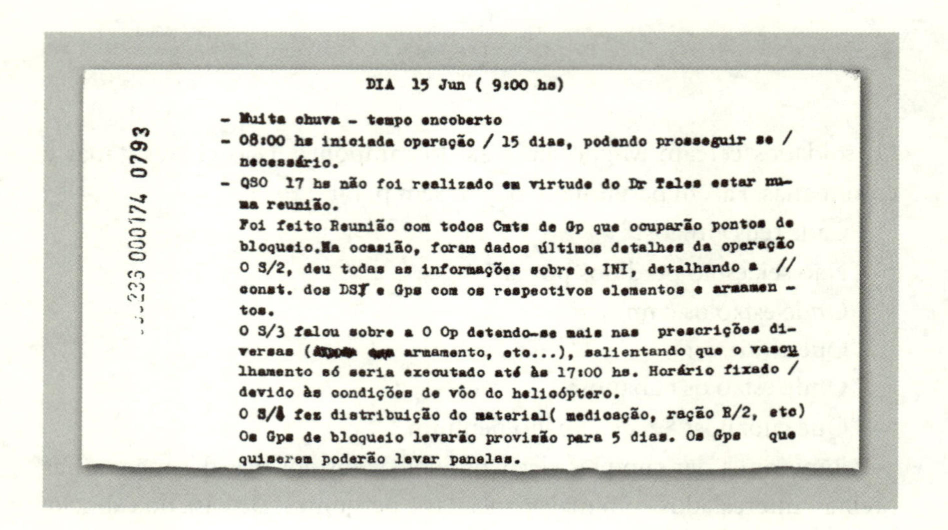

...233 000174 0793

DIA 15 Jun (9:00 hs)

- Muita chuva - tempo encoberto
- 08:00 hs iniciada operação / 15 dias, podendo prosseguir se / necessário.
- QSO 17 hs não foi realizado em virtude do Dr Tales estar numa reunião.

Foi feito Reunião com todos Cmts de Gp que ocuparão pontos de bloqueio.Na ocasião, foram dados últimos detalhes da operação O S/2, deu todas as informações sobre o INI, detalhando a // const. dos DST e Gps com os respectivos elementos e armamentos.
O S/3 falou sobre a O Op detendo-se mais nas prescrições diversas ([illegible] armamento, etc...), salientando que o vasculhamento só seria executado até às 17:00 hs. Horário fixado / devido às condições de vôo do helicóptero.
O S/4 fez distribuição do material(medicação, ração R/2, etc)
Os Gps de bloqueio levarão provisão para 5 dias. Os Gps que quiserem poderão levar panelas.

* * *

Uma equipe das Forças Especiais obriga Dower Moraes Cavalcante a mostrar onde há depósitos de suprimentos dos guerrilheiros. O grupo viajou de helicóptero até um esconderijo. Há grande quantidade de alimento escondido para atender ao movimento armado. Um boletim do Exército escrito às nove da manhã do dia 15 de junho de 1972 registra a descoberta. O documento de duas páginas, arquivado pelo CIE com o número 000236 000174 0793/4, informa que a população de Pau Preto continua ajudando os guerrilheiros. Os agentes souberam também que o Destacamento A tinha uma metralhadora.

A orientação dos comandantes militares é bloquear os lugares por onde os inimigos possam passar. As tropas devem vasculhar um raio de um quilômetro em torno dos pontos escolhidos. As emboscadas seriam feitas em dias alternados para permitir o uso dos militares em outras áreas.

Naquele dia 15, choveu muito. O tempo fechou.

CAPÍTULO 49

Chica descobre que Raimundo colabora com os militares

A voz do guerrilheiro interrompe o barulho da enxada de Pedro Onça na roça. Paulo Rodrigues chega acompanhado de outro homem. Depois dos cumprimentos, faz um pedido:

"Estou precisando de um par de botinas e uns comprimidos para malária. Tu pode comprar pra mim?"

Pedro Onça inquieta-se.

"Rapaz, eu não gosto de carregar essas encomenda, sei lá. Esse povo já anda com raiva d'eu, já me prendeu, tão meio de marcação", responde o camponês, dividido entre a lealdade ao amigo e as ameaças do Exército.

Paulo insiste:

"Não, tu vai e repara. Se estiver muito complicado, cheio de militar, tu não mexe e vem embora."

Os apelos vencem a resistência do posseiro.

"Tá bão, mas eles já tão de olho em mim. Bota reparo quando for encontrar comigo porque eles pode me pegar", recomenda Pedro.

No dia seguinte, saiu cedo para Xambioá. Levou o dinheiro e a relação das compras escondidos dentro de um saco, no meio de umas roupas. Chegou à cidade, deixou as tralhas na casa de um compadre e saiu para dar uma volta. Enquanto Pedro Onça perambulava, agentes do Exército foram à casa de seu compadre. Perguntaram por ele e remexeram o saco. Encontraram o bilhete e o dinheiro de Paulo Rodrigues. Quando Pedro volta, dá de cara com os homens da repressão.

"Para quem você vai comprar essas coisas?", pergunta um agente.

"É pra mim mesmo", responde o camponês.

"É? E quem é que calça duas botinas?", replica o militar, olhando para os pés do caboclo.

"Eu calço. É, depende...", gagueja.

Os homens do Exército apertam mais um pouco.

"E o remédio?", questiona outro militar.

Pedro Onça sente que não dá mais para sustentar a mentira.

"Tá bão, eu topei o Paulo na estrada e ele me encomendou pra mim comprar e eu vim", revelou. "Eu nem queria levar as encomenda, mas favor a gente faz a todo o mundo", acrescenta em tom de desculpas.

Mais uma vez os agentes o levaram para a cadeia de Xambioá. Ao final da tarde, tiraram o caboclo da delegacia e empurraram-no na direção do rio. Ameaçaram afogá-lo no Araguaia. O camponês reclamou, sofrido:

"Ocês que sabe se quer matar eu, mas eu não tenho curpa. Que curpa eu tenho? Eu topei o home na estrada, eu não podia dizer que eu não trazia a encomenda. Eu até não queria trazer, mas ele queria que eu fizesse o favor pra ele".

Conduziram o caboclo até um campo e o jogaram dentro de um buraco com mais de dois metros de profundidade por metro e meio de largura. Passou a noite sozinho e no escuro. No dia seguinte, por volta do meio-dia, chegou nova visita dos militares. Retirado do buraco, recebeu ordens dos agentes.

"Você vai entregar as encomendas pros seus amigos e vai nos mostrar onde o povo está. Onde você marcou com eles?"

"Lá onde eles me encontraram para fazer a encomenda", respondeu Pedro Onça.

"A que horas?"

"Das quatro para as cinco da tarde de hoje."

Uma equipe de agentes seguiu a pé com Pedro Onça, por uma picada, rumo à roça em que Paulo aguardava as botinas e o remédio para malária. Dois pistoleiros cedidos por um fazendeiro acompanharam o grupo. No total, nove pessoas. Chegaram à roça antes das cinco da tarde. Ficaram escondidos na mata à espera dos guerrilheiros. A noite caiu e os *paulistas* não apareceram. Na escuridão da floresta, os militares demonstravam medo e falavam sem parar. As horas passaram, o dia amanheceu e nem sinal dos comunistas. Os militares partiram para cima de Pedro.

"Eles não vieram porque não tinha sido esse o trato", reclamou um agente.

"Com essa zoada que vocês fizeram, quem é que vem? Eles assuntaram nós de longe", reagiu o caboclo.

Voltaram para Xambioá. Um militar mais velho, de bengala na mão, com sotaque nordestino, interpelou o camponês.

"Você enganou o Exército e não mostrou o lugar certo."

Pedro Onça mais uma vez culpou o barulho feito pelos agentes durante a noite. Nilton, o agente secreto do CIE, era um dos que acompanharam Pedro Onça. E o homem que tossiu e fumou a noite inteira e espantou os guerrilheiros era um sargento da Aeronáutica.

* * *

Enquanto o marido não voltava, Chica precisou conviver com a casa cheia de militares. Os agentes tomaram conta do quintal e do mato em volta. Instalaram um rádio no terreiro e vibravam com informações de guerrilheiros mortos. Sonhavam um dia pegar Dina. Chica perguntava o tempo todo por Pedro Onça. Desbocada, desacatava os homens do Exército.

"Se vocês comerem meu marido, vão ter de cagar ele", ameaçava.

Tinha de fazer comida para todos, sem receber nada em troca. Um tenente passava o dia deitado em uma rede. Lia um livro grande e dava ordens. Com a barriga enorme, a mulher de Pedro Onça era seguida por onde andasse, mesmo quando entrava no mato para fazer as necessidades. Os agentes temiam o encontro com guerrilheiros. Imaginavam Dina por todos os cantos. Sem a ajuda de ninguém, Chica colhia feijão verde na roça para alimentar a tropa. Carregava a pequena Luzimar, a filha mais nova, agarrada no quadril.

Para trabalhar colocava a criança no chão, em cima de um pano, e catava vagens até encher a bacia. Quando voltava, às vezes os militares descascavam o feijão enquanto Chica preparava a mamadeira da filha. Nada mais faziam para ajudar a mulher grávida; sequer pagavam o que comiam.

* * *

Alguns dias depois da segunda prisão do marido, Chica recebeu a visita de Edmilson, um primo que morava em Xambioá. Pedro tinha mandado buscar a mulher. Ela saiu cedo com o rapaz na direção da cidade. O casal de meninos viajou no lombo de um burro velho.

A gravidez avançada tornou a viagem mais penosa. Com uma trouxa na cabeça, a camponesa se arrastou na picada aberta na mata pelo marido. Os quatro pararam para pernoitar na casa de Raimundo, amigo da família. Armaram as redes perto da cozinha. Depois de deitar, Chica ouviu cochichos ao lado do fogão. Curiosa, ficava com um olho aberto e outro fechado, fingindo dormir para tentar entender o que se passava. Os donos da casa preparavam grande quantidade de comida. Fizeram travessas cheias de arroz, ovos e farofa.

De repente, algumas pessoas entram pelos fundos, depois de pular uma cerca baixa, feita para impedir a passagem de porcos. Chica ouve uma voz conhecida.

"Quem está dormindo aí?", pergunta o visitante.

"É a mulher do Pedro Onça. Ele foi preso, tá num buraco lá em Xambioá e mandou chamar ela", responde a dona da casa.

Deitada na rede, Chica reconhece o amigo Juca, acompanhado de Ari, Áurea e Zé Francisco. Os guerrilheiros pegam a comida e desaparecem por uma ladeira, na escuridão da mata. Mal saem, entra um grupo de soldados. Chica não tem dúvida de que os donos da casa traíram os *paulistas*. Deram-lhes alimento, mas antes avisaram os militares.

O plano não deu certo porque os comunistas ficaram poucos minutos na casa.

CAPÍTULO 50

Mais traição

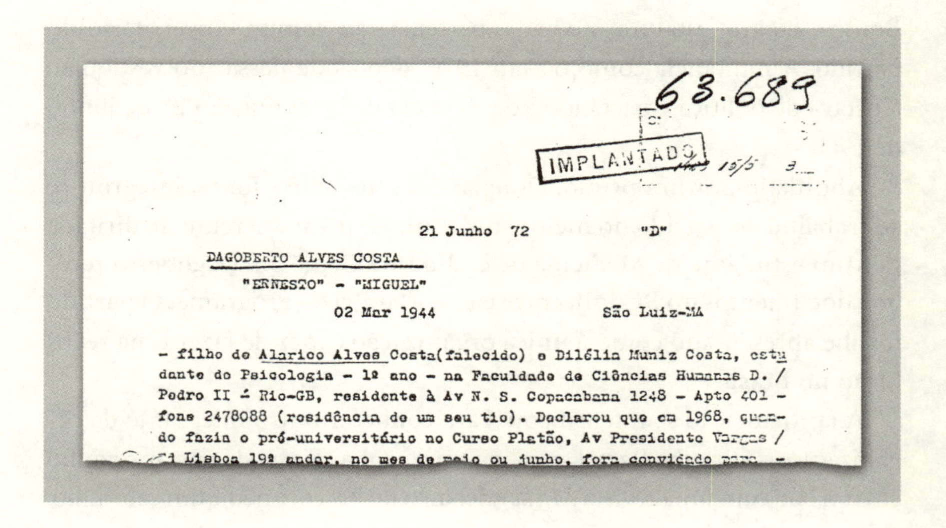

63.689

IMPLANTADO 15/5 3

21 Junho 72 "D"

DAGOBERTO ALVES COSTA

"ERNESTO" - "MIGUEL"

02 Mar 1944 São Luiz-MA

- filho de Alarico Alves Costa(falecido) e Dilélia Muniz Costa, estudante de Psicologia - 1º ano - na Faculdade de Ciências Humanas D. / Pedro II - Rio-GB, residente à Av N. S. Copacabana 1248 - Apto 401 - fone 2478088 (residência de um seu tio). Declarou que em 1968, quando fazia o pré-universitário no Curso Platão, Av Presidente Vargas / [illegible] Lisboa 19º andar, no mes de maio ou junho, fora convidado para -

João Coioió costumava trocar favores com os *paulistas*. Apesar da presença do Exército, aceitou buscar encomendas em São Geraldo para o Destacamento C. No início da noite de 15 de junho de 1972, os guerrilheiros Mundico, Cazuza e Maria aproximaram-se da casa do caboclo. O lugar parecia deserto.

Por um instante, Mundico ouviu alguém sussurrar "pega, pega", mas se fez silêncio. Cazuza e Maria nada escutaram. Acamparam a cerca de 200 metros para esperar Coioió. Um barulho semelhante a trote de burros chamou a atenção dos guerrilheiros durante a noite. Imaginaram tratar-se do camponês chegando. De manhã, o ruído de pilão deu certeza da presença de pessoas no lugar. Mesmo desconfiados, os três se aproximaram.

A cerca de 50 metros da casa, um tiro derrubou Maria. A guerrilheira morreu na hora.

* * *

Os primeiros depoimentos de Dagoberto Alves da Costa, o Miguel, ficaram registrados com data de 21 de junho de 1972, carimbados pelo Ministério do Exército. Sob tortura, o guerrilheiro maranhense falou sobre a relação com o PCdoB.

Nascido em São Luís, estudava Psicologia na Faculdade de Ciências Humanas Dom Pedro II, Rio de Janeiro, quando entrou para a guerrilha. Branco, magro, estatura mediana, pertencia ao comitê universitário do partido. A militância começou em 1970, depois de passar no vestibular. Gostava de política e participou da Passeata dos 100 mil, em 25 de junho de 1968.

Abordado por um primo, Douglas Alberto Milne-Jones, integrou-se ao trabalho do partido no meio estudantil. Na primeira reunião, dirigida por um estudante de Medicina de codinome Gregório, Dagoberto recebeu documentos do PCdoB, entre eles o Manifesto-Programa. O partido foi-lhe apresentado como a única organização capaz de fazer uma revolução no Brasil.

A aproximação se intensificou. Para conhecer outro integrante da organização, codinome Rafael, recebeu uma senha. Tinha de entrar sozinho em um bar, com uma revista *Mickey* debaixo do braço, e pedir um cafezinho. Deu certo. Um sujeito se aproximou e perguntou se Dagoberto trocava uma nota de cinco. Era a contrassenha. Dagoberto respondeu que só trocava por duas, e os dois se apresentaram.

Em outro encontro, Rafael deu a Dagoberto o documento *Guerra Popular — Caminho da Luta Armada no Brasil.* Discutiram o livreto em quatro conversas mantidas em um banco da praça Paris. Dagoberto foi considerado preparado para assumir funções dentro do PCdoB.

Dagoberto passou a atuar na área de divulgação e propaganda. Mudou-se para o apartamento do militante de codinome Marcos, no qual havia um mimeógrafo. Durante três meses a única tarefa dos dois foi imprimir o jornal *A Classe Operária*, órgão oficial do partido. A máquina rodou vários outros documentos, entre eles o livreto *A Prática de Mao Tsé-Tung*; o jornal *Verdade*, dirigido aos estudantes; o documento *Sobre o Partido do Trabalho da Albânia*; e o panfleto *Mais Audácia na Luta Contra a Ditadura*. Muitos eram vendidos nas universidades para ajudar a arrecadar dinheiro.

* * *

O PCdoB tinha avisado que preparava militantes para um trabalho de campo. Dagoberto soube que Sérgio, estudante de Medicina, aceitou o chamado. Cláudio, também do comitê universitário, mostrou-se orgulhoso por ter sido convidado para a tarefa. Em outro encontro com senhas, Dagoberto conheceu o militante de codinome Corsão. Conversaram sobre o trabalho de campo.

Em abril de 1972, os dois foram para São Paulo. Tomaram muitos cuidados com segurança. Corsão apresentou Dagoberto a outro integrante do partido e despediu-se. O desconhecido era moreno, magro, cabelo liso com entradas, maçãs do rosto amareladas; usava traje esporte. A eles se juntou uma moça com aparência de 23 anos, clara, espinhas no rosto, cabelos pretos e curtos.

Os três entraram em um carro. Com olhos vendados, os dois se deixaram guiar pelo moreno até um aparelho. Na casa estavam João Amazonas, Elza Monerat, Eduardo José Monteiro Teixeira e Rioko Kayano. Chegou também Chico, estudante de Filosofia da Universidade Federal do Rio de Janeiro. Era alto, magro, branco, cabelos castanhos, olhos claros, queixo fino e pontudo.

Dormiram todos na casa. No dia seguinte, o moreno e João Amazonas — o velho Cid — chamaram Eduardo, Rioko, Chico, Dagoberto e a moça de espinhas para conversar em um dos quartos da casa. Um de cada vez, os cinco ouviram o velho comunista falar sobre a "análise correta" dos dirigentes do PCdoB a respeito da realidade brasileira. Disse que o partido estava obtendo "progressos" na luta política. Amazonas quis saber um pouco da vida dos militantes. Todos almoçaram e mais uma vez se reuniram para ouvir o velho Cid. Em seguida, receberam a tarefa de embrulhar remédios para a viagem.

Os jovens escalados para a guerrilha dormiram a última noite antes da partida em hotéis separados. Dagoberto e Chico receberam passagens para Anápolis, um embrulho com dois livros e Cr$ 2.000,00 (dois mil cruzeiros). Chico levou também um revólver calibre 38. Não voltaram a ver Eduardo, Rioko e a moça de espinhas.

Chico e Dagoberto viajaram juntos. Em Anápolis eram aguardados por Elza Monerat. Apresentados a Daniel pela veterana comunista, pegaram um ônibus no dia seguinte para Araguaína. Chegaram a Xambioá no dia 18 de abril de 1972.

Dagoberto Alves Costa, o Miguel ou Gabriel, narrou também as semanas de luta armada na selva, mas não mencionou a morte de Jorge.

CAPÍTULO 51

Alice fica grávida; Aparício cai em mãos inimigas

Quatro generais se reúnem em Xambioá no final de junho de 1972. Transferem para o CMP a responsabilidade pelas operações de combate aos guerrilheiros ao sul da Serra das Andorinhas. As ações nas outras áreas continuariam a cargo do CMA. Estão presentes os chefes militares do Planalto, da Amazônia, da 3ª Brigada de Infantaria e da 8ª RM.

Para atender às novas atribuições do CMP, a 3ª Brigada de Infantaria envia a 1ª Cia (-)/36º BI, de Uberlândia, para Xambioá. A tropa do Planalto passa a ocupar mais espaço no Araguaia.

Em pouco tempo, os generais Moog e Bandeira comandariam toda a repressão contra os guerrilheiros do PCdoB.

* * *

Junho termina com um problema inesperado para o Destacamento A. Entre fugas e emboscadas, sob a ameaça das tropas militares, Alice fica grávida. As escapadas com Zé Carlos pela mata levaram à gestação de um neto para Maurício Grabois, o Mário. O casal tem pouca perspectiva de vida conjugal nos padrões normais. Em plena luta armada, não sabem se um dia conseguirão constituir família. Procuram aproveitar o presente.

Zé Carlos gosta da novidade, embora ciente dos perigos de uma gravidez em tempos de combate. Cedo ou tarde, Alice teria dificuldades para acompanhar os companheiros pela floresta. Poderia comprometer a segurança da guerrilha. O partido ainda vive o trauma da saída de Pedro Albuquerque e Tereza, suspeitos de ter delatado a organização do movimento armado. Se tentar sair para ter o filho em alguma cidade, Alice corre o risco de ser presa e torturada. Sem vontade de aceitar a orientação para fazer um aborto, Zé Carlos busca uma saída.

A Comissão Militar, sob o comando de Maurício Grabois, decidiria o destino da criança.

* * *

A Comissão Militar tinha urgência em restabelecer contato com o Destacamento C, isolado na mata desde o início dos combates, há mais de dois meses. Para procurar os companheiros perdidos na região dos Caianos, a direção destacou um grupo comandado por Juca e formado pelos guerrilheiros Flávio, Gil, Aparício e Ferreira. Eles andaram na mata em média 12 quilômetros, todos os dias, durante semanas.

O mineiro Flávio fazia anotações sobre a jornada. Pretendia, um dia, contar para os pais os detalhes da experiência no Araguaia. Tinham comida em abundância. Caçavam bichos e conseguiam outros alimentos com os moradores, que também ajudaram com chumbo, querosene, panelas, pilhas, punhos de rede, agulhas, linha, fósforo, fumo, garrafas, algodão. Os contatos com o povo estimulavam a ação. Alguns mais nervosos, outros menos, os moradores colaboravam. Forneciam suprimentos e contavam casos sobre os militares.

"Os soldados dizem que vocês são terroristas. Hum! Terroristas são eles, pensei cá comigo", segredou um velho conhecido.

"Dona Dina tá botando medo nos soldados, disse que não se entrega para homem nenhum. Se morrer, morre de bala", relatou um camponês.

Os relatos constituíam uma das mais importantes fontes de informação para os guerrilheiros, embrenhados na mata e sem meios de comunicação.

"Os soldados estão num medão que faz dó. De noite, eles não saem nem para urinar. Fazem aí mesmo, ao lado daqueles saquinhos que eles usam para dormir", contou uma senhora.

"Um dia desses, dois soldados choraram de medo. Isso lá é homem?", contou outra.

Alguns caboclos puseram a roça à disposição. Quando quisessem, nem precisavam pedir.

"Guardei uma saca de farinha para vocês. Os soldados acham que vocês vão morrer de fome. Mas, se depender de mim, não morrem, não", garantiu uma moradora, emocionada.

Muitos camponeses conheciam o Dr. Juca. O espírito de liderança do médico causava profunda impressão em Flávio, o jovem que em 1968 foi fotografado pela revista *Manchete* quando queimava uma viatura da polícia durante os protestos pela morte do estudante Edson Luís, no Rio. Dr. Juca, modesto e discreto, aos poucos dava lições de coragem e audácia. Demonstrava conhecimento militar. Firmou-se como gigante no comando.

* * *

Ao sair da casa de uma família de camponeses, subindo a Grota Vermelha, a 50 metros da estrada, os guerrilheiros avistam um teco-teco sobre a floresta. Contornam uma capoeira para não serem vistos. Ficam quietos, bem escondidos pelas copas das árvores.

"Será que esse aviãozinho pensa que nos assusta?"

A pergunta de Flávio, em tom de brincadeira, quebra o silêncio. E espoca um estardalhaço de metralhadoras. Um barulho infernal. Os guerrilheiros caíram em uma emboscada. Deitados no chão, veem que balas cortam galhos, ramas e talos de coco. Lascas de madeira e folha voam para todo lado.

No meio do tiroteio, Juca tenta falar com os companheiros. O som da artilharia abafa sua voz. Grita duas vezes, ninguém dá sinal de vida. Balas varrem a mata. Consegue se fazer ouvir na terceira tentativa, em curto intervalo do fogo.

"Flávio, Flávio! Está ferido?"

"Não, estou bem."

"Rasteje até aqui."

Na confusão, a alça da mochila de Flávio quebrou. O mineiro pensou em deixar a carga para trás. Teria mais facilidade para chegar até Juca. Pensou melhor e consertou o apetrecho. Lembrou-se do ensinamento:

"A mochila é a casa do guerrilheiro".

O grupo se reuniu sob a chuva de balas. Jovens, inexperientes em combates, pareciam veteranos acostumados a rajadas de metralhadora. Calmos, seguiram a orientação do comandante.

"Vamos tentar sair; peguem a noroeste", determina Juca.

Flávio segue na frente, como guia. Tira o rumo pela bússola, anda abaixado no chão e conduz os companheiros por 500 metros de cipoal.

Só quando param percebem um ferimento feio na perna do comandante. O médico gaúcho escondeu de todos que, durante o combate, levou dois tiros.

* * *

Ficaram dois dias parados a menos de um quilômetro dos militares. O ferimento piorou e Juca não pôde andar. Helicópteros e aviões sobrevoavam o dia inteiro. A mãe floresta, muito densa naquele ponto, escondia os comunistas dos inimigos.

Os cinco guerrilheiros passaram pelo batismo de fogo, mas tiveram mais dissabores. Um dia, enquanto o comandante se restabelecia, Aparício saiu para caçar e não voltou. Juca decidiu retornar para a base em que se encontrava a Comissão Militar, mesmo sem Aparício. Antes, passou pela casa de um morador conhecido do comandante do Destacamento C. Se Paulo aparecesse, devia ser avisado para passar por determinado local todo dia 1º de cada mês.

Entre uma marcha e outra, Flávio fez anotações detalhadas de quase dois meses de caminhadas pela mata.

* * *

Aparício, perdido na selva, procura abrigo na casa de um morador em que os guerrilheiros devem passar. Em vez dos companheiros, encontra o Exército. Assustado, aponta a espingarda calibre 20 e atira nos soldados. Sem tempo para recarregar a arma, cai nas mãos dos inimigos. Está terminada a trajetória do militante comunista Idalísio Soares Aranha Filho, ex-estudante de Psicologia da Universidade Federal de Minas Gerais. A voz e o violão de Aparício nunca mais seriam ouvidos pelos companheiros.

CAPÍTULO 52

"De um lugar das matas amazônicas"

ANEXO "F"

- DOCUMENTO APREENDIDO PELA 3ª BRIGADA DE INFANTARIA -

- DE TERRORISTAS QUE AGEM NA REGIÃO SE DO PARÁ -

"CARTA A UM AMIGO" Prezado amigo

Como já deve ser do seu conhecimento, encontro-me nas matas do ARAGUAIA, de armas nas mãos, enfrentando soldados do governo que pretendem me apanhar vivo ou morto. Em nome de nossa antiga amizade, tomo a liberdade de lhe escrever a fim de explicar os motivos porque me acho nesta situação e as razões da luta em que estou empenhado.

Há mais de seis anos morava nesta região, dedicando-me, honesta e pacificamente, ao duro trabalho do garimpo ou do "marisco". Você é testemunha do meu comportamento, tanto em ARAGUATINS e MARABÁ, como em ITAMERIM e PALESTINA. Nunca prejudiquei ninguém nem ofendi qualquer pessoa. Sempre fui bem-quisto e alvo de muitas atenções. Na medida de minhas possibilidades, jamais deixei de ajudar a pobreza. Convivi estreitamente com os lavradores, garimpeiros, mariscadores, castanheiros, peões, barqueiros, pequenos e médios comerciantes e outros setores da população que vivem do

Mais de três meses depois de se embrenhar na floresta junto com os companheiros de partido, Osvaldão se transforma em grande problema para as Forças Armadas. Depois da morte do cabo Rosa, aumenta a fama do guerrilheiro negro, que chama atenção pelo tamanho, pela simpatia, pela liderança junto aos moradores e pelos conhecimentos militares. Ele começa a virar lenda entre os colonos do Araguaia. Nas tropas, provoca medo. Representa o inimigo traiçoeiro e sanguinário, com poderes para surgir a qualquer momento do meio das árvores. Uma ameaça permanente.

No dia 15 de julho de 1972, o homem treinado em Pequim escreve um texto no meio da selva, sob o título *Carta a um Amigo*, distribuído na região. O comandante do Destacamento B, em duas páginas e meia, dá explicações para a resistência armada contra as tropas do governo. Anuncia que é procurado vivo ou morto pelos militares e declara-se de armas na mão para enfrentar os grileiros e a ditadura.

Sem fazer referência alguma ao PCdoB, Osvaldão afirma que foi procurado dois anos antes por amigos e chegados das grandes cidades. Perseguidos pelo governo, manifestaram interesse em trabalhar na região.

Lutavam para restaurar a liberdade e a democracia no Brasil. Queriam o bem-estar dos trabalhadores.

Solidário com os amigos da cidade, justifica-se no texto, forneceu abrigo e condições para começarem nova vida. Juntos, dedicavam-se ao duro trabalho na lavoura. Atribui a um grileiro sem-vergonha, tratado de Capitão Olinto, a responsabilidade pelo início dos conflitos. O tal Olinto teria tentado expulsar Osvaldo das terras ocupadas às margens do rio Gameleira. Fez o mesmo com outros colonos nos últimos tempos.

Na versão do comandante guerrilheiro, Olinto se queixou à polícia e chamou a atenção da ditadura. Em consequência, o governo resolveu atacá-los. Assim, os perseguidos precisaram organizar a resistência armada contra os grileiros e a ditadura.

Embrenhado na mata, comunica pela carta a decisão de combater *os inimigos do povo*. Afirma que luta por um Pará e por um Brasil livres, onde todos possam trabalhar sem grileiros, sem perseguições policiais, com um novo governo, *progressista e popular*.

O guerrilheiro envia aos moradores, junto com a carta, cópia do manifesto do MLP, Movimento pela Libertação do Povo, variação do nome da União pela Liberdade e pelos Direitos do Povo, a ULDP. Osvaldo conclama todo revoltado, inconformado com a pobreza e com a falta de liberdade, todo perseguido pelos poderosos ou pela polícia, a juntar-se ao movimento armado para resistir contra os grileiros e a ditadura. E subscreve:

> *Aqui, entre revolucionários, ele poderá se refugiar e lutar.*
> *Um grande abraço do amigo de sempre*
> *Osvaldo*
> *De algum lugar das matas do Araguaia, 15 de julho de 1972*

* * *

Zé Carlos e outros três guerrilheiros do Destacamento A, no dia 20 de julho de 1972, enviam carta ao bispo de Marabá, dom Estêvão Cardoso de Avelar. Os quatro se apresentam como moradores do sítio Faveira, às margens do Araguaia. Escrevem "*De um lugar das matas amazônicas*". Assinam: *José Carlos, Joca, Beto e Luiz.*

Pouco tempo antes, dom Estêvão fez graves denúncias na Conferência Nacional dos Bispos do Brasil (CNBB) contra militares em operação no Araguaia. Acusados de colaborar com os guerrilheiros, o padre francês Roberto de Valicourt e a irmã Maria das Graças foram presos em São Domingos, onde moravam, e levados para a base do Exército em Metade. Valicourt tomou socos, pontapés, levou golpes de dedos nos olhos e teve a cabeça socada na parede. Os agentes da repressão ameaçaram violentar e cortar os seios da freira, conforme entrevista concedida a Romualdo Pessoa Campos Filho.

Outros dois religiosos, frei Gil Gomes Leitão, missionário junto aos índios suruís, e frei Alano Maria Pena, vigário episcopal de Conceição do Araguaia, também sofreram intimidações.

A carta dos quatro guerrilheiros elogia as denúncias. O próprio bispo foi detido e submetido a um constrangedor interrogatório conduzido por um homem apresentado como tenente Alfredo. Os militantes do PCdoB escrevem para justificar a luta contra as Forças Armadas.

Os quatro rapazes do Destacamento A não pedem apoio ao bispo, mas esperam justiça e compreensão pela resistência armada contra a ditadura. A exemplo das mensagens divulgadas antes pelos guerrilheiros, a carta a dom Estêvão contém um longo relato sobre os primeiros ataques militares. Mais uma vez, falam da fuga para a mata como ação espontânea, sem referência alguma ao treinamento de guerrilha patrocinado pelo PCdoB.

José Carlos, Joca, Beto e Luiz rejeitam os rótulos de *marginais*, *contrabandistas*, *assassinos* e *assaltantes de banco* alardeados pelos inimigos. Também recusam a classificação de "terroristas", mas ressalvam que reconhecem como patriotas e democratas os jovens que apelaram para o método do terror na luta contra o regime militar. Referem-se aos ativistas da guerrilha urbana.

Muitos combatentes do Araguaia, explica a carta, têm curso superior ou cursaram universidade; outros são secundaristas. Operários e camponeses *esclarecidos* engrossam as fileiras dos revoltosos. Juntos, empunham armas para dirigir a resistência contra a ditadura. Prometem lutar por um governo *verdadeiramente popular, autenticamente democrático e livre da tutela dos monopólios internacionais, principalmente norte-americanos.*

Avaliam que contam com o apoio da esmagadora maioria da população. Reclamam da censura à imprensa sobre os combates no Bico do Papagaio.

O governo teme o alastramento da revolta, dizem. A chama da rebelião, sonham eles, foi acesa no Araguaia e se alastraria por todo o Brasil. Os guerrilheiros se dispõem a enfrentar fome, cansaço, ferimentos, doenças, prisão, tortura e morte em nome da liberdade.

Os quatros militantes do PCdoB no Araguaia consideram-se legítimos representantes das mais profundas e arraigadas aspirações do povo brasileiro. Em hipótese alguma arriariam a bandeira da redenção nacional. O sacrifício e o sangue derramado por *milhares* de jovens desprendidos e abnegados não seria em vão. Subscrevem:

As causas justas, mais dia menos dia, triunfam.
Queira aceitar nossas mais respeitosas saudações.
José Carlos, Joca, Beto e Luiz

* * *

31435

C COM

GABINETE DO MINISTRO DO EXERCITO – CIE
DATA: 27 JUL 72 HORA: 13:05P ORIGEM: PTJ-8
OPERADOR: TCL / KEN
ENDEREÇO: CHEFE CIE RIO GB

N.º 366 S/2, de 27 de JULHO de 1972

000236 000174 1405

PROSSEQUIMENTO OPERAÇÃO A CARGO 8ª RM VG NA REGIÃO DE MARABAH VG OPERAÇÃO PEIXE NR VI COMPREENDENDO SEGUINTES AÇÕES PTPT
1ª – OPERAÇÃO PRESENÇA VG CARACTERIZADA PELA INSTALAÇÃO DE UMA CIA 2º BIS NA CIDADE MARABAH VG REALIZANDO INCURSÕES ET RECONHECIMENTO ATRAVES DA TRANSAMAZONICA VG PA/70 VG LUGAREJO ET PONTOS CRITICOS ADJACENTES A ESSAS VIAS PT PARTIR 22/02:00P JUL INICIANDO VASCULHAMENTO AREA COMPREENDIDA PELA TRANSAMAZONICA ET TENDO COMO PONTO PARTIDA KM 72 VG 95 ET 120 ATEH RIO SARANZAL PT EQUIPE MATEIROS REGIÃO INICIARAM ONTEM RECONHECIMENTO AREA COMPREENDIDA ENTRE ARAGUATINS

CAPÍTULO 53

Enfim, o governo chega ao Araguaia

ARQUIVO CIE

Chegada da equipe de Aciso e visita do "general Roberto" a Xambioá

Ao mesmo tempo em que caça guerrilheiros na mata, as Forças Armadas tentam conquistar a população com Ações Cívico-Sociais, as Aciso. Em uma mensagem enviada em 27 de julho, o general Darcy Jardim anuncia a formação de uma equipe de levantamentos topográficos, com a ajuda de motosserras, para prestar serviços aos moradores.

Helicópteros distribuem comida. O Incra prepara a instalação de um projeto fundiário em Marabá. A Superintendência de Campanhas de Saúde Pública (Sucam) planeja campanhas de vacinação contra a febre amarela e de combate a sífilis. O ministro da Educação, Jarbas Passarinho, autoriza a liberação de recursos para as escolas locais. Além disso, manda reforçar a presença do Movimento Brasileiro de Alfabetização (Mobral) na área de Marabá.

Uma pasta azul com documentos do Ministério do Exército e fotografias das operações militares do final de 1972 registra a visita de um certo "general Roberto" a Xambioá, para participar do início das Ações Cívico-Sociais — Aciso na região.

Nunca um governo havia prestado tanta atenção à região do Araguaia.

* * *

Os três mariscadores corresponderam à expectativa de Moacir em relação ao conhecimento da mata. A construção da estrada sob responsabilidade do Incra avançou floresta adentro graças à argúcia de Zé Quileu, Expedito e Raimundo Nego. Sem a ajuda de nenhum aparelho, os caboclos apontavam a melhor direção para o trabalho das máquinas. Anteviam, sem erros, acidentes geográficos que poderiam atrapalhar o prosseguimento da obra.

Com o passar do tempo, Moacir ficou amigo do capitão comandante de um destacamento do Exército. Os dois conversavam muito sobre as dificuldades da vida na selva. Comentavam curiosidades ditas a respeito dos guerrilheiros.

Um dia o militar chamou o funcionário do Incra para revelar uma descoberta. Levou Moacir até uma enorme castanheira derrubada na mata e mostrou como o tronco foi cortado de modo a permitir a entrada de uma pessoa. Oca por dentro, a árvore funcionava como guarita no meio da floresta. Tinha pequenos buracos na altura dos olhos e um ponto apropriado para a passagem do cano de uma arma.

Bitucas de cigarro e caixas vazias de remédio denunciavam o uso frequente do esconderijo. Moacir admirou-se com o capricho dos esquerdistas.

* * *

Os integrantes da Comissão Militar e do Destacamento A pensaram que Juca tivesse morrido. A notícia da emboscada na Grota Vermelha chegou incompleta. A falta de informações levou todos a pensar no pior. A certeza da morte de Juca levou Zé Carlos a sonhar com uma maneira de demonstrar a admiração sentida pelo companheiro de guerra.

"Ó, se for menino, o neném vai se chamar João Carlos, em homenagem ao meu amigo doutor", disse para a mãe da criança.

Se dependesse de Zé Carlos, Alice sairia para dar à luz na cidade.

CAPÍTULO 54

Histórias de vida: Dower, Oest e o Mosquito Elétrico

05894

Declarações que presta DOWER MORAES CAVALCANTE ("DOMINGOS")

À TURMA DE INTERROGATÓRIO PRELIMINAR C DAS 0145 AS 0400 horas. DO DIA 03/04/ Ago/ 1972.

IMPLANTADO

ORGANIZAÇÃO A QUE PERTENCE :- PC do B.

Declara que confirma suas declarações anteriores.

Com referencia a sua viagem e permanência na área de treinamento de guerra no Pará, tem a declarar o seguinte:

Que cobriu um "ponto" com "PAULO RODRIGUES" em um hotel da / Praça Princesa Izabel ao lado de um bar de esquina, para o lado da avenida Rio Branco, onde o mesmo estava hospedado, o que ocorreu por volta das 0800 horas de um dia útil, em fins de janeiro para principios de fevereiro de 1971. Por volta das 1500 horas / "PAULO RODRIGUES" levou o depoente até um ponto de onibus, onde

O cearense Dower Moraes Cavalcante, o Domingos, mal havia saído da adolescência ao chegar ao Araguaia. Entrou para o PCdoB em 1968, quando cursava o primeiro ano do curso Científico no Colégio Santo Inácio, em Fortaleza. O batismo na política aconteceu em um congresso do Centro dos Estudantes Secundários do Ceará (CESC), entidade representativa dos alunos do segundo grau no estado.

Na pauta do encontro estavam a luta contra o ensino pago e a resistência ao acordo MEC/USAID, negociado entre os governos do Brasil e dos Estados Unidos para a implantação de reforma em todos os níveis de ensino. Trataram também da emissão de carteiras estudantis e da assistência aos alunos do interior.

Alguns participantes do congresso seriam companheiros de militância nos anos seguintes. Um deles, João Teixeira, do Colégio Estadual Liceu do Ceará, convidou Dower para entrar no PCdoB; e Glênio Fernandes de Sá combateria na guerrilha do Araguaia. O presidente do CESC, Mário Albuquerque, era irmão de Pedro, o guerrilheiro que anos depois abandonaria o Araguaia por causa da mulher grávida.

Em pouco tempo Dower passou a fazer parte do mundo clandestino da esquerda cearense. Leu muitos documentos do PCdoB. Um deles pregava uma "revolução nacional-democrática para expulsar o imperialismo norte-americano do País e a derrubada do regime militar".

Em maio de 1968, Dower foi levado pela primeira vez a uma reunião do partido. Chegou de olhos vendados a uma casa no município de Parangaba, perto de Fortaleza. Glênio de Sá mais uma vez estava presente. A reunião serviu para a criação de uma base do partido no movimento secundário. Um dirigente regional, Francis Gomes Vale, codinome Plínio, coordenou os dois dias de discussão. Decidiram concentrar esforços no recrutamento de novos militantes nos colégios e intensificar a participação nos movimentos de massa. Também trataram da segurança interna da organização e escolheram codinomes.

Dower virou Domingos e entrou de cabeça na militância. Distribuiu um panfleto com o título *Manifesto ao Povo*, um chamado à população para combater o AI-5. Fez pichações contra a ditadura na praça do Ferreira e sobre o 1º de Maio na avenida João Pessoa.

Em junho de 1969, Dower e João Teixeira, codinome Sobreira, foram escolhidos para participar do Conselho da União Brasileira dos Estudantes Secundaristas (UBES). Nos meses seguintes, Dower passou a circular no circuito nacional do movimento estudantil. Em São Paulo, foi preso juntamente com João Teixeira e Luiz Arthur Toríbio, o Turiba ou André, militante do PCdoB do Rio de Janeiro. Estavam sem documentos e Teixeira carregava um relatório de uma reunião do Conselho da UBES. Passaram por uma delegacia de polícia e pelo DOPS. Turiba e Dower saíram logo.

Teixeira ficou quatro dias preso. Solto, voltou para Fortaleza e abandonou o movimento estudantil. Estava terminando a carreira do militante Sobreira.

O PCdoB dividia o Conselho da UBES com a Ação Popular Marxista-Leninista (AP-ML). As duas organizações estavam em processo de aproximação e anos depois se fundiriam. Nas viagens pelo Brasil, Dower conviveu com militantes dos dois grupos. Os mais frequentes interlocutores de Dower nessas viagens foram Turiba e Mateus, codinome do estudante Ozéas Duarte de Oliveira. Da AP-ML conheceu Emiliano José da Silva Filho; Marco Antônio Machado de Melo, presidente da UBES; e Bernardo Jofilly.

No primeiro semestre de 1970, Dower elegeu-se para a diretoria do CESC. Ficou responsável pelo jornal da UBES. Em julho, tornou-se diretor da organização secundarista. As bandeiras de luta continuavam em torno do acordo MEC/USAID e da ditadura. No comício sobre 7 de setembro no Colégio Estadual Presidente, Dower fugiu de um policial que tentou prendê-lo. Houve troca de tiros, pois outro estudante cearense, de nome Custódio, estava armado.

Depois desse episódio, Dower passou a ser procurado pelos agentes da repressão. Escondeu-se em casas de amigos. O dirigente do partido, Sérgio Miranda de Matos Brito, passou um ponto na Guanabara para o fugitivo. Não havia ninguém no lugar; Dower procurou Turiba. Foram os dois para São Paulo. Tiveram encontros com Ozéas Duarte de Oliveira, o Mateus; Gabriel Bracheta Sobrinho, o Roberto; e Custódio, conhecido também como Porquinho.

Mateus comunicou a Dower que a próxima tarefa seria no campo. Conheceu Lauro, mais tarde identificado como Lincoln Cordeiro Oest, e Pontes, codinome do comunista Carlos Nicolau Danielli. Dower preparou-se para incorporar-se à guerrilha com dois outros militantes. Maria Lúcia Petit da Silva, codinome Maria, e Antônio Ferreira, o José, foram entrevistados separadamente por Amazonas e Ângelo Arroyo, o Joaquim, da mesma forma que Dower.

As conversas começavam com uma preleção de Amazonas sobre a área rural. O velho comunista falava da importância do campesinato para a revolução. Jovens ainda, teriam a honra de lutar pela libertação das camadas mais pobres da população. Arroyo interveio para avisar que, por razões de segurança, não poderia revelar para onde seriam enviados.

Integrante do Comitê Central do PCdoB, o metalúrgico Ângelo Arroyo foi um dos comandantes da Guerrilha do Araguaia. Entrou para o partido em 1945, aos 17 anos. Tratava-se do mesmo Aluísio que nos anos de 1960 ajudava Michéas Gomes de Almeida e Divino Ferreira de Souza, o Nunes, a organizar uma base do partido em Goiânia. No depoimento com data de 7 de junho, José Genoino fez referência ao codinome Joaquim, dirigente da guerrilha. Sem saber, falava de Ângelo Arroyo.

Em fevereiro de 1971, Dower viajou para a região do Bico do Papagaio com Pedro Albuquerque e Tereza Cristina. Chegaram a Cigana levados por Paulo Rodrigues, o comandante do Destacamento C. No meio da mata, os três militantes souberam que estavam em uma base de treinamento de luta armada. Por razões de segurança, não poderiam mais abandonar o local.

* * *

Lincoln Cordeiro Oest e Carlos Nicolau Danielli tinham a responsabilidade de organizar a estrutura de apoio à guerrilha nas cidades. Ficavam entre São Paulo e Rio de Janeiro. Comunista desde o levante de 1935, Oest viveu muitas histórias dentro do partido. Em 1947, elegeu-se deputado estadual pelo PCB do Rio de Janeiro. Perdeu o mandato por conta da cassação do registro do partido. Entrou para a clandestinidade com o golpe militar de 1964 e passou 18 dias preso em 1968. Em 1972, pertencia ao Comitê Central do PCdoB.

Danielli acompanhava quase todas as entrevistas feitas por João Amazonas com os militantes enviados ao Araguaia. Junto com Oest, organizava as viagens dos futuros guerrilheiros. Os militares acumulavam informações sobre os dois para tentar apanhá-los. Assim, cortariam os vínculos urbanos da luta no Araguaia.

Sem ajuda nas cidades, pensavam os agentes de informação, a guerrilha não se sustentaria. As sucessivas baixas entre guerrilheiros na selva enfraqueciam o movimento esquerdista. A estrutura urbana tinha a responsabilidade de fornecer novos combatentes, garantir o deslocamento dos militantes, enviar recursos financeiros para o movimento e divulgar, dentro e fora do Brasil, as ações revolucionárias do Araguaia.

Os homens da repressão queriam pegar Danielli e Oest para destruir a rede de apoio dos guerrilheiros nas grandes cidades.

* * *

Neto de imigrantes italianos, Carlos Danielli começou a participar da vida política do País ainda na infância. O pai, Paschoal, líder sindical e militante do PCB, obteve mandato de deputado estadual em 1947. Contou com preciosa ajuda do filho, adolescente, na infraestrutura e na produção do material de campanha.

Nos anos seguintes, Danielli participou com afinco da União da Juventude Comunista (UJC), no curto período de legalidade usufruído pela entidade esquerdista. Depois de concluir o curso secundário, sem abandonar as atividades no PCB, trabalhou em um estaleiro da Marinha.

O partido perdeu o registro em 1947. Paschoal teve o mandato cassado. Uma onda de perseguição se abateu sobre os comunistas brasileiros. Danielli dirigia o jornal *Tribuna Popular* e acabou preso. Voltou à cadeia em 1956, junto com a primeira mulher, Thelma Campos. Nunca mais teve sossego.

No racha do PCB, em 1962, ficou contra as teses de coexistência pacífica, defendidas por Luiz Carlos Prestes e pela maioria da cúpula do partido. Do grupo dissidente faziam parte Carlos Danielli, João Amazonas, Maurício Grabois, Ângelo Arroyo e Pedro Pomar. Juntos, eles se reorganizaram com a legenda PCdoB.

O golpe militar de 1964 desencadeou nova caçada aos comunistas. A vida de Danielli se dividia entre as atividades do jornal partidário *Classe Operária* e a mobilização dos militantes. Preocupado com a segurança da família, mudava de endereço com frequência. Os estudos para a implantação de uma guerrilha rural contaram, desde o início, com a participação de Danielli, cada vez mais envolvido no trabalho político clandestino. O nome dele apareceu ao lado de João Amazonas e Pedro Pomar, em 1966, em uma lista de 32 esquerdistas com direitos políticos cassados por dez anos.

* * *

O PCdoB radicalizava a atitude em relação à ditadura militar e organizava a resistência armada. Em 1969, o partido divulga o documento *Guerra Popular – Caminho da Luta Armada no Brasil.* A semente do Araguaia estava lançada.

Carlos Danielli ficou na linha de frente dos preparativos da guerrilha. Os companheiros de partido admiravam a disposição do militante de origem italiana para as tarefas partidárias. Magro e agitado, vivia para fazer uma revolução popular no Brasil. Michéas Gomes de Almeida, o Zezinho, gostava de ver o jeito inquieto de Danielli nas vezes em que se encontravam. Passou a chamá-lo de Mosquito Elétrico.

CAPÍTULO 55

O avanço do Planalto e o calvário de Dower

A resistência do movimento armado na mata enfraqueceu os comandantes do Exército na Amazônia. As tentativas de combate aos inimigos revelaram-se ingênuas diante da estrutura montada pelo PCdoB. O desgaste provocado pela demora no resgate do corpo do cabo Rosa ainda pesava sobre a 8ª RM.

Em julho de 1972, a responsabilidade por toda a repressão no Araguaia passou para o Comando Militar do Planalto (CMP). No dia 1° de agosto, Vianna Moog delegou ao general Antônio Bandeira, da 3ª Brigada de Infantaria, a execução das ações contra os comunistas na mata; além disso, ordenou a destruição dos *bandos armados* em operação a ser iniciada em 18 de setembro.

O CMP ganhou a briga contra os militares da Amazônia pelo comando das operações. As Forças Armadas começaram a preparar uma das maiores mobilizações de tropas em território brasileiro no século 20. Seriam envolvidos cerca de 7.200 homens, entre militares, policiais e mateiros.

* * *

Torturado pelos agentes da repressão, Dower falou aos militares sobre a experiência no PCdoB antes e durante a guerrilha. No segundo dia de sofrimento, contou onde havia um esconderijo de suprimentos na mata. Os maus-tratos físicos e psicológicos continuaram nas semanas seguintes.

Um dos interrogatórios começou antes das duas horas da madrugada do dia 3 de agosto e acabou às quatro do dia seguinte. Dower estava preso nas dependências do II Exército, em São Paulo. Por mais de 24 horas ficou à disposição da Turma de Interrogatório Preliminar C.

O guerrilheiro estava preso fazia quase um mês. Os arquivos do Exército guardam um documento datilografado com declarações feitas por Domingos nesses dois dias. Tem o nº 05894 no canto superior direito das seis páginas e o carimbo de *Implantado.* A palavra sinaliza depoimentos incluídos nos arquivos da repressão. O interrogatório começa com a frase "Declara que confirma suas declarações anteriores". Em seguida, transcreve o depoimento do guerrilheiro.

As declarações de Pedro Albuquerque e Dower contêm uma contradição. Falando na ausência de Dower, Pedro afirma que chegou a Cigana, junto com Tereza Cristina, depois de ser conduzido de Belém por Paulo Rodrigues. Dower conta que Paulo o levou para o Araguaia, a partir de São Paulo, na mesma viagem em que seguiram Pedro e Tereza. A prática de dar informações incompletas era uma estratégia dos presos políticos para confundir os agentes da repressão.

O PCdoB orientou os futuros guerrilheiros em viagem para o Araguaia a colocar os nomes verdadeiros nas fichas dos hotéis em que houvesse registro de hóspedes. Tratava-se de uma medida de segurança. No futuro, poderia ser útil para reconstituir o caminho seguido pelos militantes, futuros guerrilheiros, em caso de desaparecimento.

A história contada no interrogatório dos dias 3 e 4 de agosto foi muito parecida com a narrativa de Dagoberto sobre o funcionamento do Destacamento C. Citou os nomes dos mesmos guerrilheiros e comandantes. Acrescentou que Ângelo Arroyo morava com o grupo de Pau Preto.

O relatório militar descreve como viviam os guerrilheiros no Araguaia. Os destacamentos seguiam planos de quatro meses elaborados pelo comando. Executavam tarefas de produção, atividades militares, trabalho político e contato com as massas.

As manhãs se destinavam à produção. Cada grupo tinha uma roça no Ponto de Apoio (PA), denominação aplicada aos locais nos quais os guerrilheiros viviam. Durante o trabalho político, realizado à tarde, os militantes liam livros e documentos do partido. À noite, eram obrigados a ouvir as rádios Tirana, da Albânia, e Pequim, da China. Transmitindo em ondas curtas, as duas emissoras tinham programas em português. Frequentemente, davam notícias sobre fatos ocorridos dias antes na guerrilha do Araguaia. As Forças Armadas não sabiam como as informações chegavam aos dois países comunistas.

As atividades militares consistiam em treinamento de tiro com revólveres calibre 38 e espingardas 20 e 22. Os guerrilheiros faziam exercícios de corrida no mato e rastejamento. Um curso elaborado pela Comissão Militar ensinava técnicas de assalto e emboscada. Também passava conhecimentos sobre cipós, frutos e caça para sobrevivência na selva.

Aprendiam a usar o sol, o Cruzeiro do Sul, os acidentes geográficos e a bússola para orientar-se. Montavam acampamentos, armavam barracas e penduravam redes. Os chefes dos grupos dirigiam os exercícios, sempre na parte da tarde.

Para o trabalho de massa, os comandantes da guerrilha recomendavam visitas aos moradores, presença nas festas e participação nos roçados. Tudo sem revelar a militância comunista e a preparação da luta armada. O segredo seria revelado no dia do início dos combates, sem data marcada.

Dower repetiu aos militares muitas informações prestadas antes por outros guerrilheiros presos. Falou sobre a estrutura dos destacamentos, sem mencionar onde ficavam o A e o B. Lembrou-se também de que, certa vez, o acampamento onde vivia recebera a visita de Maurício Grabois, o Mário, comandante militar da guerrilha. Em dezembro de 1971, a Comissão Militar determinou a mudança do Destacamento C para outro ponto da mata. O relatório sobre as declarações de Dower nos dias 3 e 4 de agosto registrou as primeiras baixas entre os comunistas. Na lista de companheiros do Destacamento C citados pelo guerrilheiro, as palavras *morto* e *morta* foram escritas ao lado dos codinomes Jorge e Maria. Lúcia estava *presa*.

O documento não menciona, mas o guerrilheiro Kleber Lemos Silva, do Destacamento A, morreu em poder do Exército no dia 29 de junho, depois de três dias preso. A Turma de Interrogatório Preliminar C levou Dower para mais uma sessão às onze e meia da noite do dia 9 de agosto. Durante quatro horas o jovem forneceu pequenos perfis dos integrantes do Destacamento C, deu características físicas e psicológicas. Contou que desde abril, no início do confronto armado com os militares, o guerrilheiro Josias pedia insistentemente para abandonar a região.

Josias era o mesmo Sérgio, estudante de Medicina, citado por Dagoberto na prisão como um dos estudantes do Rio escalados para lutar no Araguaia. Tratava-se de Tobias Pereira Júnior.

Em Brasília, reconheceu o guerrilheiro Daniel em uma fotografia mostrada pelos militares. Ficou caracterizado no depoimento como um sujeito com mais ou menos 30 anos, sem procedência conhecida. Tinha jogado futebol em um time de Conceição do Araguaia.

No documento do interrogatório encerrado na madrugada do dia 10 de agosto, a guerrilheira morta Maria Petit da Silva, Maria, foi apresentada como irmã de Jaime Petit da Silva, casado com Regilena da Silva Carvalho, a Lena, todos militantes do Destacamento C.

O mesmo relatório informa a prisão de Lena.

CAPÍTULO 56

PIC, lugar em que se tortura cientificamente

O Pelotão de Investigações Criminais virou passagem obrigatória dos guerrilheiros capturados no Araguaia. O prédio do PIC, no Setor Militar Urbano, em Brasília, abrigou um dos mais sofisticados aparelhos de tortura montados pela ditadura militar. O general Antônio Bandeira comandava o aparato repressivo instalado nas dependências do Exército Brasileiro.

Vista de cima, Brasília pareceu uma cidade bonita. Em terra, a sede do PIC revelou a Dagoberto a face perversa da capital federal. Ao entrar no quartel, encapuzado, o prisioneiro lembrou-se da advertência feita por um militar em Xambioá.

"Olha, pela Convenção de Genebra, guerrilheiro já era."

O recado tinha significado assustador. Os esquerdistas apanhados no Araguaia não teriam tratamento de prisioneiros de guerra. Assinada em 1949, a Convenção de Genebra proíbe maus-tratos a prisioneiros de guerra. Segundo o artigo 4º, A, 2, b, do título I, o Tratamento de Prisioneiros de guerra não se aplica quando alguma das partes não obedecer às condições impostas. O acordo inaugurou o *direito humanitário*, conjunto das leis e dos costumes da guerra, que tem por objetivo minorar o sofrimento de soldados doentes e feridos, bem como de populações civis atingidas por um conflito bélico.

Deixado em uma cela, sem capuz, Dagoberto teve a impressão de ouvir uma voz conhecida do outro lado da parede.

"Danilo?"

"Sim, sou eu."

Um guarda interrompeu o diálogo, mas a simples presença de um amigo confortava e alegrava Dagoberto. A voz pertencia a Danilo Carneiro, companheiro de militância no Rio. Descobriram, surpresos, que haviam participado da mesma guerrilha. Os sussurros de uma cela para outra revelaram os nomes dos outros militantes encarcerados ou de passagem pelo PIC. Do Araguaia, estavam Dower, Pedro Albuquerque,

Genoino, Luzia, Regilena, Rioko e Eduardo. Militantes de outras organizações e presos comuns completavam e lotavam as masmorras do PIC.

Fátima, mulher de Eduardo, também se encontrava presa em Brasília.

Os torturadores variavam as vítimas dos interrogatórios. Usavam métodos científicos de agressão física e pressão psicológica. Na maioria das vezes, tiravam a roupa do prisioneiro. Deixavam só o capuz. Depois, submetiam a afogamentos, pau-de-arara e choques por todo o corpo, molhado, inclusive nos órgãos genitais. Naquelas condições, as mulheres se sentiam ainda mais humilhadas. Nuas e encapuzadas, ficavam à mercê dos escrúpulos de três ou quatro desconhecidos.

Depois do segundo depoimento, Dagoberto foi poupado por algum tempo. O prisioneiro nascido no Maranhão conseguiu convencer os militares de que, de fato, pouco sabia sobre a guerrilha. Falava todas as coisas que conhecia e não entrava em contradição. De vez em quando, tinha de reconhecer fotografias. Várias vezes negou a presença de chineses no Araguaia. Apanhou muito até dar certeza aos militares de que os guerrilheiros não dispunham de metralhadoras e fuzis modernos.

Dower sabia mais e passou por castigos maiores. Dagoberto perdeu a conta das vezes em que o companheiro do Destacamento C sofreu nas mãos dos torturadores. Cada um tinha uma maneira de reagir aos traumas decorrentes dos interrogatórios. O baiano Eduardo Monteiro Teixeira e Dagoberto às vezes conseguiam manter o bom humor. Avaliavam que, quando foram para a guerrilha, sabiam dos riscos. Não tinham ilusões quanto ao tratamento na cadeia.

Outros se consolavam cantando. Os presos políticos do PIC se emocionavam ao ouvir as músicas de Luís Gonzaga, *Ass'um Preto* e *Acauã*, cantadas por Pedro Albuquerque. A tristeza das letras e das melodias tornava ainda mais denso o clima. De manhã, ao acordar, Genoino puxava uma sessão de ginástica.

"Vamos lá, pessoal! Vamos dar uma corridinha, fazer um exercício", convocava.

Certa vez, o general Bandeira mandou chamar Dagoberto. O prisioneiro levou um susto ao entrar na sala do chefe militar. A quantidade de livros sobre a Amazônia expostos sobre a enorme mesa, alguns em inglês, fazia cair por terra a propaganda do PCdoB sobre a "incompetência" das Forças Armadas brasileiras.

Atrás daquela mesa, fardado e cercado de documentos, o comandante da 3ª Brigada de Infantaria pareceu absolutamente preparado para derrotar os guerrilheiros. Os prisioneiros do Araguaia passaram alguns meses no PIC. Depois, em datas diferentes, foram enviados para outras cidades. Acabaram nos estados em que tinham militância política.

* * *

Uns trinta homens fizeram um círculo em volta da guerrilheira Lúcia, codinome da estudante Luzia Reis Ribeiro. Depois de presa, a Baianinha saltara da canoa, em Xambioá, com as mãos amarradas. Socos e empurrões jogavam a jovem de Jequié de um lado para outro. No chão, despida, foi chutada. Levada até o rio, quase desfalecida, teve a cabeça enfiada na água várias vezes até quase se afogar.

Os militares levaram a guerrilheira para uma tenda. Deram choques elétricos no corpo molhado antes de arrastar Lúcia mais uma vez ao rio. Torturada todos os dias, a prisioneira perdeu a noção do tempo. Atirada num buraco, não conseguia dormir por causa das dores e sangramentos. Um dia viu Dower, o amigo Domingos do Destacamento C. Parecia morto. Caído no chão, com o corpo roxo, sangrava pela boca. Uma perna amarrada mexeu e provocou um alívio em Baianinha.

Lúcia foi jogada na carroceria de um caminhão junto com Domingos. Os dois acabaram dentro de um avião com a porta aberta, ameaçados com metralhadoras. Os militares davam tiros para deixar os prisioneiros, em frangalhos, ainda mais assustados. A guerrilheira pensou que iria morrer. Desceram em Belém.

O olhar fraterno de Domingos durante uma acareação entre os dois comunistas consolou Lúcia. Transferida para Brasília sem o amigo cearense, a moça de Jequié conheceu as dependências do PIC. Mais uma vez despida, passou por humilhações e constrangimentos. As músicas cantadas por outros prisioneiros políticos deram um pouco de força para Baianinha.

A rotina de interrogatórios e acareações testou os limites da jovem baiana. Quase sempre na madrugada, encapuzada, Lúcia recebia choques e pancadas numa sala de torturas. Ouvia gritos vindos de celas vizinhas, onde outros esquerdistas passavam pelos mesmos suplícios. Com uma palmatória cravejada de parafusos, os militares ameaçavam mutilar a prisioneira.

Os torturadores mostravam fotos de pessoas com as cabeças esmagadas. Um dia Lúcia viu o corpo do guerrilheiro José Genoino, bastante machucado e ensanguentado, arrastado pelo chão do PIC. De frente para um espelho, a Baianinha não se reconheceu. Estava desfigurada.

CAPÍTULO 57

General prepara o bote final; Alice tenta furar o bloqueio

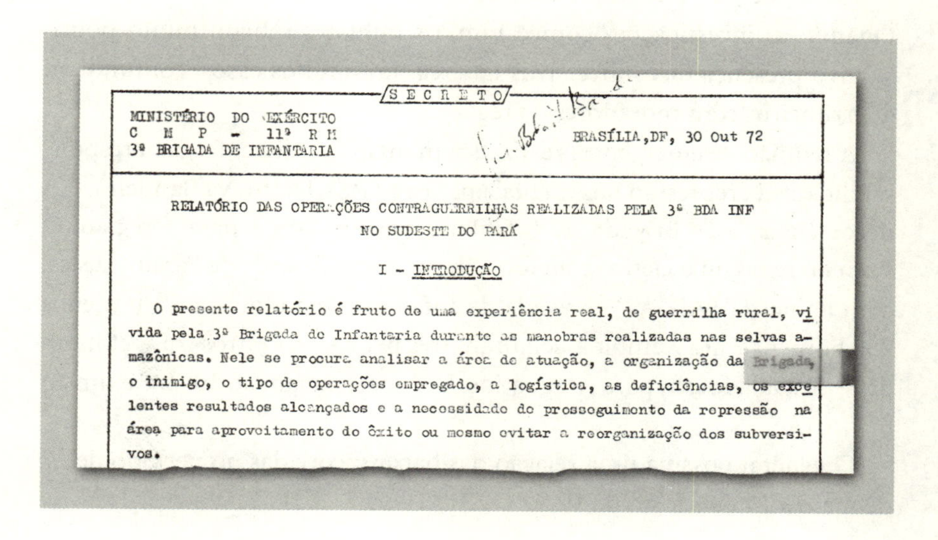

SECRETO

MINISTÉRIO DO EXÉRCITO
C M P - 11ª R M
3ª BRIGADA DE INFANTARIA

BRASÍLIA, DF, 30 Out 72

RELATÓRIO DAS OPERAÇÕES CONTRAGUERRILHAS REALIZADAS PELA 3ª BDA INF NO SUDESTE DO PARÁ

I - INTRODUÇÃO

O presente relatório é fruto de uma experiência real, de guerrilha rural, vivida pela 3ª Brigada de Infantaria durante as manobras realizadas nas selvas amazônicas. Nele se procura analisar a área de atuação, a organização da Brigada, o inimigo, o tipo de operações empregado, a logística, as deficiências, os excelentes resultados alcançados e a necessidade do prosseguimento da repressão na área para aproveitamento do êxito ou mesmo evitar a reorganização dos subversivos.

Agentes de informação encaminham ao general Antônio Bandeira relatórios com todos os fatos registrados sobre os guerrilheiros desde a prisão de Pedro Albuquerque. Antes de seguir para a grande operação no Araguaia, o comandante da 3ª Brigada de Infantaria faz um estudo da situação. O general Bandeira se prepara para a guerra.

Até aquele momento, os militares prenderam Eduardo Monteiro Teixeira, o Duda, em Araguatins; Danilo Carneiro, o Nilo, em Metade; Rioko Kayano, em Marabá; e José Genoino Neto, em Esperancinha. Um *elemento da rede de apoio* do Destacamento C dos guerrilheiros, o morador Lourival de Moura Paulino, morreu na cadeia. *Suicídio...*

As ações contra os comunistas destruíram nove depósitos de suprimentos nos dois primeiros meses de ação repressiva. Bandeira sabia local, data, material apreendido e destacamento de todos os esconderijos descobertos. No início da perseguição, várias vezes, os agentes deixaram de capturar guerrilheiros por erros nas operações. O emprego de homens fardados havia provocado a quebra de sigilo das investigações.

O comandante da 3ª Brigada de Infantaria criticava a trapalhada cometida por homens da 8ª RM.

A morte do cabo Rosa pelo grupo de Osvaldão, no lugar conhecido como Grota Seca, vale do rio Gameleira, tinha abatido o moral dos militares.

Os desacertos ocorriam também por deficiências nas informações. Quando as investigações começaram, os militares sabiam muito pouco sobre a presença dos subversivos na área. Em muitos casos, confundiam guerrilheiros com moradores da região.

A reunião de emergência realizada em maio decidiu entregar a responsabilidade da repressão no Araguaia para a 8ª RM, lembrava Bandeira. Em decorrência, a 3ª Brigada de Infantaria enviou tropas para a região. O Exército reforçou o efetivo com forças especiais da Brigada de Paraquedistas, com apoio da FAB. A 3ª Brigada de Infantaria mandou mais ou menos 250 homens. Para Xambioá, seguiram três pelotares. Outros três pelotares da 3ª Brigada foram para Araguatins. Dois pertenciam ao 10° BC e um ao 8° GAAAe.

O general possuía uma relação das baixas ocorridas no período de 27 de maio a 14 de agosto de 1972:

Bergson Gurjão Farias (Jorge)
— Morto em 2 Jun 72, em Caianos
— Pertencia ao Destacamento C
— Era chefe do Grupo 700

Maria Petit da Silva (Maria)
— Morta em 16 Jun 72, em Pau Preto I
— Pertencia ao Grupo 900 (Destacamento C)

Kleber Lemos da Silva (Carlito)
— Morto em 29 Jun 72, em Abóbora
— Pertencia ao Grupo 900 (Destacamento C)

Dower Moraes Cavalcante (Domingos)
— Preso em 5 Jun 72, em Cachimbeiro
— Pertencia ao Grupo 700 (Destacamento C)

Luzia Reis Ribeiro (Lúcia)
— Presa em 8 Jun 72, em Cachimbeiro
— Pertencia ao Grupo 700 (Destacamento C)

Dagoberto Alves da Costa (Gabriel ou Miguel)
— Preso em 9 Jun 72, em Patrimônio
— Pertencia ao Grupo 700 (Destacamento C)

Idalísio Soares Aranha Filho (Aparício)
— Morto em 13 Jul 72, em Perdidos
— Pertencia ao Grupo Castanhal do Alexandre (Destacamento B)

Regilena da Silva Carvalho (Lena)
— Entregou-se em 26 Jul 72, em Pau Preto I
— Pertencia ao Grupo 900 (Destacamento C)

Juarez Rodrigues Coelho
— Suicidou-se em 14 Ago 72, em Patrimônio
— Apoiava o Destacamento C

Sobre Juarez Rodrigues Coelho, Bandeira dizia tratar-se de um integrante da rede de apoio dos guerrilheiros. Entre os militares, de 27 de maio a 17 de julho, ficaram feridos o tenente Álvaro de Souza Pinheiro, da Brigada de Paraquedistas, e o soldado Maurício Jacinto Fernandes, do 8º GAAAe. Nenhuma morte. Nesse período, a 3ª Brigada de Infantaria atuou no Araguaia com 250 homens. No dia 10 de julho, Bandeira reduziu o efetivo para uma companhia de fuzileiros navais, com 130 militares. O 36º BI, o 10º BC e o 6º BC ficaram encarregados de cumprir a missão, em sistema de rodízio.

Bandeira dividiu a perseguição em duas etapas. A primeira, de informação, aconteceu do final de março até 11 de maio. Terminou com quatro *terroristas* presos e nove depósitos destruídos. Na segunda, de operação, as tropas mataram quatro guerrilheiros, prenderam outros quatro e descobriram mais um depósito.

Todas as baixas dos guerrilheiros, observava Bandeira, tinham ocorrido a sudoeste da Serra das Andorinhas. Ao norte, nenhuma ação relevante ocorrera.

* * *

A Turma de Interrogatório Preliminar C voltou a agir nos dias 24 e 25 de agosto. A estudante paulista Rioko Kayano ficou à disposição dos agentes da repressão uma noite inteira. A sessão durou até as onze horas do dia 25. O interrogatório foi registrado em duas páginas e meia, datilografadas em primeira pessoa e identificadas por um cabeçalho idêntico ao das folhas usadas na transcrição dos depoimentos de Dower. Como em um formulário, o documento começa com a expressão "Declarações que presta...", seguida do nome do militante preso, a turma responsável pela sessão, o horário, a data e a organização à qual pertence.

No canto superior direito das três folhas aparece o número 06501. Um pouco abaixo, um carimbo redondo da 2ª Seção-CODI, do II Exército. Ao pé das páginas, outro carimbo classifica o documento de "Reservado".

Declarações que presta [illegible] 06501
RIOKO KAYANO
À TURMA DE INTERROGATÓRIO PRELIMINAR C DAS [illegible] AS 11[illegible]
24-25 / agosto / 1972.
ORGANIZAÇÃO A QUE PERTENCE:- PC do B.

Na Faculdade, onde fui algumas vezes, não encontrei nenhum membro do Partido, nem mesmo SUELY YUMIKO KAMAYANA ("VERA").
Ao sair da prisão, eu havia decidido abandonar a Faculdade. Nem na minha casa, nem na escola, não conseguia sentir-me à vontade. Porém, não pensei em abandonar as minhas atividades politicas // nem em desligar-me do PC do B.
Por minha própria iniciativa, comecei a guardar dinheiro e / preparar as condições para sair de São Paulo, pois estava séria mente decidida a recomeçar a minha vida pessoal e política em / qualquer lugar distante de minha família e conhecidos.

Rioko estava presa fazia mais de quatro meses quando assinou o depoimento. Falou sobre o que fez ao sair da prisão após o Congresso de Ibiúna. Esteve algumas vezes na faculdade, mas não encontrou nenhum integrante do partido — nem mesmo a amiga Suely Yumiko Kamayana, identificada pelo codinome Vera. Resolveu abandonar os estudos. Não se sentia bem em casa nem na escola. Quis manter as atividades políticas e as ligações com o PCdoB. Juntou dinheiro e criou condições para sair de São Paulo. Ia recomeçar vida pessoal e política longe da família e dos conhecidos.

Em setembro ou outubro, recebeu por telefone a orientação de encontrar-se com Ozéas Duarte de Oliveira, o Mateus ou Artur, na frente da estátua de Borba Gato, na avenida Santo Amaro, região sul de São Paulo. Quem apareceu foi Danielli, o Pontes ou Antônio, homem de meia-idade, dirigente do partido. Muitas das informações arrancadas coincidiam com as declarações feitas por Dower Moraes Cavalcante.

A jovem militante demonstrou interesse em abandonar São Paulo. Aceitava mudar para onde o partido achasse importante e adequado. Continuou a discussão com Danielli em outros contatos de rua. O dirigente concordou com a pretensão de Rioko. Enquanto aguardava novas orientações, deveria passar algum tempo na casa dos pais, no interior do estado.

Danielli fez contato em fevereiro de 1972. Marcou um ponto para o dia 9 de abril. Rioko viajaria em seguida, sem saber para onde. Às dezoito horas do dia 9, domingo, encontraram-se em uma travessa da rua Vergueiro, na Vila Mariana. Caminharam até a rua Domingos de Morais, onde ela conheceu outro militante em preparação para a viagem. Na prisão, soube que se tratava de Eduardo Monteiro.

Os três caminharam cerca de uma hora, em direção à Vila Clementino. Olhavam para o chão para não reconhecerem por onde andavam. Mais ou menos às sete e meia, embarcaram em um carro de quatro portas. Viajaram de olhos fechados cerca de 40 minutos até uma casa onde foram recebidos por Elza Monerat, a Velha ou Dona Maria, e por João Amazonas, o Cid. Mais tarde chegaram Dagoberto Alves da Costa, outro rapaz e uma moça, cujos nomes desconhecia. Dagoberto estava preso em Brasília, conforme anotou o escrivão entre parênteses.

Todos participaram de uma reunião no aparelho dia 10 de abril, segunda-feira. Só Elza não compareceu. No encontro, João Amazonas analisou a situação política nacional e internacional e fez uma exposição genérica sobre o partido. Depois, os dirigentes realizaram entrevistas individuais com os militantes. Perguntaram sobre problemas pessoais, família e saúde. Nos intervalos, todos embalavam remédios, estocados na casa em grande quantidade. O depoimento de Rioko também coincidiu com informações prestadas por Dagoberto.

Rioko deixou o aparelho na noite do dia 10. Saiu de olhos vendados. Conforme instrução dos dirigentes, às quatro da tarde do dia seguinte encontrou-se com Eduardo Monteiro Teixeira na rua Domingos de Morais. Nesse momento soube que viajariam às seis horas para Anápolis, interior de Goiás. Recebeu a passagem e, no ônibus, reconheceu Elza Monerat.

Os três simularam total desconhecimento. Tinham recomendação de proceder assim. No dia 12 de abril tomaram outro ônibus, de Anápolis para Tocantinópolis, então norte de Goiás. Chegaram no dia seguinte, tarde da noite. Hospedaram-se em um hotel perto da rodoviária, sempre simulando desconhecimento entre eles.

A versão apresentada por Rioko confirmava o depoimento de Eduardo. No dia 14 de abril, sexta-feira, os dois seguiam para a cidade de Marabá, no Pará, acompanhados de Elza Monerat, quando, na travessia do rio Araguaia, Eduardo foi preso. Elza e Rioko prosseguiram viagem e chegaram a Marabá por volta das seis horas do mesmo dia. Dormiram no mesmo quarto em um hotel perto da rodoviária. Elza instruiu Rioko a pegar um ônibus-leito para Belém. Viajariam separadas. Marcaram para o dia 17 de abril um ponto a caminho de São Paulo, ao meio-dia e à uma hora, com alternativa para o dia seguinte, no mesmo local e horário.

Rioko comprou passagem para 16 de abril, domingo, e ficou no hotel mais uma noite. Elza nada falou sobre a guerrilha, muito menos sobre a presença de militares na área. A veterana comunista partiu no sábado, dia 15, à hora do almoço, sem dizer como chegaria a Belém. Às onze e meia da noite do dia 15, Rioko foi presa por agentes do Exército no hotel em Marabá. A militante afirmou desconhecer a existência da guerrilha no Araguaia.

O documento termina com a inscrição:

São Paulo, 24 de agosto de 1972
Ass. Rioko Kayano

Abaixo, assinatura ilegível, semelhante a uma rubrica colocada no depoimento de Dower Moraes Cavalcante.

* * *

A Comissão Militar aceitou os argumentos de Zé Carlos. Alice apresentava sintomas de anemia e deveria ser retirada da área para cuidar da saúde. Ao mesmo tempo, restabeleceria o contato com o partido nas cidades, prejudicado desde o início do confronto armado.

A guerrilheira se despediu de Zé Carlos e dos companheiros no dia 25 de agosto. Saiu da mata acompanhada por Zezinho, o Michéas, militante treinado em Pequim que se tornara exímio mateiro e, muitas vezes, recebeu a tarefa de retirar comunistas da região dos combates.

Zezinho e Alice tentariam furar o bloqueio militar.

CAPÍTULO 58

Lena se diz arrependida, insatisfeita com a guerrilha

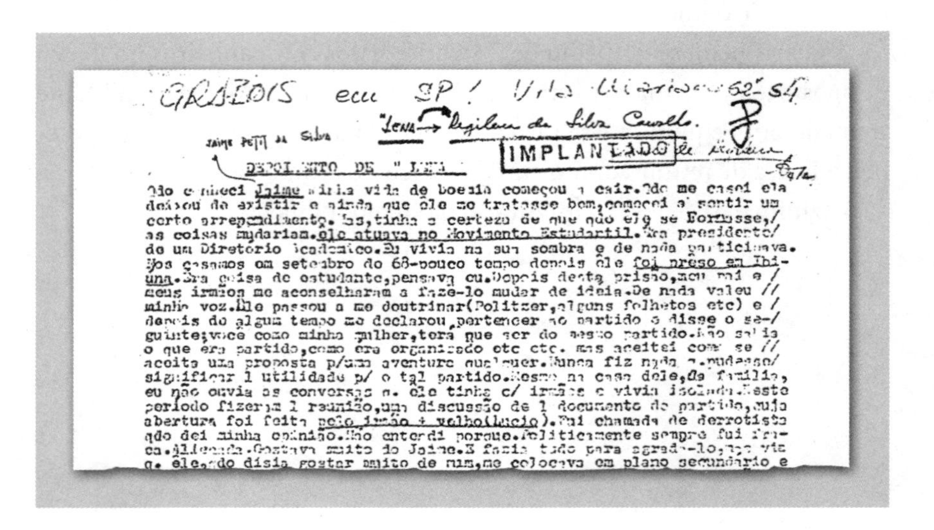

"Lena" → Regilena da Silva Carvalho.

Jaime Petit da Silva

IMPLANTADO

DEPOIMENTO DE "LENA"

Qdo conheci Jaime minha vida de boemia começou a cair. Qdo me casei ela deixou de existir e ainda que ele me tratasse bem, comecei a sentir um certo arrependimento. Mas, tinha a certeza de que qdo ele se formasse, / as coisas mudariam. ele atuava no Movimento Estudantil. Era presidente/ de um Diretório Acadêmico. Eu vivia na sua sombra e de nada participava. Nos casamos em setembro de 68-pouco tempo depois ele foi preso em Ibiúna. Era coisa de estudante, pensava eu. Depois desta prisão, meu pai e / meus irmãos me aconselharam a fazê-lo mudar de idéia. De nada valeu // minha voz. Ele passou a me doutrinar (Politzer, alguns folhetos etc) e / depois de algum tempo me declarou pertencer ao partido e disse o se-/ guinte; você como minha mulher, terá que ser do mesmo partido. Não sabia o que era partido, como era organizado etc etc. mas aceitei como se // aceita uma proposta p/uma aventura qualquer. Nunca fiz nada q. pudesse/ significar 1 utilidade p/ o tal partido. Mesmo na casa dele, da família, eu não ouvia as conversas q. ele tinha c/ irmãos e vivia isolada. Neste período fizeram 1 reunião, uma discussão de 1 documento do partido, cujo abertura foi feita pelo irmão + velho (Lucio). Fui chamada de derrotista qdo dei minha opinião. Não entendi porque. Politicamente sempre fui fraca. Alienada. Gostava muito do Jaime. E fazia tudo para agradá-lo, por via q. ele, qdo dizia gostar muito de mim, me colocava em plano secundário e

Três folhas datilografadas com o título *Depoimento de "Lena"*, mantidas por agentes do CIE, guardam detalhes revelados por Regilena da Silva Carvalho. O nome aparece manuscrito no alto da primeira página. Sem data, assinatura ou timbre, apenas com o carimbo *Implantado* e anotações à mão nas margens das três folhas, o texto traça o perfil de uma jovem insatisfeita com a militância política. Fala do casamento:

"Ainda que ele me tratasse bem, comecei a sentir certo arrependimento".

O matrimônio aconteceu em setembro de 1968. Jaime era um dos Petit militantes do PCdoB. Lena manifesta revolta com as ações do marido. Na faculdade, acreditava que suas atividades subversivas eram "coisa de estudante", fase que acabaria no fim do curso de Engenharia. Jaime foi preso no Congresso de Ibiúna, logo depois do casamento. Solto, revelou à esposa a condição de comunista; ela também deveria entrar para o PCdoB, argumentou o militante. A jovem se sentia sendo "doutrinada", mas concordou.

"Não sabia o que era o partido nem como era organizado, mas aceitei como se aceita uma proposta para uma aventura qualquer", disse a guerrilheira presa, segundo o documento.

Lena afirmou aos agentes nada ter feito em benefício do PCdoB. Quando estava com a família Petit, era excluída das conversas sobre a organização. Certa vez participou de uma reunião para discutir um documento lido por Lúcio, irmão mais velho de Jaime. Deu opinião e foi chamada de "derrotista". A guerrilheira se declarou "alienada". Gostava muito de Jaime e fazia tudo para agradá-lo, mas sentia-se relegada a segundo plano em relação à militância. Lúcio tinha sido contra o casamento, julgava os dois muito diferentes e, por isso, considerava o relacionamento uma "loucura".

Em fevereiro de 1969, Jaime foi chamado a se apresentar ao Exército. Não atendeu à convocação e fugiu para São Paulo, seguido por Lena no dia seguinte. Três meses depois, o partido enviou o casal para Goiânia. Ela trabalhou em uma empresa de transportes, em um hospital e no Fórum. Ele consertou rádios em uma oficina e instalou energia elétrica na zona rural.

Jaime mantinha contatos em Brasília e, de dois em dois meses, viajava para São Paulo. Algumas vezes ela ia junto. Em uma dessas vezes, esteve na "casa de banheiro verde". Um dirigente do PCdoB, o Antônio ou Pontes, a procurou. Disse que ela ainda não tinha condições de cumprir tarefas do partido. Com o tempo, porém, compreenderia melhor a política da organização e seria de grande utilidade.

Viveram dois anos em Goiânia. A vontade de Jaime era atuar no campo. Ainda morava na cidade, dizia, por falta de preparo para viver na zona rural. Em abril de 1971, uma carta do partido convocou os dois a São Paulo. Tiveram uma reunião com Maurício Grabois e Gilberto. O partido tinha decidido mandar os dois para uma tarefa no campo. O desejo de Jaime, enfim, seria realizado.

Grabois falou horas sobre o que os esperava. Os dois viveriam em uma fazenda. Morariam em uma casa coletiva e fariam trabalho político de massa. Depois, Lena pediu explicações ao marido. Queria saber mais sobre o tipo de vida que levariam. Ele pouco acrescentou. Reconheceu que a vida dos dois mudaria, mas não muito. Em maio de 1971, chegaram a Xambioá. Gilberto os acompanhou até Araguaína. Cazuza e Mundico foram com eles até Pau Preto, onde eram aguardados por Joaquim, Maria e Carlitos. Lena ficou decepcionada.

"O que eles chamavam de casa era um casebre horrível", descreveu a guerrilheira no depoimento.

Seu arrependimento ficou evidente desde o primeiro dia. Jaime, como sempre, tentava estimular a mulher.

"Dizia que gostava muito de mim, que eu superaria as dificuldades e outras baboseiras", relatou ela e acrescentou que muitas vezes pediu ao marido para ir embora, mas ele não dava ouvidos.

Lena culpava Jaime por estar em uma vida apenas por gostar dele. Pensava em fugir, mas não tinha coragem. Sofria em silêncio. Só o marido sabia, e também nada disse aos companheiros. Havia uma rotina. De manhã, trabalho braçal na roça. À tarde, ginástica. Uma vez por mês, exercícios táticos na selva; treinavam emboscadas e assaltos. Apresentavam muitas falhas. Os melhores resultados eram obtidos nos exercícios de tiro. Todos atiravam bem, contou Lena.

Quando Pedro Albuquerque e a mulher Ana fugiram, a Comissão Militar mandou o Destacamento C tomar providências. Por segurança, os pontos de apoio de Cachimbeiro e Caianos precisavam ser deslocados. Antes da mudança, os guerrilheiros deveriam construir depósitos de suprimentos. Cazuza chefiava o grupo de Lena. Os trabalhos não avançaram na velocidade necessária, conforme relatou ela.

Paulo, comandante do Destacamento C, trocou Cazuza por Jaime na chefia. O ritmo aumentou. As ordens eram cumpridas com disciplina. Tantas horas na produção, tantas em exercícios militares, ginástica e estudos. Os primeiros depósitos foram malconstruídos. A terra cedia e a parede dos buracos desmoronava. Carlitos e Mundico foram bem-sucedidos e conseguiram guardar farinha, feijão, arroz, sabão, sal, querosene e remédios. Em maio de 1972, tudo foi consumido depois que o destacamento se reuniu na mata.

Lena relatou aos agentes que os primeiros militares foram vistos perto da casa de Pau Preto no dia 14 de abril. Jaime partiu na mesma hora para avisar Antônio em Sobra de Terra. Daniel costumava fazer esse papel de estafeta, mas estava viajando. Tinha sido escalado para buscar os militantes Chico e Miguel, os dois últimos reforços do Destacamento C.

Quando chegou a Xambioá com os dois novos guerrilheiros, Daniel viu a cidade cheia de policiais e militares. Tentou seguir para Pau Preto.

No caminho soube por moradores que as casas tinham sido queimadas pelo Exército. Os companheiros haviam fugido. Daniel ficou sumido na mata, sem dar sinal de vida para os companheiros. Foi encontrado 15 dias depois por Carlitos e Mundico. Estava muito doente, escondido em um ponto usado para encontros dos guerrilheiros. Voltaram os três para onde estava o resto do grupo. Ficaram à espera de Paulo e Domingos, que tinham saído para tentar contato com a Comissão Militar. Queriam orientação sobre os movimentos seguintes. A ausência dos dois ficou registrada também no depoimento do guerrilheiro Dagoberto, o Miguel.

Paulo e Domingos levaram um mês para voltar ao destacamento. Fracassaram na tentativa de encontrar a Comissão Militar. Domingos, doente, não podia caminhar. Os dois foram encontrados por acaso quando Carlitos andava pela mata em busca de um depósito de farinha.

Lena relata que todos os integrantes do Destacamento C fizeram uma reunião. Paulo deu orientação para um mês de trabalho. Os três grupos se dispersaram, um em cada direção, para fazer contato com a massa. Deveriam tentar aproximação com os moradores em busca de informação, suprimentos e, se possível, adesões ao movimento armado contra os militares. Naquele momento, avaliaram ser perigoso procurar contatos com moradores desconhecidos ou suspeitos de colaborar com a repressão.

Reforçaram os cuidados com a segurança interna. Os nomes dos moradores procurados deveriam ser omitidos dos outros guerrilheiros. O grupo de Lena se subdividiu. Ela foi para um lado com Jaime e Daniel. Maria, Cazuza e Mundico seguiram em outra direção. Em uma semana Jaime e Mundico voltariam a se encontrar para avaliar o andamento dos trabalhos.

No começo os moradores ajudaram bastante com informações e comida. Os guerrilheiros se entusiasmaram com a perspectiva de sustentar por mais tempo a luta na mata. O clima de otimismo acabou quando Jaime esteve com Mundico e soube que Maria tinha morrido — tocaiada e fuzilada pelos militares no dia 15 de junho de 1972, quando chegava com o próprio Mundico e Cazuza à casa do camponês João Coioió (ver Capítulo 50). A partir daquele momento, não podiam mais confiar na população local.

Vítor e Carlitos saíram para tentar contato com a Comissão Militar e com o grupo de Antônio. Também voltaram sem cumprir a tarefa. Carlitos tinha uma infecção no pé e foi deixado na mata. Lena, Mundico e Daniel visitaram um colono e descobriram que Carlitos tinha sido preso com a ajuda de um morador conhecido como Pernambuco.

Jaime tinha saído em busca de Carlitos sem saber da queda do companheiro. Uma série de desencontros atrapalhou os contatos entre os integrantes do Destacamento C. Quando se reuniram novamente, Jaime contou ter visto rastros de militares. Entraram todos em uma região da mata conhecida como Pique do Antoninho, extensa e sem moradores. Nos manuais da guerrilha, tratava-se de uma "zona de refúgio".

Dedicaram os dias seguintes a treinamentos táticos e individuais para melhora dos reflexos. Paulo comandava. Fizeram marchas aceleradas na floresta e aumentaram os cuidados com a segurança. Deveriam estar preparados para o início dos combates, o mais rápido possível.

Muitos militantes questionaram as condições de armamentos, abastecimento e saúde. O comandante respondeu que combateriam de qualquer jeito. Tinham pouca munição e pouca comida, mas guerrilheiro, "quando quer, faz". A orientação de Paulo foi aguardar a chegada do grupo de Antônio para o início de uma fase de treinamento puxado. Em breve começariam a enfrentar as tropas do Exército com pequenas ações. Enquanto esperavam, mais exercícios. Faziam simulações de tiro, sinais de "alto", silêncio e quedas.

Novas normas foram fixadas. Cada combatente poderia ficar no máximo dois dias fora da zona de refúgio. O uso de facão ficou proibido, nenhum vestígio podia ser deixado na mata, os rastros tinham de ser apagados, principalmente nas travessias de grotas. Fogo só à noite e só o cozinheiro ficava perto; redes armadas longe uma das outras; sentinelas postados entre 200 e 300 metros de distância do acampamento.

Quando um militante se afastava, tinha de avisar aonde ia e quando voltava. Os acampamentos deveriam ser armados em mata fechada, de difícil acesso, longe das principais grotas, das estradas, das picadas e das trilhas. Necessitavam de grandes áreas, com caça abundante, castanha e coco. Paulo acreditava que conseguiriam comida em roças vizinhas ao Pique do Antoninho, local em que continuavam refugiados.

A última vez em que Lena esteve com os guerrilheiros do Destacamento C foi no dia 19 de julho de 1972, na grota do Zé Pereira. Estavam presentes Paulo, Jaime, Mundico, Áurea e Josias. Vítor e Ari tinham saído havia alguns dias para tentar encontrar o grupo de Antônio. Foram seguidos por Cazuza, que também não tinha voltado.

* * *

Na manhã daquele dia, Lena decidiu abandonar os companheiros. Caminhou pela grota, entrou na mata e se perdeu. Dormiu no chão. Acordou nervosa, com fome e com medo. Tentou sair do Pique do Antoninho. Andou devagar, segura de que nenhum guerrilheiro a localizaria na mata. Chegou a uma picada no final da tarde, mas não quis prosseguir. Temia encontrar as tropas à noite. Queria se entregar a um morador.

Seguiu no dia seguinte até a estrada e se aproximou da casa de um camponês chamado Manoel. Deixou o revólver na mata e se apresentou. O homem esperou mais um dia e foi para Xambioá avisar o Exército. A guerrilheira ainda tentou escapar durante a noite. Não sabia o que aconteceria depois de presa. Quando ouviu o barulho do helicóptero, fugiu apavorada. Correu descalça por muito tempo sem saber a direção. Pela manhã mudou de ideia mais uma vez e voltou para a casa de Manoel. Dali, foi para a prisão.

* * *

No depoimento, Regilena da Silva Carvalho falou sobre os integrantes do Destacamento C. Disse que Paulo era meio mole para dar ordens. Não tinha voz de comando e se mostrava mais político do que militar. O vice-comandante, Vítor, Lena avaliou como muito ativo, agitador, enérgico e respeitado. Jaime brigava muito e vivia "de saco cheio". Achava-se prejudicado pela mulher, que pensava o contrário.

O baiano Mundico sabia dar ordens e mostrava-se enérgico. Substituía Jaime na chefia do grupo. Os dois tinham rixas constantes. Cazuza era "bom politicamente", mas recebia críticas pelas avaliações que fazia em relação ao poder militar das tropas oficiais. Julgava o Exército muito superior à guerrilha e defendia a transferência do destacamento para uma região na qual as Forças Armadas não estivessem. Ganhou fama de "derrotista". Também não se entendia com Jaime.

A principal característica de Daniel, lembrada por Lena, foi o preparo militar. Ex-operário, era responsável pelos treinamentos. Ari conversava pouco, mas gostava de falar nas reuniões. Estava muito disposto a enfrentar as Forças Armadas. Segundo o depoimento de Lena, Áurea era muito resistente na mata, mas ideologicamente fraca.

Josias considerava a guerra popular puro romantismo. Dina era mulher forte, com muita iniciativa e disposição. Estava separada do marido Antônio, guerrilheiro forte, "boa cabeça" e da confiança do comandante Paulo. O velho Zé Francisco ainda tinha muita força para combater. Lena pouco conhecia Chico, o último a chegar. Parecia-lhe um sujeito calmo e distante da realidade.

Assim ficaram arquivadas no Centro de Informação do Exército as declarações da guerrilheira Regilena da Silva Carvalho, a Lena.

* * *

Sete de setembro de 1972. Zezinho e Alice chegam a Imperatriz. A cidade maranhense está em festa. Estudantes e policiais desfilam pelas ruas lotadas de pessoas com bandeirinhas e fitas verde-amarelas. O Brasil chegava aos 150 anos de sua independência de Portugal. A efeméride dá ao governo militar motivo para explorar o patriotismo da população com ostensiva campanha de comemoração. A ditadura ainda se embala nos números favoráveis da economia e no tricampeonato conquistado pela seleção canarinho dois anos antes, no México.

Bandas e fanfarras tocam músicas em exaltação ao sesquicentenário da independência. Em Imperatriz, uma das cidades mais importantes para a guerrilha, o governo tenta conquistar o povo. A ditadura age para reduzir o campo de atuação dos comunistas.

A viagem dos guerrilheiros foi cansativa. Durante duas semanas, andaram pelo meio do mato, percorreram trilhas e atravessaram igarapés. De Imperatriz, Zezinho retorna para a área do confronto e Alice segue para São Paulo.

CAPÍTULO 59

Guerrilheiros e militares tentam cativar moradores

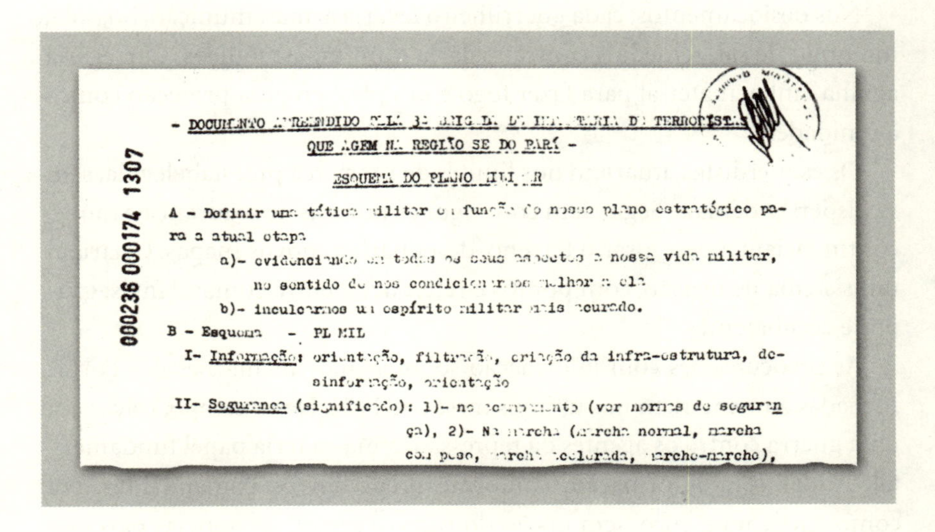

000236 000174 1307

- DOCUMENTO [illegible]DIDO [illegible] TERRORISTAS QUE AGEM N[illegible] REGIÃO SE DO PARÁ -

ESQUEMA DO PLANO [illegible]

A - Definir uma tática militar em função do nosso plano estratégico para a atual etapa

a)- evidenciando em todos os seus aspectos a nossa vida militar, no sentido de nos condicionarmos melhor a ela

b)- inculcarmos um espírito militar mais [illegible]curado.

B - Esquema - PL MIL

I- Informação: orientação, filtração, criação da infra-estrutura, desinformação, orientação

II- Segurança (significado): 1)- no [illegible] (ver normas de segurança), 2)- Na marcha (marcha normal, marcha com peso, marcha acelerada, marcha-marcha),

Os guerrilheiros elaboraram um plano de medidas práticas para resistir de setembro a dezembro. Queriam aproveitar as últimas semanas de seca para montar uma estrutura capaz de assegurar a sobrevivência no período das chuvas. Reforçaram o treinamento militar e investiram na relação com os moradores.

Disputariam com as Forças Armadas a influência sobre a população. Todas as famílias, conhecidas ou não, seriam visitadas e trabalhadas pelos propagandistas da guerrilha. Multiplicariam as iniciativas destinadas a abalar o moral do inimigo. Fariam demonstrações de força, tomariam armas, munição, roupas e calçados. Agiriam de forma a tornar a vida dos soldados cada vez mais difícil.

Atacariam em pontos diferentes para desorientar os militares. Executariam emboscadas, ocupariam corrutelas, fustigariam os agentes da repressão, enterrariam minas. Divulgariam documentos da guerrilha, espalhariam boatos para desinformar o inimigo.

Alguns militantes ficariam responsáveis pelo abastecimento de roupas, calçados e comida. Estocariam milho e farinha. Receberiam segurança especial para executar as tarefas. Os grupos cozinhariam em panelas coletivas e teriam, como alimentação básica, farinha de mandioca ou fubá e castanha.

Nos deslocamentos, cada guerrilheiro levaria armas, munição, bússola, um quilo de sal, remédios contra malária e antiespasmódicos. Carregaria agulha, linha, material para fazer fogo e um plástico para proteção contra a umidade.

Os esquerdistas atuariam nos limites de uma área preestabelecida, sem se dispersar demais. Seguiriam com rigor as normas de segurança e saúde, continuariam a pesquisar o terreno, desenhariam novos mapas. Criariam um sistema de ligação, com pontos e referências entre comandantes, grupos e combatentes.

As preocupações com informação sobre as movimentações das Forças Armadas aumentariam nos últimos meses de 1972. Nesse campo, travariam uma guerra contra os agentes da repressão: a massa teria papel fundamental. Andar sem informação, conforme pregavam os comandantes, era como andar no escuro, sem noção do rumo a seguir. As notícias passadas pelos moradores muitas vezes chegavam erradas, distorcidas pela falta de compreensão sobre os fatos ou por interpretações sem fundamento.

Os interesses individuais, o medo dos inimigos e os exageros dos moradores contribuíam para a adulteração das informações. As notícias espontâneas, que corriam de boca em boca, eram menos confiáveis. Os comunistas deveriam orientar os camponeses amigos a buscar novidades sobre fatos específicos, os mais importantes para a definição da tática militar daquele período. Para se protegerem, os guerrilheiros procurariam informar-se com o maior número possível de fontes. O cruzamento das versões permitiria à direção do movimento fazer análises mais seguras da realidade.

* * *

Dois documentos guardados pelo CIE detalham o plano militar e as medidas práticas dos últimos quatro meses do ano. As quatro páginas, arquivadas a partir do número 000236 000174 1307, transcritas pelos agentes da repressão, revelam a determinação dos guerrilheiros em permanecer na área e enfrentar o poder de fogo das Forças Armadas.

O último parágrafo da segunda folha mostra a importância dada pelos esquerdistas ao processo de coleta de informação. Revela também o papel reservado aos moradores pelos comunistas:

Na medida em que conseguirmos ganhar a massa para a nossa bandeira política, organizá-la sob essa bandeira, o processo de informação vai dar um salto enorme e só assim poderemos levar adiante nossa luta à vitória final.

CAPÍTULO 60

Bandeira conclui: é preciso explorar as fraquezas do inimigo

Os depoimentos dos guerrilheiros presos e as pistas arrancadas da população ajudam Bandeira a entender a estrutura dos comunistas. Aos poucos, baseado nos relatórios dos agentes de informação, o general forma convicções sobre o inimigo. A organização montada pelos subversivos até meados de setembro se divide em três forças, segundo a análise do general. As *políticas* são formadas por ex-integrantes do PCB insatisfeitos com a doutrina de coexistência pacífica. O PCdoB, escreve Bandeira, adota os princípios formulados por Mao Tsé-Tung. Tenta eclodir o movimento *terrorista* na área rural para, em seguida, tomar os centros urbanos.

As *forças auxiliares* constituem a rede de apoio dos esquerdistas, na definição do comandante da 3ª Brigada de Infantaria. Fazem parte desse segundo grupo os colaboradores da guerrilha recrutados na região e integrantes do partido em contato com outras áreas. Eles têm a responsabilidade de prestar ajuda logística aos guerrilheiros e informá-los sobre as movimentações das tropas militares. Os combates constituem tarefa das *forças de guerrilha*, terceira categoria imaginada por Bandeira.

O general viajaria para o Araguaia com um organograma do movimento armado do PCdoB. No topo, fica o *Birô Político*, grupo responsável pela ligação com as bases do partido, notadamente em São Paulo. Os integrantes dessa cúpula permanecem muito tempo fora da região.

Abaixo do *Birô Político*, fica a *Comissão Militar*, formada por dirigentes com poderes para definir os assuntos táticos e logísticos. Os *destacamentos* são as *unidades de combate*. Eles têm autonomia para realizar ações isoladas e cuidam da administração e manutenção do grupo.

Bandeira estudou o mapa do sudeste do Pará. Nas proximidades da Transamazônica fica o Destacamento A. O B atua no vale da Gameleira. E o C, a sudoeste da Serra das Andorinhas. Cada um com um efetivo inicial, aproximado, de 23 integrantes. Os grupos internos, em geral com sete guerrilheiros, podem agir descentralizados ou coordenados pelo destacamento.

No início de setembro, o general calcula em 57 o número de guerrilheiros vivos. No Destacamento C, o mais atingido pela repressão, restam 13 integrantes. No A, os 23 permanecem ativos; e, no B, restam 21 combatentes. Existe ainda a Comissão Militar.

Os subversivos usam armas obsoletas e sofrem carência de munição. Bandeira analisa que os militares precisam saber explorar as fragilidades dos guerrilheiros.

Muitos guerrilheiros conhecem bem a área. Moram na região faz tempo, alguns mais de seis anos. Seguem um plano de treinamento militar com práticas de acampamento, instruções de tiro, sobrevivência na selva, marchas noturnas e diurnas, emboscadas, fustigamentos, assaltos, logística e estudo do inimigo. Fazem reconhecimento do terreno e aprenderam a se orientar com o sol, o Cruzeiro do Sul, grotas e bússolas.

Alguns são bem conhecidos, com acentuado grau de liderança. O guerrilheiro Osvaldão, comandante do Destacamento B, apresenta-se como governador do Pará e conquistou a admiração dos moradores, especialmente das crianças. A população tem gratidão por Juca e Dina, pelos serviços na área de saúde, e resiste a fornecer informações sobre os dois.

Os *terroristas* enfrentam problemas de saúde por causa de condições sanitárias precárias. Eles têm dificuldades para obter produtos básicos. Falta sal. No campo psicológico, os guerrilheiros podem ameaçar ou executar represálias contra moradores que colaborem com os militares. Para combater, realizarão emboscadas e fustigamentos a partir das áreas escolhidas para homizio. Ainda contam com o apoio de moradores e de colaboradores externos. Evitarão ao máximo o contato com as tropas.

Antes do início da perseguição, em março, os guerrilheiros faziam constantes deslocamentos pela região. Buscavam mais contato com a população para pregar a doutrina comunista, conforme conclui Antônio Bandeira. Os movimentos serviam também para estabelecer contatos entre os grupos, confundir as tropas e descobrir novas áreas de refúgio.

Agora, em setembro, os três destacamentos atuam como organizações militares, na definição do comandante da 3ª Brigada de Infantaria. Todos os integrantes são combatentes, com codinomes ou número de identificação. Os esquerdistas se encontram mais fracos a sudoeste da Serra das Andorinhas, desfalcados das baixas impostas pelos militares ao Destacamento C.

Bandeira conclui que a preparação dos guerrilheiros se baseia na experiência dos que fizeram cursos em países comunistas e em manuais roubados dos quartéis brasileiros. Alguns, produzidos pela Academia Militar de Agulhas Negras.

Os subversivos *terroristas* haviam matado, na região do Pau Preto, o mateiro João Pereira, morador recrutado pelo Exército para trabalhar como guia. Os militares vão usar esse fato para desfazer a imagem de generosidade e desprendimento cultuada pelos *paulistas* junto à população.

A execução do mateiro assustou a população. Muitos ficaram com medo e tentaram fugir para Xambioá, mas o Exército reprimiu. A presença das famílias na cidade usada como base militar atrapalharia as ações de repressão. A 1ª Companhia do 10° BC ajudou a barrar a movimentação com uma operação de contrainformação.

Na avaliação do general Bandeira, às vésperas dos combates que ele pretende decisivos, os guerrilheiros julgam ter condições de sobreviver o tempo suficiente para consolidar o movimento subversivo. Conhecem melhor a região e desgastarão as tropas inexperientes.

As Forças Armadas tentariam dar um golpe definitivo no avanço do movimento comunista no Brasil.

CAPÍTULO 61

Guerrilheiros executam caboclo por delação

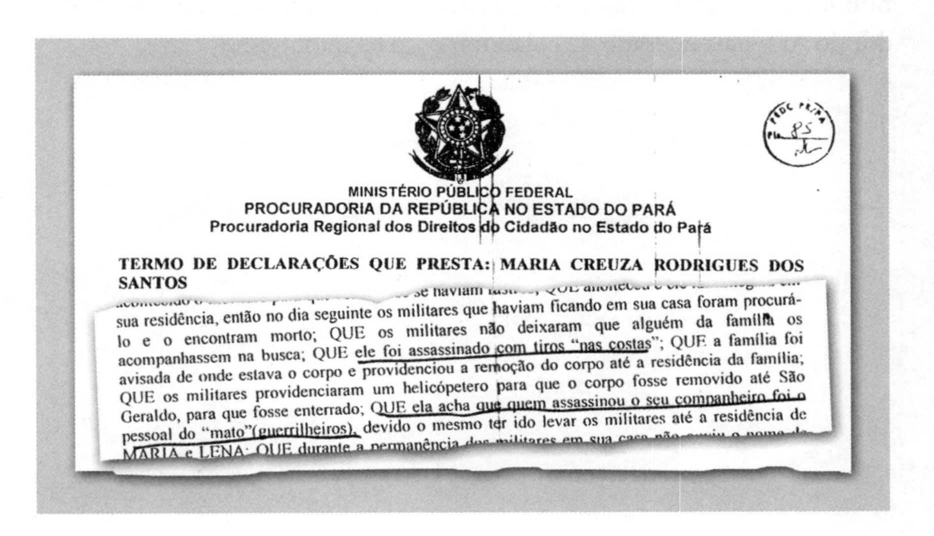
MINISTÉRIO PÚBLICO FEDERAL
PROCURADORIA DA REPÚBLICA NO ESTADO DO PARÁ
Procuradoria Regional dos Direitos do Cidadão no Estado do Pará

TERMO DE DECLARAÇÕES QUE PRESTA: MARIA CREUZA RODRIGUES DOS SANTOS

sua residência, então no dia seguinte os militares que haviam ficando em sua casa foram procurá-lo e o encontram morto; QUE os militares não deixaram que alguém da família os acompanhassem na busca; QUE ele foi assassinado com tiros "nas costas"; QUE a família foi avisada de onde estava o corpo e providenciou a remoção do corpo até a residência da família; QUE os militares providenciaram um helicópetero para que o corpo fosse removido até São Geraldo, para que fosse enterrado; QUE ela acha que quem assassinou o seu companheiro foi o pessoal do "mato"(guerrilheiros), devido o mesmo ter ido levar os militares até a residência de MARIA e LENA; QUE durante a permanência

O lavrador João Pereira da Silva morava em Pau Preto com os pais, a esposa, Maria Creuza Rodrigues dos Santos, e dois filhos — um com dois anos e outro com oito meses. O casal de camponeses conviveu muito tempo com os guerrilheiros Maria, Lena, Jaime e Joaquim antes dos combates. Uma noite, seis militares chegaram e disseram que os vizinhos eram *terroristas.*

Os homens do governo intimaram o camponês a levá-los até a casa dos guerrilheiros. João não teve alternativa. Quando chegaram perto, os guerrilheiros fugiram. Os militares tocaram fogo na habitação. No dia seguinte, João recebeu uma arma e ordens para se deslocar até o local do incêndio e verificar se havia rastros. Ele foi. O dia passou, a noite caiu e o lavrador não retornou.

Quando amanheceu, os militares que ficaram na propriedade do casal saíram em busca de João Pereira e o encontraram morto. Avisaram a família e levaram o corpo de helicóptero até São Geraldo. Os guerrilheiros vingaram-se de João por ter guiado as forças repressoras até Pau Preto.

Antes, os guerrilheiros acusavam o caboclo de trabalhar como *bate-pau* da polícia. Quando souberam da ajuda ao Exército, usaram o caso como exemplo. De surpresa, encontraram João Pereira em uma picada e o intimaram a levantar os braços. João não obedeceu. Os comunistas abriram fogo. Pela primeira vez os militantes do PCdoB mataram um morador do Araguaia acusado de colaborar com os militares.

CAPÍTULO 62

O fantasma da guerrilha assombra os militares

O general Vianna Moog se surpreendeu com a resistência dos comunistas. A extensão da área e a proteção da mata impuseram seguidas derrotas ao Exército. Mais de cinco meses se passaram sem que os guerrilheiros apresentassem sinais de enfraquecimento, apesar da deficiência das armas e do despreparo de alguns combatentes.

A situação se mantinha inalterada, avaliava Moog, com tendência a se agravar. Os militares temiam o fortalecimento da iniciativa armada do PCdoB com integrantes de outras organizações. A repercussão — no Araguaia, dentro e fora do Brasil — poderia atrair apoio financeiro e novos combatentes. O general Bandeira dizia ter informações sobre a presença de novos guerrilheiros. O movimento revolucionário internacional provocava pavor nos generais. A China ajudara no treinamento dos guerrilheiros, financeiramente. Cinco anos antes, Che Guevara, um dos líderes da revolução cubana, fora morto na selva da vizinha Bolívia no comando de um levante armado.

O fantasma da revolução assombrava o governo militar.

Até ali, a censura mantinha os fatos abafados, mas documentos produzidos pelo PCdoB circulavam nas redações, nas universidades e nos bastidores da Igreja Católica. As rádios Tirana e Pequim divulgavam. Os esquerdistas continuavam na floresta, contavam com apoio de grande parte da população e desafiavam a ditadura.

A cúpula das Forças Armadas decidiu realizar uma operação de maior envergadura. Ao mesmo tempo, executaria ações sociais para atrair os moradores; e uma guerra psicológica para abater o moral do inimigo.

Os generais precisaram evitar o vazamento da inusitada movimentação de tropas. O CMP apontou a saída. Antes da descoberta do movimento armado, o CMP havia programado uma grande manobra do Grupamento A/72 para aquele ano. Por decisão do EME, Estado-Maior do Exército, esse exercício seria realizado no sudeste do Pará. Para o público externo, tratava-se apenas de treinamento na selva. Nos documentos secretos elaborou-se uma campanha com a finalidade de eliminar os *terroristas* e assegurar o clima de tranquilidade na tríplice divisa.

O EME aceitou a sugestão de reforçar a manobra com tropas do CMA, do IV Exército, de paraquedistas, da Marinha e da Aeronáutica. Agentes do CIE, do CISA e do Cenimar continuariam infiltrados na população. As três forças executariam ações sociais por onde passassem, sem prejuízo das missões de combate aos comunistas. As Aciso se destinavam a neutralizar o trabalho de aproximação com os moradores, desenvolvido desde 1966 pelos *paulistas*, e ajudavam a disfarçar a perseguição aos guerrilheiros.

Nascia a Operação Papagaio.

CAPÍTULO 63

Fuzileiros entram para fazer operação limpeza na área

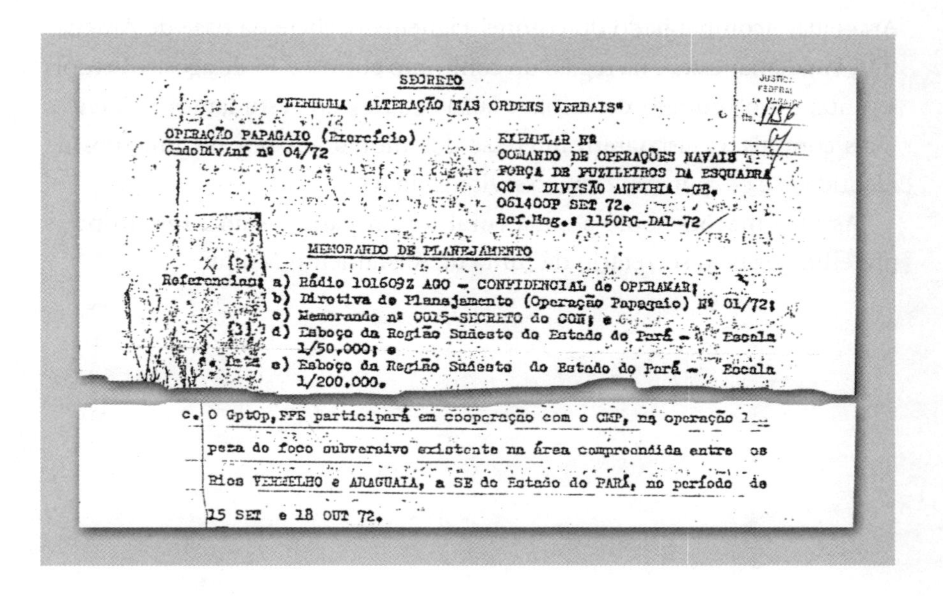

SECRETO

"NENHUMA ALTERAÇÃO NAS ORDENS VERBAIS"

OPERAÇÃO PAPAGAIO (Exercício)
CmdoDivAnf nº 04/72

EXEMPLAR Nº
COMANDO DE OPERAÇÕES NAVAIS
FORÇA DE FUZILEIROS DA ESQUADRA
QG – DIVISÃO ANFIBIA –GB.
061400P SET 72.
Ref.Msg.: 1150PC-DAL-72

MEMORANDO DE PLANEJAMENTO

Referencias: a) Rádio 101609Z AGO – CONFIDENCIAL de OPERAMAR;
b) Diretiva de Planejamento (Operação Papagaio) Nº 01/72;
c) Memorando nº 0015–SECRETO do CON; e
d) Esboço da Região Sudeste do Estado do Pará – Escala 1/50.000; e
e) Esboço da Região Sudeste do Estado do Pará – Escala 1/200.000.

c. O GptOp, FFE participará em cooperação com o CMP, na operação limpeza do foco subversivo existente na área compreendida entre os Rios VERMELHO e ARAGUAIA, a SE do Estado do PARÁ, no período de 15 SET e 18 OUT 72.

Uma *Carta de Instruções* assinada pelo vice-almirante Edmundo Drummond Bittencourt chega ao capitão de corveta Uriburu Lobo da Cruz. Fixa diretrizes para a captura dos guerrilheiros. Bittencourt comanda o Corpo de Fuzileiros Navais. Encarrega Uriburu de constituir um Grupamento Operativo da Força de Fuzileiros da Esquadra (FFE) para combater no Araguaia. Estabelece prazo de 30 dias para a missão.

A manobra será executada, *a título de exercício,* para fazer uma *operação limpeza* na área. *Palco para ações de subversivos.* O documento revela indicativos de fonia e código da operação sob a responsabilidade do Grupamento Operativo da FFE:

CGCFN: ARARA
GptOp: PAPAGAIO

* * *

Coube ao coronel Waldemar de Araújo Carvalho, do Batalhão da Guarda Presidencial, a responsabilidade de executar a Aciso da Operação Papagaio. Antes, o militar fez um reconhecimento das necessidades da população do Araguaia. Acompanhado do coronel Figueiredo, chefe da base de Araguatins, Waldemar esteve na região do confronto entre 9 e 15 de agosto. Os dois levantaram o número de escolas, faixas etárias dos estudantes e doenças mais comuns. Constataram interesse dos moradores por documentos de identidade e de quitação com o serviço militar.

As informações sobre a zona rural foram passadas ao Exército pelas prefeituras e pelo secretário da Junta de Alistamento Militar.

CAPÍTULO 64

Flávio escreve aos pais; Alice vira clandestina em São Paulo

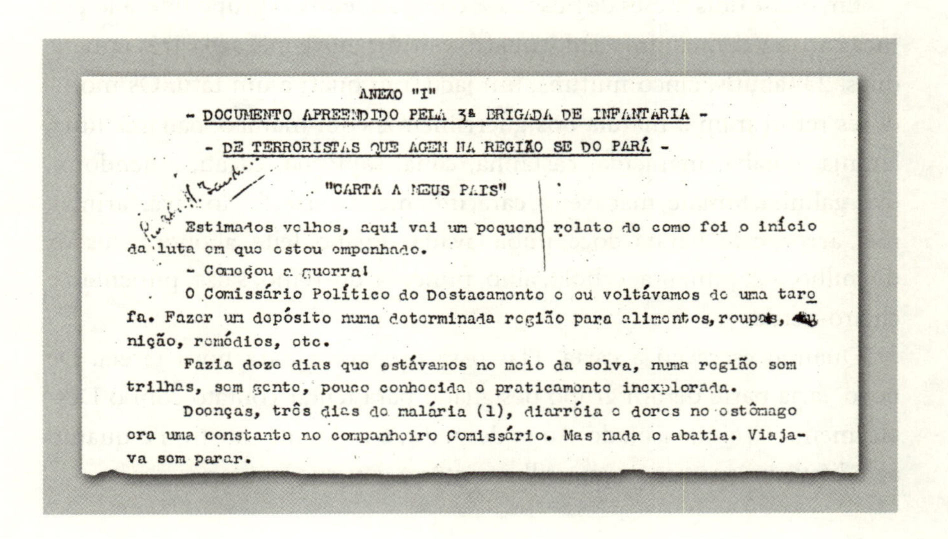

ANEXO "I"

- DOCUMENTO APREENDIDO PELA 3ª BRIGADA DE INFANTARIA -

- DE TERRORISTAS QUE AGEM NA REGIÃO SE DO PARÁ -

"CARTA A MEUS PAIS"

Estimados velhos, aqui vai um pequeno relato de como foi o início da luta em que estou empenhado.

- Começou a guerra!

O Comissário Político do Destacamento e eu voltávamos de uma tarefa. Fazer um depósito numa determinada região para alimentos, roupas, munição, remédios, etc.

Fazia doze dias que estávamos no meio da selva, numa região sem trilhas, sem gente, pouco conhecida e praticamente inexplorada.

Doenças, três dias de malária (1), diarréia e dores no estômago era uma constante no companheiro Comissário. Mas nada o abatia. Viajava sem parar.

Carta a meus pais:
Estimados velhos, aqui vai um pequeno relato de como foi o início da luta em que estou empenhado.

Assim Flávio começa a mensagem, escrita à mão, em 10 de setembro de 1972. Põe no papel as experiências mais marcantes dos cinco primeiros meses de confronto com as Forças Armadas. Constrói texto bem elaborado, espécie de crônica da luta na selva.*

Aos 30 anos, Flávio revela-se convicto da justeza do movimento armado, confiante na vitória e fascinado pela floresta amazônica. Narra as semanas de caminhada em busca do Destacamento C e relembra os encontros com os camponeses. O apoio local aumenta a esperança no triunfo da luta contra as forças repressivas. Em breve, imagina o guerrilheiro, grupos de moradores engrossarão as fileiras comunistas.

** Leia íntegra da carta nos Anexos, no final deste livro.*

Um trecho da carta contém os típicos recados de um filho distante para uma mãe preocupada. Flávio derrama-se em elogios à fartura e à variedade da comida na floresta. *Talvez esta seja a única guerrilha da história em que, no seu início, todos os guerrilheiros engordaram*, brinca ele.

Em quase dois meses de busca aos companheiros, o grupo liderado por Juca caçou e comeu um veado, quatro caititus, nove macacos, três tamanduás, 23 jabutis, cinco mutuns, um jacu, um quati e um tatu. Os moradores reforçaram a matula dos guerrilheiros com mamão, banana, lima, laranja, goiaba, maracujá, castanha, cana, sapucaia, cacau, amendoim, ovo, galinha, tomate, macaxeira, cará, inhame, maxixe, feijão, fava, farinha, mel, arroz, café, batata-doce, puba lavada, quiabo, leite, abóbora, cuscuz de milho, sal, pimenta, cebola, alho, pimenta-do-reino, salsa, pimentão e cheiro-verde.

Quando escreveu a carta, Flávio se preparava para nova tarefa. De novo, faria parte de um grupo designado para tentar contato com o Destacamento C, ainda isolado. Ao se despedir, o militante mostrou o quanto acreditava no sucesso da guerrilha contra o governo militar:

> *Meus velhos, olhem para o horizonte. Os raios de esperança começam a nascer. Assim como o sol surge numa manhã limpa e clara e vai aos poucos tomando corpo e esquentando a terra, também nós e a revolução estamos nascendo, tomando corpo e esquentaremos a nossa Pátria com a fogueira da guerra popular.*
>
> *Que os generais fascistas espumem de ódio, a revolução é uma realidade e o povo vencerá.*
>
> *Meus queridos velhos, estou ansioso para chegar o dia de entrar em nossa casa, abraçá-los saudoso e lhes dizer: "Eis aqui a revolução triunfante".*
>
> *Do filho que os admira e estima*
>
> *Flávio*

* * *

A guerrilheira Alice, ou Crimeia Alice Schmidt de Almeida, chega a São Paulo no dia 10 de setembro de 1972. Sozinha e sem lugar para ficar, procura pela irmã Amélia, a Amelinha, no antigo emprego, a Associação de Pais e Amigos de Excepcionais (APAE). Uma funcionária diz que não sabe onde encontrá-la, mas se esforçará para conseguir alguma pista. Deu certo.

Poucos dias depois, Crimeia e Amelinha marcam encontro por telefone. A recém-chegada do Araguaia passa a morar com a irmã, dois sobrinhos e o cunhado, César Augusto Teles, taxista e responsável por uma gráfica do PCdoB.

A guerrilheira Alice, grávida e esperando um neto do dirigente Maurício Grabois, viveria clandestina em São Paulo.

* * *

Os soldados a caminho do Araguaia recebem um panfleto sobre conduta assinado pelo general Bandeira. A folha de papel lembra que atuarão em áreas nas quais o Exército jamais esteve. A imagem da Força Terrestre depende do comportamento de cada um. O documento está dividido em duas colunas. A primeira relaciona as obrigações. A segunda, as proibições.

CONDUTA PARA COM A POPULAÇÃO CIVIL

SOLDADO!

Você irá atuar em regiões onde muitos habitantes nunca viram um soldado do Exército.

Do seu comportamento dependerá a imagem que o povo fará de nosso Exército.

VOCÊ DEVE:

— Respeitar os habitantes.
— Respeitar a propriedade alheia.
— Tratar com urbanidade a todos.
— Tratar com todo o respeito as senhoras e senhoritas.
— Acatar as autoridades locais.
— Pagar pelo justo preço o que comprar.
— Indenizar pelo justo preço o que danificar e não puder reparar.
— Ajudar a quem lhe pedir, dentro de suas possibilidades.

VOCÊ NÃO DEVE:

— Dirigir gracejos e insultos aos habitantes.
— Colher frutos da propriedade alheia.
— Penetrar em residências.
— Depredar a coisa pública ou particular.
— Ser grosseiro com os habitantes.
— Maltratar os animais.
— Danificar as colheitas.

Você é um militar inteligente e consciente. Não necessita da presença de um superior para cumprir fielmente essas normas de procedimento.

Seu Comandante.

CAPÍTULO 65

Militares matam moradores. Repórter vai atrás da guerrilha

008236 000174 1311

- DOCUMENTO APREENDIDO PELA 3ª BRIGADA DE INFANTARIA DE TERRORISTAS QUE AGEM NA REGIÃO SE DO PARÁ -

AOS AMIGOS DE PORTO FRANCO, TOCANTINÓPOLIS E ESTREITO

Após alguns anos de ausência, volto a dirigir-me à população dessa região, onde prestei serviços como médico durante mais de um ano, em 1967 e 1968. O objetivo desta carta é falar-lhes da luta que eclodiu no Sul do Pará, às margens do Rio Araguaia, em abril último, da qual participo juntamente com muitos outros moradores dos municípios de São João do Araguaia e Conceição do Araguaia.

Na atividade profissional, tive oportunidade de travar conhecimento íntimo com a difícil situação do povo dos sertões do Maranhão e do Norte de Goiás. Qualquer morador é testemunha de que muitas pessoas morriam à míngua por falta de recursos para tratamento, mulheres faleciam por ocasião de partos, crianças eram vitimadas por verminoses, trabalha-

Juca, o Dr. Juca, ou João Carlos Haas Sobrinho, sente saudade dos tempos de Porto Franco. Durante mais de um ano, exerceu a profissão na pequena cidade maranhense com humildade e dedicação. Único médico das redondezas, viajou por estradas de chão batido, muitas vezes a pé, para atender a chamados de emergência. Fez partos, socorreu doentes, crianças com verminose e acidentados.

Em pouco tempo, com a ajuda da população, montou um pequeno hospital. Porto Franco passou a receber doentes do sul do Maranhão, sudeste do Pará e norte de Goiás. Na ausência dos governos, o militante do PCdoB, treinado em guerrilha na China, ganhou respeito e prestígio dos moradores dos três estados. Naquela região esquecida, brasileiros de todas as idades morriam por falta de médicos, remédios e estrutura hospitalar. Não havia aparelho de raio X nem de oxigênio.

Aos poucos Juca passa a fazer trabalho político. Pede recursos para melhorar a saúde da região e culpa o governo dos generais pelas dificuldades do povo. Afirma que muitas doenças poderiam ser evitadas com aplicação de vacinas e campanhas educativas. Um dia, o médico some sem se despedir dos amigos. Seu nome e sua fotografia aparecem em um cartaz de "terroristas" procurados pelo governo militar. Hora de fugir para o Araguaia, lugar escolhido pelo PCdoB para acolher os perseguidos pela ditadura.

Em setembro de 1972, quase quatro anos depois de deixar o Maranhão, Juca escreve uma carta endereçada "*Aos Amigos de Porto Franco, Tocantinópolis e Estreito*". No texto, longo e sentimental, o médico faz uma retrospectiva do período vivido na região das três cidades, até o final de 1968. Agradece pelas manifestações de apoio ao trabalho executado e mais uma vez ataca a ditadura. Descreve a miséria da população, denuncia a humilhação imposta a lavradores e posseiros por bate-paus a serviço de grileiros de terras. Narra as investidas iniciadas em abril pelas Forças Armadas e pela Polícia Militar. Acusa os militares de espancar e matar moradores, queimar casas e paióis, saquear propriedades.

Alguns dos perseguidos pela repressão resistiram e fugiram para a mata armados do que puderam, para enfrentar a violência da ditadura. Juca revela aos amigos que se juntou aos revoltosos. Desde então, integra uma força preparada para defender a própria sobrevivência e os interesses do povo.

As Forças Guerrilheiras do Araguaia, segundo João Carlos Haas, lutam pelo progresso do interior, pela derrubada da ditadura militar e pela instalação de um governo democrático, interessado em conduzir o Brasil pelo caminho da prosperidade, da liberdade e do bem-estar. Faz cinco meses que combatem, há mortos e feridos. Fala da formação da ULDP, organizada para reunir todas as pessoas interessadas em lutar pela liberdade, pela emancipação nacional e pelo progresso das regiões atrasadas do País. Podem participar peões, castanheiros, mariscadores, garimpeiros, posseiros, estudantes, funcionários e comerciantes. Ele acredita em um levante do povo do interior contra o governo.

Embrenhado nas matas do Araguaia, o médico conclama os amigos de Porto Franco, Tocantinópolis e Estreito a engrossar as forças guerrilheiras. Estende o chamado a toda a população de Carolina, Imperatriz, Araguatins, Itaguatins, Xambioá e Araguaína.

Os guerrilheiros estão abertos a receber todo injustiçado e perseguido, todo revoltado e inconformado com a situação do Brasil. Impõem, como condição, a disposição de pegar em armas. Quem não quiser entrar em combate pode colaborar com ajuda material ou apoio político.

João Carlos Haas Sobrinho assina o nome completo na carta escrita em 12 de setembro em algum lugar das matas do Araguaia. Na última linha pede a divulgação da mensagem para amigos e conhecidos.

* * *

Nos dias 14 e 15 de setembro, antes da chegada de todas as tropas, militares tentaram confirmar informações sobre a existência de um depósito de suprimentos na região da Gameleira. Foram recebidos à bala por guerrilheiros perto de um igarapé. Revidaram aos tiros e fugiram sem conseguir cumprir a missão.

A refrega aconteceu perto de duas passagens. Lourival, Glênio e Mané aguardaram durante dois dias emboscados. Apareceram dez inimigos.

Manoel abriu fogo, os outros dois acompanharam. Glênio viu um soldado cair. Conforme ordens recebidas do comando, os três guerrilheiros se retiraram na mesma hora. Haviam cumprido o objetivo: retardar o avanço dos militares.

* * *

Rumores sobre a existência de uma guerrilha no sul do Pará chegam a Carlos Chagas, chefe da sucursal de Brasília do jornal *O Estado de S. Paulo*. Porta-voz da Presidência da República durante o governo Costa e Silva, o jornalista do *Estadão* tem trânsito privilegiado na cúpula militar. Os boatos se transformam em certeza quando os muros de algumas capitais aparecem com pichações feitas em exaltação ao conflito armado no Araguaia. Os militantes do PCdoB denunciam com *spray* o conflito. Com isso, driblam a censura imposta pelo regime autoritário.

Chagas telefona todos os dias para Júlio Mesquita, dono do jornal, e passa a lista com os principais assuntos de Brasília. Em uma das conversas, o chefe da sucursal fala sobre a guerrilha. O assunto merece atenção, mas os militares mantêm o tema em sigilo.

Como sempre fazia, Mesquita reagiu com xingamentos contra os arbítrios do regime. A dura convivência com as ordens produzidas nos quartéis, em nome do governo, deixava o empresário enfurecido. Uma lista diária dos assuntos proibidos chegava à redação em São Paulo. Na oficina do jornal, um censor lia todas as páginas antes da impressão.

"Vamos cobrir essa guerrilha. Mande um repórter para a região", ordenou o dono do *Estadão*.

O chefe da sucursal de Brasília pautou o repórter Henrique Gonzaga Júnior, conhecido como Gougon, para viajar até Xambioá e fazer uma reportagem sobre o conflito armado na selva.

"Queremos um testemunho sobre a guerrilha. Precisamos saber o que está acontecendo lá", orientou Chagas.

Gonzaga cobria o Palácio do Planalto para o *Estadão* havia oito meses. Antes, durante mais de um ano, trabalhou como setorista do jornal na área militar. Ainda conservava as credenciais do Ministério do Exército e do Estado-Maior das Forças Armadas (EMFA). No tempo em que circulou pelos quartéis, o repórter passou a compreender bem o funcionamento da estrutura militar. Aprendeu os códigos de comportamento e desfrutou da confiança da caserna. O relacionamento amigável certa vez rendeu a Gonzaga o convite para participar de um treinamento antiguerrilha em uma fazenda próxima a Alto Paraíso, no interior de Goiás.

O repórter participou da simulação como figurante. Por opção, fez papel de guerrilheiro. Correu, fez ginástica e comeu carne de cobra. Agora, pautado pelo jornal, Gonzaga realizaria a cobertura de um combate real entre militares e esquerdistas na selva amazônica.

* * *

Gonzaga viajou de carro, em uma Kombi com logotipo do jornal estampado nas portas. A identificação evitaria mal-entendidos com os militares. Ao volante, por indicação de Chagas, seguiu o motorista Jorge Faria — sujeito bem-humorado, brincalhão e curioso. Gonzaga gostou da escolha, pois uma viagem como aquela exigia um bom companheiro. Jorge Faria gostava de ajudar os repórteres. Meio malandro e muito simpático, com frequência participava das apurações.

Sem ideia do que encontraria pela frente, o repórter temia a reação dos militares ao tomar conhecimento da presença da imprensa no Araguaia.

Armou-se de argumentos para o caso de ser barrado. Tinha a desculpa de estar em Xambioá para cobrir a Aciso programada pelas Forças Armadas para a região.

Os dois homens do *Estadão* pegaram a Belém-Brasília no início da segunda quinzena de setembro. A estrada ainda se encontrava em obras, sem asfalto e cheia de variantes. Levaram mais de dois dias para chegar a Xambioá.

PARTE III

A GRANDE MANOBRA

Setembro a outubro de 1972

CAPÍTULO 66

Um balaço para Amaury. Para o repórter, um aviso: "Saia daqui."

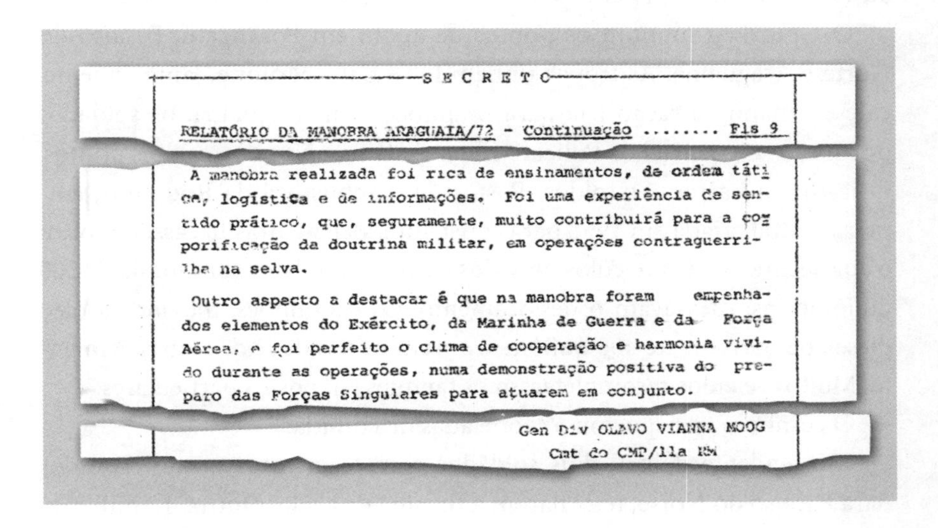
S E C R E T O

RELATÓRIO DA MANOBRA ARAGUAIA/72 - Continuação .... Fls 9

A manobra realizada foi rica de ensinamentos, de ordem tática, logística e de informações. Foi uma experiência de sentido prático, que, seguramente, muito contribuirá para a corporificação da doutrina militar, em operações contraguerrilha na selva.

Outro aspecto a destacar é que na manobra foram empenhados elementos do Exército, da Marinha de Guerra e da Força
Aérea, e foi perfeito o clima de cooperação e harmonia vivido durante as operações, numa demonstração positiva do preparo das Forças Singulares para atuarem em conjunto.

Gen Div OLAVO VIANNA MOOG
Cmt do CMP/11a RM

A maior movimentação de tropas no Araguaia aconteceu a partir da segunda semana de setembro de 1972, antes do início das chuvas. A Operação Papagaio, planejada por Vianna Moog e executada por Antônio Bandeira, reuniu mais de 3 mil homens do Exército, com apoio da Marinha e da FAB. O CMA participou com 750 homens.

Grande parte das tropas seguiu a mesma rota percorrida pelos guerrilheiros a caminho do Araguaia. Filas de caminhões, picapes e jipes pegaram a Belém-Brasília a partir de 10 de setembro. A coluna se estendeu por centenas de quilômetros. Durante quatro dias, 220 veículos transportaram 2.450 militares por 1.400 quilômetros do Planalto Central até Xambioá.

O CMP formou um Gpto Log (Grupamento Logístico) com pessoal deslocado de dez unidades militares diferentes. Apesar do improviso, funcionou. O gigantesco comboio verde-oliva teve três pontos de apoio na estrada e chegou a Xambioá na data prevista. O Exército reforçou a frota com viaturas da Polícia Militar do Distrito Federal. Os buracos da Belém-Brasília e a falta de manutenção provocaram danos nos veículos. Cinco carros e dois reboques-cisterna ficaram no meio do caminho, com defeitos nos sistemas de engate. Os reboques-cisterna eram grandes depósitos de combustível puxados por outros veículos. Pouco ajudaram, pois permitiam o abastecimento de um só tanque de cada vez e provocavam atraso da coluna. Em Paraíso do Norte, um caminhão pegou fogo.

O Gpto Log montou os pontos de apoio em Porangatu, Paraíso do Norte e Araguaína. As tropas tinham local para pernoite, jantar quente, café da manhã e ração fria para o almoço. Em Araguaína, os soldados dormiram no quartel da Polícia Militar de Goiás. Nos outros dois pontos, ficaram em barracas e toldos. Postos de combustível da Rodobrás, empresa estatal criada em 1958 para construir a Belém-Brasília, asseguravam o abastecimento. Os veículos movidos a gasolina tinham autonomia de 200 quilômetros. Atrasavam o deslocamento. Os caminhões, movidos a óleo diesel, percorriam até 400 quilômetros sem necessidade de reabastecimento. Muitos veículos recompletaram os tanques em postos particulares.

O comboio transportou 57 toneladas de comida.

Um acidente deixou dois soldados com ferimentos graves. Levados para Paraíso do Norte, retornaram a Brasília de avião. Outros 12 militares foram mandados de volta, pela estrada, por problemas menores. Apertado em um dos caminhões do Exército, um soldado de Cristalina levou uma câmera fotográfica escondida no coturno. O jovem desafiava a ordem de sigilo absoluto imposta, mas nem imaginava voltar para casa com as imagens de uma guerra.

* * *

O Comando das Operações Aerotáticas (COMAT), formado para atuar no Araguaia, pôs em operação três aviões C-115, um C-47, cinco T-6, quatro L-19 e quatro helicópteros UH1D. Recebeu a missão de transportar tropas, suprimentos, mortos e feridos. Os aviões fariam reconhecimentos da selva e controlariam o tráfego aéreo civil na região. Todas as decisões tiveram a aprovação do Comando-Geral do Ar (COMGAR), instância máxima da Aeronáutica.

* * *

Os comandantes da Operação Papagaio chegaram à região com uma lista e fotos de 46 esquerdistas procurados. Nem todos combatiam no Araguaia, mas quase todos pertenciam ao PCdoB. O livreto, encadernado com cartolina, incluiu nomes de peso no partido, como João Amazonas de Souza Pedroso e Elza de Lima Monerat. O caderninho dos perseguidos tinha algumas informações erradas. Pelas fotos, o guerrilheiro Michéas Gomes de Almeida seria uma mulher. A imagem correta aparece no livreto, mas identificada pelo nome de Jair Maciel. Só o codinome, Zezinho, estava correto.

A relação dos procurados informava as prisões e mortes de inimigos até aquele momento. Nas fotos, um *X*, à caneta, confirmava as baixas entre os guerrilheiros.

A Marinha reforçou a Operação Papagaio. Um grupamento de 220 homens da FFE chegou a Xambioá com ordens para se apresentar ao general Vianna Moog.

* * *

A guerra psicológica tinha o objetivo de induzir os comunistas escondidos na floresta a abandonar a luta. Os militares queriam minar o moral dos inimigos. Um dos métodos aplicados consistiu na distribuição de panfletos com depoimentos e fotos dos guerrilheiros presos. Destinavam-se a convencer os militantes da fragilidade e inutilidade do movimento armado. Obrigados pelos militares, os presos escreveram, de próprio punho, em favor das Forças Armadas. Bradavam os companheiros à rendição. José Genoino pediu ao amigo Glênio para se entregar e elogiou o tratamento recebido. Fotos mostravam Genoino e Dagoberto em confortáveis instalações do Exército.

Alguns textos se dirigiam a militantes específicos, considerados mais fracos, menos doutrinados nas convicções sobre o movimento armado. Espalhados na mata, pregados nas árvores, entregues aos moradores, os panfletos chegavam às mãos dos guerrilheiros. Anunciavam regras para o abandono da luta. Os comandantes militares prometiam rendição honrosa aos desertores.

Aos moradores, os homens das Forças Armadas apresentavam os *paulistas* como subversivos, maus brasileiros e terroristas. Ao mesmo tempo, os militares realizavam as Aciso, ações específicas de assistência social para a população pobre.

Nilton, primeiro personagem a aparecer nesta história, continuava na região, dessa vez junto com os homens do CIE.

* * *

A Kombi com o logotipo do *Estadão* chega a Xambioá em um fim de semana. A pobreza do lugar deixa péssima impressão nos dois passageiros. Antes de procurar hospedagem, Gonzaga passa na base militar para se apresentar. Munido das credenciais, faz questão de demonstrar boas intenções. A base fica em uma das pontas do povoado. Logo na chegada, o repórter fica admirado com a movimentação de tropas. Vê um cenário de guerra. Há soldados por todo lado. Aviões sobem e descem no aeroporto sem parar. O aprendizado como setorista ajuda no reconhecimento das patentes e das regiões das tropas. Gonzaga vê gente de vários comandos diferentes. Encaminhado a um coronel do setor de informação, Gonzaga tem uma recepção hostil.

"Você não pode ficar aqui. Isso não é figuração como da outra vez", adiantou-se o militar.

"Eu vim para cobrir a Aciso, coronel."

"Mas a Aciso só vai acontecer no próximo fim de semana."

"Sim, mas agora não vou sair para voltar de novo, né?"

"Vê lá o que você vai fazer."

Gonzaga saiu da base militar sem ter ideia de como fazer a apuração para a reportagem sobre a guerrilha. Não conseguiria entrar na selva com as tropas para acompanhar os combates. Por conta própria, sem conhecer a mata, não havia a mínima condição. Tentaria obter o máximo possível de informação no vilarejo, enquanto tomava pé da situação. Se tudo desse certo, ainda havia o risco de censura. Decidiu arriscar.

O repórter e o motorista conseguiram hospedagem em uma pensão. Saíram pelo povoado sob o abafado e úmido calor de quase 35º. Desde o início de setembro, chovia quase todos os dias. As Forças Armadas controlavam Xambioá. Caminhões e jipes do Exército circulavam cheios de soldados pelas ruas lamacentas. Gonzaga e Jorge Faria andaram algum tempo e pararam na zona do meretrício, o Vietnã, um dos lugares mais movimentados do povoado.

Sem a ajuda das Forças Armadas, o repórter dependeria mais do que nunca de um trabalho de apuração extraoficial. Para isso contaria com a preciosa ajuda de Jorge Faria.

* * *

A presença maciça das tropas mostrou a desigualdade dos meios disponíveis por militares e comunistas. Glênio viu quando os homens do governo federal atiraram milhares de papéis dos helicópteros. Ao mesmo tempo, os guerrilheiros sofriam para imprimir em um mimeógrafo *reco-reco* alguns poucos exemplares de documentos de propaganda esquerdista destinados à população.

Os ataques dos inimigos empurraram o Destacamento B para o Castanhal do Ferreira. Quando chegaram, o lugar estava tomado por soldados. Eram cerca de seis militares para cada guerrilheiro. As tropas federais ocupavam também o Castanhal da Viúva, perto dali. Acuados, os comunistas se dirigiram para a região de Palestina. No caminho, assistiram a um bombardeio intenso executado pelas Forças Armadas. O barulho estremecia os combatentes comandados por Osvaldão. Do chão, Glênio viu quando uma metralhadora disparou rajadas na direção das árvores.

A ofensiva militar, sem dúvida, aumentara muito de proporção.

* * *

Os cinco meses de resistência animaram os guerrilheiros. O comando do Destacamento B decide enviar combatentes para ampliar contatos com a população, intensificar a propaganda e obter mais armas e munições para enfrentar o inimigo. Os comunistas programam a ocupação do povoado de Santa Cruz para chamar a atenção dos moradores. Ao mesmo tempo, o problema da alimentação dos comunistas aumenta. A maioria dos combatentes ainda se abastece das plantações salvas dos ataques militares.

Acampados perto de uma das antigas casas, conseguem alguns inhames e cachos de banana. Simão anda pelas redondezas e se encontra com um caçador conhecido como Mãozinha-de-Paca. O apelido se deve a um defeito físico. Sem ouvir novidades, o guerrilheiro volta para junto dos companheiros.

Em pouco tempo, ouvem disparos. Amaury chega, assustado. Trocou tiros com soldados e teve a camisa furada por uma bala. Escapou depois de se jogar no chão e se esconder em uma moita. Quieto, viu dois soldados passar muito perto. Não foi visto por sorte.

Mãozinha-de-Paca tinha avisado o Exército sobre a conversa com Simão. Os esquerdistas do Destacamento B saíram às pressas do acampamento debaixo de rajadas de metralhadoras disparadas de helicópteros. O comando suspendeu de imediato a ação em Santa Cruz para evitar mais riscos para os combatentes.

* * *

A floresta densa, o rio largo e as grandes distâncias dificultavam o deslocamento das tropas mecanizadas. As restrições impostas pela geografia forçavam o uso intensivo de aeronaves para o transporte dos comandantes das operações, dos doentes, dos feridos e das caixas de material frágil. O clima amazônico deteriorava os equipamentos sensíveis à umidade e desgastava as tropas, desacostumadas àquelas condições climáticas. Treinados no cerrado, os homens levavam em média cinco dias para se ambientarem à selva.

As estações de rádio ERC-104 mostravam-se inoperantes na floresta. Os aparelhos NA/PRC-25 obtinham bom resultado, mas só quando dispunham de um posto de retransmissão em local elevado. No meio da mata fechada e desconhecida, os militares adotavam a prática de atirar para matar ao menor sinal de inimigo. Sem enxergar além de poucos metros, os rapazes atacavam com rajadas de metralhadora.

Era recente a emboscada que vitimou um militar quando, nos dias 14 e 15 de setembro, agentes tentaram confirmar informações sobre a existência de um depósito de suprimentos na Gameleira. Foram recebidos à bala.

CAPÍTULO 67

Repórter fura cerco e conta ao mundo história do Araguaia

O *Estadão* furou a censura. As apurações do repórter Henrique Gonzaga Júnior saíram publicadas em *O Estado de S. Paulo* de 24 de setembro de 1972 — um domingo. As tropas da Operação Papagaio se encontravam em plena mobilização no Araguaia. O texto, de meia página, recebeu como título: *Em Xambioá, a luta é contra guerrilheiros e atraso.*

O nome do autor não aparece. A direção do jornal assinou apenas *Do enviado especial*, para proteger Gonzaga. As razões do cochilo da censura ninguém sabia. Mas, naquele dia, a Guerrilha do Araguaia não estava na relação dos assuntos proibidos enviados à redação pelo governo.

Os leitores do *Estadão* souberam em primeira mão da gigantesca ação promovida pelas Forças Armadas para combater uma guerrilha no Araguaia. As informações sobre o movimento armado saíram misturadas com um relato da ação de Assistência Cívico-Social executada pelas Forças Armadas.

Mesmo sem presenciar os combates, Gonzaga conseguiu mostrar a dimensão da manobra. Citou o número de cerca de cinco mil homens envolvidos na *caça de guerrilheiros.* Deu o nome dos generais Vianna Moog e Antônio Bandeira, comandantes da operação. Os militares tinham ordens para não conversar com a população sobre os combates, escreveu o jornalista. As cartas dos soldados passavam por rigorosa censura antes de serem enviadas aos parentes.

A reportagem apresentou os *terroristas* Paulo, Dr. Juca, Antônio, Daniel, Dina, Osvaldo e Lúcia. Narrou as artimanhas usadas por eles para ganhar a simpatia da população. Não se sabia ao certo quantos *paulistas* havia. Os militares falavam em 30, os moradores estimavam em 120.

O texto descreveu Dina como uma *mulher brava e de liderança fácil.* Professora em uma escola primária de São Geraldo, orientava os alunos a ter fé nas pessoas e não em Deus. Paulo, *um dos cabeças*, tinha uma fazenda usada para doutrinar novos adeptos do movimento. Dr. Juca montara uma farmácia e, às vezes, distribuía remédios. Outros tocavam uma loja e um armazém à beira do rio. Começaram a chegar à região seis anos antes. Em abril de 1972, depois da chegada do Exército, todos se embrenharam na mata.

Gonzaga escreveu o texto menos de uma semana depois de chegar a Xambioá com o motorista do jornal, Jorge Faria, homem brincalhão e curioso. Impedidos de acompanhar de perto o confronto, ficaram quase o tempo todo no povoado. Tomavam banho de rio, conversavam com as mulheres que lavavam roupas, atravessavam para o lado de São Geraldo, batiam papo com o barqueiro. As visitas ao Vietnã, a zona do meretrício, renderam algumas das melhores histórias. O aspecto doentio das mulheres e as precárias condições de higiene desestimularam aventuras sexuais por parte da dupla. Militares constituíam a maior parte da clientela.

As informações sobre as escaramuças das tropas circulavam na intimidade do prostíbulo. Distorcidas, incompletas ou exageradas, ajudaram Gonzaga a traçar um retrato amplo e verdadeiro do conflito. No meio da semana, pegou carona para Brasília em um avião militar. O general Bandeira estava no voo, mas não deu entrevista. O repórter escreveu o texto assim que chegou à capital. Dois dias depois, as notícias sobre o movimento armado na selva amazônica estariam em Nova York.

O repórter do *Estadão* voltou para a capital da República sem saber que tinha um parente muito próximo entre os combatentes do PCdoB.

Em Xambioá, a luta é contra guerrilheiros e atraso

O ESTATUTO DA IGUALDADE CONSAGROU JURIDICAMENTE A COMUNIDADE LUSO-BRASILEIRA

Para proteger o autor, a reportagem saiu sem assinatura do jornalista Henrique Gonzaga Júnior

CAPÍTULO 68

"Estou de saco cheio desse pessoal e louco para sair daqui"

Os guerrilheiros reagiram com todas as forças aos ataques nas duas últimas semanas de setembro. No dia 15, emboscaram uma equipe de agentes do CIE e do CODI da 3ª Brigada de Infantaria, na região próxima ao morador João Goiano, área do Destacamento B. Os agentes andavam com um mateiro, à procura de um ponto de abastecimento. Houve troca de tiros e um ou dois comunistas ficaram feridos, conforme presumiram os homens presentes no combate.

Um morador de Formiga, região do Destacamento C, recebeu no dia 24 a visita de guerrilheiros. Ao sair, deixaram um bilhete:

> *Levamos meia quarta de farinha. Deixamos cinco mil cruzeiros. Obrigado, morador. Movimento de Libertação do Povo. Forças Guerrilheiras do Araguaia. Viva o povo pobre! Soldados do Pará! Lutemos pelo progresso do interior para derrubar a ditadura em defesa do povo.*

Tiros de espingarda atingiram o tenente Felipe Macedo Júnior no dia 25. A região era conhecida por João Cuca, também área do Destacamento C. A sentinela deslocada para a localidade de Pavão foi atacada com tiros de revólver calibre 38. Respondeu ao ataque e nada sofreu.

No dia 26 de setembro, na Fazenda Pernambuco, na qual atuava o Destacamento A, um grupo de guerrilheiros fustigou a base de combate da 2ª FT/ 2° BIS. Um dos *terroristas* conseguiu entrar no acampamento, arrancar uma estação de rádio PRC-25 e tomar um fuzil FAL. O sentinela atirou e o invasor fugiu sem levar o equipamento.

Um pelotar do 2° B Fv realizou investida perto do Igarapé dos Perdidos entre os dias 23 e 25. Tropas do 6° BC e do 10° BC cercaram as possíveis rotas de fuga. Só descobriram sinais da passagem dos comunistas.

* * *

As condições oferecidas pelo Exército atendiam à expectativa do general Bandeira, mas ele reclamava de alguns comandantes de batalhão por transcrever ordens recebidas dos escalões superiores sem nada acrescentar. Os responsáveis demonstravam falta de conhecimento da zona. O general avaliava que eles produziam documentos sem informações básicas, como local e data.

Nos primeiros dias da Operação Papagaio, integrantes dos estados-maiores dos batalhões permanecem nas bases enquanto os inferiores na hierarquia saem à caça de guerrilheiros. Bandeira dá ordens para que atuem na linha de frente da perseguição. Mesmo contra a vontade, os oficiais têm de participar de patrulhas e emboscadas.

O general também se incomoda com erros técnicos, alguns primários, nos documentos produzidos pelos comandantes dos batalhões. Muitos relatos omitem data e local. Outros transmitem informações parciais, quando poderiam ser confirmadas com facilidade. O mais vergonhoso aconteceu com um comandante que exagerou nos informes passados ao escalão superior sobre a quantidade de armamentos apreendidos durante uma operação. Chamado para comprovar o feito, teve de voltar atrás e retificar o relato.

* * *

Uma equipe do DOI/RJ submete Dagoberto Alves da Costa, o Miguel ou Gabriel, a sucessivas sessões de interrogatório a partir do dia 25 de setembro de 1972. Os depoimentos ficam arquivados em 25 páginas com timbre do I Exército e carimbo do CODI. A primeira recebe o nº 31.435 manuscrito no canto superior direito. Também fica classificada com o nº 64/72. Todas as sessões são conduzidas por um sujeito identificado nos documentos como Guilherme.

Dagoberto passa mais de 30 horas à disposição dos agentes. Repete boa parte do que disse antes e acrescenta detalhes. Conta ano a ano e mês a mês como entrou no movimento estudantil e decidiu morar no Araguaia. Fala sobre uma Kombi alugada no Rio para transportar equipamento gráfico de um aparelho do partido para outro. Tem de procurar o motorista do veículo para confirmar a história. Encontrado pelo DOI do I Exército, o homem indica o endereço para onde levou o material usado na impressão de jornais, panfletos e revistas do PCdoB. Fica na rua Clito Graça, 80, casa 4, apartamento 303, no bairro de Lins de Vasconcelos.

No interrogatório do dia 28 de setembro, ele reconhece o guerrilheiro Chico em fotografias. Trata-se de Adriano Fonseca Filho, estudante de Filosofia na Universidade Federal do Rio de Janeiro e integrante do Destacamento C. Os dois chegaram juntos à zona de combate nos primeiros dias de confronto entre comunistas e militares.

Em outra foto o prisioneiro identifica o moreno que participou em São Paulo das entrevistas feitas por João Amazonas com os militantes escolhidos para combater no Araguaia. Trata-se de Carlos Nicolau Danielli, codinome Antônio. No dia 29 de setembro, Dagoberto detalha mais o encontro com Amazonas. Conta que entrou em um quarto no qual o mais importante líder do PCdoB estava acompanhado de Danielli. Apertou a mão dos dois e sentou-se em uma cama. O velho Cid gastou 15 minutos para passar orientações sobre trabalho no campo ao jovem militante.

Primeiro, o secretário-geral do PCdoB felicitou o estudante pelo trabalho na área de imprensa do partido. Depois, fez uma preleção sobre a honra e o sacrifício que significa atuar junto às massas no campo. A tarefa a ser executada, pregou, exige amor pelo povo, determinação para trabalhar na roça e disposição para cuidar de doentes.

Amazonas chamou os latifúndios de "praga" e classificou o governo militar de "demagógico". Anunciou que o partido naquele momento concentrava esforços no recrutamento de novos militantes para a zona rural. O objetivo era ganhar os camponeses para a guerra popular, pois a prática havia demonstrado que nos centros urbanos os grupos armados acabavam apanhados pela repressão.

Na avaliação do veterano comunista, o partido passava por uma fase de progressos e creditou os avanços aos acertos na análise da realidade brasileira. O caminho era a luta armada, apontou o velho Cid. Sem o "aventureirismo" dos grupos urbanos e com intenso trabalho de aproximação, o partido conseguiria a confiança e a colaboração da massa camponesa. Quando chegasse o momento dos combates, as forças do governo se perderiam nos imensos vazios do campo. O objetivo final era atingir a máxima atribuída a Mao Tsé-Tung:

"O militante no meio da mata deve se sentir como um peixe dentro da água".

Só uma ligação profunda com as massas garantiria o sucesso da guerra popular. Dagoberto descreve Amazonas como um velho de aproximadamente 1,58 m, magro, pele e cabelos brancos, testa larga e lisa, braços finos e sinais de cansaço. Danielli aparentava nervosismo, fumando um cigarro atrás do outro. Nenhum dos dois demonstrou a firmeza necessária a um líder, arrematou Dagoberto.

O vice-comandante do Destacamento C, Vítor, identificado no depoimento como José Toledo de Oliveira, certa vez repreendeu Dagoberto pelo comportamento arredio e calado. A atitude demonstrava falta de confiança, afinal ainda estavam na primeira fase da guerrilha. Para animar o companheiro triste, contou que havia um grande depósito de mantimentos camuflado na mata. Quando Dagoberto deu essa informação, em 29 de setembro, o depósito mencionado por Vítor fora destruído depois de localizado pelo Exército com a ajuda do guerrilheiro Dower, preso em 5 de junho em Cachimbeiro.

Nas declarações, Dagoberto faz um desabafo contra a organização da guerrilha. Chegou à zona de combate sem preparação, sem sequer um treinamento. Também não recebeu instruções sobre histórico legal algum para viver naquele lugar. O mesmo aconteceu com Chico, Eduardo Monteiro, o Duda, e Rioko. Outros tinham profissão. Paulo Rodrigues, por exemplo, era fazendeiro; Antônio Carlos Monteiro Teixeira, comerciante; Dina era parteira; e Áurea, professora. Jorge e Zé Francisco ajudavam Paulo Rodrigues na fazenda; Ari trabalhava como dentista.

O jeito reservado provocou desconfiança nos companheiros, e Dagoberto deixou de ser chamado para o trabalho de massa. Também não foi escalado para cobrir nenhum ponto na mata. Não sabia dizer, portanto, horários e locais adotados. O prisioneiro tampouco tinha informação sobre comunicações para fora da área nem viu qualquer equipamento de imprensa.

Somente os que chegaram para preparar o terreno usavam nomes verdadeiros. No destacamento havia espingardas de caça, rifles 44, fuzis antigos, revólveres e poucas pistolas. Com munição escassa, os cartuchos 3T eram colocados junto ao fogo para serem recarregados e usados depois nas espingardas. Cada guerrilheiro carregava mochila, rede, plástico de cinco metros quadrados, duas mudas de roupa e material de higiene.

* * *

No interrogatório de 5 de outubro, Dagoberto conta que Josias certa vez disse ter chegado ao Araguaia, juntamente com Lúcia, depois de apanhados em São Paulo por Paulo Rodrigues. Nas páginas arquivadas pelo CODI, Josias é identificado como Tobias Pereira Júnior. O nome de Pedro Onça era pronunciado com frequência nas conversas entre guerrilheiros mais antigos. Vítor, Dina, Antônio da Dina e Jorge falavam sobre o profundo conhecimento que o posseiro bom de conversa tinha da região. Zé Francisco um dia deixou escapar um desejo:

"Ah, se a gente pudesse ganhar o Pedro Onça".

Faziam também muitas referências ao militante Juca, o médico bastante querido na região. Jorge fez duas perguntas ao receber Dagoberto na região da guerrilha. Primeira: qual era seu tipo sanguíneo. Segunda: se teve alguma doença infecciosa.

Os interrogadores queriam saber se o prisioneiro Dagoberto tinha conhecimento de armas e munições. Resposta negativa. Também perguntaram se ouviu falar de algum justiçamento de colaboradores do Exército, ou outro castigo, comandado pelos guerrilheiros. Mais uma vez ouviram "não". Mas os comunistas diziam que, se algum *bate-pau* a serviço dos militares fosse morto, ninguém mais entraria na mata para combatê-los.

Mais detalhes foram acrescentados no relato sobre a reunião em que o Destacamento C decidiu retornar à região em que tinham morado antes da chegada do Exército. Paulo tentou levantar o moral dos companheiros com a promessa de que, depois da vitória, todos teriam postos importantes. Seriam embaixadores, comandantes militares. Apresentava sinais de fanatismo.

Os mais antigos beiravam a euforia. A única exceção era Domingos, sério e calado. Dos novos, o único empolgado com o confronto era Chico. Dagoberto e Lúcia não se manifestaram. Josias também ficou calado. Em uma conversa paralela, confidenciou a Dagoberto que não aguentava mais aquela situação. Chorava muito.

"Estou de saco cheio desse pessoal e louco para sair daqui", desabafou.

* * *

Os interrogadores quiseram saber as características físicas dos companheiros nas quatro horas de sessão de 6 de outubro. Quatro linhas para cada um. Paulo foi descrito como moreno, 1,65 m, cabelos lisos, castanhos escuros, penteados para trás; cabeça grande, testa larga com entradas dos lados, grandes olhos castanho-claros, nariz normal, barba rala, ombros estreitos. Parecia estar há muito tempo na região. Falava como caboclo e andava meio curvado.

Zé Francisco: preto, cerca de 70 anos, cabelos crespos, ralos e brancos. Barba rala e testa larga. Mais ou menos 1,65 m, andava meio curvado. Experiente na vida do campo, demonstrava sinais de cansaço. Ari, Domingos, Antônio, Dina e Jaime haviam adquirido sotaque local. Outros, como Áurea e Jorge, estavam com os dentes estragados, como a maioria dos moradores da região.

Na última semana de setembro, enquanto Dagoberto amargava as sessões de interrogatório do CODI, o PCdoB perdeu oito militantes em confronto. Quatro combatiam no Destacamento C, onde havia atuado o prisioneiro. O Exército sofreu uma baixa.

* * *

The New York Times, Tuesday, September 26, 1972

A divulgação da guerrilha pelo *Estadão* ultrapassou fronteiras. Dois dias depois da publicação da reportagem pelo jornal paulista, *O New York Times* noticiou o fato sob o título *Brazil Battling Rebels in Jungle [Brasil Enfrenta Rebeldes na Floresta]*. Produzido pela agência Associated Press, AP, o texto falou sobre a movimentação de cinco mil soldados em uma remota região da Amazônia.

Contra a vontade dos militares brasileiros, os leitores norte-americanos tomaram conhecimento da pobreza e da falta de assistência do governo à população do Araguaia.

CAPÍTULO 69

Relatório: Osvaldão usa chinelo ao contrário para despistar

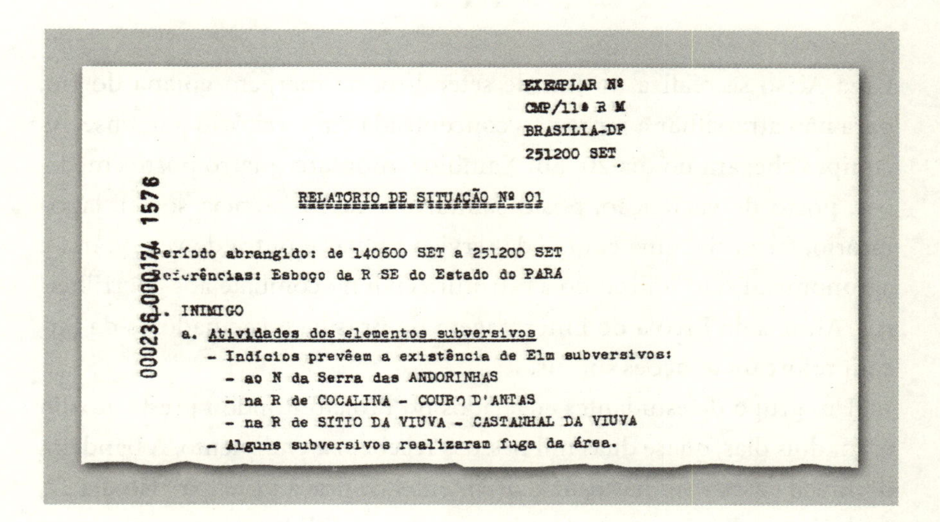

EXEMPLAR Nº
CMP/11ª R M
BRASÍLIA-DF
251200 SET.

RELATÓRIO DE SITUAÇÃO Nº 01

Período abrangido: de 140600 SET a 251200 SET
Referências: Esboço da R SE do Estado do PARÁ

1. INIMIGO
a. Atividades dos elementos subversivos
- Indícios prevêem a existência de Elm subversivos:
- ao N da Serra das ANDORINHAS
- na R de COCALINA - COURO D'ANTAS
- na R de SITIO DA VIUVA - CASTANHAL DA VIUVA
- Alguns subversivos realizaram fuga da área.

000236 000174 1576

RELATÓRIO DE INFORMAÇÃO Nº 01

O Comando Militar do Planalto produz duas páginas sobre as ações desencadeadas entre os dias 14 e 25 de setembro de 1972. Ficam arquivadas no CIE com o número 000236 000174 1576.

As investigações indicam presença de guerrilheiros ao norte da Serra das Andorinhas e nas regiões de Cocalina, Couro D'Antas, Sítio da Viúva e Castanhal da Viúva. Alguns fugiram. Na Gameleira ocorrem dois contatos entre forças legais e guerrilheiros. Não há feridos. A única estimativa aponta 16 guerrilheiros no Castanhal da Viúva. Na Serra das Andorinhas, os agentes destroem um depósito de suprimentos.

Os militares sofrem algumas baixas. O soldado Jaime Luiz Kardiwski suicida-se. Pertence ao 1° Regimento da Cavalaria de Guarda, de Brasília. O relatório do CMP justifica:

Documentos obtidos com seus familiares comprovam possuir o soldado suicida antecedentes psicopatas.

Um acidente com arma mata o soldado Luiz Antônio Ferreira do 25° BC. O corpo segue para São Luís, Maranhão. Tiros disparados por engano atingem o joelho de um soldado do 10° BC.

* * *

Uma Aciso se realiza no fim de setembro, na margem goiana do rio, para não atrapalhar a repressão concentrada em território paraense. As equipes chegam no dia 20. Em Xambioá, montam quatro postos médicos, posto de vacinação, posto sanitário e de assistência social, laboratório, farmácia, uma equipe de serviço militar e outra de veterinária e agronomia. Estão utilizando a estrutura civil no combate aos guerrilheiros. Alunos da Escola de Enfermagem de Brasília e vacinadores da Sucam reforçam as ações sociais.

Um grupo de estudantes engajados no Projeto Rondon presta auxílio e, em dois dias, quase duas mil pessoas recebem atendimento. A bandeira do Brasil passa a ser hasteada diariamente, na praça principal. No dia 22, os militares distribuem 16 bandeiras e material didático para as escolas. Um grupo de 11 moças locais encarrega-se de promover um mutirão para construir fossas, cisternas e hortas caseiras. O governo Médici dá cada vez mais atenção aos problemas da população do Araguaia.

* * *

Em uma ação de guerra psicológica, as forças repressivas requisitam agentes da Polícia Federal para prender o dono de castanhais José Noleto e dois sócios da Madeireira Pará-Ímpar, Antônio Alcaz Martin e Eliotério Alcaz Martin, acusados de grilar terras. Os militares pedem punição depois de informados de que os três são responsáveis por agressões contra posseiros pobres, maus-tratos contra as famílias e incêndio de casas.

Dois capangas dos madeireiros, de nomes Ademo e Olímpio, também são capturados. A PF abre inquérito contra os cinco. As Forças Armadas incluem as prisões entre as medidas denominadas *ações de saneamento moral.*

* * *

Dias 26 e 27 de setembro. Homens da área de informação acompanham forças especiais em três emboscadas para tentar apanhar os guerrilheiros Vítor e Ari na Fazenda Novo Mundo. Alguns se fazem passar por guerrilheiros nos contatos com os caboclos. Sem saber, moradores alertam os militares sobre a presença de *paulistas*. A delação provoca nos agentes da repressão um sentimento maior de confiança nos moradores do Araguaia.

Uma equipe de paraquedistas vasculha e promove emboscadas perto do rio Saranzal entre 26 e 30 de setembro. Encontram apenas indícios da passagem dos inimigos.

* * *

Os militares notaram algumas alterações na organização dos guerrilheiros. O Destacamento A mudou de esconderijo e reformulou a estrutura dos grupos. Os agentes ainda não sabiam as novas orientações dos inimigos. Integrantes do Destacamento B teriam sido remanejados para o C, a unidade de combate mais atingida pela repressão. Um dos grupos ainda deveria agir na região dos Caianos.

O general Bandeira identificou duas vertentes de ação *psicológica* executada pelos comunistas. Em uma, intensificavam o trabalho de doutrinação da população. Em outra, forneciam informações para as rádios Tirana e Havana.

Os guerrilheiros confirmaram as previsões e evitaram contato direto com as tropas. Optaram por emboscadas e fustigamento, quase sempre à noite. De dentro da mata acompanhavam os movimentos dos militares, denunciados por lanternas acesas e falhas na segurança, muitas vezes na hora do banho. Fustigavam após minucioso levantamento. Chegavam ao entardecer, observavam e aguardavam. Na hora combinada, atraíam a atenção da tropa para três pontos diferentes. Então, um guerrilheiro rastejava para dentro da base.

Os agentes da repressão descobriram que os guerrilheiros evitavam usar as trilhas. Abriam caminhos a facão, para confundir os perseguidores. Cortavam trechos de 15 metros, interrompiam e retomavam adiante, à direita ou à esquerda. Sem conhecer a técnica, ficava quase impossível segui-los. Os deslocamentos rápidos reduziam as chances de serem descobertos. Andavam tanto de dia quanto à noite, mas evitavam deixar as áreas de refúgio. Estas ficavam de preferência em grotas, para facilitar o acesso à água. Em setembro, muitos igarapés estavam secos. Os comunistas escondiam-se perto das trilhas de acesso, uma medida de segurança importante para o caso de uma fuga. Organizavam-se em círculos e mantinham sentinelas a 100 e 300 metros.

Os *terroristas* apagavam os próprios rastros e criavam pistas falsas. Conheciam bem o terreno, tinham sempre uma rota de fuga combinada, evitavam falar alto e deixavam o equipamento sempre em condições para ser usado e transportado a qualquer momento.

Os militares acumulavam informação sobre os inimigos. Osvaldão calçava chinelo ao contrário para fingir que andava em outra direção, imitando o personagem protetor das matas, o Curupira, do nosso folclore.

CAPÍTULO 70

Começa a caçada gigantesca. As ordens: matar ou prender

Há diferenças constrangedoras entre as instalações de saúde do Exército e as da Aeronáutica, na base de Xambioá. O Exército possui um Posto de Triagem em precárias condições, com apenas um dentista e um médico. Faltam aparelhos, instrumentos, remédios e cirurgiões. Casos mais graves são encaminhados para a FAB. Ao lado, a Aeronáutica armou um Hospital Aerotático sob dez barracas de náilon, com unidades de cirurgia, radiologia, enfermaria e farmácia-laboratório provida de remédios para doenças da região e ferimentos de guerra. Seis médicos especialistas atendem os pacientes. Equipes de cirurgia fazem operações de urgência antes da transferência das vítimas para Belém ou Brasília.

O segundo-tenente Cláudio Roberto Ferreira Cunha, do 2º BIS, perdeu duas falanges do indicador direito no combate de Oito Barracas. Recebeu atendimento e seguiu para Brasília. A FAB estava preparada para uma guerra.

Do Posto de Triagem do Exército, o médico e o dentista assistiram ao bom desempenho da Aeronáutica.

* * *

Os homens da Marinha viajaram do Rio para Carolina do Norte, no Maranhão, em aviões C-130, da FAB. Seguiram para Xambioá com recomendação de usar o máximo de moderação com os moradores. Sempre que possível, realizariam operações Aciso. Receberam ordens para *eliminar* ou *aprisionar terroristas* que tentassem atravessar o Araguaia no trecho entre Marabá e Araguanã.

Os serviços secretos da Marinha, do Exército e da Aeronáutica municiaram os fuzileiros com informações. Cenimar, CIE e Cisa prepararam dossiê com a estrutura da guerrilha, características físicas dos perseguidos e descrição do armamento precário. Cada atirador comunista possui, no máximo, 50 cartuchos para o fuzil ou espingarda e 25 para o revólver, sem reposição. Na Marinha, um combatente tem 30 tiros por dia para as armas semiautomáticas e 90 para as automáticas. O grupamento dispõe de munição para morteiro 60 mm, *shot-gun*, energa, granada Odeti e cartuchos 11,43 mm. O comando estoca 7.500 projéteis para distribuir segundo as necessidades. Os homens andam com uniformes camuflados e dois cantis com água dos rios tratada com Hidrosteril. Também receberam o livreto com nomes e fotos de guerrilheiros.

Os militares sabem que muitos inimigos passaram por treinamento no exterior, mas ninguém nesse momento tem experiência real de combate. No Araguaia, não dispõem de meio de transporte adequado, dependem de barcos alugados e dos lombos dos burros. Mesmo assim, o dossiê alerta que persistem *obstinadamente* em permanecer na área.

Os papéis destacam a liderança de Osvaldão, Juca e Dina, os *paulistas* mais conhecidos na região.

* * *

Os agentes de informação mapearam a provável área usada pelos guerrilheiros. Formava uma espécie de triângulo, limitado pelo rio Tocantins ao norte; pelo Araguaia a leste e sul; e pelo rio Vermelho, a oeste; cerca de 12 mil quilômetros quadrados, equivalentes a mais da metade do estado de Sergipe. As tropas se espalharam pela floresta em busca dos comunistas. Uma gigantesca estrutura foi montada em Xambioá para garantir o abastecimento das patrulhas com fardos cheios de suprimentos lançados em paraquedas atirados de aviões Búfalo.

A Brigada de Paraquedistas se responsabilizou pela distribuição dos fardos.

CAPÍTULO 71

Mistério: como morreu o sargento Abrahim?

000236 000174 1564
GABINETE DO MINISTRO DO EXÉRCITO - CIE
C COM
DATA: 26 SET 72 HORA: 17:58 P ORIGEM: PTJ/8
OPERADOR:
TCI / ASS
ENDEREÇO: CHEFE CIE RIO GB

N.º 450 E/2. de 26 de SETEMBRO de 19 72.

CONSEQUENCIA AÇÃO TERRORISTA FALECEU MADRUGADA HOJE VG REGIÃO PAVÃO DISTANTE 20 KM SUL TRANSAMAZONICA " KM 72 " VG 2º SGT MARIO IBRAIM DA SILVA VG DO 1º BIS PT CORPO SEGUIRAH AMANHAN DIRETO MANAUS PT REFERIDA AÇÃO DESENVOLVEU-SE CONTRA GRUPO 1º BIS ET QUANDO SGT ENCONTRAVA-SE DE SERVIÇO PT - - - - - - - -

GEN DARCY JARDIM - CMT 8ª RM.

Consequência ação terrorista faleceu madrugada hoje, região Pavão, distante 20 km Sul Transamazônica, 'KM 72', segundo-sargento Mario Ibraim da Silva, do 1º BIS. Corpo seguirá amanhã direto Manaus. Referida ação desenvolveu-se contra Grupo 1º BIS quando sargento encontrava-se de serviço.

Assinava a mensagem o general Darcy Jardim.

* * *

Maria da Conceição trabalhava no Abrigo Redentor, escola de Manaus ligada a irmãs de caridade. Um dia, na casa da mãe, a moça de vida pacata avista de longe o filho de seu Jovelino, amigo da família. O rapaz se chama Mário Abrahim da Silva, cabo do Exército, recém-chegado de Guajará-Mirim, fronteira com a Bolívia, onde serviu. O jovem bonito e alegre arranca um suspiro apaixonado de Conceição:

"Ah, minha mãe, um dia ainda vou me casar com aquele rapaz".

Os dois se conheceriam e trocariam alianças um ano depois, em 28 de dezembro de 1958. Viveriam uma história de amor às margens do rio Negro. Em 1960 nasceria a primeira filha, Rosana. Depois, Rosângela, Ronildo e Ricardo.

Em meados de 1972, Conceição está grávida do quinto filho, quando mandam Abrahim para o Araguaia. O militar fez cursos de guerra e sobrevivência na selva e foi promovido a sargento. Tem o respeito dos soldados e muito orgulho de servir à Pátria. Devotado ao Exército, cumpre as missões com seriedade e dedicação.

Volta do Araguaia pouco tempo depois. Disciplinado pela filosofia militar, nada fala com a mulher sobre guerrilha nem comunistas. Conta apenas que participou do resgate do corpo de um militar. Revela que a região de Marabá, para onde foi enviado, é muito perigosa.

Em setembro, o Exército mais uma vez convoca Abrahim para o Araguaia. Mesmo com forte dor nos rins, o sargento viaja no lugar de um colega de quartel que recusou a missão. Conceição arruma a mala preocupada com a doença do marido. Abrahim dá um cheque para a mulher pagar as despesas da casa enquanto estiver fora. Uma das filhas e o menino mais novo estão doentes; por isso, quando já está na rua, volta para assinar uma segunda folha.

"Toma cuidado com o dinheiro, não deixa faltar nada para as crianças", diz Abrahim, e completa: "Se precisar de alguma coisa além, pede ao Português da padaria".

Não se despediram, não houve abraço nem beijo de atélogo. Conceição, atarefada, pensou que veria o marido mais tarde, mas se atrasou ao levar o casal de filhos ao médico. Quando voltou, ao longe viu a tropa encaminhar-se para o aeroporto. Ela sentiu um aperto no peito.

O sargento costumava dizer que tudo poderia acontecer na vida de um militar. Seria natural morrer em combate. Cerca de dez dias após a partida, enviou carta a Conceição contando que estava tudo bem, mas pedia que ela orasse muito para Nossa Senhora Aparecida acabar com aquilo. A missão era perigosa, disse mais uma vez.

Passam mais cinco dias. Conceição está com os dois pequenos na varanda, quando um deles vê um avião no céu. "Lá vem papai no avião", diz Ronildo, de cinco anos. "Meu pai nada, ele tá é morto!", profetiza o mais novo. No dia seguinte, 28 de setembro de 1972, às sete da noite, Conceição recebe a notícia, por meio de um tenente: Abrahim sofreu um acidente de caminhão. Voltaria para casa muito ferido. O instinto fez Conceição prever o pior. Naquela mesma noite recebeu da mãe a má notícia. A premonição do filho se confirmou. Abrahim estava morto. Ela, com quatro filhos e grávida do quinto, agora estava viúva.

No dia da chegada do corpo a Manaus, o sargento Bonifácio, companheiro de Abrahim na missão, disse a Conceição que o marido morreu chamando por ela, pelos filhos e pela mãe. Durante os funerais, Bonifácio chorou ao dizer à viúva que precisava muito falar sobre o que aconteceu naquela madrugada em Marabá.

No entanto, Conceição notou estranha mudança no comportamento de Bonifácio nos dias seguintes. Soube que ele tinha sido proibido de conversar com ela. Quando a via, o sargento desviava o olhar e mudava o curso dos passos. Sem informação oficial, a viúva ouviu versões imprecisas sobre a morte do marido. Uns diziam que tinha sido atingido pela *terrorista* Dina. Outros, que caíra durante um tiroteio. Por fim, falaram que uma bala acidental, disparada por um militar despreparado, matou o sargento Abrahim.

Conceição não sabia, mas no futuro ainda enfrentaria muita dor e sofrimento.

CAPÍTULO 72

Moradores desafiam repressão e informam os guerrilheiros

A Marinha escolheu um pontal de areia em frente ao Remanso dos Botos, a uma hora e meia de barco abaixo de Xambioá, para montar o Posto de Comando do Grupamento Operativo no Araguaia. Na margem paraense do rio, trilhas escondidas cortam a floresta densa e interligam as clareiras abertas pelos donos de castanhal. No lado de Goiás, matas derrubadas por fazendeiros e madeireiros deram lugar a campos menos compactos de vegetação.

A missão de reconhecimento aprovou a navegação diurna, apesar das corredeiras. À noite, ficaram permitidas as travessias entre Xambioá e São Geraldo e nas proximidades do Remanso dos Botos. As corredeiras impediam o tráfego de barcos naquele trecho do Araguaia depois do pôr do sol. O destacamento precursor chegou a Remanso dos Botos no dia 13 de setembro de 1972.

Mais de 200 fuzileiros desembarcaram nos três dias seguintes e ocuparam a margem esquerda do rio com barracas, toldos e um gerador. Montaram uma rede de segurança com vigilantes espalhados ao redor do acampamento. Fizeram limpeza de campo de tiro, instalaram iluminação e armaram uma barragem de cordões de tropeço com granadas e morteiros — para proteger a tropa de ataques ou infiltrações de surpresa; tratava-se de um artefato simples, constituído por uma linha ligada a explosivos, camuflada: quando alguém esbarrava no cordão, acionava o dispositivo.

Os homens da Marinha estavam prontos para cumprir as ordens dos generais Vianna Moog e Antônio Bandeira. Tinham autorização para realizar incursões limitadas a cinco quilômetros das duas margens do rio.

As ações começariam dia 18 de outubro, mas a movimentação de estranhos forçou a antecipação dos planos. No dia 16, dois grupos fizeram incursão na margem goiana do rio, no Remanso dos Botos, povoado com menos de 500 habitantes. Prenderam dois civis. Um documento identificado como *Relatório de Fim de Comissão do Grupamento Operativo da FFE* registra as prisões, mas omite nome e sexo dos suspeitos. Foram encaminhados para o Posto de Comando da 3ª Brigada de Infantaria.

No final de setembro, a reserva do grupamento cedeu homens para missões fora da zona de ação. Convocados pelo general Bandeira, participaram de emboscadas na região dos Crentes e ao sul do Igarapé dos Perdidos.

A Marinha, em um mês de operação, ajudou a matar oito guerrilheiros.

* * *

O comandante da 3ª Brigada de Infantaria percebeu no final de setembro que os inimigos operavam melhor ao norte. A constatação provocou mudanças. No início da tarde do dia 28, o BC da FT 2° BIS deslocou-se para a região de Bacaba, no Pará. Um destacamento de Fuzileiros Navais foi para a Fazenda Valdemar. O 36° BI ficou mais ao norte, onde agiam os Destacamentos A e B.

* * *

Os comunistas fustigaram a base de combate da FT 2° BIS, em Oito Barracas, no dia 29. Em seguida, avançaram sobre a Fazenda Pernambuco.

Nada conseguiram.

Informações sobre os inimigos chegavam ao general Bandeira, e os guerrilheiros redobravam os cuidados. Evitavam visitas frequentes à mesma casa, falavam baixo, não contavam por onde andavam nem onde montavam acampamentos. Entravam armados nas casas. Em respeito ao costume local, pediam desculpas ao morador. Enquanto conversavam, ficavam em posição de defesa. Saíam rápido, sem comer, mas abastecidos de alimentos. Tomavam um rumo e dentro da mata mudavam a direção.

Antes de se aproximar de uma moradia, mesmo de amigos, os *paulistas* checavam atentamente se havia tropas por perto. As trilhas de acesso permaneciam vigiadas durante a visita. Nunca carregavam documentos pessoais, para que não caíssem nas mãos dos militares. Quando acertavam encontro com um morador, escolhiam locais em que facilmente montassem emboscadas, sempre perto de trilhas ou picadas. Chegavam bem mais cedo para reconhecer e dominar a área. Ao marcar datas para buscar suprimentos, marcavam também os locais para apanhá-los e apareciam um ou dois dias depois.

Os guerrilheiros costumavam chegar às casas dos moradores ao cair da noite.

* * *

A presença maciça do Exército dificultava aos guerrilheiros o fluxo de informações. Mesmo assim, com a colaboração dos moradores, conheceram algumas movimentações das tropas. Nas conversas, especulavam ao máximo sobre hábitos, armamentos, equipamentos, formação e quantidade de homens. Perguntavam nomes, postos e opiniões dos chefes militares.

Os contatos na região permitiram aos comunistas levantar armamento, forma de atuação e nível de instrução da tropa. Documentos apreendidos pelos agentes da repressão mostram que os guerrilheiros conheciam nomes de comandantes, tinham informações sobre a movimentação das tropas, quando chegavam e de onde haviam saído. Sabiam detalhes sobre a chegada de um oficial-general a Xambioá e sabiam onde ficava a base de combate da 3ª Brigada.

Alguns moradores desafiavam a repressão e apuravam informações a pedido dos guerrilheiros. Outros apenas contavam o que sabiam.

* * *

Um telex enviado no dia 30 de setembro pelos agentes de Brasília ao CIE do Rio informa que, no dia anterior, entre três e quatro da tarde, três subversivos morreram em combate depois de emboscar a tropa instalada em Pau Preto. Carregavam dois fuzis, duas bússolas, uma espingarda calibre 20 e três mochilas. Os militares julgaram tratar-se de integrantes do Destacamento C.

A tropa nada sofreu. A 3ª Brigada reforçou o 2º BIS com dois pelotões. O 25º BC perdeu contato com os subversivos. Nas duas noites anteriores, os guerrilheiros fizeram barulho para tentar assustar os militares do 36° BC. Assinada pelo chefe da Agência de Brasília do CIE, a página com a transcrição do telex ficou arquivada sob o número 000236 000174 1581.

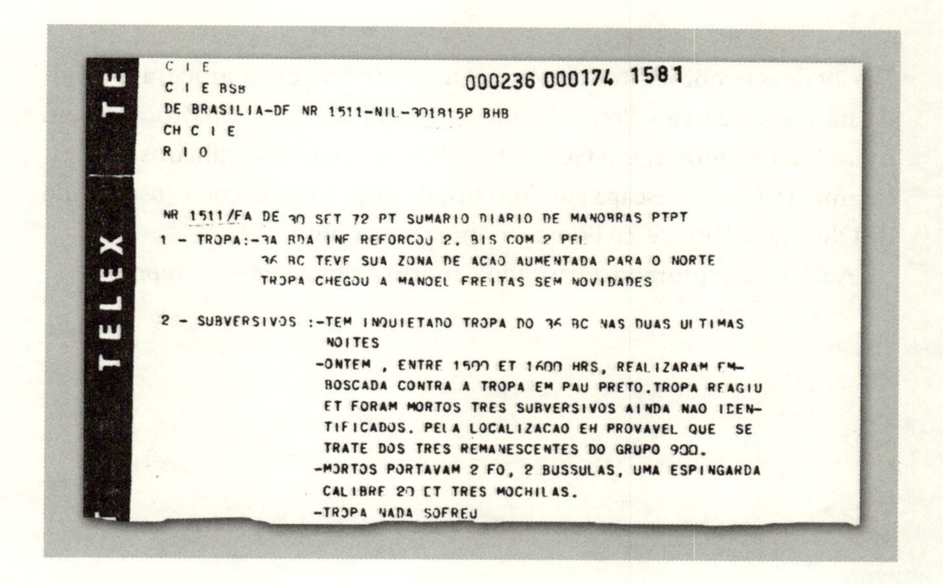

TELEX TE

C I E
C I E BSB
000236 000174 1581
DE BRASILIA-DF NR 1511-NIL-301815P BHB
CH C I E
R I O

NR 1511/FA DE 30 SET 72 PT SUMARIO DIARIO DE MANOBRAS PTPT
1 - TROPA:-3A BDA INF REFORCOU 2. BIS COM 2 PEL
36 BC TEVE SUA ZONA DE ACAO AUMENTADA PARA O NORTE
TROPA CHEGOU A MANOEL FREITAS SEM NOVIDADES

2 - SUBVERSIVOS :-TEM INQUIETADO TROPA DO 36 BC NAS DUAS ULTIMAS NOITES
-ONTEM , ENTRE 1500 ET 1600 HRS, REALIZARAM EM-BOSCADA CONTRA A TROPA EM PAU PRETO.TROPA REAGIU ET FORAM MORTOS TRES SUBVERSIVOS AINDA NAO IDEN-TIFICADOS. PELA LOCALIZACAO EH PROVAVEL QUE SE TRATE DOS TRES REMANESCENTES DO GRUPO 900.
-MORTOS PORTAVAM 2 FO, 2 BUSSULAS, UMA ESPINGARDA CALIBRE 20 ET TRES MOCHILAS.
-TROPA NADA SOFREU

CAPÍTULO 73

Vítor, Antônio e Zé Francisco

Dia 29 de setembro. Vítor, Antônio, Dina e Zé Francisco procuram comida na região de Pau Preto. Resolvem buscar mandioca na roça de um morador. Encontram um GC do 10° BC. Caem três guerrilheiros do Destacamento C. Dina escapa com um tiro de raspão no pescoço. José Toledo de Oliveira, o Vítor, e Zé Francisco morrem na hora.

Antônio é capturado, torturado e morto pelos agentes da repressão.

CAPÍTULO 74

Juca, Flávio e Gil

O Incra prestou *valiosa colaboração*. Os postos de Marabá e São Geraldo colocaram seis tratores, outras maquinarias e pessoal à disposição. Trabalharam tratoristas, mecânicos, carpinteiros e escreventes. Construíram 40 quilômetros de estradas; ligaram as regiões de Antônio Cearense, Sítio Paulista, Esperancinha, Formiga, José Novato, Domingos da Júlia, Luiz Buião, Brasília, Abóbora, Novo Mundo, Barra do Corda e Remanso dos Botos.

Recuperaram 40 quilômetros de trilhas para carroças. Da região de Miúdos ao Sítio Pedrão, de Calixto a Novo Mundo, de Domingos da Júlia a Luiz Buião, de Xambioá a Barra do Corda. Trabalharam nas obras de oito pontilhões para a movimentação das tropas. Feitos de troncos de babaçu e revestimento de cascalho, tinham em média seis metros de comprimento. Suportavam oito toneladas.

Os 132 quilômetros abertos pelo Incra entre Marabá e Xambioá, mesmo precários, constituíam a única estrada existente no território ocupado pelos guerrilheiros.

* * *

A Comissão Militar continua sem contato com o Destacamento C, e o comando envia Juca para tentar restabelecer ligação com os companheiros isolados. Os guerrilheiros Flávio, Gil, Raul e Walq acompanham o médico. Desconhecem a presença ostensiva dos soldados. No segundo dia de viagem, os sinais do inimigo aparecem.

Ao atravessar uma capoeira, ouvem voz de prisão. Um pouco afastado, Flávio atira. Os outros escapam. No dia seguinte, novo confronto. Juca vê um cartaz pregado em uma árvore. Quando se aproximam, dão de cara com um homem do Exército e, mais uma vez, conseguem fugir.

O grupo quer encontrar Paulo, comandante do Destacamento C, de qualquer jeito, mas os soldados estão por toda parte. No momento em que passam por uma casa ocupada por homens da repressão, Gil pergunta se pode amarrar a botina. Os militares disparam uma rajada de metralhadora.

Flávio e Juca caem na hora; Gil logo em seguida. Uma patrulha da Força de Fuzileiros da Esquadra participou da operação.

Relatório da Marinha destaca a disciplina e o moral dos inimigos na hora da morte: os três tombaram em silêncio. Raul e Walq conseguiram fugir e vagaram cerca de dois meses até reencontrar o grupo. Zezinho era quem deveria ter ido nesta missão, mas na última hora recebeu ordem de trocar com Flávio e rumou para outra localidade. Sobreviveu.

* * *

O mineiro Ciro Flávio Salazar de Oliveira morria sem saber que, poucos dias antes, o jornalista Henrique Gonzaga Júnior driblou a censura militar com uma reportagem sobre a guerrilha. Teria ficado orgulhoso. Gonzaga Júnior era seu primo. Tinham passado a infância juntos em Uberlândia, no Triângulo Mineiro, e morado na mesma rua, no Rio de Janeiro.

Quando Flávio morreu, os dois não se viam fazia muitos anos.

* * *

Os militares amarraram os corpos de Juca, Flávio e Gil pelos pulsos e tornozelos e penduraram em pedaços de pau. Passaram pela Piçarra, lugarejo no meio da mata, e levaram os três corpos até as margens do Araguaia. Tomaram uma embarcação e pararam em uma ilha. Deixaram os cadáveres no chão, expostos para reconhecimento. O soldado de Cristalina apresentado no capítulo 66 tirou a câmera do coturno e clicou. As fotos, em preto e branco, eternizaram as imagens. O corpo de Juca, mãos amarradas, aparece estirado ao lado de outro, talvez dois. Debaixo de uma lona, pode haver um terceiro guerrilheiro abatido. A exposição continuou em Xambioá.*

Joaquina Ferreira da Silva, dona de casa de 48 anos, entrou na delegacia da cidade e reconheceu Juca, embrulhado em um plástico preto. Confirmou com os próprios olhos o que já se dizia pelas ruas. Lamentou o fim trágico do médico, lembrado para sempre como homem bondoso e prestativo. Mais tarde, Joaquina presenciou o enterro de Juca no cemitério de Xambioá.

** Veja foto na página 420*

* * *

O capitão de corveta Uriburu Lobo da Cruz instruiu os subordinados a identificar os guerrilheiros mortos com fotografias e impressões digitais. Os inimigos deveriam ser sepultados em cemitério *comunicado* aos superiores. Os prisioneiros seriam ouvidos na base da patrulha e, em seguida, encaminhados ao PC/Bgda.

Outro documento, assinado pelo capitão de corveta Hermenegildo Pereira da Silva Filho, ordenou o sepultamento na selva, após identificação. A Marinha previu o emprego de civis na operação, desde que voluntários e remunerados. Malotes semanais garantiriam a troca de correspondência entre os combatentes da Marinha e os parentes.

O comandante da Força de Fuzileiros da Esquadra, vice-almirante Edmundo Drummond Bittencourt, pediu o registro de todos os fatos julgados relevantes durante as manobras. As experiências no Araguaia serviriam, na opinião do chefe militar, para orientar futuras participações da Marinha em operações semelhantes. Os chefes de todos os escalões do grupamento ficaram responsáveis pela coleta, identificação e retirada dos mortos. Bittencourt exigiu dos comandados relatórios periódicos de todas as ações e medidas adotadas contra os guerrilheiros do PCdoB.

A Marinha produziu farta documentação sobre a luta antiguerrilha.

CAPÍTULO 75

Um "aliado" da guerrilha: policiais violentos e corruptos

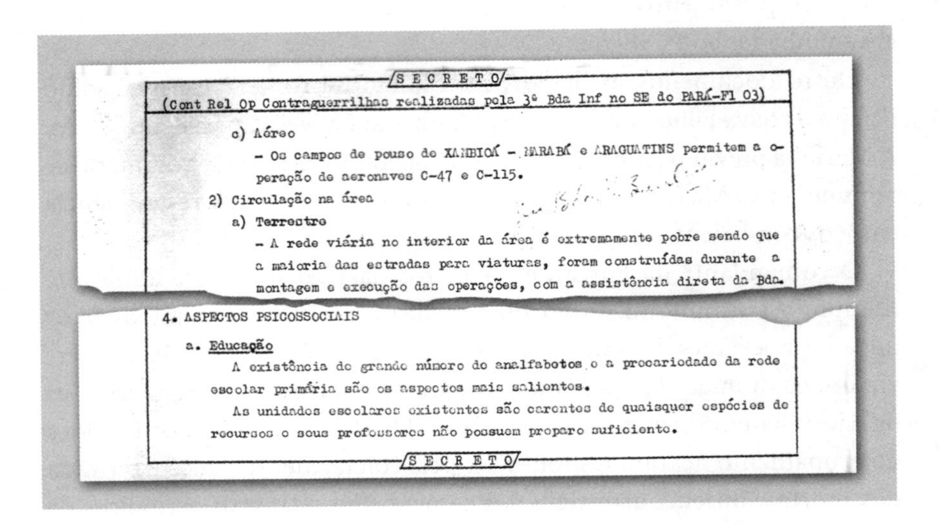

SECRETO

(Cont Rel Op Contraguerrilhas realizadas pela 3ª Bda Inf no SE do PARÁ-Fl 03)

c) Aéreo

- Os campos de pouso de XAMBIOÁ - MARABÁ e ARAGUATINS permitem a operação de aeronaves C-47 e C-115.

2) Circulação na área

a) Terrestre

- A rede viária no interior da área é extremamente pobre sendo que a maioria das estradas para viaturas, foram construídas durante a montagem e execução das operações, com a assistência direta da Bda.

4. ASPECTOS PSICOSSOCIAIS

a. Educação

A existência de grande número de analfabetos e a precariedade da rede escolar primária são os aspectos mais salientes.

As unidades escolares existentes são carentes de quaisquer espécies de recursos e seus professores não possuem preparo suficiente.

SECRETO

Os aspectos militares da região escolhida pelo PCdoB chamam a atenção do general Bandeira. Vegetação densa, grandes árvores, copas fechadas e cipós entrelaçados impedem a visibilidade, mesmo do alto, a bordo de aviões e helicópteros. Abrigo natural.

Bandeira sente os efeitos da guerra irregular dos comunistas. O Araguaia atrapalha a movimentação das tropas. As Forças Armadas conseguem abrir caminho na mata, mas o rio impede o deslocamento dos veículos. Como no Vietnã, as Forças Armadas esbarram nos obstáculos naturais explorados pelos guerrilheiros.

As únicas referências urbanas são as sedes dos municípios de Xambioá, Araguatins, Marabá e São João do Araguaia. As localidades de Santa Cruz, Pará da Lama, Caianos e São Geraldo têm portos e também ligações por terra com outros povoados, mas bem precárias.

Em Xambioá, Marabá e Araguatins, aviões C-47 e C-115 podem pousar; aparelhos menores descem também em campos abertos em fazendas e castanhais. Para o general, uma boa estratégia para o confronto precisa levar em conta a importância da Serra das Andorinhas, do vale do rio Saranzal e da Transamazônica. Nos igarapés da Gameleira e dos Perdidos havia pequenas concentrações de moradores, locais importantes para a movimentação dos guerrilheiros.

* * *

Antônio Bandeira estuda a área. Os *aspectos psicossociais* predominantes explicam a escolha do PCdoB. Grande parte da população é analfabeta, escolas funcionam em condições precárias e professores não têm preparo nem material didático. Não há água tratada e muito menos redes de esgoto. Xambioá passou a ter médico no hospital depois da interferência do comandante da Brigada junto ao governo do Estado, mas continua sem dentista. Os moradores padecem de verminose e deficiência de vitaminas. Há muitos casos de hanseníase, e os camponeses nada sabem sobre a doença.

* * *

O general Bandeira classificou a população em quatro categorias:

O *posseiro*, de origem humilde, que chegava dos estados vizinhos; tinha natureza pacífica, queria se estabelecer e trabalhar; ocupava áreas devolutas e ansiava por receber o título de posse da terra.

O *invasor* tinha origem semelhante, mas reivindicava glebas já ocupadas. Na definição do general, tratava-se de um "elemento perturbador".

O *grileiro*, responsável pela expulsão e morte de posseiros, em geral agia a serviço de terceiros.

O *empresário agrícola* tinha benefícios com a exploração de madeira, castanhais e fazendas. Costumava, porém, usar os mesmos métodos sangrentos dos grileiros para aumentar as propriedades.

O Exército tentava entender a estrutura socioeconômica do Araguaia para enfrentar a guerrilha. Os guerrilheiros compensavam a flagrante desvantagem numérica e a inferioridade de armamentos com o conhecimento adquirido em seis anos de vivência na mata. Evitavam o contato direto com as tropas, mas impressionavam a população com as ações de fustigamento e emboscadas. Assim tinham matado o cabo Rosa e o sargento Abrahim.

O general Bandeira acreditava que se os comunistas tivessem armas melhores, significariam grave ameaça para a segurança nacional; apenas com muito esforço os militares conseguiriam destruí-los. O governo tinha de agir logo para resolver os problemas da região, caso contrário os guerrilheiros permaneceriam na área em condições de aumentar o trabalho político junto aos moradores.

Os militares contra-atacavam com o cadastramento de terras, executado pelo Incra. Também coibiam as práticas arbitrárias de alguns donos de castanhais e serrarias contra os empregados. Ao mesmo tempo, tentavam convencer os moradores de que os *paulistas* não estavam ali apenas para praticar caridade. Um documento apreendido pelos agentes revelou que os comunistas consideravam a atuação da PM muito positiva para o movimento revolucionário. Os policiais espancavam e expulsavam posseiros em atendimento aos grileiros. Humilhavam a população e cobravam pela realização de festas.

As tropas vasculhavam e emboscavam com grupos de seis a 16 homens. Agiam descentralizados, com pouca interferência do comando. Os chefes das equipes tinham autonomia para tomar iniciativas. Nas buscas, os militares preferiam grotas com água, nas quais os guerrilheiros poderiam estar escondidos, e trilhas obrigatórias. Com pequenos destacamentos, esperavam derrotar os guerrilheiros, que se deslocavam em grupos de três ou quatro e portavam velhos revólveres, fuzis, espingardas e mosquetões.

Os comandantes tinham autonomia para desativar ou reforçar as equipes de combate. Decidiam onde instalar as bases de acordo com a necessidade do momento e tinham orientação para assegurar a flexibilidade e a mobilidade das tropas na selva. Dez por cento dos militares se deslocavam de helicóptero na mata. Os outros, a pé.

A presença das tropas atrapalhava as relações entre guerrilheiros e moradores.

CAPÍTULO 76

Os oito mortos de setembro

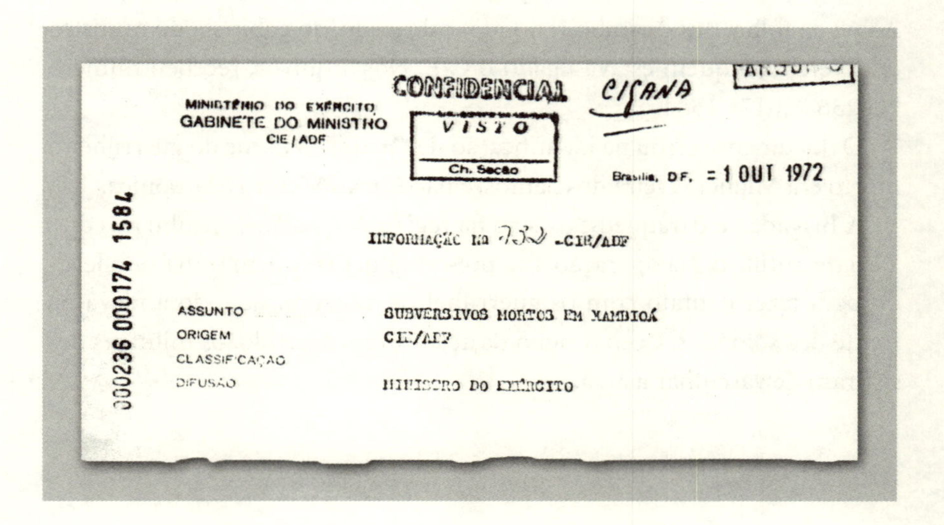

CONFIDENCIAL CISANA

MINISTÉRIO DO EXÉRCITO
GABINETE DO MINISTRO
CIE / ADF

VISTO
Ch. Seção

Brasília, DF, 1 OUT 1972

000236 000174 1584

INFORMAÇÃO Nº 732 -CIE/ADF

ASSUNTO SUBVERSIVOS MORTOS EM XAMBIOÁ
ORIGEM CIE/ADF
CLASSIFICAÇÃO
DIFUSÃO MINISTRO DO EXÉRCITO

Foram mortos na região de Xambioá, após o início das manobras de setembro de 1972, os seguintes subversivos:

Dia 26 Set 72
CAZUZA – do Grupo 900 do Dst C – CARLOS VICTOR DELAMÔNICA

Dia 28 Set 72
FÁTIMA – do Dst A – Não identificada

Dia 29 Set 72
ANTÔNIO – do Grupo 500 do Dst C – ANTÔNIO CARLOS MONTEIRO TEIXEIRA
ZÉ FRANCISCO – do Grupo 500 do Dst C – não identificado
VÍTOR – Sub Cmt do Dst C – JOSÉ TOLEDO DE OLIVEIRA

Dia 30 Set 72
JUCA – Comissão Militar – JOÃO CARLOS HAAS SOBRINHO
FLÁVIO – Sub Cmt de Grupo do Dst B – CIRO FLÁVIO SALAZAR DE OLIVEIRA

GIL – Membro do Dst B – não identificado

TOTAL = 8 (oito)

No canto superior direito da página, a palavra *Cigana* foi escrita à mão. Ao pé da folha, um carimbo redondo, rubricado, do gabinete do ministro do Exército, a quem estava ligado o CIE. Nos arquivos, recebeu número 000236 000174 1584.

O documento errou na identificação de Cazuza. O nome do guerrilheiro morto era Miguel Pereira dos Santos, e não Carlos Victor Delamônica.

A Brigada de Paraquedistas agiu na região de Cachimbeirinho nos dias 2 e 3 de outubro. Na operação, um preso fugiu. O homem tinha sido levado para fazer contato com os guerrilheiros. Escapou quando andava na frente dos soldados. Com o sigilo da ação comprometido, os militares desistiram de vasculhar a área.

CAPÍTULO 77

O drama de Glênio, perdido na selva

Nos últimos dias da manobra, Antônio Bandeira reuniu informações para o relatório final. Fez uma lista das ações mais importantes e anotou as unidades militares dos grupos responsáveis pelas baixas entre os inimigos.

Uma equipe da Força Terrestre 2° BIS destacada para agir na região do "Alvo" matou a subversiva Fátima. Os esquerdistas João Carlos Haas Sobrinho, Ciro Flávio Salazar de Oliveira e José Manoel Nurchis, o Gil, tombaram sob fogo de um GC do 6° BC, na região dos Crentes.

Cazuza morreu em uma emboscada feita por um cabo e cinco soldados do 10° BC. O combate aconteceu perto de uma grota, a cerca de três quilômetros da casa do Velho Manoel.

Dois GCs do 10° BC eram responsáveis pelas mortes de José Toledo de Oliveira, Antônio Carlos Monteiro Teixeira e Zé Francisco. Bandeira ainda desconhecia as identidades de Zé Francisco e Cazuza. O Exército apreendeu farta documentação subversiva, textos de doutrina comunista, anotações sobre as tropas, esboços e croquis da área de combates.

Uma equipe do 25° BC descobriu na região da Gameleira, em um dos primeiros dias da manobra, um depósito de suprimentos dos guerrilheiros escondido debaixo de uma falsa latrina.

* * *

Uma crise de diarreia faz Glênio afastar-se um pouco do destacamento durante a caminhada rumo a Palestina, no início de outubro. Procura um lugar para aliviar-se quando vê uma paca. Corre atrás, mas não consegue apanhá-la. Quando tenta reencontrar os companheiros, não os alcança. Glênio está perdido. Deficiente em orientação na mata, o jovem segue contra a correnteza de um riacho e sobe em um morro para tentar avistar o destacamento. Nada. Agitado e nervoso, assiste à chegada do anoitecer. Toma coragem e grita pelos amigos. Não obtém resposta.

Sopra no cano da espingarda calibre 16 com força — técnica aprendida com os mais experientes para produzir um tipo de urro que se ouve a distância. Frustra-se mais uma vez. O dia amanhece e Glênio fica com fome. No bornal leva uma caixa de fósforos, uma lanterna com pilhas fracas, material para limpeza das armas, três cartuchos para a espingarda, prato e colher. Carrega, ainda, um facão, um revólver calibre 38 com seis balas e um balote — esfera de aço usada como munição para a espingarda.

A fome aperta. O combatente comunista vê uma manada de macacos-prego e resolve matar um para comer. Troca o balote por um cartucho de chumbo e atira no mais próximo. Os outros aprontam enorme gritaria. Um deles, com cara de líder, olha o guerrilheiro com rancor. Glênio consegue espantar os bichos e se aproxima do ferido. O animal põe as mãos na cabeça, como criança amedrontada. O jovem combatente fica com pena, mas reúne forças e mata o macaco a pauladas. Trata a carne, assa e tira os ossos da cabeça até chegar ao miolo. Sacia a fome e volta a andar pelas margens do riacho.

Começa a chover forte. A ventania derruba árvores e faz um barulho assustador. A noite chega de novo e, sem encontrar lugar melhor na escuridão, Glênio deita-se perto de um formigueiro. Os insetos passeiam pelo corpo do esquerdista até o amanhecer. O guerrilheiro pega dois jabutis nesse segundo dia perdido. Gasta vários palitos de fósforo até acender um fogo com gravetos molhados. Farta-se de comer e ainda guarda alguns pedaços.

No outro dia Glênio mata um jacu, ave grande da região. Restam dois palitos de fósforo. O fogo aceso pelo primeiro apaga, vencido pela umidade das folhas. O segundo dá certo. Mais uma vez faminto, o militante do PCdoB come quase tudo.

Sem encontrar os companheiros, marca um pedaço de pau com um corte de facão todo fim de tarde para não perder a noção do tempo.

CAPÍTULO 78

"Honra e glória a Helenira Resende"

A morte da guerrilheira Fátima abala o Destacamento A. Abatida no dia 28 de setembro, a jovem ficou conhecida no movimento estudantil como Preta, a extrovertida dirigente paulista da UNE presente nas agitações de Salvador, no final dos anos 1960. Seu nome: Helenira Resende de Sousa Nazareth, uma das mais admiradas integrantes das forças comunistas no Araguaia.

O pesar dos companheiros está registrado em um comunicado sem data divulgado pelo comando das forças guerrilheiras. Definida como heroica e devotada lutadora da causa do povo, a líder estudantil teve a honra e a coragem reconhecidas pelos companheiros. Em homenagem ao exemplo da jovem guerrilheira, o Destacamento A recebeu o nome de Helenira Resende. Os sobreviventes assumiram o compromisso de forta-lecer o movimento armado e realizar proezas dignas da heroína. O comunicado termina assim:

Honra e glória a Helenira Resende!
Morte aos que perseguem e atacam os moradores e os combatentes do Araguaia!
Por um Brasil livre e independente!
Comando das Forças Guerrilheiras do Araguaia

CAPÍTULO 79

Antes de retirar-se, militares falam em democracia

As tropas sofrem as consequências do improviso. O fardamento de brim mostra-se inadequado para a umidade da floresta. Os coturnos ficam destruídos em poucos dias e precisam ser substituídos por tênis. Nas emboscadas, os combatentes usam camisas de meia manga curtas, tingidas de verde, e os braços ficam expostos a insetos e espinhos.

Munição há de sobra. As equipes saem com reservas suficientes, parte levada pelos combatentes e parte guardada pelo comando. A instalação das bases de comando da Brigada ao longo do rio facilita o transporte fluvial. Sem embarcações próprias, o Exército paga dezesseis mil cruzeiros a moradores para transportar as tropas.

* * *

Havia uma única balsa de médio porte em condições de levar as viaturas de uma margem a outra naquele trecho do Araguaia. Cada travessia durava uma hora. Mais de 50 travessias foram feitas. Cerca de três mil homens se deslocaram nos barcos locais, com capacidade para levar de dez a 30 passageiros por vez.

Mais de 500 homens participaram da ocupação de 22 bases montadas na mata. A retirada das tropas ao final da missão, em grande parte, seria realizada de helicóptero, mas surgiria o inconveniente das clareiras abertas, muito pequenas para decolagens pesadas.

Apesar da restrição, a falta de estradas fazia dos helicópteros o meio de transporte mais importante na Operação Papagaio. Foi usado em larga escala nas patrulhas, nas inspeções dos comandantes às bases de combate e nas evacuações aeromédicas.

O transporte rodoviário se restringia à zona de ação do 36º BI, que usava seis viaturas. Uma precária estrada ligava São Geraldo ao BC/36º BI em Sítio Paulista. O 10º BC empregava dois caminhões para carregar tropas e suprimentos.

As próprias unidades militares faziam a manutenção dos armamentos, viaturas e equipamentos com ajuda do pelotão de apoio do Gpto Log e de oficinas da Rodobrás instaladas à beira das estradas. Na área de operação, as viaturas ficavam concentradas em Xambioá, sob a responsabilidade do CMP.

Apenas os carros à disposição da Cia QG/Bda e do pelotão 8º GAAA permaneciam em São Geraldo. Vez por outra, mecânicos de rádio do Serviço de Comunicação Regional ajudavam na manutenção, mas pouco contribuíram com o apoio à operação.

Os feridos do 2º BIS eram levados para Belém; os demais para Brasília. Passaram pelo posto de triagem 12 casos de malária, oito de leishmaniose, 18 acidentados e 28 por outras razões.

O general Bandeira aprovava a atuação do grupamento logístico. A estrutura de suporte teve grande importância em uma operação daquela envergadura. Ele pensava o mesmo sobre o apoio prestado pelos pontos guarnecidos pelos militares. No entanto, considerava a tropa, principalmente dos graduados, despreparada em primeiros socorros e higiene sanitária. Algumas baixas seriam evitadas se os militares fossem mais rigorosos na adoção de medidas profiláticas.

No meio da operação, Xambioá passou por uma crise de abastecimento. As tropas consumiram muito mais do que a cidade tinha para oferecer. Faltaram pão e carne para a população. Como solução, o Gpto Log passou a comprar diretamente dos produtores.

* * *

Nos últimos dias da Operação Papagaio, a Marinha forneceu homens para missões de combate entre a Serra das Andorinhas e o rio Xambioá. Ao mesmo tempo, os fuzileiros começaram a preparar a retirada de Remanso dos Botos.

O desaferramento acabou no dia 3 de outubro. O grosso da tropa voltou para Xambioá por marcha a pé e motorizada. Os equipamentos seguiram de barco. Dois aviões C-130 aguardavam em Carolina do Norte para levar os fuzileiros de volta ao conforto de suas casas.

Foram empenhados 2 GC (Ref) nessa missão sem utilizar mei
os rádios.

A missão foi cumprida com êxito, sendo os dois civis capturados e posteriormente enviados ao PC/3a Bda.

b) Dia 17 foram efetuadas incursões com duração de meia jornada nos pontos críticos da Z Ação permitindo uma ambientação da tropa.

c) A partir do dia 18 as ações na área do objetivo caracteri
zaram-se pelo cumprimento das tarefas atribuidas as SubU-
nidades, conforme a Ordem de Operação nº 1 do Gp OpFFE /
(ver Relatório de Ações) utilizando-se 1 vez movimento he
litransportado.

A Marinha se retirou dos combates por ordem do comando da Operação Papagaio. Nos 23 dias de combate, o Grupamento Operativo gastou 205 cartuchos 7,62 Hato, 12 granadas Odeti e seis granadas mini Odeti. Reprovaram o uso de FAL na selva, por deficiências na maneabilidade. Os para-FAL tiveram desempenho satisfatório, pois os cabos são mais curtos e não engancham na vegetação.

A atuação dos fuzileiros recebeu elogios dentro e fora da Marinha. Disciplinados, tiveram adaptação rápida às missões. Religiosos, participaram de cultos ecumênicos celebrados na base. Mostraram-se com moral elevado. No acampamento, jogavam dama e dominó para manter o espírito em paz. Na viagem de volta, ainda em Carolina do Norte, foram agraciados com a exibição de um filme em um dos cinemas da cidade. Cada combatente ganhou quatro ingressos para distribuir à população, em nome da Marinha.

Durante os combates, os militares da FFE realizaram Aciso. Em Vila dos Campos, prestaram assistência médica, distribuíram material escolar, doaram uma bandeira e cantaram o Hino Nacional. A população de Remanso dos Botos recebeu um mastro para a bandeira nacional, bolas de futebol e vôlei, palestras sobre as metas sociais do governo e um pacote de pó xadrez verde para ser usado no acabamento de um quadro-negro para as crianças estudarem.

Os militares também falaram sobre o que entendiam de eleições democráticas. Puseram a teoria em prática e orientaram a votação para a escolha de um aluno e de um professor convidados a almoçar com o comandante do grupamento na base de apoio. Fizeram uma reunião com o Círculo de Pais e Mestres, elegeram três senhoras para comandá-lo, cantaram e interpretaram a letra do Hino Nacional.

O Grupamento levou para casa um agradecimento de Vianna Moog. No ofício de 2 de outubro, o general declara-se sensibilizado com a colaboração de Uriburu na Operação Papagaio. O comandante militar do Planalto enalteceu a atuação das três Forças na manobra conjunta.

CAPÍTULO 80

Para a guerrilha, o inimigo não se retirou: fugiu "espavorido"

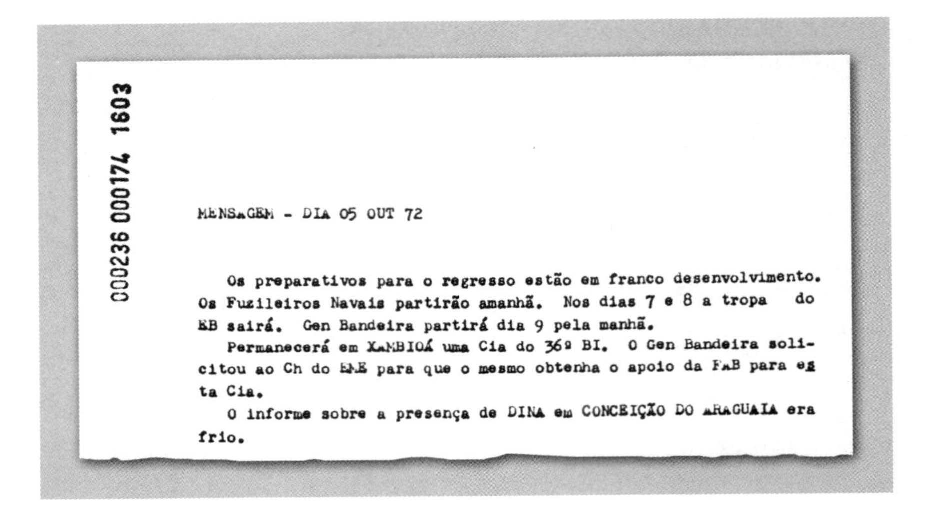

000236 000174 1603

MENSAGEM - DIA 05 OUT 72

Os preparativos para o regresso estão em franco desenvolvimento. Os Fuzileiros Navais partirão amanhã. Nos dias 7 e 8 a tropa do EB sairá. Gen Bandeira partirá dia 9 pela manhã.

Permanecerá em XAMBIOÁ uma Cia do 36º BI. O Gen Bandeira solicitou ao Ch do EME para que o mesmo obtenha o apoio da FAB para esta Cia.

O informe sobre a presença de DINA em CONCEIÇÃO DO ARAGUAIA era frio.

MENSAGEM – DIA 05 OUT 72

Os preparativos para o regresso estão em franco desenvolvimento. Os Fuzileiros Navais partirão amanhã. Nos dias 7 e 8 a tropa do EB sairá. Gen Bandeira partirá dia 9 pela manhã.

Permanecerá em XAMBIOÁ uma Cia do 36° BI. O Gen Bandeira solicitou ao Ch do EME para que o mesmo obtenha o apoio da FAB para esta Cia.

O informe sobre a presença de DINA em CONCEIÇÃO DO ARAGUAIA era frio.

Do lado esquerdo da página, um carimbo vertical protocola o documento nos arquivos do CIE com o número 000236 000174 1603. As Forças Armadas começavam a retirar as tropas do Araguaia. A 3ª Brigada, chefiada por Bandeira, voltava para os quartéis do Planalto. Apenas um grupo reduzido de militares ficaria na região. A estratégia de perseguição aos subversivos sofreria mudança radical.

000236 000174 1618

= TOTAIS DE XAMBIOAH =
(Até 06 Out 72)

SITUAÇÃO		FORÇAS AMIGAS	FORÇAS INIMIGAS
EM COMBATE	MORTOS	2	13
	FERIDOS	4	?
	PRESOS	-	10 (a)
EM ACIDENTES	MORTOS	3	-
	FERIDOS	3	-

* * *

Em uma folha de papel ofício, o Exército faz um balanço dos combates até o dia 6 de outubro. O documento recebe o título *Totais de Xambioá* e se apresenta em forma de tabela, em que conta 13 mortos e 10 presos das *forças inimigas*.

Nas *forças amigas*, cinco mortos e sete feridos. Os guerrilheiros abatidos e dois militares tombaram em combate, segundo o documento. Os feridos foram dois tenentes e um sargento. Em acidentes, morreram três soldados. Outros três e um sargento sofreram lesões. Onze soldados e um sargento se feriram durante deslocamentos das tropas. A morte de um tratorista civil é registrada sem nome ou qualquer outra referência.

A folha com a tabela, arquivada no CIE com o número 000236 000174 1618, revela que oito dos 13 guerrilheiros mortos até aquela data foram abatidos em setembro, período em que três militares morreram e quatro ficaram feridos.

* * *

No mesmo dia 6 de outubro, uma mensagem sem identificação de origem ou destino registra que uma companhia do 36° BC permanece na área com três pelotões para manter o controle sobre as regiões de Caianos,

Abóbora e Xambioá. Tem ordens para obter o maior número possível de informações.

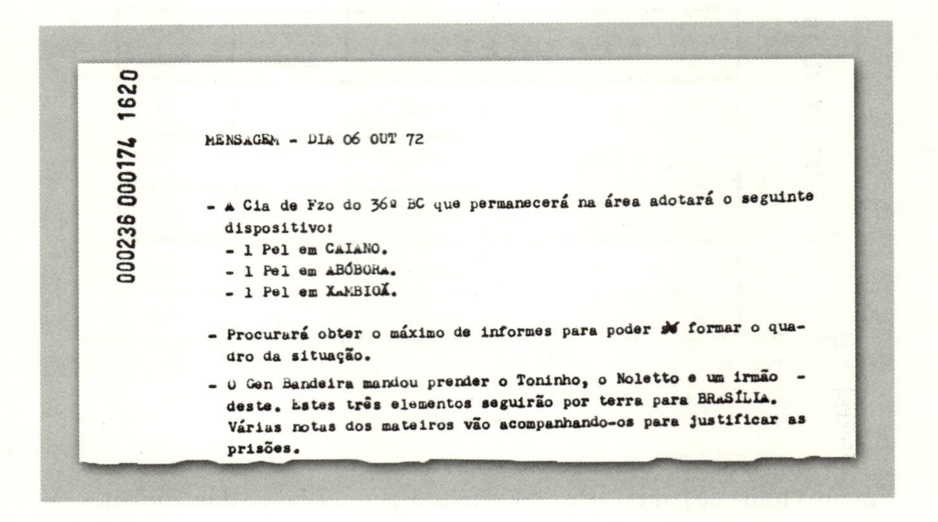
000236 000174 1620

MENSAGEM - DIA 06 OUT 72

- A Cia de Fzo do 36º BC que permanecerá na área adotará o seguinte dispositivo:
  - 1 Pel em CAIANO.
  - 1 Pel em ABÓBORA.
  - 1 Pel em XAMBIOÁ.

- Procurará obter o máximo de informes para poder formar o quadro da situação.

- O Gen Bandeira mandou prender o Toninho, o Noletto e um irmão - deste. Estes três elementos seguirão por terra para BRASÍLIA. Várias notas dos mateiros vão acompanhando-os para justificar as prisões.

O general Bandeira manda prender três sujeitos com base em boatos divulgados por mateiros. Um é identificado como Toninho, outro como Noletto e, o terceiro, *um irmão deste.* Os presos seguiriam por terra para Brasília.

No mesmo dia, três soldados do 10° BC sofrem ferimentos leves nas pernas. Um militar atirou sem querer quando manuseava um FAL durante reunião em Xambioá. A mensagem numerada pelo CIE com 000236 000174 1620 termina com a informação de que o 10° BC *seguira destino.*

* * *

Um comunicado reproduzido em mimeógrafo e expedido pelas forças guerrilheiras, em outubro, revela o estado de espírito dos combatentes. O documento trata a retirada das tropas como desistência temporária da repressão, manobra para evitar o desgaste e a desmoralização dos militares perante a população.

O comando da luta armada enaltece a atuação dos guerrilheiros no confronto contra os grandes e aparatosos efetivos militares, os helicópteros e aviões, o armamento moderno, os generais, os bombardeios, as picadas na mata e a violência. Sem o apoio dos moradores, o inimigo teve de fugir *espavorido* ante o ataque das forças rebeldes. A retirada das tropas oficiais, diz o documento, representa a derrota dos generais fascistas e uma vitória das Forças Guerrilheiras do Araguaia. Ele conclui que a retirada serve de alento para todos os brasileiros defensores da liberdade e da independência nacional.

As Forças Guerrilheiras do Araguaia anunciam então a intenção de prosseguir no combate aos "inimigos do povo". Não subestimam o poder bélico dos militares, preveem luta árdua e prolongada, mas dizem que confiam na solidariedade da população. No final do comunicado, os guerrilheiros bradam a vitória e a derrota da ditadura com os versos:

Abaixo os generais fascistas!
Viva a liberdade!
Morte aos que perseguem e atacam os moradores e os combatentes do Araguaia!
Por um Brasil livre e independente!
Comando das Forças Guerrilheiras do Araguaia

CAPÍTULO 81

Bandeira queria ficar; Glênio cada vez mais perdido na mata

As perdas infligidas aos terroristas foram pesadas para seus efetivos e maiores ainda se considerarmos o valor qualitativo, dentro da organização, dessas perdas.

Mas infelizmente, não podemos dizer que o foco terrorista foi extirpado.

Ele foi profundamente abalado, mas tem condições ainda de restabelecer-se e expandir-se, desde que não mais prossiga a repressão.

O foco guerrilheiro que atua com a sigla de FOGUERA (Forças Guerrilheiras do Araguaia) conta com o apoio moral do Movimento Comunista Internacional, não havendo, contudo, ainda indícios de apoio material.

As emissoras de Havana e Tirana em suas programações diárias incentivam o movimento e atacam as forças repressivas de maneira grosseira e vil.

Em suas irradiações, mencionavam acontecimentos desenrolados na área com fidelidade e atraso de apenas 48 horas.

Se os terroristas receberem apoio em armamento e dinheiro e reforço em pessoal, poderão vir a exigir grandes esforços das Forças Armadas para sua eliminação, assim como despesas de grande vulto.

O general Antônio Bandeira queria manter as tropas no Araguaia. Ele achava que a Operação Papagaio terminava quando as Forças Armadas conseguiam vitórias importantes. Sem a presença ostensiva dos militares, os inimigos ganhariam tempo para obter reforço material e humano.

Os prejuízos financeiros e psicológicos seriam sentidos. A manobra deslocou efetivos de pontos distantes, por terra, em péssimas estradas. De Brasília a Xambioá, alguns percorreram 1.400 quilômetros. Os soldados de Uberlândia viajaram mais de 1.700 quilômetros.

Jipes e caminhões quebraram no caminho e nas operações dentro da mata. Na volta, ficariam ainda mais avariados. Mais de 3.200 homens se desgastaram com a viagem e com as refregas. Muitos recrutas participaram de combates e ajudaram a matar subversivos. Passaram medo na selva escura, dormiram em redes úmidas, caminharam por trilhas dias seguidos, com mochilas pesadas, e deixavam o Araguaia quando começavam a se ambientar com o “inferno verde”.

Na avaliação do general, os resultados não foram melhores porque as Forças Armadas levaram soldados em número insuficiente para ocupar o pedaço de floresta usado pelos guerrilheiros. A estratégia da operação exigia controle total da área, e boa parte tinha ficado desguarnecida. Depois das Aciso, a população seguiria sem a atenção dos governos; autoridades e policiais locais permaneceriam arbitrários. A economia continuaria rudimentar e carente de meios para escoamento da produção. Os inimigos saberiam aproveitar a ausência das tropas para ampliar a influência sobre os humildes moradores.

A ação repressiva durante a seca causou danos na estrutura dos guerrilheiros. A destruição dos depósitos de suprimentos camuflados na floresta reduziria a resistência nas chuvas. Atacados com violência durante seis meses, os militantes tiveram dificuldade de construir novos esconderijos para alimentos, remédios e munições. Os comunistas estavam enfraquecidos. No entanto, em curto prazo teriam condições de se tornar um problema bem maior. A chegada maciça de imigrantes à região facilitava a entrada clandestina de novos combatentes. Pressionados, ainda poderiam fugir para oeste, em direção ao Xingu, área bastante extensa, embora sem as facilidades de sobrevivência oferecidas pela floresta.

Até aquele momento, não havia indícios de ajuda de outros países ao PCdoB, com exceção do treinamento na China, mas a transmissão de notícias sobre a guerrilha no Brasil pelas rádios de Havana demonstrava apoio externo. Os militares não conseguiam descobrir como as emissoras estrangeiras colocavam no ar informações sobre fatos ocorridos no Araguaia apenas dois dias antes. De algum lugar do Brasil, talvez da selva, saíam mensagens para o bloco comunista. O eficiente sistema de rádio permitiu a divulgação das notícias do movimento armado na Amazônia.

Apesar da resistência de Bandeira, Vianna Moog cumpriu os prazos fixados para a Operação Papagaio.

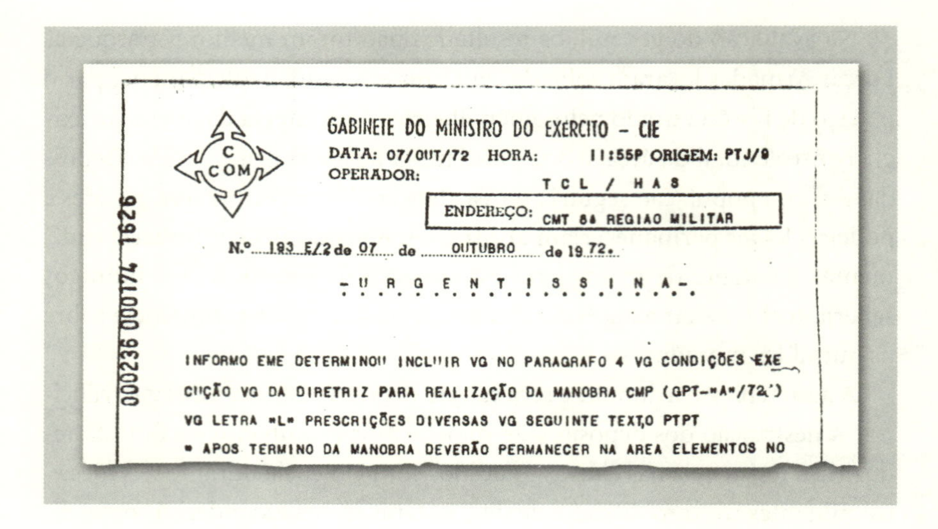
GABINETE DO MINISTRO DO EXÉRCITO - CIE
DATA: 07/OUT/72 HORA: 11:55P ORIGEM: PTJ/8
OPERADOR: TCL / HAS
ENDEREÇO: CMT 8A REGIAO MILITAR
N.º 193 E/2 de 07 de OUTUBRO de 1972.
-URGENTISSINA-
INFORMO EME DETERMINOU INCLUIR VG NO PARAGRAFO 4 VG CONDIÇÕES EXECUÇÃO VG DA DIRETRIZ PARA REALIZAÇÃO DA MANOBRA CMP (GPT-"A"/72) VG LETRA "L" PRESCRIÇÕES DIVERSAS VG SEGUINTE TEXTO PTPT
" APOS TERMINO DA MANOBRA DEVERÃO PERMANECER NA AREA ELEMENTOS NO
000236 000174 1626

O general Álvaro Cardoso, comandante militar da Amazônia, tem pressa em repassar à 8ª RM as últimas orientações do EME. A cúpula militar determina a permanência de um pelotão da 8ª RM na área. Os grandes comandos têm autonomia para definir quantos elementos dos DOI-CODI ficarão na região. A mensagem de Álvaro Cardoso chega primeiro ao gabinete do ministro do Exército, general Orlando Geisel. Na mesma hora, é retransmitida por rádio, em código, para o comandante da 8ª Região Militar. Tem o número 000236 000174 1626 nos arquivos do CIE. Termina com uma identificação, também codificada: *RECEBIDA NO PTJ/8 POR/ROB AAS 11:55P.*

* * *

Uma semana depois de perder-se, Glênio segue sempre o mesmo riacho, na esperança de encontrar os companheiros. Às vezes o cipoal impede a caminhada e o guerrilheiro avança dentro da água. Cai dentro de poços fundos, dá de cara com morcegos e teme encontrar uma sucuri, a maior das cobras brasileiras. Vê uma anta, vê rastros de onça.

Um dia, acorda com a língua de uma cobra tremendo pertinho do rosto, dá um pulo assustado e o réptil foge.

A umidade provoca ferrugem no cabo da espingarda e Glênio passa a cuidar melhor das armas. Mas já não tem fogo para assar as caças. O guerrilheiro nascido no Rio Grande do Norte come cupuaçu e ovos de passarinhos. Sente moleza e o corpo começa a arder em febre. A malária voltou. Mais do que nunca, o militante perdido precisa de comida para sobreviver.

Encontra um pé de açaí, faz suco e toma com pedaços de palmito. Começa a melhorar dos sintomas da doença. Mas outra noite chega e cai um temporal. Cansado e ensopado, treme de frio. Sem encontrar um lugar seco para deitar, para por instantes e de repente leva um tombo. Adormeceu de pé.

Antes de o dia clarear, leva outro tombo. O frio da noite e os esbarrões deixaram Glênio com o corpo arroxeado. O combatente tira a roupa e põe para secar em uma clareira. Faz o mesmo com o balote e com as balas do 38. Em seguida, senta-se para limpar as armas.

CAPÍTULO 82

Militares tentam fazer em oito dias o que nenhum governo fez

MINISTÉRIO DO EXÉRCITO
CMP/11ª RM - 3ª BDA INF
BTL DA GD PRESIDENCIAL

BRASÍLIA - DF
EM 20 OUT 1972
MANOBRA ARAGUAIA/72

RELATÓRIO DAS OPERAÇÕES DE ACISO

I - FINALIDADE

Transmitir ao Comandante do CMP/11ª RM os resultados dos trabalhos realizados, ressaltando os aspectos positivos e os negativos, e, apresentar sugestões para o aprefeiçoamento das futuras operações.

II - REFERÊNCIAS

Anexos "A" e "B" ao Doc nº 5, da OPERAÇÃO PAPAGAIO.
PROGRAMA DE AÇÃO CÍVICO-SOCIAL - elaborado pelo BATALHÃO DA GUARDA PRESIDENCIAL.

Um relatório do Batalhão da Guarda Presidencial, assinado pelo coronel Waldemar de Araújo Carvalho, registra o resultado da ação social durante a Operação Papagaio, em Xambioá e Araguatins: grupos percorreram a zona rural; os médicos atenderam 7.740 pessoas; os dentistas extraíram 4.007 dentes de 2.397 pacientes — quase dois dentes por pessoa.

O pessoal de saúde vacinou 5.035 habitantes contra febre amarela e 2.703 contra varíola. Internou 15 crianças com desidratação. Atendeu dois acidentados de trânsito; realizou quatro partos normais; atendeu a dois casos de placenta retida; fez uma cesariana com morte do feto. Tratou oito casos de malária e um de queimadura de primeiro e segundo graus. Nove moradores com problemas graves de saúde foram removidos para Goiânia e Brasília. Farmácias forneciam remédios. Faltaram equipamentos para cirurgias de emergência e cadeiras para os dentistas nas campanhas pela zona rural.

Nas ações de educação, ministraram o *Curso Rápido de Orientação Pedagógica* para aperfeiçoar os professores. A maioria dos docentes tinha poucos anos de estudo e quase nenhum preparo para ensinar. Pais, estudantes, professores e donas de casa assistiram a palestras sobre educação cívica, higiene, saneamento e alimentação.

Os homens da Aciso montaram postos de orientação para agricultores e pecuaristas. Fazendeiros e colonos demonstraram total desinteresse, com exceção de uma palestra para 30 proprietários de terra no Sindicato Rural de Xambioá. Os militares conseguiram um jipe emprestado para enviar agrônomos e veterinários às fazendas. Encontraram casos de brucelose, aftosa e carbúnculo. Nas pastagens, descobriram uma erva venenosa; uma nos bananais, o Mal do Panamá, provocado por um fungo (*Fusarium oxisporium*) que faz as folhas amarelar, murchar, secar e, por fim, quebrar.

Para divertir a população, os militares promoveram gincanas e competições esportivas. A banda de música do BGP animou as cerimônias mais importantes. Sempre que puderam, realizaram solenidades, com a presença das autoridades locais e o máximo de pompa permitido pelas circunstâncias. Assim aconteceu na abertura das operações Aciso, quando compareceram representantes de todas as escolas do município, na distribuição das bandeiras do Brasil, uma para cada sala de aula, e na entrega dos documentos dos alistados e reservistas.

No encerramento das ações, doaram à Prefeitura de Xambioá a bandeira nacional.

Estudos revelaram dados importantes sobre as condições de vida dos moradores de Xambioá. Apenas 20% usavam fossas, a verminose atingia 100% da população, bebia-se água poluída e a dieta alimentar era insuficiente. Faltava recreação sadia, principalmente para os jovens. O diagnóstico levou os militares a executar algumas ações em conjunto com os habitantes. Em mutirão, construíram 30 fossas nas áreas mais necessitadas. Campanhas públicas estimularam a plantação de hortas caseiras e esclareceram a população sobre os perigos da água contaminada.

Um clube de jovens foi criado para conscientizar moças e rapazes sobre a importância da recreação sadia e sobre a necessidade de participação no desenvolvimento da cidade. Um grupo organizado para continuar as discussões recebeu a denominação de Juventude Unida do Araguaia. A equipe responsável pelo fornecimento de carteiras de identidade chegou a Xambioá somente na véspera do encerramento da Aciso, pois teve problemas com o transporte. A população reclamou.

As Forças Armadas entregaram 323 certificados de alistamento militar, 387 de dispensa de incorporação e 94 atestados de desobediência. Com a ajuda dos moradores pintaram uma igreja, um posto de saúde, um ginásio e três escolas primárias. Trocaram 500 telhas de salas de aula, fizeram instalações elétricas, montaram uma bomba de água e forneceram material de ensino.

Os prefeitos de Xambioá e Araguatins quiseram tirar proveito eleitoral das atividades, como se tivessem responsabilidade pela execução das medidas. Com medo de se envolver nas disputas locais, os militares asseguraram aos moradores que não ocorrera participação alguma dos políticos. As ações tiveram apoio, sim, do Ministério da Educação, com distribuição de material escolar, esportivo e instrumentos para fanfarras. O Ministério da Saúde enviou remédios, folhetos de campanhas educativas e equipe de vacinação. O Ministério do Interior participou com os estudantes do Projeto Rondon. O governo de Goiás pagou Cr$ 15.400,00 por despesas de alimentação do pessoal civil e militar em Araguatins. Também repassou material didático e de serviços gerais.

No parecer final das atividades, o coronel Waldemar fez um diagnóstico pessimista: *o atendimento médico e odontológico possível em uma Operação Aciso, de curta duração, serve apenas de paliativo, face às precárias condições da população assistida.*

A assistência começou em 21 de setembro e terminou dia 28. As Forças Armadas tentaram fazer em oito dias de Aciso o que os governos nunca fizeram pela população do Araguaia.

* * *

Do lado do Pará, as atividades de assistência ocorreram perto das bases antiguerrilha, executadas pela 3ª Brigada. As equipes realizaram 1.600 atendimentos médicos e 200 odontológicos. A população recebeu cerca de 650 quilos de medicamentos. Os militares encaminharam reclamações sobre limites de terras para o posto do Incra de São Geraldo. Ficou decidida a implantação de uma agrovila na cidade, como parte do projeto de colonização da Transamazônica. Cinco famílias de mateiros que colaboraram com os militares foram levadas para Itaituba, no centro-oeste do Pará, pois temiam represálias por parte dos guerrilheiros.

Os comandantes encontraram em poder de guerrilheiros mortos alguns dos panfletos produzidos pelos militares para a guerra psicológica. Interpretaram o fato como prova de que a estratégia de espalhar papéis com o objetivo de abalar o moral do inimigo foi correta.

ARQUIVOS DO CIE

Os militares da Aciso doaram bandeiras do Brasil para a prefeitura e a população de Xambioá

ARQUIVOS DO CIE

A população participou de gincanas, paradas e desfiles patrióticos

CAPÍTULO 83

A dor da família Cabral

O sol arde no céu de Macapá na tarde de 28 de outubro de 1972. José Cabral do Nascimento, segundo oficial de Justiça do então Território do Amapá, descansa na rede da varanda e conversa com a mulher, Raimunda Picanço do Nascimento. A filha mais nova, Maria da Conceição, aponta o dedo para a rua e, com voz apreensiva, chama a atenção dos pais:

"Olha, lá vem um carro do Exército. Vai parar aqui."

Raimunda anda preocupada com o filho João Francisco. O rapaz entrou para o Exército e foi enviado para uma missão no interior do Pará. Quando vê a viatura, tem maus pressentimentos.

A viatura passa direto, mas diminui a velocidade, volta e para na frente da casa dos Nascimento. Um tenente fardado desce, com gestos formais e solenes. Depois dos cumprimentos, revela o motivo da visita.

"O soldado Cabral foi baleado."

O instinto materno faz Raimunda duvidar da notícia.

"Infelizmente, sei que meu filho não foi baleado. Meu filho está morto. Se eu fosse tua mãe, tu mentirias para mim?"

O tenente baixou os olhos e respondeu que não.

"O comandante pode falar algo mais concreto", orientou o militar e, sem se demorar, pediu a presença de alguém da família no quartel e partiu.

José Cabral ficou em estado de choque. Raimunda reagiu bem, mas queria notícias do filho. Juarez, o filho mais velho, estudava e trabalhava em Belém. Avisado, viajou para junto da família.

No quartel do 34º BIS, as previsões de Raimunda se confirmaram. João Francisco Picanço do Nascimento, o soldado Cabral, morreu em um acidente durante missão do Exército no sul do Pará. Faltavam chegar o corpo e melhores explicações para a morte do rapaz. João Francisco tinha 20 anos. Nasceu em Macapá e desfrutou do conforto de uma família de classe média muito conhecida na capital do Amapá. Moreno, 1,85 m de altura, alegre e conquistador, gostava de praticar esportes e fazia sucesso com as moças, apesar dos avisos do pai. Conservador, José Cabral permitia os namoros, mas impunha limites.

"Brinquem e namorem, mas não avancem o sinal. Senão, gostando ou não, eu caso vocês", avisava Cabral.

João Francisco tinha sido enviado para o Araguaia no primeiro semestre de 1972. Nada comentou com a família ao voltar para Macapá. Em setembro, viajou pela segunda vez. Raimunda esperou angustiada por informações sobre o filho, até a visita do tenente. Ao tomar conhecimento da tragédia, os parentes pediram para ver logo o corpo de João Francisco. O Exército pediu um tempo. A família queria também saber as circunstâncias do acidente. Não obteve resposta.

* * *

A noite escura e a ameaça representada pelos guerrilheiros deixam nervosos e amedrontados os recrutas escalados para proteger as máquinas do Incra usadas na construção da estrada entre Brejo Grande e Santa Cruz. Cada minuto de vigília parece uma eternidade. O acampamento fica próximo à Gameleira, área de atuação de Osvaldão. O Exército teme sabotagem do equipamento.

O responsável pela construção da estrada, Moacir Almeida Gomes, distribuiu a guarda depois de combinadas senhas e contrassenhas para as comunicações noturnas. Um pouco depois das dez horas, manda apagar o motor responsável pela iluminação e recolhe-se para dormir.

Em cima de um dos tratores de esteira, o jovem militar se deixa vencer pelo cansaço e cochila. Acorda de repente e assusta-se ao ver a mão de um homem que tenta subir na máquina. Apavorado, saca a arma e atira. A bala acerta em cheio o vulto. Outros correm para ver o que aconteceu. Um deles pergunta se haviam matado um guerrilheiro. Quando olham o rosto do morto, descobrem a tragédia:

"Guerrilheiro, nada! É o Cabral!"

O autor do disparo cai em desespero. O tratorista Raimundo Lopes da Silva, contratado pelo Incra, viu o militar chorar inconsolável. Pelas evidências, Cabral queria acender um cigarro e subia no trator para pedir fogo.

Sonolento, o soldado de cima não o ouviu pronunciar a senha obrigatória nos contatos entre os encarregados da vigília noturna.

Moacir acordou com a gritaria dos militares meia hora depois de apagar as luzes do acampamento. Comunicado sobre a tragédia, pediu um caminhão e levou o corpo até Marabá. No quartel da cidade, entregou o morto a um homem identificado como Capitão Fonseca, conhecido como o "quebra-ossos".

CAPÍTULO 84

“Falta apenas dizeres que meu irmão atirou em si próprio”

A “pasta azul”, acima, com título de “Manobra Araguaia 72” e o carimbo de “secreto” na capa e em todas as páginas internas, contém mapas, fotografias e documentos timbrados do Ministério do Exército (Comando Militar do Planalto), assinados pelos generais Olavo Vianna Moog e Antônio Bandeira, pelos coronéis Hélio Freire, Álvaro Esteves Caldas, Ênio Martins Senna, José Luiz de Mello Campos, Waldemar de Araújo Carvalho, pelo tenente-coronel Flarys Guedes Henriques de Araújo e pelo major Francisco da Ressurreição de Castro. Faz referência a um “general Roberto”, que visitou Araguatins por ocasião de uma das operações Aciso. A “Manobra Araguaia” contou com forças do Exército, Marinha e Aeronáutica.

Uma pasta de capa plástica dura e azul guarda os mais completos documentos produzidos sobre os combates de 1972. Em dois relatórios, os generais Olavo Vianna Moog e Antônio Bandeira registram as ações contra o PCdoB. No mesmo pacote, o CIE inclui narrações detalhadas da Operação Papagaio e fotografias das manobras.

Bandeira rubrica cada uma das 50 páginas do balanço finalizado em 30 de outubro de 1972. O título é: *Relatório das Operações Contraguerrilhas Realizadas pela 3ª Brigada de Infantaria no Sudeste do Pará.* O CIE reúne um pacote de relatórios sobre a participação de tropas do CMP no apoio logístico, na guerra psicológica e na execução das Ações de Assistência Cívico-Sociais, as Aciso. O general Bandeira anexa documentos produzidos pelo Exército e outros apreendidos dos guerrilheiros. Na introdução, define as manobras como *experiência real de guerrilha rural.* Analisa área, organização dos militares, características do inimigo, logística e deficiências. Recomenda aos superiores o prosseguimento das ações repressivas. Os resultados do confronto foram, segundo ele, *excelentes.*

Bandeira destaca os aspectos físicos do Bico do Papagaio. Chama a atenção para as dificuldades de circulação, a má qualidade das estradas, a maioria construída durante as operações. O rio Araguaia permite a navegação de pequenos barcos e alguns trechos ficam perigosos nas vazantes. Inclui estudo sobre aspectos políticos. Não há atuação alguma dos governos locais em benefício dos moradores. A viagem de barco de Santa Cruz até Conceição do Araguaia, sede do município, dura cinco dias. Os povoados ficam isolados. Apenas o rio une as duas localidades, separadas por 600 quilômetros de mata.

O governo estadual também nada faz, na opinião de Bandeira. Falta infraestrutura mínima para reduzir o sofrimento do povo. As autoridades federais adotaram as primeiras iniciativas com a construção da Transamazônica e a implantação dos projetos de distribuição de terras e abertura de estradas.

A análise dos aspectos econômicos do Bico do Papagaio apresenta o extrativismo vegetal como principal atividade. Destaque para a coleta de castanhas no inverno e o corte de madeira no verão. A mineração de cristal teve importância até três anos antes. Os moradores plantam milho, mandioca e arroz, apenas para subsistência. Nível de vida baixo. As riquezas naturais reduzem os efeitos da falta de renda. Aqueles brasileiros sobrevivem da extração de frutas, cocos, castanhas, da caça e da pesca abundantes. O general prevê grandes possibilidades de expansão da exploração de minério de ferro, na Serra dos Carajás, e o aumento das áreas destinadas à pecuária.

As deficiências das vias de acesso prejudicam o transporte da produção, são raras as estradas vicinais ligadas à Transamazônica e à Belém-Brasília. A zona de ação fica distante das maiores unidades militares.

* * *

Bandeira recomenda tropas uniformizadas, com equipamentos adequados para o trabalho na mata. Os homens devem receber instrução em ambientes de selva e aprender a conquistar a confiança dos moradores, *mercê do respeito às pessoas e às propriedades.* A melhoria das condições de vida dos moradores vai além das possibilidades do Exército. Cabe ao governo federal realizar um estudo sobre a região. E o general Bandeira sugere uma lista de providências.

No *campo psicossocial*, as autoridades devem investir na criação de infraestrutura de ensino primário e secundário; na melhoria dos padrões sanitários, com atenção para o tratamento de água, a assistência pré-natal, a puericultura, a construção de postos de saúde e hospitais; a grilagem precisa ser combatida e os responsáveis punidos; quem faz bom uso das terras merece ter a situação regularizada. Aos empresários rurais em atividade, o general envia uma sugestão: *somente utilizar-se de métodos administrativos honestos, deixando de lado a fraude e a exploração dos mais fracos física e economicamente.*

As recomendações avançam para o *campo econômico.* A região necessita de moderna tecnologia para o extrativismo vegetal e mineral. Os pequenos produtores precisam de financiamento para comprar máquinas, insumos e sementes, com uma política de preços mínimos para a safra. Os agricultores dependem de melhores armazéns e estradas para estocar e escoar a produção. Cabe ao governo federal proteger a mão de obra com ações na previdência e assistência rural.

O general pede apoio à pequena e média indústria, ao artesanato, e o desenvolvimento das empresas de exploração pecuária, com *boa orientação técnica.*

* * *

Sete meses depois do início dos combates, a população do Araguaia ainda se mostrava insegura quanto aos objetivos dos guerrilheiros. Na avaliação do general Bandeira, os moradores não acreditavam que gente tão boa e simpática, como os *paulistas*, pudesse ser chamada de *terrorista* e fosse perseguida pelo Exército.

Em certas regiões, como Patrimônio, onde os comunistas prestavam assistência médica e mantinham uma escola, o povo guardava reservas quanto à atuação das tropas. O general acreditava que a colaboração dos moradores com os guerrilheiros decorria de gratidão, não por afinidades ideológicas.

O trabalho de doutrinação política começou em julho de 1972, pelos registros de Antônio Bandeira. Antes disso, porém, os *paulistas* haviam conquistado respeito e amizade. Nos primeiros meses de confronto, poucos moradores se prestavam a ajudar os militares.

Na página 20, Bandeira registra parte dos métodos usados pelos militares para quebrar a resistência da população em colaborar na perseguição aos guerrilheiros. No início, as informações somente eram obtidas a troco de propinas. Depois, muitos passaram a colaborar. O general não relatou "como".

Os comunistas escondidos na mata viviam desesperados em busca de abastecimento e informações. Precisavam divulgar os princípios políticos do movimento guerrilheiro para conseguir novos combatentes. Consideravam a população receptiva aos discursos revolucionários. Na localidade de Brasília, Pará, leram um manifesto para 14 pessoas, outras 37 ouviram. Os comunistas instigavam os moradores a pressionar as Forças Armadas a agir contra as injustiças praticadas pelos donos de castanhais e serrarias e insistiam na construção de escolas e postos médicos. Estimulavam a busca de aposentadorias pelos mais velhos.

O general Bandeira avaliou que, em decorrência das ações executadas entre 18 de setembro e 8 de outubro, o Destacamento C encontrava-se incapacitado para enfrentar as Forças Armadas. Porém, o A e o B permaneciam praticamente completos e tinham condições de prosseguir. Ele acreditava que os militantes do PCdoB ainda podiam expandir o movimento revolucionário junto à população. Tentariam desacreditar as ações do Incra e ameaçariam com justiçamento os colaboradores dos militares.

Nas cidades, os comunistas tentariam sensibilizar operários e estudantes. O Exército seria apresentado como opressor de lavradores. Espalhariam boatos sobre ataques em lugares diferentes para impressionar a população e confundir as tropas. Precisavam construir novos depósitos para abastecimento.

Bandeira temia ataques contra os encarregados de construir estradas e cadastrar terras. Alertava para ações inimigas destinadas a afastar tropas e facilitar a aproximação com a população. Acreditava que o Destacamento C talvez tentasse deixar a região. Poderia atravessar o rio para Goiás, tentar pegar a estrada PA-70 ou seguir para o sul, na direção de Conceição do Araguaia. O mais provável era que se concentrasse na área para enfrentar as Forças Armadas.

Havia razões para o general pensar assim. A Serra das Andorinhas oferecia condições de sobrevivência, pois as tropas encontraram dificuldades para operar naquele tipo de terreno. Juntos, os guerrilheiros teriam mais força para enfrentar as forças repressivas. Com base no documento *Guerra Popular — Caminho da Luta Armada no Brasil*, Bandeira acreditava que eles permaneceriam na região para manter vivo o embrião das forças guerrilheiras. O partido tentaria romper as divergências das outras organizações de esquerda para obter recursos materiais e combatentes para enviar ao Araguaia.

O PCdoB também buscaria ganhar prestígio no movimento comunista internacional para conseguir dinheiro e armamentos. Até aquele momento, os comunistas brasileiros recebiam apoio moral das rádios da Albânia e de Cuba. O general temia que, sem o Exército na área, os comunistas partissem para ações de maior vulto. Poderiam constituir uma coluna, nos moldes aprendidos na China, e a retirada do Exército facilitaria a reorganização dos inimigos.

O documento de Bandeira descreve uma série de resultados não confirmados, de ações executadas pelos militares. Amaury e outro guerrilheiro não identificado teriam sido mortos em uma emboscada na região da Gameleira. Não era verdade. O ex-deputado Maurício Grabois, integrante do Birô Político da guerrilha, também teria caído. Outra informação falsa. Dinalva Conceição, a Dina, e Raul estariam feridos.

Bandeira traçou um generoso perfil da atuação das tropas da 3ª Brigada. "Homens instruídos para o trato com a população. Agiam com cordialidade e em troca recebiam muitas informações."

* * *

O relatório lista em meia página os maiores problemas encontrados. Nele se percebe um tom de denúncia. O primeiro item revela a omissão dos governantes estaduais e municipais, acusados de aparecer apenas para espoliar a população com multas e impostos ou realizar mentirosas campanhas politiqueiras. Reclama da inexistência de assistência social, situação favorável à ação de indivíduos inescrupulosos, que vendem amostra grátis de remédio. Fazendeiros, donos de castanhais e madeireiras obrigam os empregados a comprar mantimentos e roupas a preços extorsivos e, ainda por cima, cobram juros. No final da safra, os trabalhadores ficam devendo para o patrão.

Outro problema é a desonestidade da polícia. A troco de vantagens, homens pagos pelo Estado para proteger a população apoiam e dão cunho de legalidade aos desmandos dos grandes proprietários, descritos como homens ávidos pela posse cada vez maior de terras.

Havia um conchavo entre os prefeitos de Xambioá e Conceição do Araguaia. Pelo acerto, 80% da população humilde de São Geraldo tinham domicílio eleitoral fictício em Xambioá.

Por último, o general denuncia a existência de trabalho escravo na região. Os donos de fazendas, principalmente castanhais, atraem famílias do Nordeste para condições indignas de sobrevivência. Contam com a conivência de autoridades nas polícias de Goiás e do Pará.

* * *

A quarta parte do relatório, *Apreciação*, analisa o comportamento da 3ª Brigada de Infantaria na Operação Papagaio. Antônio Bandeira considera o efetivo mobilizado insuficiente para cobrir os nove mil quilômetros quadrados da área de combates. Reclama por não ter recebido as 65 estações de rádio NA/PRC-25 previstas. Como consequência das deficiências, o Exército ocupou 56 pontos na área, pouco mais da metade dos 108 planejados. Muitos grupos acabaram lançados na mata sem meios de comunicação. Permaneciam até dois dias *abandonados à própria sorte*.

O general cita a falta de uma companhia de comunicações na operação; essa deficiência sobrecarregou os comandantes. Critica a inexistência de uma companhia de engenharia. A saída foi *enquadrar* funcionários do Incra e do Departamento de Estradas de Rodagem (DER) de Goiás, a fim de abrir estradas para o deslocamento das tropas.

A última parte critica o excesso de preocupação dos militares em combate com o que se passava no batalhão vizinho. No fim, proibiu o uso de gírias e expressões regionais. Todos deveriam se restringir ao uso da terminologia militar.

Os batalhões operaram organizados em Grupos de Combate (GCs) no início da Operação Papagaio. Não tinham escalões, companhia e pelotão. As equipes ganharam poder de agir e sobreviver isoladamente, reforçadas com um cozinheiro, um socorrista e um rádio-operador, embora nem todas possuíssem aparelhos de comunicação. Algumas ações forçavam os militares a concentrar-se em uma área menor. Juntavam-se os grupos mais próximos e formavam-se pelotões e companhias.

Bandeira recomenda no relatório a manutenção de pequenos efetivos na reserva. Não há necessidade de destacar um batalhão para eventualidades. O comandante atribui as baixas expressivas de guerrilheiros no fim de setembro à ambientação dos militares na mata.

O Exército optou pelo emprego de pequenos grupos, no máximo um pelotão. As missões mais importantes tinham um capitão no comando e um tenente como auxiliar direto. O êxito ou fracasso relacionava-se diretamente com o comportamento dos comandantes. Quando demonstraram cuidado e interesse pelos subordinados, os resultados foram positivos. Quando negligenciaram, fracassaram. Alguns comandantes revelaram total despreparo para os combates. Transmitiram inquietação, insegurança e temor. Instalaram bases em posições defensivas e limitavam as ações de patrulha e emboscada ao período noturno.

Inexperientes e amedrontados, os militares disparavam ao menor ruído. Colocavam em risco a vida dos próprios militares e a dos moradores. Em uma base o general teve o desprazer, segundo suas próprias palavras, de encontrar o comandante em atitude desinteressada e pouco condizente com a missão. O melhor exemplo, destacado pelo general Bandeira, ocorreu na 1ª Cia/10° BC.

* * *

As operações começavam com a montagem da segurança das bases. Sentinelas vigiavam os arredores e instalavam cordéis de tropeço. Durante o dia os militares patrulhavam e vasculhavam a área. À noite, realizavam emboscadas. Às vezes, em passagens obrigatórias para os moradores. Outras, em locais em que houvesse indícios da presença de guerrilheiros.

Os combatentes demonstraram, principalmente em emboscadas, pouco rigor na disciplina. Nervosos e displicentes, faziam muito barulho e acendiam lanternas sem necessidade. Bandeira recomendou uma lista de material obrigatório para incursões na mata. Estojos de primeiros socorros, com seringas esterilizadas, soro antiofídico e outros medicamentos.

Os combatentes deveriam carregar duas bússolas. Facões facilitariam as caminhadas fora das trilhas. Para missões futuras, pediu duas panelas, se possível de pressão, importantes no preparo da comida. A maioria dos soldados era proveniente de regiões com características totalmente diversas. Os jovens sofriam com o mito da selva amazônica.

O general exaltou o preparo a que foram submetidos os soldados. Graças ao treinamento, o contato com a floresta causou menos impacto, mas os assustados rapazes se esfalfavam ao menor esforço. Embrenhados na mata, isolados do mundo, caíam facilmente em depressão. O documento retrata de forma positiva a adaptação da tropa. Os homens sob o comando do general tinham consciência de estar bem armados e seguros das condições de sobrevivência. Sabiam que não sentiriam sede nem fome, tamanha a riqueza da fauna e da flora daquela mata entrecortada por rios e igarapés.

* * *

O Exército aprendeu com os erros. Antes de tudo, o combatente deveria se livrar de todo peso supérfluo. O vestuário exigia tecidos leves, resistentes e ventilados. Nas áreas sem mosquito, poderiam usar camisetas de meia manga verde-escuras.

Os coturnos de selva eram mais adequados que os convencionais. Não deixavam pegadas e confundiam os inimigos. Os guerrilheiros reconheceram, em documento apreendido pelos militares, as dificuldades para analisar as trilhas pisadas por calçados próprios para a mata.

Os soldados necessitavam de fuzis com munição duplicada e carregadores sobressalentes. Na lista de equipamentos obrigatórios, o general incluiu cinto de guarnição, suspensório e bornal com marmita e talheres. Para dormir, rede de náilon, coberta para as noites frias, corda de náilon e poncho. Cada homem deveria carregar também uma porção de sal. Em caso de extravio de comida, serviria para salgar um pedaço de carne de caça ou peixe.

Bandeira assegura que a tropa recebeu apoio. Depois de curto período de desconfiança, os moradores passaram a ajudar, pois os militares tratavam a população e as posses com respeito. Uma vez aclimatados, os militares demonstraram excelente rendimento e aprenderam a limpar o armamento antes de descansar das missões.

Nas ações de patrulha e vasculhamento, preparavam-se para disparos instintivos em reação a possíveis ataques. Andavam com as armas em posição de tiro automático. Nas emboscadas, quando o mais importante era a precisão, as armas ficavam em posição de tiro intermitente.

* * *

Antônio Bandeira reclama dos prejuízos causados pela falta de estações de rádio adequadas. O pelotão de comunicações da 3ª Brigada instalou quatro circuitos telefônicos tronco PC-CMP submersos no rio Araguaia e em um local na área da BC/CMP. O sigilo das operações ficou prejudicado pela conduta dos operadores. Um batalhão desprezou as instruções do comando da brigada e estabeleceu seus próprios códigos. As senhas e contrassenhas foram anunciadas por rádio, com todas as palavras.

Bandeira também critica o comportamento das Polícias Militares do Pará e de Goiás:

A população da área (principalmente a menos favorecida) não vê com bons olhos a ação das PM, tanto a de Goiás quanto a do Pará, devido à maneira arbitrária, prepotente e muitas vezes irregular com que seus membros agem, não raro dando cobertura às atividades criminosas de grileiros.

A mesma polícia ajudava o Exército na repressão aos militantes do PCdoB. O general substituiu três vezes o comandante do destacamento da PM de São Geraldo, no Pará, e o delegado de Xambioá, por não apresentarem condições "morais" que os habilitassem a exercer suas funções dignamente. Citou três exemplos:

1. O tenente Nobre, um dos comandantes da PM de São Geraldo, sem qualquer justificativa, atirou contra um grupo de trabalhadores que conversava com um oficial da Aeronáutica. O sujeito foi recolhido a Belém depois de cometer outras arbitrariedades não especificadas no documento.
2. Destacado para comandar o destacamento da PM em Santa Cruz, no Pará, o sargento Walmir, alcoólatra inveterado, acabou preso e recolhido a Belém. Em uma ocasião, trocou a comida da tropa por bebida e deixou os policiais com fome.
3. O terceiro-sargento Carlos Marra, delegado de Xambioá, cometeu inúmeras arbitrariedades e corrupções; o ponto culminante foi vender material apreendido dos guerrilheiros e ficar com o dinheiro.

* * *

Bandeira apresenta outros ensinamentos colhidos no Araguaia. A instalação de uma BC (Base de Combate) deve ser precedida de verificação de área limpa de pessoal civil e de inimigos. Precisam mandar um destacamento de segurança à frente da tropa, além de patrulhas ao redor da área a ser atacada.

Descobriu que as BCs têm de ser organizadas com posições defensivas circulares, complementadas por obstáculos. São necessários postos avançados de vigilância e escuta, instalados à frente do acampamento, guarnecidos dia e noite. Para economizar pessoal, precisam montar obstáculos de arame farpado, alarmes e iluminação.

Os comandantes devem escolher campos de tiro limpos e construir abrigos de proteção contra ataques inimigos. Um cuidadoso plano de tiros, em condições de ser desencadeado a qualquer momento, aumentaria a capacidade militar. As dimensões da base precisam ser pequenas, mas com instalações suficientes para facilitar a reação ao fogo guerrilheiro sem ficar vulnerável.

A reação rápida e violenta exerce poderoso efeito de dissuasão sobre os comunistas. Mais uma razão para as tropas permanecerem em constante estado de alerta. O general alerta para a necessidade de se incutir na mente dos soldados que um ataque é uma ocasião ímpar para se estabelecer contato com o inimigo fugidio — e, consequentemente, destruí-lo.

* * *

Bandeira examinou os fatores que influíam nas decisões dos comandantes durante uma operação. Chamou atenção para a população envolvida no movimento armado comunista. As forças legais precisam de perfeito conhecimento das aspirações e necessidades dos moradores para eliminar as causas das tensões exploradas pelos inimigos.

O reconhecimento de terreno deve ser minucioso. A falta de cartas precisas obriga cada unidade militar a organizar e aperfeiçoar os próprios mapas. A proximidade da relação entre comando e comandados permite aos escalões superiores conhecer melhor as possibilidades e deficiências das tropas, transmite confiança e ajuda a corrigir falhas.

Outra recomendação de Bandeira: os documentos produzidos pelos subordinados devem ser claros, precisos, breves, objetivos e devem conter somente informações de interesse dos executantes. Os textos muitas vezes não respondiam às imprescindíveis perguntas: *Quem? Quê? Onde? Como? Quando?*

O general condenou a transmissão de informes sem veracidade apurada. O batalhão deve checar antes de repassar; a prática correta evita a circulação de versões errôneas, exageradas ou simplesmente incorretas. Bandeira ressalta que cada operação possui características próprias, e isso obriga os militares a exercitar o raciocínio em busca de soluções adequadas, sem saídas convencionais, ortodoxas e próprias de quem é carente de imaginação.

Palavras do general.

* * *

Bandeira acreditava que os inimigos andavam fora das trilhas e picadas e não deixavam rastros. Marchavam dentro dos pequenos cursos d'água, pisando em pedras ou árvores tombadas. Muitos choques com comunistas aconteceram em ravinas aquosas e com fartura de alimentos silvestres, ou mesmo plantados pelos moradores, por isso os militares precisavam percorrer com frequência as áreas nas quais os guerrilheiros viviam antes do início dos combates.

Ele recomendou que todos os combatentes conhecessem profundamente as técnicas de emboscadas e contraemboscadas, abordagem de casas e reconhecimento de área. Os tenentes R/2 deveriam ser exaustivamente treinados nesses fundamentos até atingir o desembaraço que os habilitasse a comandar as pequenas frações.

Bandeira incluiu a necessidade de oficiais e sargentos participar das medidas de segurança adotadas pelo grupo. Em hipótese alguma deveriam usar fardamento que os destacassem dos outros. Os sargentos ganhavam importância pela ausência de tenentes com passagem pela Academia Militar das Agulhas Negras (Aman). Era deles a responsabilidade de grande parte da execução das instruções superiores, mas careciam de preparo, de motivação e de melhores informações sobre os objetivos e as finalidades das operações.

Outra orientação tratava da importância da mudança nos horários de movimentação das tropas — a previsão dos hábitos facilitava a contra-ofensiva. As operações deveriam ser precedidas de trabalho psicológico metódico, em especial com os comandantes das equipes, para fortalecer o moral do combatente.

As ferramentas de sapa (pás para abrir buracos e trincheiras) tinham de ser carregadas nas mochilas ou presas aos cintos, junto com facões e machadinhas. O FAL foi reconhecido por Bandeira como adequado para a selva.

Na opinião do general, faltou engenharia de combate, o que prejudicou a construção de trilhas e picadas, a transposição de cursos d'água e o emprego de explosivos e minas.

Sobre a Marinha, limitou-se a registrar que a atuação conjunta trouxe proveitos para ambas as partes. Os representantes da Força revelaram *preparo, entusiasmo e elevado sentimento de responsabilidade.* Os integrantes da FAB *se excederam em dedicação e entusiasmo.*

* * *

A manobra, como exercício de adestramento de tropa, alcançou plenamente seu objetivo.

A primeira frase escrita pelo general Antônio Bandeira demonstra o tom triunfalista de suas conclusões. Pela primeira vez atuando em uma região de selva, a 3ª Brigada de Infantaria revelou um índice operacional elevado. Os militares se comportaram com eficiência e desembaraço. Mesmo inexperientes, demonstraram disciplina, vigor físico e entusiasmo. Os ensinamentos colhidos serviriam para o aprimoramento do Exército. As falhas e deficiências anotadas passariam por análises dentro dos quartéis. No ano seguinte, as instruções seriam corrigidas.

Quanto ao combate ao foco guerrilheiro, não se poderia esperar melhor resultado em tão curto prazo. As perdas infligidas aos comunistas foram pesadas, mas o movimento armado resistia. Bandeira acreditava que as forças guerrilheiras contavam com o apoio moral do movimento comunista internacional. Mas, até aquele momento, os militares não haviam obtido qualquer indício de ajuda material. As emissoras de Havana e Tirana incentivavam a luta armada da guerrilha brasileira e atacavam as forças repressivas *de maneira grosseira e vil.*

Se os guerrilheiros recebessem armas, dinheiro e reforço de pessoal, as Forças Armadas precisariam de grandes esforços e muito dinheiro para eliminar o movimento armado.

Os pedidos não atendidos pela Aeronáutica decorreram da falta de meios, particularmente helicópteros. Para ações de contraguerrilha na selva, as bases de combate deveriam ser ocupadas no máximo em 48 horas, para aproveitar o fator surpresa. Com poucos aparelhos, o trabalho levou cinco dias. Anexos às 50 páginas, o general arquivou mapas, informações sobre os inimigos e documentos apreendidos.

* * *

A família de João Francisco, o soldado Cabral, soube parte da verdade ao entrar em contato com o 34º BIS. O rapaz foi baleado na cabeça por um soldado chamado Mário. A tragédia não poderia ser pior, pois os dois eram amigos e até jogavam futebol juntos. Juarez, o irmão mais velho, pediu urgência no transporte do corpo para Macapá, mas só foi atendido 72 horas depois. Os parentes reivindicaram o direito de ver João Francisco pela última vez. Não foram atendidos.

Pelas normas do Exército, o corpo ficava em urna lacrada. Ninguém pôde ver. A mãe não se conformou. Perguntava aos outros filhos se o irmão estava mesmo dentro daquela caixa. No velório sentiram odor de decomposição. Havia um corpo lá dentro, mas Raimunda manteve a dúvida: seria o filho?

O cortejo fúnebre até o cemitério São João Batista, a pé, movimentou a cidade à beira do rio Amazonas. Estudantes e amigos formavam um corredor pelas ruas e, emocionados, davam adeus ao soldado.

* * *

As semanas passavam. Os boatos aumentavam e, aos poucos, a família se informava. Formaram uma versão possível — sem confirmação oficial. O constrangimento gerado pela circunstância provocava a resistência do 34º BIS em contar a verdade. O Exército abriu um IPM. As investigações apontaram o soldado como responsável pela própria morte. Os parentes ficaram inconformados. "Negligência em serviço", dizia o documento. O inquérito foi presidido por um conhecido de Juarez. Ao saber do resultado, Juarez o procurou.

"Falta apenas tu dizeres que meu irmão pegou a arma e atirou em si próprio", disse, indignado.

A família repelia a conclusão do inquérito. Avaliava que o Exército mandou um jovem despreparado para combater guerrilheiros na selva e não garantiu a vida dele. Aos 20 anos, tinha direito de viver, namorar e se divertir. Uma vida toda pela frente. Ficar mais de um mês na selva, sem experiência contra inimigos traiçoeiros e longe do conforto da casa, enlouqueceria qualquer um: com esses pensamentos Juarez procurou um advogado, o ex-militar Francisco Vasconcelos.

CAPÍTULO 85

General omite, coronel admite: usaram bombas de napalm

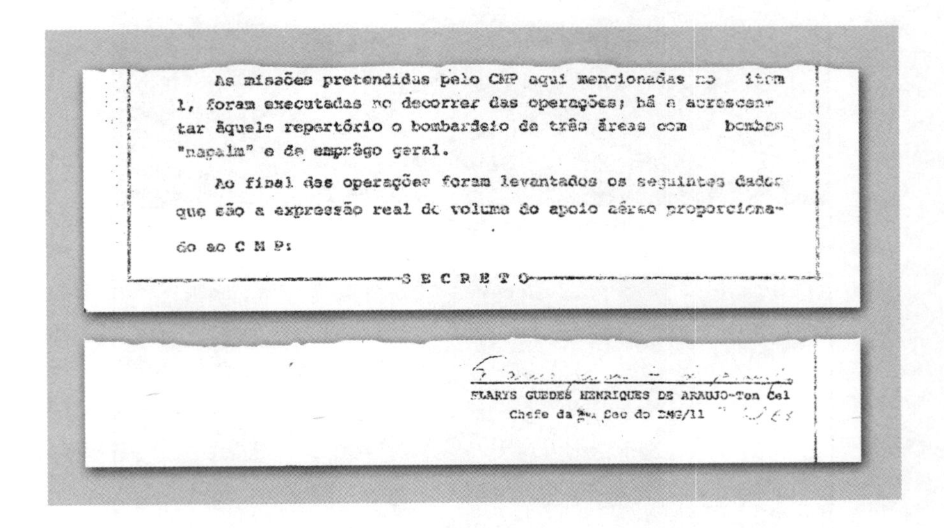

As missões pretendidas pelo CMP aqui mencionadas no item 1, foram executadas no decorrer das operações; há a acrescentar àquele repertório o bombardeio de três áreas com bombas "napalm" e de emprêgo geral.

Ao final das operações foram levantados os seguintes dados que são a expressão real do volume do apoio aéreo proporcionado ao C M P:

S E C R E T O

FLARYS GUEDES HENRIQUES DE ARAUJO-Ten Cel
Chefe da 3ª Sec do EMG/11

O relatório do general Bandeira omitiu o uso de napalm durante a Operação Papagaio, mas o documento assinado pelo tenente-coronel Flarys Guedes Henriques de Araújo, chefe da 3ª Seção do EMG/11, registra o bombardeio do desfolhante na floresta amazônica — o que não havia sido previsto no planejamento inicial. O texto do coronel Flarys diz:

As missões pretendidas pelo CMP, aqui mencionadas no item 1, foram executadas no decorrer das operações; há a acrescentar àquele repertório o bombardeio de três áreas com bombas "napalm" e de emprego geral.

O repertório original repassado à Aeronáutica limitava-se ao transporte de tropas e cargas, reconhecimento da área e controle de tráfego. Napalm é uma bomba incendiária, largamente usada pelos militares norte-americanos na Guerra do Vietnã. Consiste, segundo o dicionário Aurélio, de "gasolina gelatinizada e espessada por sais do ácido naftênico e palmítico".

FOTOS TAÍS MORAIS

Exemplar original do C-47 utilizado na guerrilha. Fotografado na Base Aérea de Belém

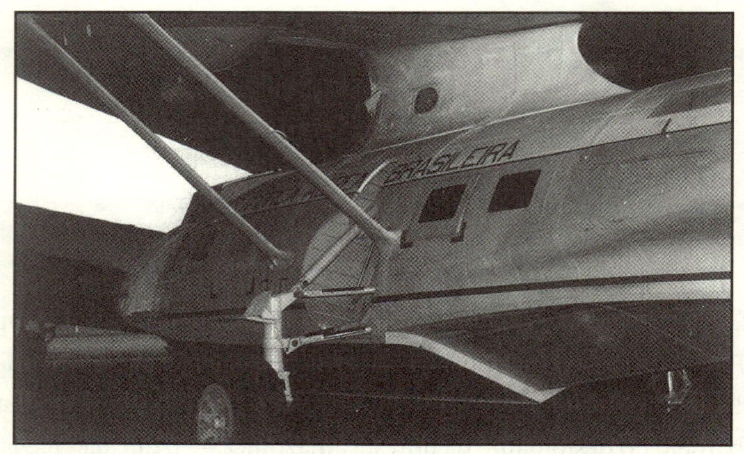

Avião Catalina, o único existente no País. Fotografado na Base Aérea de Belém

* * *

A falta de fósforo impedia Glênio de assar bichos caçados na mata. A alimentação se resumia às frutas encontradas durante o dia. O guerrilheiro perdido observava as espécies comidas pelos animais para não correr o risco de se envenenar. Sentia necessidade de comer carne. Encontrou um jabuti, mas a carne do animal crua era dura e repugnante. O faminto rapaz devorou o fígado, única parte macia.

CAPÍTULO 86

Um fantasma ronda a Amazônia: o fantasma da revolução

SECRETO

MINISTÉRIO DO EXÉRCITO
C M P e 11a R M — BRASÍLIA, DF, em Nov 72
E M G - 4a Seção — ANEXO "B"

MANOBRA ARAGUAIA/72-OPERAÇÃO PAPAGAIO

RELATÓRIO DO APOIO LOGÍSTICO

1. FINALIDADE

O presente Relatório versará, bàsicamente, sobre o planejamento do Ap Log às Manobras do Gpt A/72 e o controle de sua execução pela 4a Seção/CMP.

O Grupamento Logístico ficou encarregado de aliviar as tropas de obrigações com transporte, alimentação, armamento, munição e socorro. Chamados às pressas, os militares de dez unidades diferentes do Exército tiveram dificuldades decorrentes da falta de treinamento para aquele tipo de missão. Mesmo despreparados, cumpriram os prazos estabelecidos.

As ações contra inimigos em constante deslocamento na floresta exigiam apoio simples e flexível. Parte das equipes, atendida por helicópteros, tinha suprimento para cinco dias. Outros grupos, acessíveis por terra, recebiam o dobro de munição e alimentos. E havia os demorados deslocamentos em viaturas, lombo de burro ou a pé.

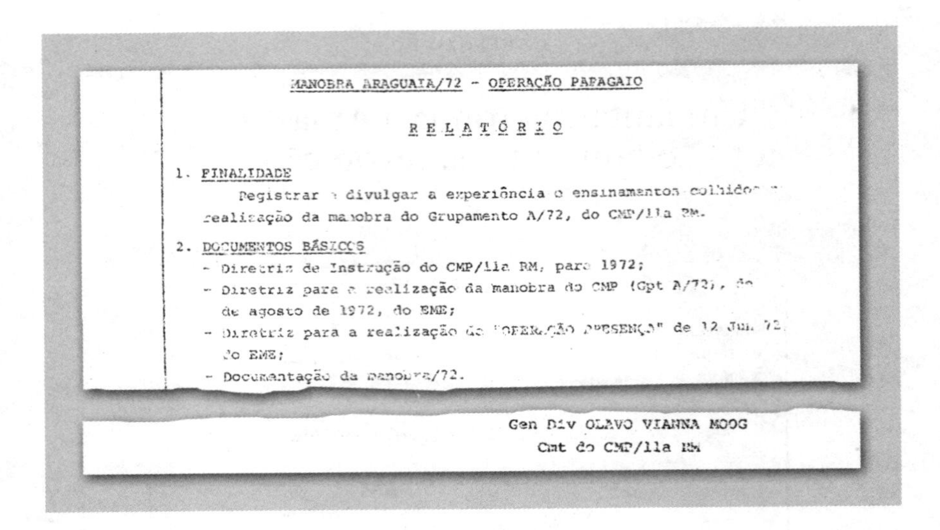

MANOBRA ARAGUAIA/72 - OPERAÇÃO PAPAGAIO

RELATÓRIO

1. FINALIDADE

Registrar e divulgar a experiência o ensinamentos colhidos na realização da manobra do Grupamento A/72, do CMP/11a RM.

2. DOCUMENTOS BÁSICOS

- Diretriz de Instrução do CMP/11a RM, para 1972;
- Diretriz para a realização da manobra do CMP (Gpt A/72), de de agosto de 1972, do EME;
- Diretriz para a realização da "OPERAÇÃO PRESENÇA" de 12 Jun 72 do EME;
- Documentação da manobra/72.

Gen Div OLAVO VIANNA MOOG
Cmt do CMP/11a RM

Novembro de 1972. O general Vianna Moog leva mais de um mês para concluir seu relatório. Deve explicar aos superiores como foi que quase quatro mil homens fracassaram na tentativa de vencer pouco mais de 60 guerrilheiros. Em nove páginas, o balanço do comandante militar do Planalto esconde a derrota do Exército.

O tom do texto sugere apenas uma manobra, sem se referir ao objetivo de acabar com a guerrilha. Moog escreve:

A manobra realizada foi rica de ensinamentos, de ordem tática, de logística e de informações. Foi uma experiência de sentido prático, que, seguramente, muito contribuirá para a corporificação da doutrina militar em operações contraguerrilha na selva.

Em outro trecho ele dá uma definição militar para a gigantesca movimentação de tropas no Araguaia:

A manobra foi realizada no quadro tático da Guerra Revolucionária em ambiente de selva, comportando operações contraguerrilha, ocupação de pontos e suprimento da tropa pelo ar, operações psicológicas e Ações Cívico-Sociais.

O general trata como treinamento, não como fracasso. Só oito inimigos caíram. Moog faz duras críticas e aponta defeitos sem assumir responsabilidade alguma. As características peculiares da manobra em floresta fechada exigem equipamentos adequados, escreve ele, a começar pelo bom funcionamento das comunicações. A instalação de estações repetidoras reduziu um pouco o problema. Moog faz a reclamação praticamente unânime do pequeno número de aviões e helicópteros. Ele lamenta que todas as empresas públicas, os governos estaduais, alguns municipais, e os grandes fazendeiros viajavam nos próprios aviões pela região, mas o Exército precisava pedi-los à FAB e nem sempre estavam disponíveis.

Mesmo assim, o general considera excelentes os resultados obtidos pelos paraquedistas na distribuição dos suprimentos. O lançamento de fardos na mata funcionou. Mas Moog aponta como um problema a falta de carne fresca: "Se quisessem, tinham de caçar". As equipes ficavam até 15 dias na mata e mereciam um incremento da ração com conservas de salsicha, linguiça, presunto, mortadela, sardinha, peixes em geral e charque.

O documento de Moog tratou as Aciso com superficialidade. Limitou-se a registrar um *apoio expressivo* às operações contraguerrilha, com *profunda* repercussão na região. De positivo, a operação rendeu novas estradas; outras foram reparadas. O Araguaia ficaria menos vulnerável aos subversivos, previu o general.

* * *

As Forças Armadas se retiraram em outubro de 1972. Os comandantes militares teriam de repensar a estratégia. Antônio Bandeira recomendou a adoção *urgente* e *imperiosa* de medidas governamentais moralizadoras. Enquanto o Estado não atacasse os problemas da população, os guerrilheiros teriam o *caldo de cultura* propício.

A repressão exigia a montagem de uma operação de informações. Sem dados confiáveis, o combate aos inimigos seria temerário. O fantasma da revolução comunista rondava, ameaçador, a floresta amazônica.

PARTE IV

A TRÉGUA

Novembro de 1972 a setembro de 1973

CAPÍTULO 87

Lúcia, a Baianinha, volta a viver em Jequié

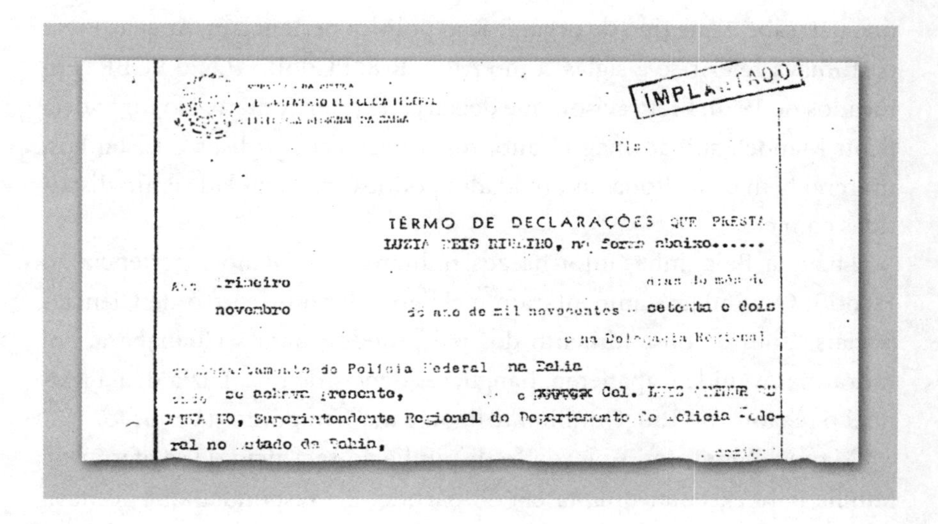

IMPLANTADO

Fls.

TÊRMO DE DECLARAÇÕES QUE PRESTA
LUZIA REIS RIBEIRO, na forma abaixo......

Aos Primeiro dias do mês de
novembro do ano de mil novecentos e setenta e dois
e na Delegacia Regional
do Departamento de Polícia Federal na Bahia
onde se achava presente, o Col. LUIS ARTHUR DE
CARVALHO, Superintendente Regional do Departamento de Polícia Federal no Estado da Bahia,

TERMO DE DECLARAÇÕES QUE PRESTA
***LUZIA REIS RIBEIRO**, na forma abaixo…*
*Aos **Primeiros** dias de novembro do ano de mil novecentros e **setenta e dois.***

Primeiro de novembro de 1972. Quase cinco meses depois de cair nas mãos do Exército, a guerrilheira Luzia — a Lúcia, ou Baianinha — assina documento com declarações prestadas à Polícia Federal na Bahia. As oito páginas registram a militância política de Luzia Reis Ribeiro, jovem idealista de Jequié, no PCdoB.

Contou que estudava em 1968 em Salvador quando participou das primeiras passeatas. No início de 1969, passou no vestibular para Ciências Sociais na Universidade Federal da Bahia. Engajou-se no movimento estudantil e participou de reuniões do Diretório Acadêmico, estudou marxismo e socialismo. Elegeu-se representante junto à congregação e assumiu o comando das agitações na escola.

A guerrilheira narra fatos que se encaixam com histórias vistas no capítulo 47. Afirma que, a partir de março de 1971, passou a receber orientações políticas de uma moça conhecida por Preta, representante da UNE. Frequentava reuniões. Tinha encontros com Emília Monteiro Teixeira, José Sergio Gabrielli, José Caldas, Demerval e Vandick, todos ativistas do movimento estudantil.

As mais falantes nas reuniões eram Emília e Preta. Baianinha declara que não sabe a que tipo de organização política pertenciam. Apenas Preta costumava referir-se a siglas como AP, MR-8, PCdoB, ALN e PCBR. Em meados de 1970, Preta avisou que deixaria de fazer contato. No lugar dela ficou Manoel, sujeito magro, alto, rosto oval, cabelos lisos e castanhos, moreno bem claro. Todas as atividades políticas na faculdade eram discutidas com ele.

Luzia, a Baianinha, informa aos militares que Manoel pertencia ao PCdoB. Os contatos aumentaram e ela abandonou o curso de Ciências Sociais. Com o consentimento dos pais, mudou para a Guanabara. Foi morar na Avenida Capanema, Bangu, residência de tios. Luzia deu a Manoel o telefone no Rio. O militante ligou e marcou ponto na estação.

Manoel perguntou se Luzia se dispunha ao sacrifício de se afastar da família para executar uma tarefa do partido. Ela respondeu que aceitava por acreditar na importância dos objetivos da organização. A missão seria ligada a um tal Movimento pela Libertação do Povo (MLP). Ela atuaria como professora em algum lugar do Brasil.

Outro ponto é marcado no Méier. Conhece José, de aproximadamente 34 anos, estatura média, moreno claro, bigode e cabelos lisos (nunca mais viu Manoel). Encontra-se com José em Madureira. Está acompanhado de outro rapaz e de um velho. Andam até uma rua sem movimento. Um pouco afastado de José, que desapareceu de cena, o velho dirige-se ao casal de jovens para defender a linha política do PCdoB. Repete a pergunta sobre a disposição de abandonar a família. O rapaz também se prepara para a tarefa no campo.

Luzia, no depoimento, descreve o velho como branco, alto, forte, cabelos grisalhos, um pouco calvo, aproximadamente 60 anos. O novo rapaz era magro, alto, de óculos, cabelos pretos e lisos, moreno claro. O casal recebeu orientação de se deslocar para São Paulo. Os dois chegaram para um ponto na Vila Mariana, com trajes previamente combinados. Havia senha. Um sujeito alto, magro, moreno, cerca de 40 anos, aguardava o casal. Entraram em um fusca e rodaram meia hora, de cabeça baixa, até chegar a um aparelho.

Conheceram outro homem do partido, de codinome Mário, identificado por Luzia como Maurício Grabois. Receberam dinheiro para despesas de viagem. Os dois jovens viveram um dia de intensa doutrinação comunista. Aprenderam regras de segurança e souberam que viajariam para um lugar desconhecido.

O rapaz alto e magro era tratado por Josias. Os dois seriam companheiros na execução dos misteriosos planos concebidos pela direção do PCdoB. Voltaram à Guanabara para aguardar orientações. Para não levantar suspeitas na casa dos tios, Luzia montou um estratagema. No dia combinado, foi procurada pelo militante velho. Ele se apresentou como amigo da família na Bahia, encarregado de arranjar emprego para a moça em São Paulo.

A desculpa funcionou e seguiram em uma Kombi até a rodoviária, onde se encontraram com José e Josias. Pegaram um ônibus para São Paulo, depois Goiânia, Anápolis, Araguaína e Xambioá. José passou a ser chamado de Paulo. Em Xambioá, encontraram o guerrilheiro Jorge.

O PCdoB definiu que Josias, Luzia e Jorge se passariam por irmãos. Atravessaram o Araguaia em uma canoa para São Geraldo. Um burro aguardava o trio. Acertaram que fariam rodízio no lombo do animal, mas a militante, única mulher do grupo, não teve condições de caminhar e fez o percurso montada; os outros caminharam.

Seguiram por um dia em uma trilha no meio da mata. O burro cansou e o grupo parou na cabana de um morador. O dono da casa emprestou três animais e eles avançaram mata adentro. Chegaram a Esperancinha, lugarejo com poucas choupanas. Uma das cabanas estava destinada a Luzia e seus dois "irmãos", que morariam junto com o casal Ari e Áurea. Estavam em um destacamento guerrilheiro do PCdoB, descobriu a militante, o Destacamento C. No dia seguinte, chegou Paulo, o comandante.

Luzia, codinome Lúcia, foi apresentada aos outros. Vítor, o subcomandante, Domingos, Jaime, Lena, Carlito, Mundico, Cazuza, Maria, Daniel, Miguel, Antônio e Dina. A militante não se lembrou dos nomes de dois companheiros. Em Esperancinha, recebeu instruções a respeito do povo da região, teve aulas sobre o sotaque e a linguagem. Mudou alguns hábitos e também a maneira de andar. Aprendia marxismo e estudava os problemas da região. Foi doutrinada com a ideia da luta armada e instruída a ajudar a população. Todos dariam assistência aos moradores, cada um em sua profissão.

Luzia afirma no depoimento que a integração com a população tinha o objetivo de preparar uma futura guerrilha. Quando os militares chegaram, em abril, todos fugiram para dentro da mata comandados por Paulo e Jorge. Os dois moravam na região havia muitos anos e conheciam bem as trilhas naquele labirinto de árvores, cipós, morros e igarapés.

Depois da fuga, Paulo fez uma reunião com os integrantes do destacamento C. A partir daquele momento, todos deveriam se preparar para lutar de armas na mão. Distribuiu revólveres e rifles. Somente o comandante sabia onde o arsenal estava escondido. A presença das Forças Armadas fez os guerrilheiros abandonarem os planos de atuar junto à população em diferentes profissões.

Lúcia sabia da existência de outros destacamentos, mas desconhecia a localização. No início de junho a baiana ficou no acampamento acompanhada apenas de Miguel e Domingos. Miguel ficou de sentinela enquanto os outros dois procuravam cocos nas redondezas. Quando o casal voltou, Miguel não respondeu a um assobio de aviso. Domingos estranhou, pediu que Lúcia esperasse e avançou. Minutos depois, uma rajada de metralhadora cortou o silêncio. Luzia, ou Lúcia, fugiu pela margem do rio para tentar entrar em contato com moradores.

Ela afirma que pensava em sair da região. Queria desvincular-se dos compromissos, da subordinação e do partido. Conta que, na fuga, chegou a uma cabana. Os donos da casa sabiam que as Forças Armadas procuravam subversivos. Apenas deram comida.

Durante dois dias Lúcia ficou escondida nas redondezas. Foi presa por militares do Exército, depois de denunciada pelo morador a quem pediu socorro. O coração da estudante ainda batia pela revolução, mas a Polícia Federal registrou o perfil de uma jovem desiludida com o movimento armado. De acordo com o documento, o sonho de muitos guerrilheiros era abandonar a luta e voltar às origens. Não o faziam devido a ameaças feitas pelos comandantes comunistas, ao risco de se perderem na mata e ao medo de morrer em confronto.

O relatório feito pelos repressores traiu a consciência de Luzia com palavras contrárias ao pensamento da guerrilheira. O texto afirma que Luzia deu graças a Deus por ter sido presa e acreditava ter contribuído para os esclarecimentos sobre a guerrilha. A conduta da prisioneira, segundo o documento, permitiu que ela fosse solta e pudesse voltar a viver com os pais em Jequié, no interior da Bahia. A ex-estudante se comprometia a jamais se aproximar de qualquer organização subversiva.

Ainda na cadeia, Luzia reconheceu a presença dos baianos Dina e Antônio, do Destacamento C. O documento termina com as assinaturas da prisioneira, do superintendente da Polícia Federal na Bahia, coronel Luiz Arthur Carvalho, do escrivão e de duas testemunhas.

E mais não disse nem lhe foi perguntado.

* * *

Lúcia deixou a cadeia com a sensação de que saía por ter ficado imprestável para os militares. Assinara sem ler os depoimentos, escritos e montados durante sessões de tortura, impedida de fazer qualquer correção. Voltou para a casa dos pais, no interior da Bahia, e continuou sem sossego. Recebia constantes visitas de militares e, de tempos em tempos, tinha de apresentar-se em Salvador.

CAPÍTULO 88

Um problema de dimensão imprevisível

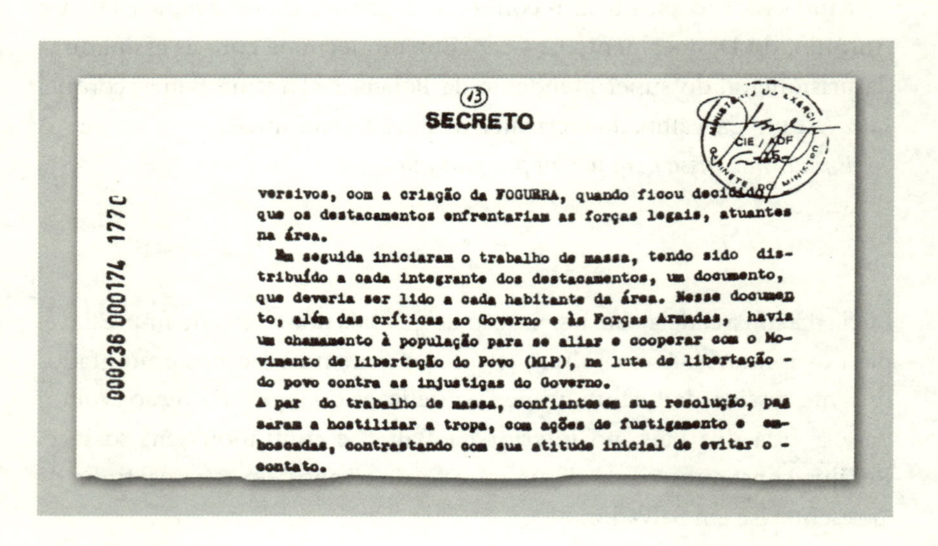

(13)

SECRETO

CIE / ADF

000236 000174 177C

versivos, com a criação da FOGUERRA, quando ficou decidido que os destacamentos enfrentariam as forças legais, atuantes na área.

Em seguida iniciaram o trabalho de massa, tendo sido distribuído a cada integrante dos destacamentos, um documento, que deveria ser lido a cada habitante da área. Nesse documento, além das críticas ao Governo e às Forças Armadas, havia um chamamento à população para se aliar e cooperar com o Movimento de Libertação do Povo (MLP), na luta de libertação do povo contra as injustiças do Governo.

A par do trabalho de massa, confiantes em sua resolução, passaram a hostilizar a tropa, com ações de fustigamento e emboscadas, contrastando com sua atitude inicial de evitar o contato.

O chefe do CIE no Distrito Federal, tenente-coronel Arnaldo Bastos de Carvalho Braga, teme a reorganização dos guerrilheiros na ausência das tropas militares. Os inimigos sofreram baixas, mas demonstram intenção de continuar a resistência. Fustigados por sete meses, ganharam experiência.

As opiniões do coronel Braga ficam registradas no Relatório Especial de Informações nº 2/72. Com data de 9 de novembro de 1972, o documento faz um balanço das informações reunidas pelos agentes e busca informar o chefe-geral do CIE, general Milton Tavares.

Todas as operações mostraram-se incapazes de derrotar os comunistas. Destacamentos com valor de batalhão ou companhia, reforçados por forças especiais de paraquedistas, fuzileiros e homens de informação, fracassaram em varrer o inimigo da área. Nem mesmo uma brigada, com três comandos envolvidos, obteve sucesso.

Não havia um só efetivo militar permanente nas vastas extensões de terra entre Brasília e Belém. Policiais corruptos ocupavam grande parte das delegacias de Goiás, do Maranhão e do Pará. Muitos tinham maus antecedentes e, como punição, foram transferidos para municípios distantes. Venais, apáticos e irresponsáveis, agiam mancomunados com prefeitos — quase sempre, também, corruptos. Oficiais e praças, sem distinção, promoviam desmandos, cenas de indisciplina, arruaças e bebedeiras.

As PMs do Pará e de Goiás deixaram péssima impressão entre os homens das Forças Armadas nos aspectos de enquadramento, disciplina e formação moral. Acantonavam-se em casas de moradores sem pagar pelas despesas. As falhas no comportamento levavam à deficiência no treinamento e ao desleixo com equipamentos. Com fuzis Máuser obsoletos, munição velha e falta de apoio logístico, não tinham condições de enfrentar os guerrilheiros.

O mau exemplo dado pelas autoridades estimulava o discurso esquerdista contra o governo.

A exploração de madeira se transformara na principal atividade econômica da região. Três empresas controlavam o setor. Do lado do Pará, a Ímpar e a Marcelinense. Em Xambioá, a Banacoba. As madeireiras davam preferência a toras de mogno. Especialistas diziam que, dentro de algumas décadas, no sul do Pará não haveria mais exemplares das centenárias árvores.

Os madeireiros atrasavam pagamentos dos funcionários, criavam atritos com posseiros e geravam reflexos negativos no campo psicossocial. A extração de castanha representava a segunda mais importante atividade econômica. Quanto à lavoura, os moradores plantavam apenas para subsistência. A pecuária começava a despontar. Os rebanhos de nelore adaptavam-se bem às pastagens surgidas dos dois lados do rio, em áreas devastadas pela derrubada do mogno.

A oferta de emprego mostrava-se insuficiente. Muitas pessoas ociosas vagavam pelas cidades boa parte do ano.

Havia duas farmácias e um hospital em Xambioá, mas a falta de médicos impedia o atendimento. Apesar das carências, os moradores pareciam bem nutridos, e o coronel Braga creditou o fenômeno à abundância de caça, pesca, frutas e castanhas.

O coronel montou um perfil dos inimigos com informações disponíveis até novembro de 1972. Baseou-se nos interrogatórios dos presos e documentos apreendidos. Os guerrilheiros mostravam-se coerentes com a linha maoísta e haviam comprovado a viabilidade do movimento armado. O partido conseguiu estabelecer um foco guerrilheiro no Araguaia e, posteriormente, tentaria evoluir para uma coluna armada. Agora tentava divulgar os combates no exterior para conseguir auxílio. No Brasil, buscaria a adesão de outras organizações esquerdistas. Exploraria as contradições sociais e econômicas da região e trabalharia para ampliar a rede de apoio.

Na avaliação do coronel, os comunistas pretendiam controlar a Transamazônica e a Belém-Brasília. Ocupariam pequenas cidades e passariam para a população a ideia de criação de uma área liberada, autônoma em relação às forças do governo, dominada pelos guerrilheiros. Agiriam para desgastar os governantes e provocariam o descrédito político do Brasil no exterior, com repercussões negativas no campo econômico internacional.

Ele calculava em 70 o número de guerrilheiros e imaginava ter identificado 54. Registrou nomes confirmados, como João Amazonas, Ângelo Arroyo e Osvaldo Orlando da Costa; mostrou-se desinformado quanto à composição do Destacamento A. O comandante usaria o nome Edgar; o sub, Beto, seria Aluízio Nunes Filho. Duas informações erradas. Sete meses depois dos confrontos, os combatentes guardavam em segredo algumas identidades.

O guerrilheiro Daniel poderia ser Carlos Danielli, imaginava o coronel. Mais um erro. O nome verdadeiro de Cazuza, morto em setembro, também não havia sido descoberto. Acreditava tratar-se de Carlos Victor Alves Delamônica.

Cilon da Cunha Brum, o Simão, devia estar morto ou ferido. Essa informação não conferia. Quando foi morta, Helenira Resende, a Fátima, carregava os documentos de Custódio Saraiva Neto, do Destacamento A. Tratava-se do mesmo Porquinho, estudante cearense envolvido em uma troca de tiros com policiais em Fortaleza. No Araguaia, usava o nome Lauro.

Braga fez anotações específicas sobre alguns guerrilheiros. Lia era mulher de Lourival e Dina estava separada de Antônio quando ele morreu. O coronel estava certo.

Até aquele momento não havia pistas sobre a origem do dinheiro gasto pelo PCdoB. O partido não assaltava bancos, como outras organizações, então devia recolher contribuições de militantes; ou recebia ajuda externa. As ligações com a China reforçavam essa hipótese, sem comprovação alguma.

Como em outros documentos militares, as Forças Guerrilheiras do Araguaia foram chamadas de Foguera, sigla não usada pelos comunistas. O documento considera 11 de abril o dia do início das ações. Ignora as operações Peixe I e II e os primeiros agentes enviados, ainda no mês de março. Entre eles, os cinco passageiros da Veraneio vermelha que chega a Xambioá na primeira linha deste livro.

A atuação dos militares nas primeiras operações merece uma lista de críticas. Braga considera malsucedidas as ações psicológicas de propaganda feitas de avião com o intuito de diminuir o moral dos inimigos. As constantes trocas das frações e dos comandos provocaram falta de conduta uniforme nas tropas. A ocupação de pontos estáticos na mata mostrou-se inadequada para combater os inimigos fugidios.

Braga registra a participação direta de Orlando Geisel na retirada das tropas verde-oliva a partir de 1º de dezembro de 1972. O ministro tomou a decisão com base em uma proposta do Estado-Maior do Exército.

Nas contas finais, o PCdoB mantinha 53 guerrilheiros na área. Doze estavam mortos, seis presos. Do lado dos militares, seis mortos, dez feridos, 13 acidentados, 20 doentes de malária e 13 de leishmaniose. Dos mortos, dois tombaram em combate e quatro se acidentaram.

O coronel considerou o apoio da FAB *inestimável*. A tropa da Marinha demonstrou as condições necessárias para atuar em patrulhamento e emboscadas. Havia grande diferença entre os agentes de informação e os outros combatentes. Os primeiros tinham experiências anteriores em guerrilha rural, agiam com mentalidade profissional e adaptavam-se mais facilmente às operações no Araguaia. Os outros revelavam-se destemidos e eficientes, mas necessitavam de pelo menos dez dias de aclimatação para aprender a combater na selva.

Para futuras operações, alertou-se de que os alimentos obtidos na mata complementavam as necessidades, mas eram insuficientes para assegurar condições físicas necessárias. Sal, por exemplo, não poderia faltar.

Braga lembra a primeira fase das investigações, quando os militares imaginavam tratar-se apenas de um foco guerrilheiro, sem destacamentos distribuídos pela mata. Ao perceber a organização dos comunistas, aumentaram o efetivo e executaram a segunda fase. No entanto, empregaram pontos de bloqueio estáticos, ineficazes contra guerrilheiros em constante movimento.

Na terceira fase, aumentaram as tropas, com ações de perseguição. Na prática, a manobra durou 12 dias, pouco tempo para derrotar os comunistas cada vez mais experientes. A fixação de um prazo para finalizar a Operação Papagaio atrapalhou a continuidade da caçada. As Forças Armadas cometeram muitos erros nos sete primeiros meses de confrontos, conforme observou Arnaldo Braga. Antes das ações ostensivas, os militares deveriam ter feito um levantamento minucioso do inimigo, com diretrizes fixadas nos escalões superiores e sem conflitos de responsabilidade dos comandos na área.

No último parágrafo, o coronel Braga sugere o prosseguimento das operações. Os inimigos preparavam-se para resistir e ampliar os domínios sobre a população. A situação exigia a montagem de novas operações para a *definitiva limpeza* do Araguaia. Sem a presença das tropas, um simples foco guerrilheiro se transformaria em um problema de dimensão imprevisível.

* * *

Maurício Grabois, comandante da guerrilha, escreveu uma carta no final de novembro de 1972 para a cúpula do partido, instalada em São Paulo. Usou códigos quando fez referências a militantes do PCdoB e chamou os destinatários de "queridos tios".

Desejamos a todos vocês os melhores êxitos em seu trabalho e no esforço para nos ajudar. Podem estar certos, seja qual for o resultado da empreitada, que o capital investido dará bons lucros a curto prazo. Fez 12 observações sobre a luta no Araguaia.

O primeiro tema tratado foi a responsabilidade pelos ataques das Forças Armadas. Grabois atribuiu à *denúncia* feita por um militante tratado por *Rib.* Tratava-se de um conhecedor do Destacamento C, com informações sobre *sucursais* no Norte, visto em Xambioá com militares do Exército.

Maurício não desconfiava de nenhum integrante do A. *Paulo tem comportamento por demais estúpido para um espião*, escreveu. Falava de João Carlos Wisnesky, companheiro da guerrilheira Rosa.

O enfrentamento com o inimigo aumentou o conhecimento da mata e a experiência dos combatentes. A carta analisou o desempenho dos três destacamentos. No A, o ponto forte era o trabalho de massas. Até 20 de novembro, os combatentes visitaram cem famílias de moradores.

A maior parte dos guerrilheiros do A andava bem na selva. O destacamento teve *só* uma baixa, Fátima. Com ela, perderam-se uma espingarda 16 e um revólver calibre 38, lamentou o comandante comunista no texto enviado à direção do PCdoB.

Em compensação, o A obteve duas espingardas *com a massa*, uma 20 e uma 44. *Com alguns reparos*, ficariam em bom estado. Não falou de Lúcia Regina, militante que fugiu do hospital de Anápolis antes do início dos combates. Nem de Danilo Carneiro, o Nilo, preso quando tentava abandonar a guerrilha nos primeiros dias do confronto armado.

Grabois referiu-se a duas mortes provocadas pelo B aos inimigos, sem revelar os nomes e as circunstâncias. A maioria dos combatentes do destacamento sabia se orientar na mata, mas o trabalho de massa permanecia *restrito*. Falou de três baixas entre os comandados por Osvaldão. Deu os nomes de duas. Chamou José Genoino, o Geraldo, de Ger e considerou *estranho* o desaparecimento de Glênio.

Osvaldão revelava-se um *bom* e *valente* militar, mas demonstrava *espírito defensivo*, tinha *pouca confiança* nos guerrilheiros do B. Sem explicitar o nome, Grabois criticou o vice-comandante do Destacamento, acusado de *completa incapacidade* para a função. *Como militar é um fracasso. Como comissário um desastre*, escreveu sobre José Humberto Bronca, o Zeca Fogoió.

A Comissão Militar da guerrilha continuava sem informações sobre o Destacamento C. *Não há dúvidas de que somos responsáveis pelo que lá aconteceu*, afirmou Grabois. *Não incutimos nele, especialmente em seu comandante, nossa concepção militar.*

O C realizou um trabalho de massa *muito pequeno*, analisou o dirigente na carta. Relatou o envio de Bula à área para evitar o desmoronamento do destacamento sob o comando de Paulo Rodrigues. Bula era outro apelido de João Carlos Haas Sobrinho entre os companheiros. Tratava-se de uma brincadeira com o médico pelo conhecimento em relação a remédios.

Os inimigos continuavam na região do C, conforme raciocinou Grabois. A conclusão se devia a informações sobre a presença de militares na área.

Apesar das sérias perdas sofridas e da falta de notícias do Destacamento C, acreditava na preservação da capacidade de luta dos guerrilheiros. *É certo que pagamos preço elevado. Mas as coisas ocorreram assim e não como desejamos*, disse na mensagem o integrante da Comissão Militar.

Como estratégia, os destacamentos fariam da mata ponto de apoio para ações militares e tarefas de propaganda, apontava Grabois. Os combatentes não podiam ficar *enfurnados* na floresta. As FFGG (Forças Guerrilheiras) tinham boas perspectivas de crescer e se consolidar. *O maior perigo está em nós mesmos, isto é, na superestimação do inimigo e na subestimação de nossas reais possibilidades*, escreveu.

O trabalho de massa alcançara *êxitos relativamente bons*. O comandante comunista comparou o movimento armado no Araguaia com a guerrilha implantada por Che Guevara na Bolívia, iniciativa responsável pela morte do argentino, líder da revolução cubana.

Não ficamos isolados (ao contrário do Che na Bolívia) nem o inimigo conseguiu dar aos camponeses e demais habitantes da região uma imagem falsa a nosso respeito, analisou. Em resposta aos ataques dos militares, os guerrilheiros deveriam agir com correção nas relações com os moradores e dar demonstrações de capacidade de vitória contra os *soldados da ditadura*.

As Forças Armadas precisavam mobilizar grandes efetivos para dominar a região, supunha Maurício Grabois. Encontravam-se com o moral baixo por terem fracassado na tentativa de *golpear seriamente* a guerrilha do PCdoB.

Os militares tinham medo, evitavam ficar na vanguarda e na retaguarda das marchas, informavam os camponeses, segundo o comando guerrilheiro. Viviam atirando como doidos, como se quisessem espantar fantasmas. *Quando da última grande campanha do inimigo, no dia em que foi ordenada a retirada das tropas, os soldados se abraçavam, gritavam, rolavam no chão e faziam outras diabruras*, escreveu o velho dirigente comunista.

No pensamento de Grabois, os êxitos das Forças Armadas resultavam mais das falhas dos comunistas do que da capacidade militar. Em relação à população, o Exército usava as táticas da demagogia e, principalmente, da violência. Obrigava camponeses a servir de guias e, como *suborno*, pagavam 25 cruzeiros por dia.

O dirigente comunista fez uma previsão otimista: *se as FFGG aplicarem fielmente sua concepção militar, se souberem usar habilmente a tática de guerrilha, alcançarão êxitos. Se não cometerem erros graves, essenciais, dificilmente serão derrotadas.*

Em um trecho da carta, o comandante guerrilheiro agradeceu manifestações de solidariedade feitas pelo jornal *Classe Operária* e pela Rádio Tirana. Mas o movimento no Araguaia precisava também de ajuda material, *particularmente dinheiro.*

O envio de novos combatentes podia esperar até meados do ano seguinte, 1973. *Precisamos de bons lutadores, que sejam fisicamente aptos e ideologicamente preparados para todos os sacrifícios.* Ao mesmo tempo, a guerrilha tentaria recrutar moradores para a luta.

No fim, pediu: *precisamos de dois rádios Mitsubishi-Model 10x718-10 com transistor de três faixas e que utiliza pilhas médias. É o rádio ideal para os guerrilheiros. Pode ser comprado onde se adquire os relógios Seiko.*

No início de um período de trégua nos combates, escondido nas matas do Araguaia, o veterano Mário acreditava no sucesso do movimento armado contra a ditadura. *Grandes e apertados abraços. A todos um feliz ano novo. 1973 será um ano de vitórias.*

Palavras do ex-líder do PCdoB na Constituinte de 1946.

CAPÍTULO 89

Choques nos ouvidos e no pênis de Glênio

MINISTÉRIO DO EXÉRCITO
PRIMEIRO EXÉRCITO
DESTACAMENTO DE OPERAÇÕES DE INFORMAÇÕES
IMPLANTADO
FICHA INDIVIDUAL

Nome: DANILO CARNEIRO
Codinome(s): "NILO"
Nome(s) Falso(s):
Filiação: RAIMUNDO DE BARROS CARNEIRO e DALILA DE OLIVEIRA FERNANDES (ambos falecidos)
Data de Nascimento: 13 de outubro de 1941
Naturalidade: Senador Firmino (Município) Minas Gerais (Estado) Brasil (País)
Estado Civil: Solteiro
Nome do Cônjuge: Não tem
Carteira de Identidade: Não tem
Cútis: Branca altura: 1,65m cabelos: Cast. Esc. olhos: Cast. Cl.
Bigode: usa barba: não tem
Sinais Particulares: Não tem

Os agentes da repressão pouco conseguiram arrancar de Danilo Carneiro em mais de sete meses de cadeia. O guerrilheiro arrependido passou por oito horas e meia de interrogatório no DOI-CODI do Rio, dia 22 de novembro de 1972. As declarações ficaram arquivadas em seis páginas carimbadas pelo I Exército.

O prisioneiro falou sobre os guerrilheiros. Fez referências a Elza Monerat e Antônio da Pádua Costa, o Piauí. Forneceu nomes errados e citou um comunista inexistente, Valdir da Costa Lima. O único Valdir do Destacamento A era Uirassu Assis Batista, o jovem secundarista baiano. Outro nome "lembrado" por Danilo, José Antônio Botelho, também não fazia parte da guerrilha.

Danilo contou detalhes sobre o período vivido na mata. Logo ao chegar sofreu um acidente quando ajudava na construção de um barraco. Ficou dois meses imobilizado na casa de um tal de Édio. O interrogador, identificado como Tadeu, quer saber detalhes físicos dos militantes do PCdoB. Danilo fala um pouco sobre cada um. E acrescenta os nomes Duda, jovem de modos muito urbanos; e Cristina, moça de pele clara e olhos castanhos, com cerca de 23 anos. Refere-se a Nelito, sujeito fechado, de cerca de uns 28 anos, tipo caboclo. De Helenira Resende, a Fátima, Danilo guarda a recordação de uma militante muito doente, com crises de malária e hepatite.

* * *

O dia amanhece quando Glênio ouve um galo cantar. Desta vez, não é imaginação. O guerrilheiro anda na direção do canto e vê um descampado com uma roça. Caminha um pouco e depara-se com uma estrada e uma ponte de madeira.

Um homem lava uma vasilha no riacho; ele se aproxima e pergunta onde está. Quer saber sobre a presença do Exército na área. O sujeito responde que estão em Saranzal e não há mais soldados por ali. O desconhecido questiona o interesse do rapaz sujo e maltrapilho pelas forças do governo. Glênio confessa a participação na guerrilha e fala da perda na mata e do tempo longe dos camaradas. Fica sabendo que Osvaldão passou pelo local há poucos dias para comprar farinha de um morador. A notícia alegra o guerrilheiro. O homem leva Glênio para casa e o apresenta.

"Ele está estropiado", define o sujeito.

O combatente desgarrado almoça, deita em uma rede, mas não abandona revólver nem espingarda. Ao relaxar, sente uma moleza inconfundível. A febre voltou. Os donos da casa arranjam um comprimido para malária.

Desconfiado, Glênio evita dormir. Espera por uma camponesa que sabe do paradeiro dos companheiros. A mulher chega no final da tarde. A casa na qual Osvaldão comprou farinha fica um pouco longe, informa ela. Não dá para chegar ao local à noite. A família aconselha o militante comunista a dormir ali mesmo. Os anfitriões parecem confiáveis e ele aceita o convite. A casa está cheia de moradores das redondezas. Glênio gosta das pessoas e passa a falar sobre as razões da luta contra os militares. Pede ajuda. Todos ouvem atenciosos e calados. Dorme certo de ter conquistado o apoio dos caboclos.

No dia seguinte, arrependeu-se. Tomaria mais cuidado dali em diante. Preparou-se para sair em busca dos companheiros, com o bornal cheio de suprimentos: farinha, carne de paca e dois cartuchos para a espingarda. Agradeceu emocionado e partiu. O comandante do Destacamento B de fato havia passado na casa indicada, mas isso há cerca de duas semanas. Meio desconfiados, os donos da casa ofereceram pouso; Glênio não aceitou e ganhou mais farinha e querosene.

De tanto andar, a bota do guerrilheiro estragou. Os pés sofreriam com os espinhos da floresta. Passou em outra casa. Osvaldão e um casal de companheiros tinham estado ali na noite anterior. Pela descrição, seriam Suely e Simão. Nos dias seguintes encontrou-se com vários moradores, mas nada dos companheiros. Muitos colaboravam com comida. Osmar, mateiro amigo de Osvaldão, mostrou-se preocupado por ser obrigado a guiar o Exército pela mata. Tinha medo de morrer, mas não havia alternativa. Pediu para Glênio avisar o comandante de que fazia tudo forçado.

Outro morador, Alfredo Fogoió, ofereceu-se para levar Glênio até Santa Cruz para tomar injeção contra a malária. O rapaz não aceitou. O dono de uma fazenda propôs-se a levá-lo até o Maranhão. Considerava a luta dos esquerdistas sem futuro. Ele agradeceu. Passou pelo Castanhal do Ferreira e chegou à Gameleira. Dois bernes no braço o incomodavam.

A antiga base do Destacamento B virou cinzas. Glênio olhou o cenário desolador e pensou no quanto aprendera naquele lugar. Na casa do morador Hermógenes, viu a carta escrita por José Genoino. Forçado pelos militares, o combatente preso aconselhava o amigo do Rio Grande do Norte a se entregar.

Glênio procurou o pequeno comércio de um senhor chamado Eufrásio, no qual costumava comprar mantimentos. Queria comprimidos contra malária. Espantado, o homem disse que não tinha. O rapaz começava a falar sobre os motivos do enfrentamento contra as Forças Armadas quando chegou Alfredo Fogoió. Estimulado pela mulher de Eufrásio, muito nervosa, e por alguns vizinhos, o militante comunista aceitou ser levado até Santa Cruz para tratar da saúde. Antes, tomou café e comeu bolachas.

A vista de Glênio escureceu ao subir em um cavalo.

Eufrásio ofereceu-se para acompanhar a dupla. Os três seguiram até o vilarejo. Um homem a cavalo, trajado como caubói, juntou-se ao grupo. Chegaram a uma bodega cheia de gente e Eufrásio avisou que voltaria para casa. Glênio pediu para o comerciante avisar os guerrilheiros que jamais se entregaria. Tomou uma injeção, comeu uma papa servida pela dona da casa e, depois de resistir um pouco, deitou-se em uma rede branca, muito limpa. Adormeceu agarrado às armas.

Acordou em uma armadilha. Mãozinha-de-Paca apontava uma arma para sua cabeça. Pegou o revólver: descarregado. Alfredo Fogoió tinha nas mãos a munição. Encostado na porta, o caubói observava a cena. Glênio não sabia, mas tratava-se de Pedro Mineiro, o sujeito expulso por Osvaldão da gleba de terra dos comunistas.

Eufrásio reapareceu e entrou em um barco com Glênio, Alfredo Fogoió, Pedro Mineiro, Mãozinha-de-Paca e o dono da bodega. O esquerdista se contorcia de ódio. No meio do rio Araguaia, encontraram outro barco, carregado de soldados, e seguiram até Xambioá. Na cidade goiana, os militares agarraram o guerrilheiro e o levaram para um descampado. Deram socos, pontapés e enfiaram sua cabeça em uma poça d'água. Arrancaram os trapos que ainda vestia e o deixaram nu. Depois, deram-lhe uma bermuda.

Conduzido de carro até Araguaína, puseram-no em um avião da FAB e o levaram para Brasília. Como todos os presos do Araguaia, ficou no PIC. Os militares encapuzaram e tiraram a roupa de Glênio. Jogaram o rapaz nu em uma cela fria. Logo começaram a aplicar choques elétricos. Os piores aconteceram em um dos ouvidos e no pênis, ao mesmo tempo.

Poucos dias depois houve acareação entre o guerrilheiro potiguar e José Genoino. Os dois entram em contradição algumas vezes, mas quase nada de novidade surgiu para os militares. O general Antônio Bandeira, ex-chefe da repressão no Araguaia, estava presente. As torturas se tornaram mais intensas quando Glênio inventou um roteiro falso de viagem para a região da guerrilha. Uma noite acordou com o som de uma música entoada pelos outros presos. Era o Natal de 1972. Muitos parentes visitavam o PIC naquele dia.

Glênio ganhou comida de um soldado e dormiu um pouco mais feliz do que nas noites anteriores.

* * *

O aparato repressivo avançava sobre as estruturas dos partidos clandestinos nas cidades. No dia 7 de dezembro de 1972, um dirigente do PCdoB no Espírito Santo, Foedes dos Santos, prestou um longo depoimento no quartel do 3º Batalhão de Caçadores, em Vila Velha.

Aos 31 anos, sem profissão, Foedes trabalhava em tempo integral para o partido. Ocupava o cargo de primeiro-secretário do Comitê Regional do PCdoB, o mais graduado dirigente no estado. Recebia mensalmente dinheiro suficiente para sustentar a família. Tinha a tarefa de expandir o partido no Espírito Santo. Nascido em Alegre, no interior, atuou na área rural com o objetivo de atrair camponeses para a luta armada, reproduziu e distribuiu jornais e documentos, pichou muros e ajudou na organização do PCdoB nos meios estudantil e operário.

O interrogatório de Foedes fez parte de um Inquérito Policial-Militar conduzido pelo major José Maria Alves Pereira. No depoimento, deu todos os codinomes e, em muitos casos, nomes dos companheiros com quem teve contato em quatro anos de dedicação ao partido. Falou do funcionamento do PCdoB de Vitória e do interior. Deu detalhes sobre as bases do partido na universidade e revelou contatos mantidos com integrantes do Comitê Central, muitos no Rio.

Preso pelo Exército, afirmou ter dúvidas sobre a justeza dos objetivos do PCdoB. Calculava que a guerra revolucionária armada levaria mais sofrimento e menos crescimento econômico aos brasileiros. Pensava em se entregar, mas não sabia como seria recebido pelos militares.

Depois de apanhado, convenceu-se do erro do caminho tomado pelo partido e decidiu jamais voltar a participar de movimentos políticos ilegais. Na casa de Foedes, os militares encontraram um mimeógrafo a álcool e duas máquinas de escrever. O mimeógrafo ele havia roubado do Grupo Escolar Nações Unidas, no bairro de Alto Lage. Contou com a ajuda de Iram, estudante da Faculdade Federal de Medicina, e de outro rapaz, motorista e dono do carro usado na ação.

Entre os documentos distribuídos pelo PCdoB para panfletagem, Foedes lembrou-se de exemplares da *A Classe Operária*, manifestos pelo voto nulo e a *Carta a um Deputado Federal*, texto escrito em junho de 1972 pelas Forças Guerrilheiras do Araguaia.

Foedes informou ter indicado para o Comitê Central dois estudantes do interior dispostos a participar da luta armada: João Calatrone, de Nova Venécia, que cursava Contabilidade, e José Maurílio Patrício, de Barracão de Petrópolis, que fazia Ciências Agrárias no Rio. Ambos seguiram para cumprir a missão, mas o depoente não sabia onde.

Os dois combatiam na Guerrilha do Araguaia. Calatrone pertencia ao Destacamento A e usava o apelido Zebão. Patrício morava na região da Gameleira e ficou conhecido como Manoel do B ou Mané.

No depoimento ao major José Maria, Foedes revelou os contatos mantidos com o Comitê Central do partido. Conhecia os dirigentes Carlos e Gustavo e tinha encontros mensais com os dois. Algumas vezes no Rio, outras em Vitória. No Rio, costumavam marcar o ponto no Méier. Tinham combinado o próximo para a rua Cupertino, no bairro de Quintino, no dia 20 de dezembro, às 19 horas.

* * *

As informações de Foedes dos Santos serviram de pista para os organismos de informação desmantelar o PCdoB no Espírito Santo e chegar a integrantes do Comitê Central na Guanabara. Com base no depoimento, foram indiciados:

Jorge Luiz de Souza, Antônio Walter Moreschi, José Alerte Francischeto, Olnei Campanha Rozeira, Antônio Carlos de Campos, Dines Brozzeguine Braga, Marcelo Amorim Netto, Adriano Sisternas, Gustavo Pereira do Vale Netto, José William Sarandy, Ângela Milanez Caetano, Maria Auxiliadora Pereira Gama, Miriam Azevedo de Almeida Leitão, Sebastião Lima Nascimento, Joaquim Patrício Filho, Hermínio Ângelo Natali, Elizabeth Santos Madeira, Maria Magdalena Frenchiani, Luzimar Nogueira Dias, Guilherme Lara Leite, Marcus Lira Brandão, Luiz Carlos Garcia Genenhu, Carlos Alberto Ozório de Aguiar, Iran Caetano, João Calatrone, José Maurílio Patrício e Juvenilho Ubaldo Bonfin.

Destes, cerca de 20 militantes foram para a cadeia. As quedas aconteceram em um momento de expansão do PCdoB em Vitória e no interior. A base estudantil crescia e desafiava a ditadura com pichações nos muros. Pregavam voto nulo e enalteciam o movimento no Araguaia com frases como *Viva a Guerrilha no Sul do Pará.*

Entre os presos estava Joaquim Patrício, irmão de José Maurílio, Mané, do Destacamento B. Outros capixabas preparavam-se para se incorporar à guerrilha. A ação dos militares impediu o envio de reforços para o Araguaia.

No dia 20 de dezembro, agentes do governo prenderam no Méier, Rio, o comunista Lincoln Cordeiro Oest, de 65 anos, do Comitê Central. Junto caiu João Muniz de Araújo, o César, também dirigente nacional. Oest morreu nas mãos da repressão. As prisões levaram os militares até Luiz Guilhardini, de 53 anos, também da cúpula do partido. O Comitê Central perdeu outro integrante depois do depoimento de Foedes no 3º Batalhão de Caçadores, ainda em dezembro.

* * *

Em Cachoeiro do Itapemirim, Helena tinha a saúde consumida pela ausência de Arildo. As revelações do filho na carta, a falta de novas notícias e os boatos das ações repressivas do governo faziam a mãe do guerrilheiro definhar. Os médicos diagnosticaram câncer.

* * *

José Maurílio Patrício passou a infância nadando em rios, passeava na floresta e plantações. Em Barracão de Petrópolis, povoado serrano no município capixaba de Santa Tereza, o garoto viveu a simplicidade e a fartura de uma região da Mata Atlântica colonizada por italianos. Segundo dos sete filhos de um casal nordestino, cresceu cercado de carinho e amigos no vilarejo de ruas sem asfalto.

Desde cedo demonstrou gostar muito de livros. Lia e discutia em casa e nas ruas. Evitava grandes grupos, preferindo andar com mais um ou dois colegas apenas. Não bebia nem gostava de farras, mas gostava de ouvir Elvis Presley e cantores da Jovem Guarda, como Wanderléa e Vanderlei Cardoso. Como parte dos costumes locais, ganhou uma Máuser do pai, Joaquim, e aprendeu a atirar.

Na adolescência, saiu de Barracão para estudar. Morou no Paraná antes de entrar para o curso técnico de Agronomia no km 47 da Via Dutra, anexo à Universidade Rural do Rio de Janeiro. Sonhava em dar uma vida ainda melhor para a família; queria comprar uma Kombi para levar todo mundo para passear em Sergipe, onde moravam os ascendentes do pai e da mãe, Isaura.

Passou no vestibular para Agronomia. O hábito de ler e discutir aproximou Maurílio do movimento estudantil. Quando visitava Barracão, falava sobre a importância de se acabar com as desigualdades sociais no Brasil. Criticava os amigos individualistas e defendia a organização coletiva. Argumentava que uma andorinha sozinha não faria verão. Ouvia músicas da Jovem Guarda na vitrola e presenteava os irmãos mais novos com discos infantis. Fazia casinhas em cima das árvores para agradar as crianças.

A atuação política levou Maurílio, em pouco tempo, para o PCdoB da escola. Em junho de 1968, Joaquim teve um infarto e morreu sem voltar à terra natal. No dia do enterro do pai, Maurílio falou sobre a militância política para o cunhado Aídes Rodrigues Bento, o Dico, casado com Maria Doralice, a irmã mais velha. Não deu detalhes sobre o PCdoB, mas deixou claro o envolvimento com o movimento comunista.

Em 1968, Maurílio viajou para o congresso da UNE de Ibiúna, foi preso juntamente com os outros participantes do encontro clandestino e condenado a seis meses de prisão. Em nova visita a Barracão, em 1970, levou uma foto feita durante a participação no Projeto Rondon, na Amazônia. Contou para Dico que pretendia trancar a matrícula e desaparecer por uns tempos. Voltaria quando as coisas se acalmassem.

Fugiu para o Araguaia e integrou-se ao Destacamento B. Recebeu o codinome Manoel e ficou conhecido como Manoel do B ou Mané. A mãe de nada ficou sabendo. Agentes federais estiveram três vezes em Barracão e fizeram perguntas sobre Maurílio, sem conseguir qualquer tipo de ajuda.

Joaquim Patrício Filho, um dos irmãos mais novos, entrou para o PCdoB.

CAPÍTULO 90

O castigo de Carlos Danielli: torturado até a morte

A vida clandestina fica cada vez mais difícil para Crimeia. Grávida de seis meses, desde que saiu do Araguaia mora com a irmã Amelinha em um aparelho do PCdoB em Cidade Ademar, zona sul da capital paulista. O cerco da repressão se fecha nos últimos dias de 1972.

Na tarde de 28 de dezembro, Crimeia tem um encontro com Carlos Danielli na praça Nossa Senhora Aparecida, em Moema, nas proximidades do aeroporto de Congonhas. Ao fim da conversa, o dirigente do PCdoB ainda precisa cobrir dois pontos marcados com companheiros. Como Danielli não dirige, César Augusto Teles, marido de Amelinha, encarrega-se de transportá-lo. Crimeia, Amelinha e os dois filhos entram juntos no carro. A gestante fica em Cidade Ademar com os sobrinhos.

Os outros três comunistas seguem na DKW Vemaguet de César. Fazem o primeiro ponto em segurança. Quando passam pela Vila Mariana, um carro desconhecido os fecha e os faz parar. Os três são presos na rua Loefgreen. A noite começa a cair. Os agentes da repressão vibram dentro do carro.

"Pegamos peixe grande", grita um deles.

Refere-se a Danielli, procurado desde 1966. No DOI, a equipe do major Carlos Alberto Brilhante Ustra recebe os dois homens presos a socos e pontapés. Amelinha assiste boquiaberta às cenas de violência de dentro do carro. Debilitado em decorrência de tuberculose, César sente ainda mais os efeitos das torturas. O sofrimento do marido faz Amelinha ensaiar uma reclamação. Um forte tapa no rosto interrompe a tentativa.

A irmã de Crimeia levava na bolsa o carnê de prestações de uma máquina de costura. Os agentes pegaram os recibos e descobriram o endereço do aparelho da rua Professora Maria Bittencourt Petit, em Cidade Ademar. Deixaram para fazer a busca no dia seguinte.

Os agentes do DOI chegaram à casa dia 29 de dezembro. Crimeia estava lá. Ao abrir a porta, identificou-se como empregada de César e Amelinha.

Assim mesmo, foi levada para interrogatório. Para causar impacto na moça grávida, os militares mostravam fotos de Ciro Flávio Salazar de Oliveira, guerrilheiro morto, e de Danielli, todo machucado e inchado pelas torturas sofridas.

Naquela noite, a devoção de Danielli à causa comunista foi posta à prova. Amarrado e humilhado, o militante desafiou os algozes.

"Eu sei como chegar à guerrilha. Sei também onde estão o Maurício Grabois e o João Amazonas, mas não vou dizer. Podem continuar."

A valentia de Danielli instigou a crueldade dos torturadores. Os homens do DOI castigaram o militante por cada minuto dedicado à revolução. Mosquito Elétrico, como também era conhecido, cumpriu a palavra e suportou uma jornada impiedosa de suplício sem dizer uma palavra sobre a guerrilha no Araguaia.

Carlos Danielli morreu em decorrência das torturas no dia 31 de dezembro de 1972. Segunda queda na cúpula do PCdoB depois do depoimento de Foedes.

Máquinas de escrever e mimeógrafo do PCdoB, apreendidos na residência de Foedes dos Santos, no Espírito Santo. Sua prisão e a pronta ação dos militares impediu o envio de reforços do PCdoB para o Araguaia.

CAPÍTULO 91

Genoino sai do PIC para o DOI-CODI

[illegible]

[illegible] - "[illegible]"

Aos cinco dias do mes de janeiro do ano de um mil novecentos e setenta e tres, nesta cidade de Brasília-Distrito Federal, no Comando da Terceira Brigada de Infantaria, perante o Sr Major [illegible] FARIAS - Encarregado deste Termo, comigo ARMANDO HONÓRIO DA SILVA - 3º Sargento, servindo de escrivão, compareceu [illegible], de/ codinome "[illegible]", brasileiro, solteiro, com 26 anos de idade, nascido em 03 de maio de 1946, natural de Quixeramobim-CE, filho de Sebastião Genuíno Guimarães e de Maria Luis Nobre, estudante de Filosofia e Direito - Universidade Federal do Ceará, cursando o 2º ano de/ Filosofia e 1º ano de Direito, sabendo ler e escrever. Às perguntas/ da Autoridade sobre suas atividades no Movimento Estudantil e, posteriormente, em Organização Clandestina de Esquerda, respondeu que ini[illegible]

O comportamento de Carlos Danielli tornou-se exemplo de firmeza revolucionária entre os presos políticos de São Paulo. O dirigente aguentou todas as torturas sem entregar os camaradas. No PCdoB, a queda de Danielli, o Antônio ou Pontes, representou o fim das ligações entre o Araguaia e as cidades. O ano de 1973 começou com a guerrilha enfraquecida.

José Genoino ouviu os relatos sobre a morte de Danielli quando foi transferido para a sede da Operação Bandeirantes (Oban) em São Paulo. A Oban havia sido criada em 1969 com homens do Exército, da Marinha, da Aeronáutica, delegados e agentes da Secretaria de Segurança Pública de São Paulo. Empresários brasileiros e de multinacionais ajudaram a financiar o aparato de combate à subversão montado durante o governo Abreu Sodré. Em setembro de 1970, a Oban passou a integrar o braço policial das Forças Armadas, criado pelo presidente Médici, conhecido por DOI-CODI. A denominação teve origem nas siglas do Destacamento de Operações de Informações e do Centro de Operações de Defesa Interna.

O militante cearense passou mais de oito meses no PIC, em Brasília. Antes de deixar a capital federal, no dia 5 de janeiro, assinou um Termo de

Declarações, datilografado. As três páginas e meia de depoimento ficaram registradas nos arquivos do CIE a partir do número 981 012514 0668.

O guerrilheiro preso falou sobre fatos já sabidos. Fez referências aos companheiros Pedro Albuquerque, Bergson Gurjão Farias e João de Paula, velhos conhecidos da repressão no Ceará. Afirmou ter entrado para o partido durante as movimentações estudantis do final dos anos 1960. Nas declarações de janeiro de 1973, Genoino não dá informação relevante alguma. Lembra um encontro em julho de 1968, em São Paulo, com Luiz Travassos e José Dirceu, líderes nacionais do movimento estudantil — Dirceu, ministro do governo Lula 35 anos depois. Na ocasião, recebeu dos dois um pacote de panfletos da UNE para distribuir em Fortaleza.

Travassos presidia a UNE e Dirceu a União Estadual dos Estudantes (UEE/SP). Nas manifestações de 1968, ganharam notoriedade em todo o País. Atraíram a perseguição do governo militar. Quando tentava pegar um ônibus na rodoviária de São Paulo para voltar ao Ceará, Genoino foi preso. Ficou na Polícia Federal. Os panfletos da UNE serviram de justificativa para um processo contra o militante do PCdoB. Passou dez dias na cadeia. Solto, retornou a Fortaleza e continuou à frente do DCE.

Em 12 de outubro de 1968, viajou para o congresso da UNE em Ibiúna, no interior de São Paulo. Mais uma vez caiu nas mãos da polícia. Desta vez, acompanhado de mais de 800 estudantes. De novo libertado, reassumiu o comando do movimento na Universidade Federal do Ceará. Teve prisão preventiva decretada ainda em 1968, depois da assinatura do AI-5. Mudou-se para São Paulo e continuou no PCdoB. Procurou Helenira, militante com quem havia conversado sobre o partido durante o congresso de Ibiúna. Passou a viver no Conjunto Residencial da Universidade de São Paulo (Crusp).

No final de 1968, agentes da repressão invadiram o Crusp. Genoino fugiu. Acolhido na casa de um conhecido, recebeu do partido a tarefa de ajudar a manter as atividades da UNE, desmantelada desde o congresso de Ibiúna. Travassos, Dirceu, Wladimir Palmeira e Franklin Martins, os líderes mais populares, continuavam presos.

As quedas de Ibiúna impediram a eleição de uma nova diretoria da UNE. A polícia acabou com o congresso antes da definição da chapa vencedora. Dois grupos disputavam a direção nacional. José Dirceu encabeçava uma das chapas, apoiado pelo presidente da UEE do Rio de Janeiro, Wladimir Palmeira. Travassos trabalhava por Jean Marc van der Weid, candidato do outro grupo.

Orientado pelo PCdoB, Genoino passa a trabalhar em São Paulo pela sobrevivência da UNE. Atua junto com os estudantes Helenira Resende, da USP, Ronald Rocha, do Rio, e Oséas Duarte, do Ceará. Fica conhecendo Rioko Kayano e Suely, as duas descendentes de japoneses e militantes do partido.

Genoino faz parte da diretoria clandestina da UNE, escolhida por congressos estaduais clandestinos e presidida por Jean Marc van der Weid. O processo eleitoral demanda complicada operação para garantir sigilo. O líder cearense ocupa uma das nove vice-presidências da organização estudantil posta na ilegalidade pelo regime militar. Permanece em São Paulo até julho de 1970, quando fica sabendo do interesse do PCdoB em enviá-lo para o campo. Aceita a tarefa, passada por Antônio, dirigente do partido apresentado por Helenira.

Genoino viajou para o Araguaia com 200 cruzeiros dados por Antônio e incorporou-se ao movimento guerrilheiro na região do rio Gameleira, sob o comando de Osvaldão. Nos meses seguintes, chegaram Glênio de Sá, Amaury e Flávio, seguidos de Walquíria, Aparício, Raul, Zé Ferreira e Suely, uma das estudantes nisseis de São Paulo.

Os 21 comunistas da Gameleira formaram o Destacamento B, divididos em três grupos. No depoimento assinado no PIC, Genoino repetiu as informações prestadas no dia 7 de junho na cadeia de Xambioá. Falou os codinomes e as funções dos militantes comandados por Osvaldão, descreveu treinamentos e armas, deu detalhes sobre o relacionamento com a população e referiu-se aos depósitos construídos na mata.

O comunista cearense conduzia os treinamentos do destacamento nas ausências de Osvaldão. Em muitas ocasiões, fez compras em Xambioá e Marabá. Os grupos tinham pouca autonomia, conforme explicou o preso. Seguiam a orientação do comandante.

O destacamento recebeu visitas de João Amazonas, Maurício Grabois e Joaquim. Algumas vezes, mantinham contato apenas com Osvaldão. Outras, reuniam todos os guerrilheiros e falavam sobre a linha de ação do PCdoB, fazendo avaliações da política nacional e internacional.

Amaury montou uma farmácia em Santa Cruz, à beira do Araguaia, para se aproximar dos moradores e, ao mesmo tempo, observar a chegada de pessoas estranhas. Do vilarejo, acompanhava o movimento dos barcos no rio, caminho obrigatório para quem subia de Marabá e Araguatins na direção de Xambioá e São Geraldo.

Qualquer suspeita sobre a presença de agentes secretos do governo militar deveria ser comunicada imediatamente ao comandante do destacamento. Um dia Genoino recebeu a tarefa de seguir com Vítor, militante de outra área, até Esperancinha, no Pará, para conhecer a localização do Destacamento C.

Vítor pertencia ao destacamento C e lhe apresentou Ary, Áurea e Lúcia, a Baianinha. Na ocasião, reencontrou-se com Bergson Gurjão, codinome Jorge, companheiro na direção do DCE da Universidade Federal do Ceará.

No final do depoimento aos interrogadores do PIC, Genoino relata o momento da prisão, em 18 de abril, pela equipe do delegado Carlos Marra. No documento escrito em Brasília em janeiro de 1973, o guerrilheiro registra que não denunciou os locais em que se encontravam os companheiros escondidos na mata.

Nenhuma ressalva foi feita pelo major Irineu de Farias, encarregado do Termo de Declarações. O sargento Armando Honório da Silva serviu de escrivão.

* * *

As Forças Armadas começaram o ano derrotadas. As baixas sofridas, a demora no resgate do cabo Rosa, o desgaste físico e psicológico, a inexperiência dos soldados, as reclamações dos parentes e os erros cometidos abalavam o moral da tropa. Os comandantes, em silêncio, estudavam a reação. Um novo fracasso levaria à desmoralização do regime fardado. O governo Médici procurava meios de exterminar o movimento comunista no sudeste do Pará.

CAPÍTULO 92

Sonhos de mãe

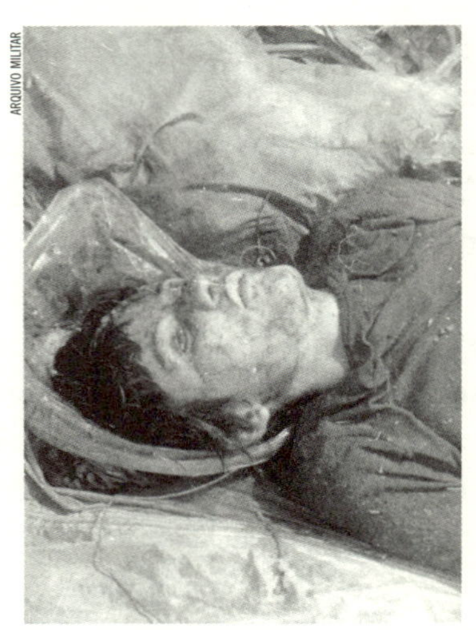

ARQUIVO MILITAR

Maria Lúcia Petit, morta no Araguaia

Laura Petit voltou para São Paulo no início de janeiro de 1973, depois de visitar a mãe em Bauru, interior do Estado. Julieta estava preocupada com a falta de notícias dos filhos Lúcio, Jaime e Maria Lúcia. Sonhava com a chegada deles quase todas as noites, mas nem mesmo no Natal apareceram ou telefonaram.

Até poucos meses antes, os filhos mandavam cartas. O marido da filha Laura, Sílvio Nogueira Marques, militava no PCdoB e pegava as correspondências das mãos de Carlos Danielli, com quem se relacionava no partido. As informações cessaram com a morte do dirigente comunista no último dia de 1972. Grávida do segundo filho, Laura ficou apreensiva quando o marido a abordou com um comprimido na mão.

"Tenho uma notícia para te dar. Você quer tomar um calmante antes?"

"Não, não quero calmante. O que aconteceu?"

Muito abalado, Sílvio disse:

"Maria Lúcia foi morta no Pará. A Regilena chegou de lá e contou para o tio João".

Regilena tinha saído da prisão e procurou João, tio do marido, única pessoa da família Petit da qual tinha endereço. Laura ficou arrasada. Não conseguia acreditar na perda da irmã, tão jovem e cheia de vida. Não imaginava como comunicar à mãe a segunda tragédia da família. Resolveu esconder o fato de Julieta por algum tempo. Teve medo de que a mãe resolvesse viajar em busca de Lúcio e Jaime. Uma atitude impensada poderia colocar a segurança dos dois, e da guerrilha, em perigo.

* * *

No meio da floresta, os comunistas viviam a euforia da vitória temporária. A retirada das tropas federais provocou nos sobreviventes uma sensação de triunfo desproporcional ao poderio militar oferecido pelo PCdoB. O inimigo voltava aos quartéis, derrotado, depois de oito meses de combate.

Enquanto as Forças Armadas não retornavam ao Araguaia, os três destacamentos intensificaram o trabalho de massas. Os comandantes comunistas orientaram os guerrilheiros na organização da resistência aos prováveis novos ataques. Manteriam vigilância sobre todos os estranhos e eliminariam os bate-paus. Os chefes do movimento esquerdista armado sabiam que o reinício dos combates era questão de tempo. Para enfrentar os inimigos, apostaram no engajamento dos moradores. Imaginavam, assim, vencer o aparato repressivo da ditadura.

A Comissão Militar e o Destacamento C retomaram contato em janeiro de 1973. Durante nove meses, quase um terço dos combatentes do PCdoB atuou sem o comando central. Tombaram 11 dos 19 guerrilheiros liderados pelo gaúcho Paulo Rodrigues.

O reencontro aconteceu em Palestina. Paulo Rodrigues esteve no vilarejo com um grupo de companheiros e avistou-se com um dos representantes da cúpula do movimento armado. As expressivas perdas levaram a Comissão Militar a remanejar combatentes para o Destacamento C. Os chefes guerrilheiros se reuniram e chegaram a pensar em uma fusão de destacamentos. Por fim, decidiram substituir Paulo Rodrigues por Pedro Gil.

O novo comandante tinha bom preparo físico e vivia no Araguaia desde 1969. Tratava-se do mesmo Pedro por quem Dina se apaixonou, segundo as confidências feitas pela guerrilheira baiana nas conversas com Luzia — a Lúcia ou Baianinha.

O Destacamento C recebeu outros cinco combatentes. Do A, saíram Luís e Lauro. Do B, Raul e Walquíria. A guarda da Comissão Militar cedeu Ivo.

CAPÍTULO 93

Mortos fotografados e mostrados a Crimeia

PROTOCOLO
- INTERNO -
N.º 297 / 02 / 2 / 1973

MINISTERIO DO EXERCITO
CMP/11ªRM - 2ª SEÇÃO
CENTRO DE OPERAÇÕES E DEFESA INTERNA

IMPLANTADO

TERROGATORIO Nº 01 DATA 31 JAN 73 EQUIPE

ME: CRIMÉIA ALICE SCHMIDT DE ALMEIDA

ME COMPLETO:

DINOME (S): "ALICE FERREIRA DA SILVA" " ALICE "

GANIZAÇÃO: PC do B SETOR: CAMPO - SE DO PARÁ

TA NASC: 17-04-1946 NATURALIDADE: SANTOS/SP PAIS: -

- ANTECEDENTES DE VINCULACÃO POLÍTICA

Por volta de 1964 em contatos com colegas no Colégio Estadual de B
Horizonte começou a tomar conhecimento da existência dos movimentos,
esquerda dentro de um quadro organizado.

A trajetória de Crimeia Alice no PCdoB ficou registrada em depoimento prestado pela guerrilheira no dia 31 de janeiro de 1973. Levada para Brasília, grávida, a enfermeira paulista contou uma história com informações verdadeiras, mas cheia de lacunas e despistes. Falou da família, dos livros lidos na juventude, do envolvimento com o movimento estudantil e da prisão em Ibiúna.

O documento "implantado" pelo CIE, de quatro páginas e meia, recebeu carimbo no canto superior direito da primeira folha. Atestou o registro com o número 297 do protocolo interno, com data de 2 de fevereiro de 1973.

No depoimento, Crimeia omite ter viajado para o Araguaia na companhia de João Amazonas. Refere-se a Pontes, a um tal Luiz e a João Borges Ferreira, codinome Joca. Lembra do encontro com Zeca, com quem teria um filho, dos contatos com a população e de detalhes da vida na selva. Dá apelidos e nomes dos moradores Baiano Branco, Baiano Preto, Adelino e Alberico.

A guerrilheira fornece informações imprecisas sobre a guerrilha. Afirma desconhecer a extensão da área e a quantidade de militantes treinados no Araguaia. Apenas depois da volta a São Paulo teria tomado conhecimento, por meio de Carlos Danielli, da presença de outros integrantes do PCdoB no sul do Pará.

Muitas vezes, Crimeia mostra-se desinformada sobre aspectos corriqueiros dos companheiros do Destacamento A. Afirma supor que os irmãos Landin e Luiz pertencessem ao PCdoB. Na verdade, a guerrilheira tinha certeza da participação dos dois no movimento armado.

Ex-operário em São Paulo, Orlando Momente usava o codinome Landin no Araguaia. Tratava-se do mesmo Alandrine citado pelos moradores de São João do Araguaia nas primeiras conversas da Operação Peixe I. Luiz era Guilherme Gomes Lund, ex-estudante de Arquitetura da Universidade Federal do Rio de Janeiro. No depoimento de Brasília, a guerrilheira troca os codinomes do casal Beto e Lena para Humberto e Gina. A confusão escondia a verdadeira identidade de Lúcio Petit da Silva e Lúcia Regina de Souza Martins, a militante que fugiu do hospital de Anápolis.

Outro casal, mais velho, visitou o Destacamento A enquanto Crimeia morava na mata, à beira do rio: Dona Maria, loura, cerca de 50 anos; e Seu Mário, de cabelos grisalhos, meio calvo. Falavam sobre política e comentavam a vida na selva.

Perguntada sobre os dirigentes do PCdoB, a enfermeira disse ter ouvido falar de João Amazonas, Maurício Grabois e Lincoln Oest. Assegurou que não sabia da presença de nenhum dos três no Araguaia. Carlos Danielli operava em São Paulo. O PCdoB decidiu organizar o movimento armado em meados de 1971, segundo o relato de Crimeia. Joca portava-se como líder da base comunista. Alertava para a necessidade de todos aprenderem a viver na mata, a caçar, e insistia na construção de depósitos com mantimentos.

Sem entrar em detalhes, Crimeia afirmou que Joca fazia referências a outros grupos armados na região. Se a situação exigisse, poderiam agir em conjunto contra os inimigos. Mesmo depois da criação do destacamento, os guerrilheiros deveriam manter ocultos da população os objetivos do partido.

A chegada do Exército aumentou as preocupações com segurança. Grávida, com problemas de saúde, Crimeia teve autorização para deixar a luta armada. Saiu com a ajuda de um guia descrito para os interrogadores como *um indivíduo moreno, com traços de morador local.* A guerrilheira referia-se a Zezinho, o homem treinado na China e escolhido pela Comissão Militar para conduzir militantes pela mata.

Os agentes da repressão apresentaram o álbum com as fotos dos esquerdistas suspeitos de participar do movimento armado do PCdoB. Crimeia não reconheceu Elza Monerat, mas identificou Danielli e Ciro Flávio Salazar de Oliveira. Ambos mortos.

CAPÍTULO 94

"Aqui é a Federal. Não é o Exército."

Os dois bernes continuavam no braço de Glênio no início de 1973. O incômodo terminou quando o guerrilheiro conheceu José Porfírio em uma cela coletiva do PIC. O líder camponês pôs um pedaço de fumo de corda no lugar e comprimiu o furúnculo com força. Os dois bichos saltaram para fora.

Os interrogatórios continuaram nas semanas seguintes. Os militares queriam mais detalhes sobre o Araguaia e nomes de caboclos da rede de apoio do movimento comunista. O preso dizia que não sabia. Certa vez — depois do mês de maio, quando o general Bandeira já ocupava o cargo de diretor-geral da Polícia Federal — o levaram a outro prédio. Encapuzado, ouviu um homem autorizar os subalternos a iniciar uma sessão de tortura.

"Tirem a roupa e comecem", afirmou o chefe.

Glênio suspeitou tratar-se da voz do general Antônio Bandeira. Outro sujeito deu mais uma pista para confirmar a presença do ex-comandante da 3ª Brigada de Infantaria.

"Aqui é a Federal. Não é o Exército."

O guerrilheiro tomou mais choques elétricos e pancadas. Ficou com o corpo roxo e teve dificuldade para dormir nos dias seguintes. Devolvido a uma solitária, passava o tempo brincando com formigas. De vez em quando conseguia subir na parede da cela para olhar o lado de fora. Desde a chegada ao Araguaia, deixara de observar o horizonte. As matas, às vezes, nem permitiam ver o sol. O céu de Brasília reconfortava o preso do PCdoB.

CAPÍTULO 95

Espiões descobrem que a PM mancha a imagem dos militares

CONFIDENCIAL

MINISTÉRIO DA AERONÁUTICA
GABINETE DO MINISTRO
— CISA —

Em 27 FEV 1973

MINISTÉRIO DO EXÉRCITO
002122 - 1 MAR 73
PROTOCOLO

001095 000174 1097

1. ASSUNTO .... Atividades ... em XAMBIOÁ
2. ORIGEM .... CISA
3. DIFUSÃO .... SNI/AC - CIE - CENIMAR - CI/DPF - DIS/COMZAE.1 e 6
4. DIFUSÃO ANT .... + + + + +
5. ANEXO .... 4 (quatro) fotografias.

DOCUMENTO DE INFORMAÇÕES Nº 0008 /CISA-ESC

GABINETE DO MINISTRO

I - SITUAÇÃO GERAL

Os serviços secretos das Forças Armadas mantiveram agentes no Araguaia durante a trégua. O Centro de Informações e Segurança da Aeronáutica (Cisa) concluiu no dia 27 de fevereiro de 1973 um relatório de seis páginas sobre as atividades dos guerrilheiros desde a retirada das tropas no final do ano anterior. O CIE recebeu cópia no dia 1° de março, protocolada com o número 2122. No arquivo geral, recebeu o registro 001095 000174 1097.

Os espiões da FAB identificaram movimentação de comunistas nas proximidades de Xambioá, Araguanã, São Geraldo, Gameleira, Santa Cruz e Palestina. Os militantes faziam trabalho de massa. Os mais antigos pareciam muito doentes de malária.

Um grupo de nove guerrilheiros, comandados por Osvaldão, esteve no dia 11 de dezembro na casa do camponês Domingos da Madalena. Uma mulher, dentre os visitantes, com um dedo decepado, identificou-se como Chica. Outra, como Lina. Entre os homens, um aparentava 50 anos e usava óculos.

Chica era o codinome de Suely Yumiko Kamayana, ex-estudante de línguas da Universidade de São Paulo. Não havia nenhuma Lina na guerrilha. Talvez o caboclo tenha feito confusão com Lia, do destacamento comandado por Osvaldão. O velho poderia ser Maurício Grabois, o Mário.

Na conversa com o morador, Osvaldão disse que Amaury tinha viajado para o sul. Em breve, voltaria com outros companheiros para reforçar a luta. Os camponeses deveriam permanecer perto de onde moravam para não serem confundidos com os novos guerrilheiros. Os comunistas adotavam alguns cuidados nas visitas. Enquanto dois entravam na casa, outros ficavam de guarda em pontos estratégicos. Os agentes secretos da FAB afirmaram ter ouvido relatos sobre guerrilheiros com armamentos semelhantes aos usados pelas Forças Armadas. Dina carregava uma arma automática atravessada no peito. Osvaldão tinha uma metralhadora, segundo o documento do Cisa, e anunciara a intenção de justiçar os caboclos que aceitaram colaborar com a repressão no ano anterior.

O comandante do Destacamento B esteve na casa do caboclo Compadre Zuza no dia 25 de janeiro acompanhado de cinco homens. Entre eles, o ex-presidente da União Paulista dos Estudantes Secundaristas, Antônio Guilherme Ribeiro Ribas, o Zé Ferreira. Os guerrilheiros queriam confirmar a presença de soldados em Palestina. No final, pediram comida e se embrenharam na mata.

Ainda em janeiro, Zé Ferreira e seis companheiros tentaram comprar comida de José Leão. O morador nada tinha para vender, os comunistas saíram na direção de Couro D'Antas. Os camponeses costumavam ouvir tiros na direção do rio Saranzal.

A guerrilheira Dina e oito companheiros percorreram casas na região de Pau Preto entre 30 de janeiro e 2 de fevereiro. Compraram arroz na casa do morador Chico Preto. Seguiram para os Perdidos.

Por onde passavam, os comunistas tentavam desvencilhar-se da imagem de terroristas. Liam os documentos da guerrilha e se esforçavam para convencer as famílias de caboclos da importância da luta contra o governo militar. Prometiam construir escolas e hospitais na mata quando tomassem o poder. Em uma das conversas, Dina jurou vingança contra os companheiros mortos no ano anterior.

Com o afastamento das Forças Armadas, a população voltou a reclamar da PM de Goiás. Os homens da Aeronáutica avaliavam que a insatisfação dos moradores com a situação facilitava o recrutamento de guerrilheiros pelo PCdoB. Os abusos cometidos pelos policiais desfaziam a boa imagem que os militares tentaram criar com as operações Aciso.

Logo depois da saída das tropas, houve uma festa de colação de grau no colégio de Xambioá. Toda a sociedade local estava presente. No início da tarde, soldados da PM chegaram e começaram a provocar as pessoas. Houve reação e os policiais deram tiros. Ninguém saiu ferido, mas alguns homens foram presos e obrigados a executar serviços braçais no acampamento da PM. Sempre que precisavam de mão de obra, os soldados detinham moradores sem justa causa. O vice-prefeito de Xambioá também foi parar na cadeia por ter reclamado da atuação dos policiais. Depois das nove da noite, o soldado Reginaldo costumava assaltar quem estivesse pelas ruas da cidade.

Se os militares pretendiam realizar mais operações de combate aos guerrilheiros, deveriam interferir para impedir os desmandos policiais, alertaram os homens do Cisa. Os agentes secretos fizeram uma lista dos moradores suspeitos de formar a rede de apoio dos comunistas. Na região de Embaubal, perto de Santa Cruz, Osvaldão tinha um compadre chamado Osmar. O sujeito recrutava camponeses para trabalhar em um castanhal dos guerrilheiros. Oferecia boa remuneração. Hermógenes, da Gameleira, Pedrão, de Embaubal, e Adelino abasteciam o Destacamento B.

Pedrão informou que Osvaldão acusava os moradores Eufrásio, Alfredo, Sebastião e Jaime de entregar o guerrilheiro Glênio às forças federais. Prometeu justiçar os traidores. Amedrontados, os quatro desapareceram da região.

Um comerciante de Araguanã, conhecido como Lalu, colaborava com Paulo Rodrigues. Costumava transportar suprimentos para o Destacamento C. Em Xambioá, um certo Afonso fazia ponto na zona do meretrício. Não trabalhava e tinha sempre dinheiro no bolso. Havia informações de que chegara de São Félix, Mato Grosso, na companhia de Paulo Rodrigues.

Sandoval Feitosa, Manoel Feitosa e Dejaci "de tal", de São Geraldo, ajudavam Paulo e Dina. Dejaci cooperava muito com Juca quando o médico gaúcho trabalhava na região.

As movimentações do padre Germano Nilo, de São Geraldo, chamaram a atenção dos espiões. Andava armado e demonstrava interesse em fazer pregações religiosas nas redondezas dos Caianos e dos Perdidos. Em São Geraldo, fazia reuniões frequentes na casa de Manoel Feitosa e do farmacêutico Nilo Machado.

Quando os agentes da FAB estiveram no Araguaia, os moradores da região padeciam com o alastramento da malária. A doença fazia mais vítimas nas comunidades de Santa Cruz e São Geraldo. O médico não aparecia fazia dois meses. Havia carência de remédios e, quando as farmácias tinham, poucas famílias podiam comprar.

Os funcionários do Incra também saíram da área quando as chuvas começaram. Deixaram para trás montes de areia feitos durante a construção das estradas no meio da mata. Os espiões temiam o uso das elevações como trincheiras pelos guerrilheiros. Sem as tropas militares, a Transamazônica ficou livre para os comunistas. A PM montou apenas um posto de controle no cruzamento da estrada de Marabá.

Os homens do Cisa concluíram que o PCdoB pretendia continuar o movimento, com base em três informações. Duas estavam erradas. No relatório entregue aos superiores, os espiões falaram sobre a presença de novos militantes na área. Não era verdade. Ressaltaram também o uso de armas equivalentes às das Forças Armadas. Também não se confirmaria. A única informação correta se referia ao trabalho de massa executado junto à população.

No final do documento de seis páginas, os agentes recomendam a retomada das ações de assistência social para os moradores da região. A medida neutralizaria o recrutamento de camponeses pelo PCdoB.

CAPÍTULO 96

Guerrilheiros expropriam fazendeiro

O relatório confidencial produzido pelos agentes secretos da FAB chegou a Brasília quando o Exército montava uma operação de informação sem precedentes na história da repressão no Brasil. A execução do plano, elaborado em sigilo, ficou a cargo do CIE. À medida que o tempo passava, diminuíam no governo Médici os pudores em relação aos métodos a serem usados na caçada aos guerrilheiros do PCdoB. O movimento comunista deveria ser extirpado para servir de exemplo e desestimular outras iniciativas armadas contra o regime.

A Operação de Informação continuava um segredo militar conhecido de poucos. No início de 1973, dois homens procuraram em Marabá o executor das obras do Incra, Adeloide Olivo. Um apresentou-se como Doutor Luchini; outro, como Doutor Caco. Andavam em trajes civis, mas revelaram pertencer ao Exército. Pediram reserva para a conversa.

Doutor Luchini e Doutor Caco informaram a Olivo sobre a chegada em breve de cinco picapes novas para o Incra. Teriam o nome do órgão federal pintado nas portas, mas seriam usadas por oficiais militares. Quando os dois saíram, Olivo narrou a conversa para o funcionário Moacir de Almeida Gomes.

* * *

A primeira ação de força executada pelo Destacamento C sob o comando de Pedro Gil rende um agradável sabor de vingança. No dia 1º de março, os guerrilheiros cercam a fazenda de Nemer Kouri, acusado de grilar terras e ajudar o Exército como bate-pau. Baseiam-se em informações obtidas com moradores.

Diziam que quando os militares destruíram o acampamento de Esperancinha, Nemer vendeu os bens dos esquerdistas e ficou com o dinheiro. A punição tem o objetivo de desencorajar moradores a qualquer ato de colaboração com as Forças Armadas.

Os combatentes comandados por Pedro Gil rendem o fazendeiro e 12 empregados. Em vez de castigo físico, os guerrilheiros aplicam uma expropriação em valor equivalente ao das coisas vendidas por Nemer Kouri.

CAPÍTULO 97

O justiçamento de Pedro Mineiro

O comportamento de Pedro Mineiro no primeiro ano de combates provocou a ira dos guerrilheiros. O caboclo tinha uma posse, andava pelos garimpos e tentara tomar um pedaço de terra ocupado por Osvaldão. Muito bem-vestido, estilo caubói, participara da prisão de Glênio. Os esquerdistas o acusavam também de prestar serviço de pistoleiro para a empresa Capingo contra posseiros.

Os militares, muitas vezes acampados nas terras de Pedro Mineiro, davam comida à família. Tinham pena das crianças e sentiam-se gratos pela hospitalidade do posseiro. Os guerrilheiros cercaram a casa do caboclo, entraram e viram latas de ração militar na prateleira.

Usaram o fato para reforçar a acusação de ajuda ao Exército. Em um discurso inflamado, disseram ter encontrado mapas fotogramétricos da área da Gameleira, títulos de posse ilegal de terras e cartas de recomendação escritas por militares. Pedro Mineiro foi preso, julgado pelo Tribunal Militar Revolucionário do Destacamento B e fuzilado dentro da própria casa.

CAPÍTULO 98

"Unido e armado o povo vencerá!"

O suor escorre pelo rosto de Nilton. O risco de a qualquer momento encontrar um guerrilheiro pela frente não o deixa dormir. Fixa os olhos em algum ponto para não perder a concentração. O agente secreto faz de tudo para se parecer com os moradores da região. A pele morena de sol ajuda a esconder a condição de homem urbano. Anda na mata há dias sem noção dos acontecimentos externos.

A vida na mata tem um ciclo. Tudo acontece da mesma maneira e nas mesmas horas. O calor abafado desde as primeiras horas do dia na estação chuvosa deixa o corpo úmido e o pensamento confuso. Poucos agentes que chegaram no início dos combates permaneceram na área naquele período.

Nilton sabia da preparação de uma nova operação secreta. Com saudade da família, passaria alguns dias em Brasília antes de retornar para o Araguaia. Sonhava com lençóis limpos e comida quente. De repente, ao sair de uma picada, avistou um amigo do Exército. O coração bateu forte de felicidade.

O reencontro com um parceiro de missões espinhosas aliviava a solidão da vida na mata. Cumprimentaram-se calorosamente e conversaram sobre roça e coisas da região. Mesmo isolados na floresta, evitaram falar sobre guerrilheiros. Temiam a presença de algum inimigo escondido entre as árvores.

Andaram juntos mais ou menos um quilômetro até chegar a um riacho. Cansados e com calor, resolveram nadar um pouco. Depois de mais de um ano na selva, o agente de Brasília aprendera a gostar da natureza. Os dois militares tiraram os sapatos e botaram os pés na água. Ao ver um pássaro pousado em um tronco de árvore caído no riacho, Nilton apontou para o amigo. A ave piava alto e produzia um som agudo.

Quando menos esperavam, o tronco movimentou-se com rapidez e abocanhou o pássaro. Tratava-se de uma enorme sucuri. Num piscar de olhos, tiraram os pés de dentro da água. Calçaram os sapatos e, ainda assustados, afastaram-se rapidamente. Desistiram do banho.

Os dois caminharam mais um pouco e se despediram. Os agentes secretos tinham ordens expressas para não ficar juntos. Cada um seguiu em uma direção para cumprir as determinações superiores.

* * *

No primeiro aniversário dos combates, os comunistas querem guerra. O comando guerrilheiro divulga um Manifesto à População no dia 12 de abril de 1973. Um ano antes, o pelotão Pesag atacou a base do Destacamento A em Chega com Jeito. O texto exorta mais uma vez a população do Araguaia a enfrentar as Forças Armadas:

A hora é de decisão. Ou se combate corajosamente pela liberdade ou se permanece sob a mais negra tirania. Escolha o caminho da luta. Entre para as Forças Guerrilheiras do Araguaia, empunhe o fuzil, seja um combatente do povo.

A convocação se dirige a lavradores, peões, castanheiros e moradores de São Domingos, Brejo Grande, Itamirim, Palestina, Santa Cruz, Santa Isabel, São Geraldo, Araguanã, Itaipavas, Marabá, São João do Araguaia, Araguatins e Xambioá. Há 12 meses, afirma o documento, os guerrilheiros combatem com firmeza os soldados do governo e *toda a corja de bate-paus da ditadura.*

O manifesto avalia que a valentia dos combatentes derrotou duas campanhas das Forças Armadas. O sangue dos *generosos* e *destemidos* companheiros mortos não correu em vão. Tombaram *em prol da emancipação da pátria.* Combatiam, por uma causa justa, uma ditadura. Defendiam os interesses do povo contra a espoliação das grandes empresas estrangeiras. Representavam as verdadeiras aspirações das massas de milhões de pobres e oprimidos.

Os guerrilheiros se propõem a libertar a pobreza, impulsionar o progresso no interior, pôr fim ao *criminoso* poder dos militares, acabar com as arbitrariedades da polícia e com a exploração pelos mais fortes. Isolados na mata, os sobreviventes do PCdoB acreditam em uma mobilização nacional em torno da guerrilha. O panfleto escrito em comemoração ao aniversário da luta anuncia o crescimento do movimento. Refere-se a vastos setores da sociedade brasileira informados sobre os combates. Diz que operários, estudantes, democratas e patriotas prestam solidariedade; que, no interior do País, camponeses dão apoio e se lançam à luta; e que lavradores e habitantes do sul do Pará também ajudam os guerrilheiros.

O tom otimista da propaganda contrasta com as derrotas sofridas pelo partido nas cidades. No final de 1972, a ditadura matou Lincoln Cordeiro Oest e Carlos Danielli. Na sequência, eliminou Luiz Guilhardini, em 4 de janeiro de 1973, e Lincoln Bicalho Roque, em 13 de março. Os quatro pertenciam ao Comitê Central do PCdoB.

No chamado à população, os comunistas lembravam vários dos 27 pontos da proclamação da ULDP. Prometiam instalar um governo democrático e conduzir o Brasil pelo caminho da prosperidade, da liberdade e do bem-estar. Conseguiram resistir por um ano aos ataques de "um governo de bandidos", portanto poderiam ganhar reforços e obter a vitória. Assinavam:

Abaixo a ditadura!
Unido e armado o povo vencerá!
Glória aos valentes guerrilheiros tombados nas selvas!
Em algum lugar das matas da Amazônia, 12 de abril de 1973
Comando das Forças Guerrilheiras do Araguaia

Os comunistas, mais uma vez, omitiram a participação do PCdoB na organização do movimento armado.

CAPÍTULO 99

Nasce a Operação Sucuri: primeiro armar, depois dar o bote

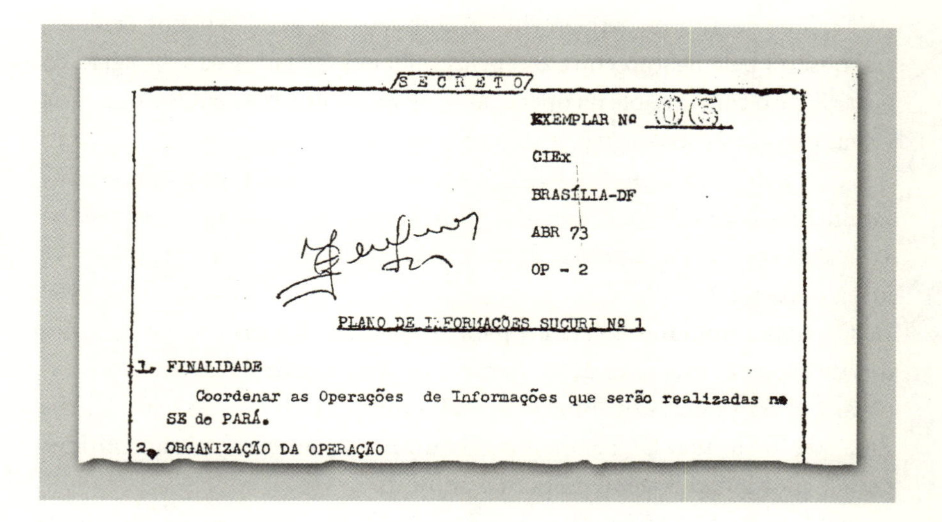
/S E C R E T O/

EXEMPLAR Nº 06

CIEx

BRASÍLIA-DF

ABR 73

OP - 2

PLANO DE INFORMAÇÕES SUCURI Nº 1

1. FINALIDADE

Coordenar as Operações de Informações que serão realizadas na SE do PARÁ.

2. ORGANIZAÇÃO DA OPERAÇÃO

O CIE usou o período de trégua para planejar o desmantelamento da guerrilha. O malogro nas tentativas anteriores levou os comandantes a uma mudança radical na forma de combater os comunistas. Antes de nova caçada, trabalhariam em silêncio para conhecer o inimigo.

O tenente-coronel Carlos Sérgio Torres e o major Gilberto Airton Zenkner, do CIE, concluíram em abril de 1973 o *Plano de Informações Sucuri nº 1*. O documento de 16 páginas traçou um modelo de espionagem sem precedentes na história da repressão no Brasil. Os autores copiaram, em grande parte, a estratégia de aproximação dos moradores usada pelos comunistas.

A missão de informação ganhou o nome de Operação Sucuri. O plano do CIE consistia na infiltração de militares e civis em toda a área. Disfarçados de pessoas comuns, atuariam nas cidades, nos vilarejos e na zona rural. O Incra, a Campanha de Erradicação da Malária (CEM) e o Departamento Nacional de Estradas de Rodagem (DNER) ajudariam com as instalações disponíveis na região e com o pessoal treinado para o trabalho sigiloso.

O Exército selecionou 32 militares* para a operação. O nome do general Antônio Bandeira aparece no topo da lista, mas o comando da missão coube ao tenente-coronel Carlos Sérgio Torres, do CIE. O comandante da 3ª Brigada de Infantaria, abalado pelo insucesso da Operação Papagaio em maio, se afastaria do cargo para dirigir a Polícia Federal.

O plano de informações previu um coordenador-geral, o major Zenkner, responsável pela ligação entre os chefes militares enviados para a região da guerrilha e o comandante da operação. O homem teria base em Brasília, faria visitas frequentes ao Araguaia e manteria um adjunto na região.

A zona do confronto foi dividida em duas áreas, cada uma sob responsabilidade de um subcoordenador. Um ficaria em Xambioá; o outro, na Transamazônica. As equipes agiriam estanques, sem troca ostensiva de informações.

Os civis e militares escalados para a Operação Sucuri estavam proibidos de executar qualquer ação ofensiva contra os guerrilheiros. O desrespeito à regra poderia quebrar o sigilo da missão e colocar em risco, mais uma vez, a caçada. Os resultados das investigações seriam transmitidos para o coordenador-geral ou para o adjunto.

Na área de Xambioá, o subcoordenador se instalaria no escritório do Incra em São Geraldo, auxiliado pelo tenente Rodrigues, o sargento Oliveira e o soldado Araújo. O soldado João teria uma bodega em Santa Cruz. O sargento Hamilton escolheria entre Araguanã e Caianos para montar um pequeno comércio. Também no papel de funcionário do Incra, o sargento Bolívar, do CMP, residiria em Xambioá. Responderia ao subcoordenador da área.

O Exército comprou glebas no Pará para abrigar duplas de militares disfarçados de posseiros. Todos soldados. Em Couro D'Antas, ficariam Juscelino e Basil. Em Gameleira, Waldir e Pinto. A dupla Silvério e Gersi se deslocaria para Pau Preto e Mutum. Oliveira e Rodrigues atuariam na Abóbora.

Dois grupos de três, monitorados pelo CIE, trabalhariam no combate à malária na região de Santa Cruz e Gameleira. Assim, percorreriam casas sem levantar suspeitas. A equipe A teria o soldado Jeremias, acompanhado de dois funcionários da CEM. Um, ainda não escolhido, do Pará. O outro, Gramacho, seria deslocado de Formosa, no interior de Goiás.

---

* *Veja nomes e codinomes no Anexo deste livro*

A equipe B operaria na região de Caianos e Pau Preto. O soldado Nascimento teria a ajuda de Sebastião Soares da Silva, da CEM de Tocantinópolis, e de um servidor do órgão federal no Pará. Todos os militares escalados para compor a rede de informações na área de Xambioá pertenciam ao 8º GAAA, com exceção dos soldados Oliveira e Rodrigues, do 10º BC.

Em Caianos, o CIE teria os informantes Manoel dos Crentes, Zé Preto e Antônio da Maria; em Santa Cruz, Jaime Rocha, Virgílio e Amaro. Todos moradores das localidades. O subcoordenador da Transamazônica se passaria por engenheiro do DNER. Ficaria em Araguaína e teria como auxiliar o sargento Armando, do CODI da 3ª Brigada de Infantaria. Um subdistrito da CEM seria montado em Bacaba para facilitar a operação.

O soldado Benjamim, do 10º BC, instalaria uma bodega em Palestina. O sargento Artur, do CODI da 3ª Brigada de Infantaria, e o soldado Nonato, do CMP, fariam o mesmo em Brejo Grande e São Domingos. Seis moradores da região e um agente da Polícia Federal serviriam de informantes do CIE. Em Metade e Lagoa, agiriam Zé Piauí, Antônio do Brejo e Chico. Em Palestina e Angical, Deoclécio, Raimundo e Pedro. O homem da DPF, Hermenegildo, atuaria em Araguatins. A dupla de soldados Israel e Jamal, os dois do 10º BC, tocaria uma roça em Consolação.

Um sujeito conhecido como Tião fingiria ser *gateiro*, nome dado no Araguaia aos homens que contratam serviços de trabalhadores rurais. A atividade permitiria ao informante percorrer toda a região. Na área da Transamazônica, o combate à malária ficaria por conta de três grupos. A equipe A, formada pelo sargento Antunes, do CODI da 3ª Brigada de Infantaria e por um homem da CEM do Pará, trabalharia nas regiões de São Domingos e Metade.

O sargento Reis, também do CODI da 3ª Brigada de Infantaria, e outro funcionário da CEM no Pará comporiam a equipe B. Teriam responsabilidade sobre a zona rural de Brejo Grande, Consolação, Bom Jesus e São José. A mesma tarefa seria desempenhada entre a Transamazônica e os rios Araguaia e Tocantins pela equipe C, composta pelo cabo Jamiro, do BPEB, e mais um homem destacado pela CEM no Pará. O planejamento do CIE previu a criação de equipes volantes de mateiros com determinação para atuar nas proximidades das próprias casas. Outros informantes móveis transitariam entre Ananás, São João do Araguaia e Marabá.

Os caboclos recrutados para a caça aos comunistas nada saberiam sobre o tamanho da operação, nem conheceriam os homens envolvidos. Agiriam como elementos isolados e fariam contato de 15 em 15 dias em locais predeterminados. O comando da Operação Sucuri deu especial atenção às providências necessárias à manutenção do sigilo. Os agentes precisavam chegar à zona do conflito bem caracterizados, como moradores da região. Usariam roupas compatíveis com as atividades indicadas pelos superiores. De preferência, deveriam se sentir como verdadeiros caboclos, adaptados ao jeito de vida local. Assim, correriam menos riscos de levantar suspeitas da população e dos guerrilheiros.

Os militares infiltrados viveriam sem documentação. Os únicos com identificação — ainda assim falsas — eram o comandante, o coordenador geral, o adjunto, os subcoordenadores e os auxiliares diretos. Os homens da CEM teriam papéis forjados para apresentar aos moradores.

A chegada dos agentes ao Araguaia deveria ocorrer de forma gradativa, para não chamar a atenção. Os comandantes proibiram contatos não previstos no plano. As bodegas funcionariam como pontos de controle e coleta de dados. Teriam prioridade na instalação.

Os futuros donos de bodega dariam preferência a estabelecimentos já existentes. Quando não fosse possível, abririam os próprios negócios. Na sequência, com um intervalo de cinco dias de um para outro, chegariam as equipes de combate à malária e os posseiros.

Os integrantes da rede de apoio passariam por um treinamento específico. Aprenderiam com posseiros, bodegueiros, agentes do Incra e funcionários da CEM. Depois, se submeteriam ao aprendizado de técnicas de coleta e transmissão de informações. Tudo o que fosse visto deveria ser memorizado, sem anotações.

A Operação Sucuri foi montada com preceitos rígidos de funcionamento da cadeia de informação. Na avaliação dos comandantes, o êxito da missão dependeria da observação rigorosa das normas fixadas no planejamento.

Todos os homens receberam instrução de ter sempre em mente que atuavam contra um grupo clandestino, apoiado por uma rede de informantes. Para derrotar o inimigo, precisavam adotar os mesmos princípios. A cadeia de informação se basearia no fluxo contínuo de dados, respeitando-se sempre os canais previstos no planejamento. As descobertas feitas seriam repassadas aos subcoordenadores, responsáveis por processar e retransmitir a mensagem ao adjunto.

No passo seguinte, o adjunto enviaria as informações ao coordenador-geral. As ordens e orientações do comando seguiriam o sentido inverso. Sairiam do coordenador-geral, passariam pelo adjunto e chegariam aos encarregados da execução da operação. Fora da rede de informações, todos os contatos precisavam ser evitados. Quando integrantes da missão de espionagem se encontrassem, deveriam se comportar como desconhecidos.

Mesmo que esbarrassem em algum subversivo, os agentes nada poderiam fazer. As prisões ficariam para a fase de operações, prevista para acontecer depois de levantadas as informações necessárias para apanhar os inimigos. Havia apenas uma exceção: o guerrilheiro Osvaldão. Se o comandante do Destacamento B fosse visto, tinha de ser atacado de qualquer maneira, a menos que houvesse dúvida quanto às chances de abater o mais conhecido comunista do Araguaia.

Toda cautela seria adotada para evitar a quebra de sigilo. Os espiões disfarçados de posseiros passariam os informes nos fins de semana, quando fossem aos povoados fazer compras. Para não despertar suspeitas, nunca se encaminhariam diretamente para a bodega. Se tivessem alternativas, deveriam percorrer outros estabelecimentos, como se comparassem os preços.

A coleta dos informes nas bodegas ocorreriam às segundas ou terças-feiras, dependendo da situação. Na Transamazônica, o contato seria feito pelo adjunto do coordenador. Sob o disfarce de engenheiro do Incra, percorreria os povoados, receberia os dados obtidos e orientaria futuros contatos.

No modelo de operação, o adjunto do coordenador desempenharia papel-chave. Instalado na região do confronto, coordenaria o fluxo de informações entre os homens infiltrados no Araguaia e os chefes militares em Brasília.

Em breve, o adjunto do coordenador concentraria muito mais poder. O nome do militar escolhido para a função não foi revelado pelo *Plano de Informações Sucuri nº 1*. Seria auxiliado pelo sargento Milburges Alves Ferreira, do CODI do Comando Militar do Planalto.

A operação teria 21 civis e 32 militares — sete oficiais, nove sargentos e 16 soldados. O custo total foi calculado em Cr$ 157.360,00.

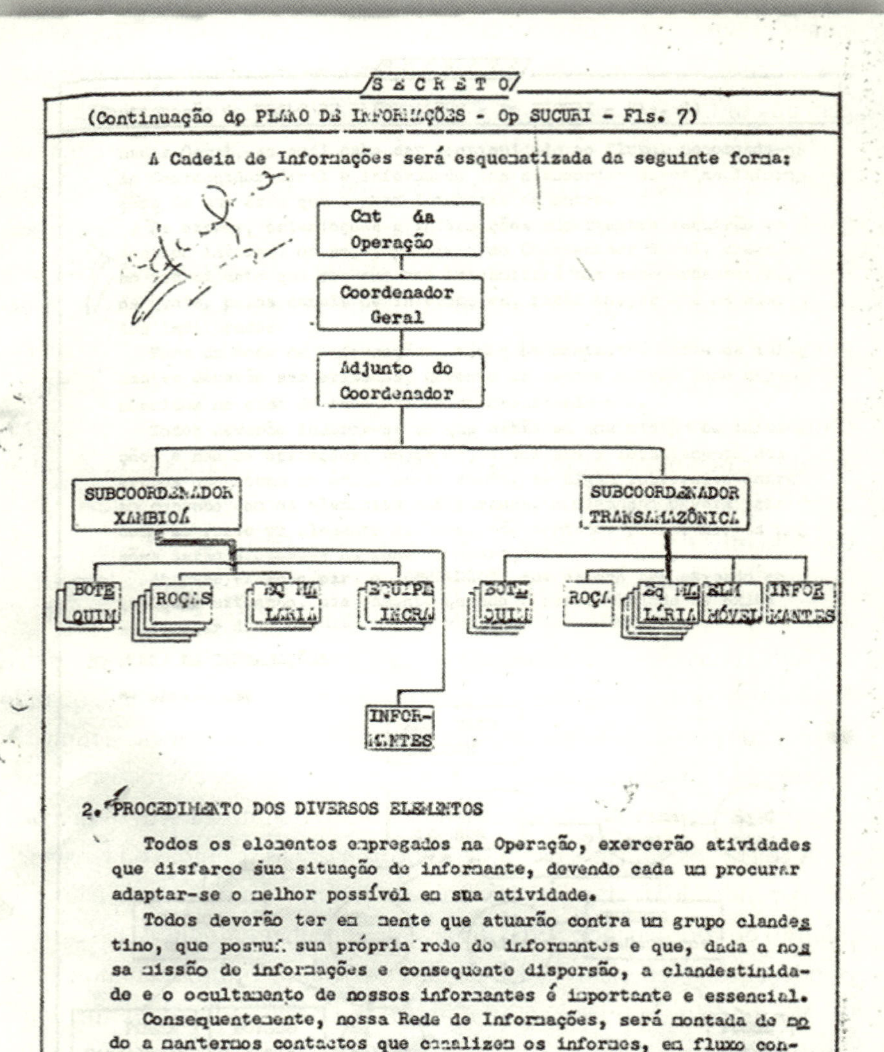
/S E C R E T O/

(Continuação do PLANO DE INFORMAÇÕES - Op SUCURI - Fls. 7)

A Cadeia de Informações será esquematizada da seguinte forma:

2. PROCEDIMENTO DOS DIVERSOS ELEMENTOS

Todos os elementos empregados na Operação, exercerão atividades que disfarce sua situação de informante, devendo cada um procurar adaptar-se o melhor possível em sua atividade.

Todos deverão ter em mente que atuarão contra um grupo clandestino, que possui sua própria rede de informantes e que, dada a nossa missão de informações e consequente dispersão, a clandestinidade e o ocultamento de nossos informantes é importante e essencial.

Consequentemente, nossa Rede de Informações, será montada de modo a mantermos contactos que canalizem os informes, em fluxo contínuo, para determinados pontos de onde serão encaminhados aos subcoordenadores que os processarão e remeterão ao Adjunto do Coorde

/S E C R E T O/

Os agentes secretos da Operaçao Sucuri deveriam integrar-se à população e cuidar apenas de colher informações sobre a guerrilha, sem prender ou matar ninguém.

S E C R E T O

(Continuação do PLANO DE INFORMAÇÕES - Op SUCURI - Fls. 8)

nador Geral, ao qual cabe dar continuidade ao fluxo, remetendo-os ao Coordenador Geral e informando aos subcoordenadores as informações de uma área que tenham interesse na outra.

As ordens, orientações e informações importantes seguirão em / sentido inverso, ou seja, partindo do Coordenador Geral, chegarão ao seu adjunto que por sua vez transmitirá aos subcoordenadores, os quais, pelos canais de informações, farão chegar até os elementos infiltrados.

Fora da Rede de Informações, todos os contactos entre os informantes deverão ser evitados, devendo os mesmos agirem como desconhecidos no caso de encontrarem-se ocasionalmente.

Todos deverão lembrar-se de que estão em uma missão de informações e não de operações, cujos objetivos são o levantamento dos / grupos que atuam na área. Assim sendo, se algum subversivo entrar em contato com os elementos infiltrados, o elemento deverá agir / como se fosse um elemento da área, não tentando prendê-lo. As prisões serão efetuadas na fase de operações.

Abre-se exceção para o "OSWALDÃO", que deverá ser atacado em / qualquer situação, mas somente quando a possibilidade de êxito não deixar dúvidas.

3. FLUXO DE INFORMAÇÕES

a. Área Norte

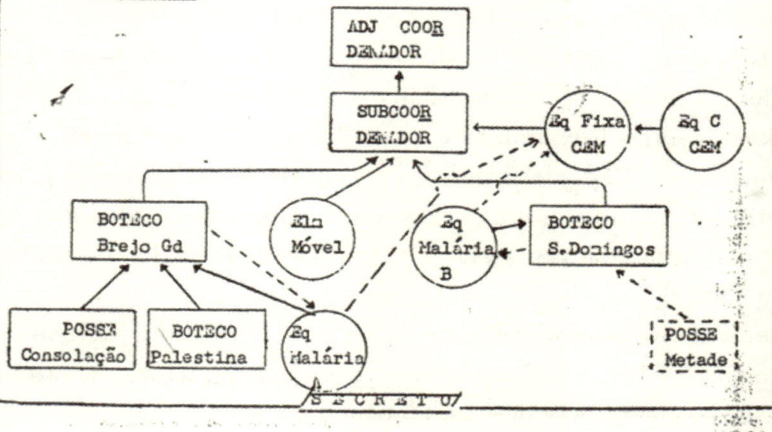

S E C R E T O

Única exceção para as instruções anteriores: Osvaldo Orlando Costa, o "Osvaldão", que, encontrado, deveria ser "atacado" em qualquer situação.

A maior parte do dinheiro, Cr$ 121.860,00, se destinaria ao pagamento das diárias dos militares. Os outros Cr$ 35.500,00 cobririam despesas com transporte, instalação das bodegas, aquisição de posses, um mês de diárias dos civis, compra de roupas, munição para caça, machados, facões, panelas, remédios, cobertas e pratos.

Os nomes e codinomes dos militares ficaram registrados no plano de informações da Operação Sucuri. O general Antônio Bandeira seria Camilo ou Doutor Pedrinho. O major Gilberto Airton Zenkner se chamaria Tio Antônio e o capitão Aluísio Madruga de Moura e Souza, engenheiro-agrônomo, se apresentaria como Doutor Melo.

Mais tarde, os codinomes seriam alterados. Um mesmo militar teria nomes distintos em lugares diferentes. O comandante da Operação, Carlos Sérgio Torres, e o coordenador-geral, major Zenkner, elaboraram o *Plano de Ocupação da Área*. Os dois estabeleceram um cronograma minucioso para a chegada dos agentes à região do confronto. Fixaram um Dia D como referência e previram todas as movimentações necessárias para a instalação dos espiões. A ocupação levaria 18 dias. Primeiro chegaria Tião, o *gateiro*, o adjunto do coordenador-geral e os bodegueiros de Araguanã e Brejo Grande. Os últimos seriam os posseiros da Gameleira.

Os posseiros sairiam de Brasília e os ônibus chegariam à noite a Araguaína. Na rodoviária, encontrariam o adjunto e receberiam orientações. Zenkner e Torres fizeram também um *Plano de Contatos Iniciais*. Todos teriam data e local predeterminados para iniciar os trabalhos. Os primeiros encontros entre posseiros, bodegueiros, equipes da CEM e subcoordenadores aconteceriam em restaurantes, postos do Incra, na rodoviária de Araguaína ou nos povoados do Araguaia.

Se houvesse algum problema, os espiões teriam uma alternativa de contato na própria rodoviária ou em entroncamentos da Transamazônica. Em caso de emergência, deveriam procurar o chefe da CEM em Bacaba.

Jaime Petit (Jaime)

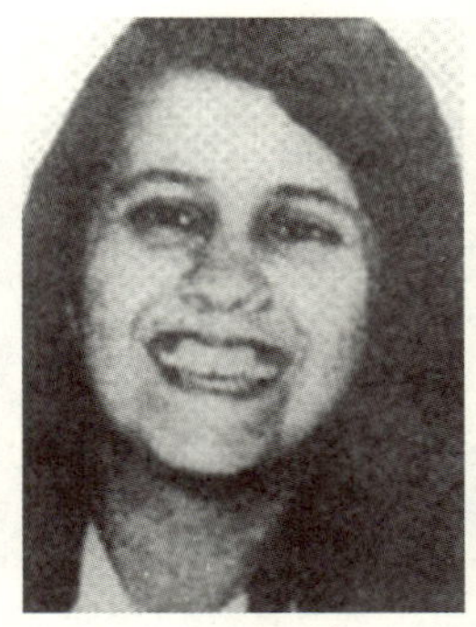

Maria Lúcia Petit (Maria)

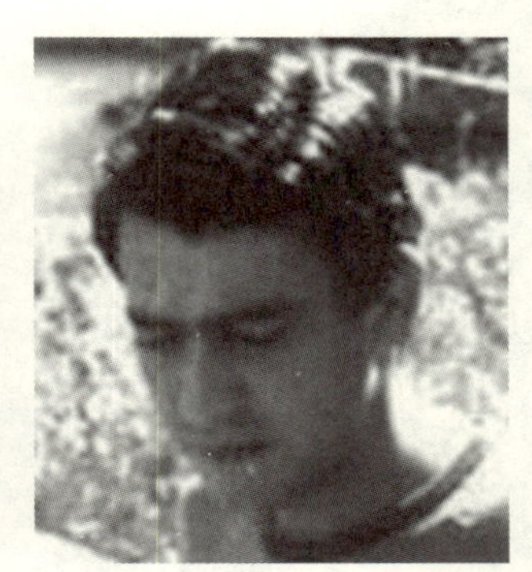

Lúcio Petit (Beto)

Eduardo Brito, primeiro morador preso. Foi obrigado a abandonar suas terras na Faveira, local onde foi feita esta foto, 33 anos depois

ÁLBUM DE UM MORADOR DE PORTO FRANCO

João Carlos Haas (Juca) em festa de formatura

Antônio Teodoro de Castro (Raul)

Carlos Nicolau Danielli (Pontes, Antônio)

REPÚBLICA FEDERATIVA DO BRASIL

PODER JUDICIÁRIO - 5.º CARTÓRIO

Rua Dr. Moreira, 200

Manaus - Amazonas

JOÃO ALVES FERNANDES, Oficial do Registro Civil de Nascimento, Casamentos e Óbitos da Cidade de Manaus, Capital do Estado do Amazonas, por nomeação legal, etc.

Sub - Oficial

JOÃO ALVES FERNANDES
REGISTRO CIVIL
5.º OFÍCIO
MANAUS-AM.

CERTIDÃO DE ÓBITO

CERTIFICO que à fls. 143v./ do Livro n.º 11/ têrmo n.º 3.384/ do Registro de Óbitos, consta o assento de "MÁRIO ABRAHIM DA SILVA"/ falecido no dia 28/ de setembro/ de 1972/ ás 2:30/ horas, em lugar Pavão, interior do Estado do Pará/ do sexo masculino/, de côr branca/, com 41/ anos de idade estado civil casado/ natural do Amazonas/, profissão militar/ filho de Jovelino Abrahim da Silva e de dona Ana Mouzinho da Silva/, sendo a declaração de óbitos firmada pelo dr. Henrique da Silva Alves/ que deu como causa da morte: (veja nas observações)/

O sepultamento foi feito no Cemitério de São João Batista, nesta cidade/

Observações: Causa da morte:- "ferida penetrante do tórax com orifício de entrada entre o flanco e hipocondrio direito e de saída no flanco (lateralmente) a esquerda"./

Do referido, que é verdade, dou fé.

Manaus, 30/ de setembro/ de 1972.

O Oficial,

JOÃO ALVES FERNANDES
REGISTRO CIVIL
5.º OFÍCIO
MANAUS-AM.

Certidão de óbito do sargento Mário Abrahim da Silva (no detalhe), morto pela guerrilha.
As Forças Armadas esconderam da viúva a causa da morte.

ÁLBUM DE FAMÍLIA

Antônio Carlos Monteiro Teixeira (Antônio da Dina)

ÁLBUM DE FAMÍLIA

Dinalva Oliveira Teixeira (Dina)

Bergson Gurjão Farias
(Jorge)

Miguel Pereira dos Santos
(Cazuza)

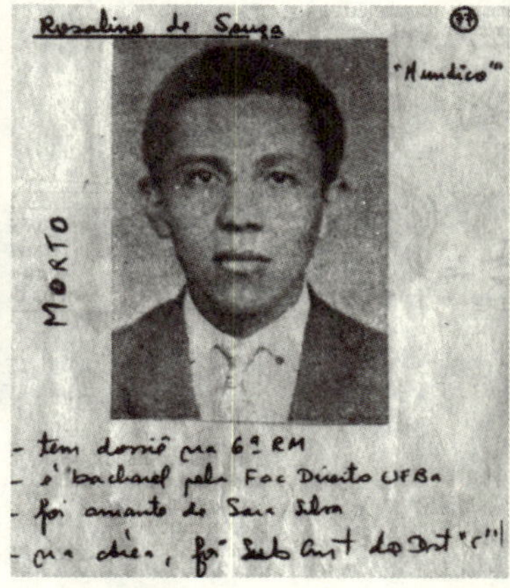

Rosalindo de Souza (Mundico)

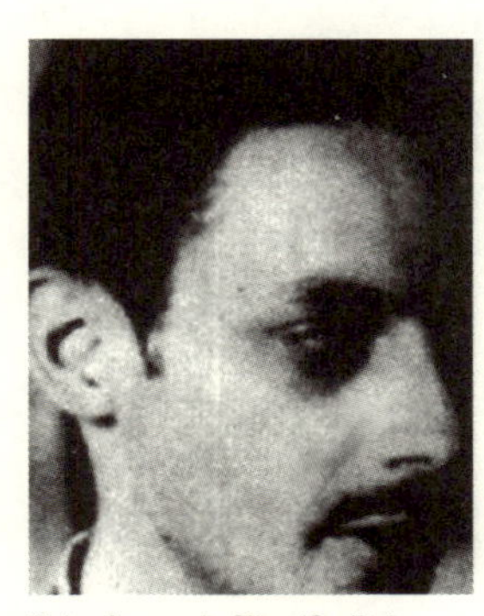

Kleber Lemos da Silva (Carlito)

Manoel José Nurchis (Gil)

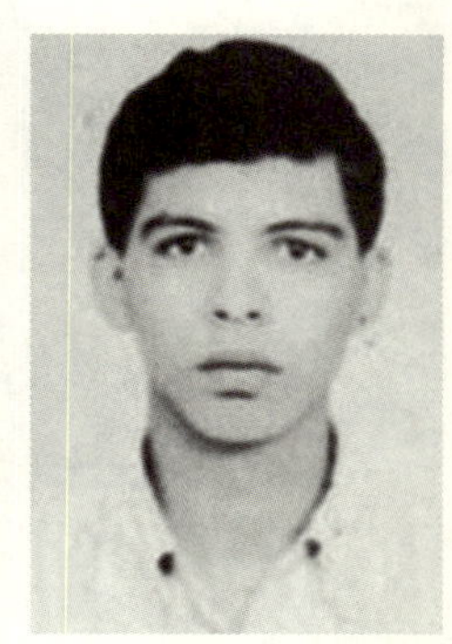

Idalísio Soares Aranha (Aparício)

FOTO OBTIDA POR JOÃO NEGRÃO

Daniel Ribeiro Callado (Doca) em Rondonópolis, 1965

ÁLBUM DE FAMÍLIA

Elmo Correia (Lourival)

Cilon da Cunha Brum (Simão)

Antonio Guilherme Ribeiro Ribas (Ferreira), à esquerda, e Zé Dirceu, presos em Ibiúna, SP, no congresso da União Nacional dos Estudantes (UNE), 1968. Ribas morreu no Araguaia. José Dirceu tornou-se chefe da Casa Civil da República em 2003, renunciou ao cargo em 2005, após denúncias de envolvimento com corrupção

AGÊNCIA ESTADO

O ministro do Exército, general Sylvio Frota, da linha-dura, tentou derrubar o presidente Geisel. Foi demitido

FOLHA IMAGEM

O coronel Jarbas Passarinho, ministro da Educação de um governo que não permitiu a organização dos estudantes, patrocinou ações sociais no Araguaia para cativar a população

AGÊNCIA ESTADO

General Hugo Abreu: um comandante de elite na guerrilha do Araguaia

AGÊNCIA GLOBO

General Ernesto Geisel

AGÊNCIA GLOBO

General Antônio Bandeira

AGÊNCIA GLOBO

General Milton Tavares

AGÊNCIA ESTADO

General Olavo Vianna Moog

AGÊNCIA GLOBO

General Nilton Cerqueira

AGÊNCIA ESTADO

Sebastião Rodrigues de Moura, o Major Curió

FOTOS ARQUIVOS CIE

Visita do Estado-Maior do Exército (EME) a Xambioá, 1972

FOTOS ARQUIVOS CIE

Missa ao ar livre, treinamentos, alojamentos rústicos: rotina militar em Xambioá

As duras condições de vida nas pequenas cidades do Araguaia...

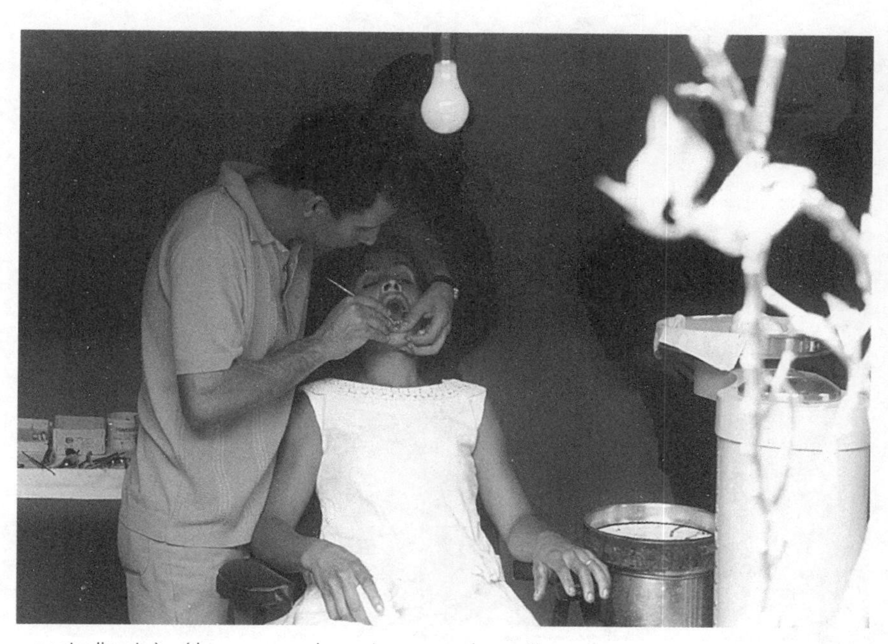

...e o atendimento à saúde que apareceu de repente, por causa da guerrilha

FOTOS FEITAS POR UM MILITAR

Saída de Cristalina, em Goiás, para a guerra na selva

A chegada ao Araguaia, em setembro de 1972

Os recrutas tinham verdadeiro pavor durante as marchas na selva

FOTOS FEITAS POR UM MILITAR

Avião joga mantimentos para os soldados na mata

Soldados retiram água do chão

Armadilha militar na floresta

FOTOS FEITAS POR UM MILITAR

Um soldado afirma que o corpo da esquerda é o de João Carlos Haas Sobrinho (Juca). Ao lado, Helenira Resende

Kleber Lemos da Silva (Carlito): o fim

Militares envolvem corpos em sacos mortuários

CAPÍTULO 100

Aos poucos, espiões mapeiam toda a rede de apoio à guerrilha

Abril de 1973. Os resultados do trabalho de aproximação com as massas animam os comunistas. Moradores fornecem comida, roupas, calçados, redes. Osvaldão e Dina continuam populares. Cresce o prestígio de Sônia, Piauí, Nelito, Zé Carlos, Amaury, Mariadina, Mundico, Joca e Paulo. Os guerrilheiros ajudam nas roças. Os caboclos cantam músicas em homenagem à guerrilha nas sessões de terecô, o candomblé local. Muitos participam das comemorações de um ano do movimento armado.

Integrante da Comissão Militar, Joaquim vibra com a participação de 50 pessoas em uma reunião para discutir medidas contra o Incra. Os núcleos da ULDP aumentam a rede de apoio da guerrilha. Em abril de 1973, há 13 núcleos, cada um com três a cinco integrantes, acompanhados por um militante comunista. Os componentes de um grupo devem desconhecer a organização dos outros. Os combatentes distribuem folhetos em forma de cordel para fazer propaganda da luta contra a ditadura.

Os camponeses ouvem a rádio Tirana junto com os guerrilheiros e se mostram receptivos à pregação esquerdista. Onze moradores aderiram ao movimento armado.

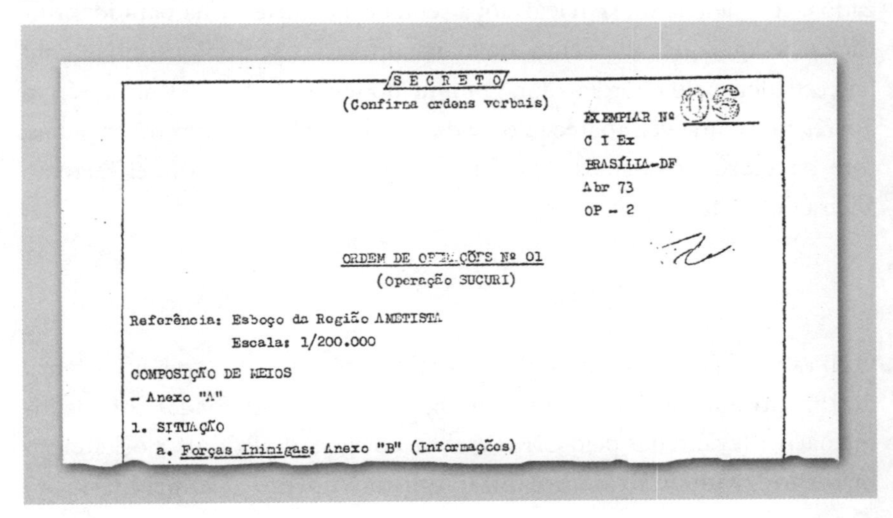

SECRETO

(Confirma ordens verbais)

EXEMPLAR Nº 06
C I Ex
BRASÍLIA-DF
Abr 73
OP - 2

ORDEM DE OPERAÇÕES Nº 01
(Operação SUCURI)

Referência: Esboço da Região AMETISTA
Escala: 1/200.000

COMPOSIÇÃO DE MEIOS
- Anexo "A"

1. SITUAÇÃO
a. Forças Inimigas: Anexo "B" (Informações)

Missão: identificar os terroristas que atuam na região Ametista, inclusive os elementos da área que os apoiam, bem como localizar seus esconderijos e suas prováveis rotas de fuga.

O guerrilheiro Osvaldão volta a ser tratado como prioridade na Ordem de Operações da maior missão de informação contra os guerrilheiros no Araguaia. O documento, de abril de 1973, faz a ressalva sobre o comandante negro e grandalhão.

Nesta fase não deve haver nenhuma ação militar salvo contra o cmt do Dst "B".

A região ganha um nome para os militares: Ametista. A Ordem de Operações repete as orientações do *Plano de Informações Sucuri nº 1* em relação a cuidados com a segurança, respeito à cadeia de comando da missão e transmissão dos dados. Para reforçar o sigilo, estabelece códigos de comunicação.

As duas áreas sob responsabilidade dos subcoordenadores também ganham nomes de pedra preciosa ou semipreciosa: Esmeralda e Turmalina. Em cada uma, elementos fixos e móveis, em número variável, para lançar quando necessário. Dois carros civis ajudarão a manter o fluxo de informações.

A transmissão de dados se dará em contatos pessoais. Só o adjunto e o coordenador-geral se falarão por rádio. Em caso de urgência, fica autorizado o uso de telefone e telégrafo; a senha e a contrassenha para identificação de qualquer elemento novo na operação serão fornecidas com antecedência pelo coordenador. O nome do tenente-coronel Carlos Sérgio Torres mais uma vez aparece no pé de um documento. Com três páginas, fora os anexos, os papéis têm a assinatura do tenente-coronel Eugênio Vieira de Mello.

* * *

O *Anexo "B" (Informações) à OP nº 1 (Operação Sucuri)*, também de abril de 1973, resume a situação dos inimigos das Forças Armadas com as informações levantadas pelo CIE. Lembra a origem do PCdoB, a orientação maoísta e a intenção de organizar um movimento revolucionário no

Brasil. O documento tenta identificar os segmentos da sociedade nos quais o partido recruta guerrilheiros. Muitos deixaram o PCB descontentes com os novos rumos apontados pela cúpula da organização comandada por Luiz Carlos Prestes. Sentem-se atraídos pela luta armada. Outros saíram das universidades.

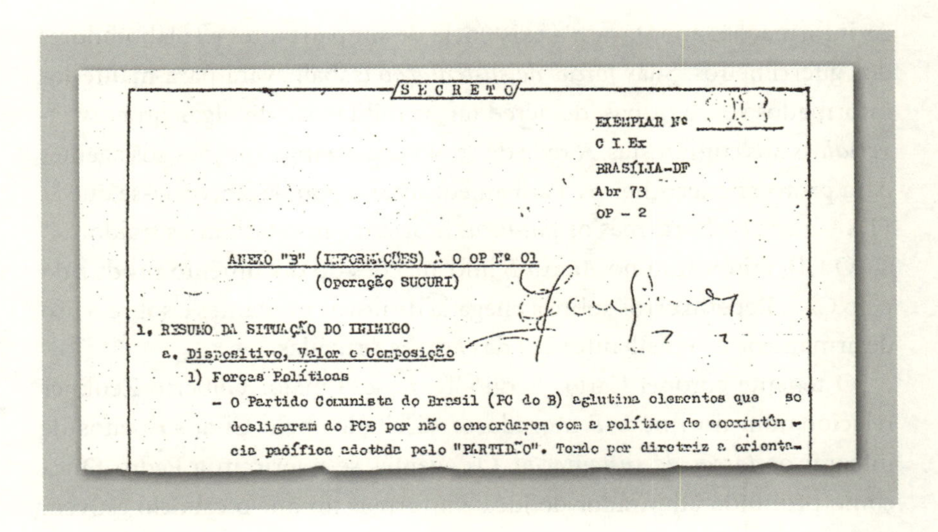

SECRETO

EXEMPLAR Nº

C I. Ex

BRASÍLIA-DF

Abr 73

OP – 2

ANEXO "B" (INFORMAÇÕES) À O OP Nº 01

(Operação SUCURI)

1. RESUMO DA SITUAÇÃO DO INIMIGO

a. Dispositivo, Valor e Composição

1) Forças Políticas

– O Partido Comunista do Brasil (PC do B) aglutina elementos que se desligaram do PCB por não concordarem com a política de coexistência pacífica adotada pelo "PARTIDÃO". Tendo por diretriz a orienta-

Principalmente jovens estudantes que, em decorrência de problemas familiares ou mal situados quanto aos problemas nacionais e os esforços dos órgãos governamentais em solucioná-los, são aliciados para as fileiras do partido pelos comunistas profissionais, diz o texto produzido pelo setor de informações do Exército.

Os militares do CIE avaliavam que o PCdoB pretendia assumir o comando das forças políticas revolucionárias do Brasil. Os objetivos do partido foram sintetizados em três pontos:

Primeiro: desgastar as Forças Armadas e as autoridades do governo dentro e fora do País.

Segundo: sensibilizar a opinião pública mundial para ajudar na sustentação e no apoio político ao movimento armado.

Terceiro: pela luta armada a partir do interior, derrubar o *quadro político vigente* para dominar os centros de poder da nação. Se não conseguissem, se empenhariam em estabelecer uma zona liberada no interior do País. O reconhecimento de alguns organismos internacionais permitiria a criação de uma República Popular — verdadeiro interesse do PCdoB, na avaliação dos militares.

* * *

As informações apontavam a existência de simpatizantes e colaboradores dos guerrilheiros. Suas *forças de sustentação* trabalhavam para mantê-los informados sobre tropas, desacreditar os militares e divulgar proezas *inverídicas* dos comunistas. A rede de apoio negava informações aos agentes para proteger guerrilheiros. Para amedrontar a população, dizia-se que as FFAA iriam embora, mas os *paulistas* ficariam e justiçariam os traidores.

O CIE aproveitou no *Anexo B* informações do documento produzido pelo Cisa. Repetiu erros sobre a chegada de novos militantes e sobre o uso de armamentos semelhantes aos das Forças Armadas.

O tenente-coronel Carlos Sérgio Torres e o major Gilberto Zenkner relacionaram no *Anexo B* moradores, já citados pelo Cisa, suspeitos de integrar as *forças de sustentação.* Os agentes se referiram a Pedro Onça como profundo admirador de Juca e informavam que o caboclo estivera preso. Amaro Lins foi caracterizado como ex-integrante do grupo *terrorista.* Brigou com Raimundo Silva, outro caboclo, apontado como responsável pelas prisões de Miguel e Lúcia.

Calango criou gado com Paulo. Raimundinho, ex-vaqueiro do comandante do Destacamento C, morava na mesma fazenda que servira de base para a luta armada. Na estrada da serraria Marcelinense morava Euclides. Comprava suprimentos para os comunistas e passou pela prisão. O camponês Peri, do mesmo lugar, homiziou Aparício por seis dias.

Na cidade viviam Manoel e Sandoval Feitosa, colaboradores de Paulo, e Silvano Alves de Abreu, suspeito de atuar como mensageiro de Osvaldão. Do outro lado do rio, em Xambioá, o CIE se preocupava com Alípio e Afonso, o frequentador da zona do meretrício descoberto pelos espiões do Cisa. Ainda ao sul e ao norte da serra, o Exército relacionou vários colaboradores e suspeitos de ajudar os comunistas.

A região da Transamazônica concentrava boa parte da rede de apoio identificada. Em São José, João Garrote. Entre Metade e Bom Jesus, residiam Peixinho e Hilário, acusados de levar alimentos para a selva. O comerciante José de Araújo Mota, de São Domingos, Manuel da Mata, morador da estrada de São José, e Zé Caroço, do km 80 da Transamazônica, despertavam a atenção do Exército. Os caboclos Adão e Adãozinho demonstravam contato estreito com os comunistas. Um deles teria avisado os guerrilheiros da chegada do pelotão do Exército ao "Alvo".

A cozinheira e os serventes do posto de gasolina do km 80 da Transamazônica estiveram com os *terroristas*. O dono do estabelecimento se chamava Wilson; o gerente, Francisco de Melo.

Eduardo, comerciante em Faveira, servia de intermediário dos guerrilheiros na compra e venda de mercadorias de Marabá e Imperatriz. Ele fora dos primeiros presos durante a Operação Peixe II e poderia identificar o elemento de ligação do PCdoB na cidade maranhense. O morador Lourenço Alves da Silva, da Cafezeira, conheceu comunistas e mantinha relações com Eduardo. A *coletora* e o *ex-prefeito* de São João do Araguaia teriam perseguido colaboradores do Exército depois da retirada das tropas.

Na lista de prováveis integrantes da *rede de apoio*, apareceu o fazendeiro Mano Ferreira, descrito como indivíduo *intelectualizado*. Tinha propriedade na região do "Alvo". Manteve pouco contato com os guerrilheiros, mas o empregado Manelão chegou a caçar com o Destacamento A. A desconfiança das Forças Armadas recaiu sobre a família Mutran. Oswaldo, David e Michel há anos controlavam Marabá e São João do Araguaia. Teriam grande quantidade de armas e munições, segundo as investigações. Os espiões da Operação Sucuri começariam a missão com mais de 50 moradores suspeitos de ajudar o movimento.

O documento mostra detalhes da hierarquia da organização inimiga. Muitas informações estavam incompletas ou distorcidas. Um ano de investigações permitiu ao Exército traçar um quadro bastante aproximado da realidade dos comunistas na mata.

Os comandantes da operação ainda não sabiam a constituição exata do Birô Político, instância máxima de decisões da guerrilha. Acreditavam que fosse composto por João Amazonas, Ângelo Arroyo, Maurício Grabois e Dona Maria. Um ponto de interrogação colocado ao lado do nome de Elza Monerat revela que os agentes não tinham certeza da identidade da única mulher da direção do partido na mata.

Descreveram João Amazonas como velhinho, baixo (1,58 m), 55 quilos. Havia tirado o bigode e precisava de óculos para ler. Usava os codinomes Pedro, Alcides ou Cid. Ângelo Arroyo, o Joaquim, tinha 45 anos, cabelos pretos lisos e repartidos de lado, barba cerrada. Moreno, forte e um pouco gordo, costumava percorrer os destacamentos. Às vezes, de óculos. Media 1,72 m. Aos 50 anos, Maurício Grabois era alto (1,74 m), forte, mulato, cabelos grisalhos, grandes entradas, cara bem larga e sem bigode. Usava óculos para ler.

A loura Dona Maria, 50 anos, cabelos médios, bonita e forte, fazia a ligação com São Paulo. Conduzia novos elementos para o Araguaia. Falava muito, precisava de óculos para longe e aparentava ter grande importância no *esquema dos terroristas.*

Baseados nos depoimentos dos prisioneiros, concluíram que a Comissão Militar era formada por José Humberto Bronca, o Zé das Neves, e João Batista dos Mares Guia, o Gilberto. O médico João Carlos Haas Sobrinho, o Juca, morto em setembro, também fizera parte. Teria sido substituído por Hiran Caetano Diniz, estudante do sexto ano de Medicina. Quase tudo no *Anexo B* sobre a Comissão Militar estava errado. Não havia nenhum João Batista dos Mares Guia. O codinome Gilberto não era usado por ninguém da cúpula.

Havia, sim, Gilberto Olímpio Maria, jornalista de São Paulo, casado com Victória, filha de Maurício Grabois. No Araguaia, usava o codinome Pedro ou Pedro Gil. Também era falso que Juca fora substituído por Hiran Caetano Diniz. Não havia ninguém com esse nome. No lugar do médico ficou a enfermeira Luzia Augusta Garlippe, a Tuca, da turma da Gameleira.

Os homens de informação pouco sabiam sobre o Destacamento A. Atuava ao longo da Transamazônica, mais na região de Faveira, Fazenda São José, São João do Araguaia, São Domingos e Metade. Deveria ter 23 integrantes, o efetivo normal da estrutura montada pelos esquerdistas. Carlos Sérgio Torres e Gilberto Airton Zenkner traçaram os perfis dos supostos integrantes do Destacamento A, em grande parte, com as declarações imprecisas dos presos Crimeia e Danilo. Em abril de 1973, os chefes do CIE ainda desconheciam a identidade de Joca, o italiano Líbero Giancarlo Castiglia. Imaginavam tratar-se de João Borges Ferreira, nome falso apresentado pelo guerrilheiro ao povo.

Torres e Zenkner também pensavam que Joca fosse o comandante do Destacamento A. Acertaram em partes. O posto fora ocupado por Zé Carlos, codinome de André Grabois, quando Joca, pouco antes do início dos combates, passou para a Comisão Militar. Essa situação era ignorada pelos militares. Mas acertaram ao listar Luiz, Landin, Sônia, Beto, Cristina, Waldir, Antônio e Nelito, todos pelos codinomes. Também estavam corretas as informações sobre a presença, no Destacamento A, de Nelson Lima Piauhy Dourado, Divino Ferreira de Souza e Custódio Saraiva Neto.

Não sabiam, porém, que Nelson e Nelito eram a mesma pessoa. Divino, no Araguaia, dizia chamar-se Nunes e não Adão, como imaginavam. Custódio apresentava-se como Lauro e fora deslocado do Destacamento A para reforçar o C. Ao contrário do relato do *Anexo B*, não havia ninguém chamado Rita, Edgar, Pedro Baiano, Édio, José e Alandrine.

José talvez fosse José Lima Piauhy, o Ivo, ou Marcos José de Lima, o Zezinho ou Ari, armeiro da guerrilha. Os autores do documento acreditaram em Crimeia e se referiram a Humberto, na verdade Beto, codinome de André Grabois. Antônio não era José Antônio Botelho, nome dado por Danilo durante interrogatório para salvar Antônio Monteiro. Existia um Valdir, mas se tratava do baiano Uirassu de Assis Batista. No documento, ele seria Valdir da Costa Lima, outro nome dado por Danilo.

Uma mulher chamada Regina Ferreira da Silva aparece. Viveria com Humberto. Por desinformação, ou contrainformação, faziam referência a Lúcia Regina de Souza Martins — mulher de Lúcio Petit da Silva, o Beto.

Ficaram registradas a prisão de Crimeia e a morte de Fátima. O nome verdadeiro, Helenira Resende, ainda não aparecia sete meses depois de abatida pelas tropas do general Bandeira. O documento reproduziu indicações erradas sobre o Destacamento B passadas pelos agentes secretos da Aeronáutica. Acreditaram em indícios de novos guerrilheiros na área e armamento mais sofisticado nas mãos dos inimigos.

Muitas informações sobre armas e codinomes haviam sido dadas quase um ano antes por José Genoino Neto. Em abril de 1973, pouco ajudavam na captura dos comunistas. Quase todos possuíam revólver e espingarda. O guerrilheiro Amaury comandava o grupo Gameleira. Morava havia tempos na área. Teve uma farmácia em Santa Cruz e fazia trabalho de informação para o destacamento. No anexo B, aparece identificado como Amaury de Azevedo Siqueira. Mais um erro. Tratava-se do ex-bancário mineiro Paulo Roberto Pereira Marques.

Do mesmo grupo, faziam parte Suely Yumiko Kamayana, a Chica, de *nível universitário*, Pery, Manoel e a enfermeira Tuca. O grupo Castanhal do Alexandre tinha no comando o ex-líder estudantil Antônio Guilherme Ribeiro Ribas, o Zé Ferreira, ou Gordo, preso em Ibiúna. Os outros eram Raul e Walquíria, viúva de Aparício — morto em julho de 1972.

Zezinho atuava no comando do grupo Couro D'Antas. Conhecia bem a área, pois morava na região fazia tempo. Os agentes não sabiam, mas referiam-se a Michéas Gomes de Almeida, o militante treinado em Pequim na turma liderada pelo médico João Carlos Haas Sobrinho, o Dr. Juca.

O subcomandante do grupo, João Goiano, da Bahia, e a mulher, Dina, aparecem sem identificação. Os codinomes pertenciam a Vandick Reidner Pereira Coqueiro e Dinaelza Santana Coqueiro. No Araguaia, ela dizia chamar-se Mariadina. Os militares desconheciam também os nomes verdadeiros do casal Lourival e Lia — os estudantes Elmo Correia, de Medicina, e Telma Regina Cordeiro, de Geografia, ambos do Rio.

O estudante de Economia da PUC de São Paulo Cilon da Cunha Brum, o Simão, ou Edu, completava o grupo. Os agentes colocaram na lista Roberto Carlos Figueiredo, tratado por Pedro. Esse homem não participou da guerrilha.

As mortes de Idalísio Soares Aranha Filho, o Aparício, de Gil e de Flávio ficaram registradas, como também as prisões de José Genoino e Glênio Fernandes de Sá. O Destacamento C sofrera as maiores baixas no primeiro ano de combates. De acordo com as informações obtidas pelo CIE, juntara-se ao B e ficara sob o comando de Osvaldão.

Os responsáveis pela Operação Sucuri relacionaram os remanescentes do Destacamento C. Insistiram na classificação dos grupos e guerrilheiros com números. Nenhum documento do PCdoB confirma essa forma de identificação. Paulo Rodrigues, o antigo comandante, estava com um braço ferido ou seco devido a ferimento com bala. Morou em Caianos por seis anos.

No "grupo 500", com base nas regiões de Abóbora e Esperancinha, atuava a geóloga Dina, grande liderança na área. As investigações apontavam para uma disputa entre Dina e Paulo pelo comando do destacamento. No grupo da baiana, restara Chico, militante magro e queixudo, louro, com os cabelos penteados para trás.

O grupo de Caximbeiro e Patrimônio, ou "700" segundo o CIE, tinha no comando Arildo Valadão, o Ari. Nível universitário, usava óculos e bigode. Aparentava 24 anos e trabalhava como dentista. A mulher de Ari, Áurea Elisa Pereira, dava aulas na região. Devia ter 24 anos. Outro guerrilheiro do grupo aparece com os codinomes Josias, Isaías e Sérgio. Na realidade, chamava-se Tobias Carneiro Júnior, estudante de Medicina da Guanabara.

O comandante do grupo de Pau Preto, ou "900", era Jaime Petit da Silva. Era caracterizado como claro, baixo, forte e atarracado. Foi preso em Ibiúna. Abaixo de Jaime, encontrava-se Mundico. Moreno escuro, cabelo encaracolado, magro, aparentava 33 anos e media 1,79 m. Daniel tinha pele clara. Alto e forte, usava costeletas. Jogou futebol em Conceição do Araguaia e ficou bastante conhecido na cidade.

Depois de um ano de confronto, o CIE contou oito baixas no Destacamento C. José Toledo de Oliveira, Antônio Carlos Monteiro Teixeira, Bergson Gurjão Farias e Kleber Lemos da Silva estavam mortos. Dower Moraes Cavalcanti, Luzia Reis Ribeiro, Dagoberto Alves da Costa e *Resilena* da Silva Carvalho haviam sido presos. Mais uma vez o nome de Regilena aparece errado. O nome de Maria Lucia Petit foi omitido.

Os esquerdistas não pretendiam, na opinião de Torres e Zenkner, abandonar o Pará. Procuravam criar um clima de tensão entre os colonos. O Exército voltaria para expulsar todas as famílias das terras, diziam. Tinha aumentado a propaganda política dos comunistas. Buscavam adesões. A rádio Tirana, da Albânia, todos os dias conclamava os moradores a apoiar a causa dos guerrilheiros. Prometia melhores condições de vida para o futuro.

Os ataques do ano anterior haviam destruído grande parte dos depósitos de apoio logístico, principalmente dos Destacamentos A e C. Ameaçados pelos militares, eles deixaram bases de apoio originais. Os integrantes do Destacamento A circulavam livremente pela Transamazônica, observavam os chefes do serviço secreto do Exército. Onde se encontravam, tinham mais facilidades do que os outros para manter contato com São Paulo.

Dos três destacamentos, o B se encontrava mais estruturado, na avaliação do CIE. Unificados em torno de Osvaldão, conquistaram maior coordenação e demonstravam aprimoramento na instrução. O trabalho de doutrinação política também evoluiu.

No início de março, Osvaldão havia executado um mateiro nas proximidades de Santa Cruz, julgado e condenado à morte pelo tribunal dos guerrilheiros. O documento da Operação Sucuri afirma que o Destacamento B espalhou a intenção de invadir Santa Cruz e matar vários informantes das Forças Armadas para servir de exemplo. A atuação em uma área de maior densidade populacional contribuíra para as baixas sofridas pelo Destacamento C, conforme avaliavam os militares. Reduzido a nove integrantes, continuava nas redondezas de Pau Preto e Caianos. Recebera 15 comunistas de reforço com armamentos desconhecidos na região. Informação errada. Nenhum novo guerrilheiro entrou na área desde abril de 1972. Nem mais armas ou munições.

Sem meios de comunicação na selva, os comunistas faziam a pé, em pontos previamente marcados, as ligações entre os destacamentos. Os guerrilheiros ficavam vulneráveis, sem agilidade na transmissão e recepção das ordens do comando. Para fora da área, divulgavam fatos pelo rádio. No dia 3 de outubro do ano anterior, o Comando de Transporte Aéreo (COMTA), do Rio de Janeiro, captou uma mensagem telegráfica originária do sudeste do Pará dando notícia de acontecimentos recentes. A estação, deduziram, devia funcionar em Marabá.

Muitos guerrilheiros treinaram na China, mas os destacamentos ainda se mostravam sem experiência de combate. Na avaliação dos estrategistas militares, os inimigos se encontravam *precariamente armados* e sem condições de fazer manutenção. Para sanar as deficiências, buscavam fugir do contato com as tropas. *Mas persistem obstinadamente em permanecer na área*, observaram os autores do *Anexo B*. Dependiam de barcos e muares para se deslocar.

Os comunistas ainda careciam de adaptação na mata. Acostumados à vida urbana, sofriam com a alimentação e a falta de condições sanitárias. Em consequência, padeciam com malária, leishmaniose e diarreia. Pela maneira de falar e a aparência, os guerrilheiros não conseguiam se confundir com os moradores da região, conforme avaliavam os comandantes da Operação Sucuri.

No Destacamento C, os guerrilheiros dependiam dos camponeses para adquirir suprimentos. Sem a confiança da população, apareciam nas residências em dias incertos e sempre com muita cautela.

A linha de ação mais provável dos guerrilheiros projetada pelos estrategistas do CIE previa a permanência na área para manter vivo o embrião do movimento armado. Tentariam atrair novos combatentes e procurariam ganhar prestígio junto a países socialistas com o objetivo de conseguir apoio com dinheiro e armamentos.

Torres e Zenkner questionaram a entrada de novos militantes na área. Com razão, os dois homens do CIE demonstravam desconfiança em relação aos informes recebidos em fevereiro da Aeronáutica.

Em pouco tempo, os integrantes da Operação Sucuri partiriam para o Araguaia. Como medida de segurança, adotariam um código com mais de 40 verbetes para a transmissão das mensagens. Os lugares dos confrontos, as patentes e os armamentos, por exemplo, teriam novos nomes.

A região dos Caianos se chamaria *Vila* e a Gameleira *Bambu. Crioulo* significaria general, *curió* seria o mesmo que major. No lugar da palavra "granada", os militares usariam *bolinho.*

Os agentes teriam poucos automóveis para a missão. Um subcoordenador teria uma caminhonete C-10; o outro, um Volkswagen, mesmo veículo a ser usado pelo adjunto. Um informante receberia um jipe.

* * *

As Forças Guerrilheiras do Araguaia assumiram a punição contra o fazendeiro e comerciante Nemer Curi. Um comunicado distribuído no dia 10 de maio de 1973 pelo Destacamento C descreveu o ataque realizado à fazenda 70 dias antes. O episódio deveria ser entendido como *advertência* aos bate-paus a serviço do governo e aos perseguidores e ladrões de posseiros.

O documento denominou o Destacamento C de "3º Destacamento". Dirigiu-se ao povo de São Geraldo, Xambioá e a todos os lavradores. Responsabilizou Nemer Curi por ajudar a prender e espancar o guerrilheiro Geraldo, apoderar-se de um burro, de remédios e de outros produtos de *moradores* de Esperancinha. O fazendeiro teria, também, visitado moradores para incitá-los a pegar em armas contra os esquerdistas.

Como *indenização* pelos prejuízos causados, o Destacamento C arrecadou armas, dinheiro e mercadorias no mesmo valor dos bens tomados em Esperancinha por Nemer Curi. *Nem um centavo a mais.*

Tratava-se de um *ajuste de contas.* O fazendeiro teria oportunidade de se corrigir. Por isso, não sofreu pena mais severa. A atitude lembra ensinamentos aprendidos na cartilha chinesa. Os guerrilheiros invocavam como testemunhas 12 peões e os empregados de Nemer Curi presentes na ocasião. *Foram tratados com toda consideração.* No final, a assinatura:

Abaixo a ditadura militar!
Viva o Brasil livre e independente!
Terra e liberdade para o lavrador viver e trabalhar!
O povo unido e armado vencerá!

Pedro Gil — Comandante do 3º Destacamento das Forças Guerrilheiras do Araguaia
Dina da Conceição — Vice-comandante

CAPÍTULO 101

Alguns tropeços no início da Operação Sucuri

Os deslocamentos dos homens de informação escolhidos para a Operação Sucuri começaram no dia 14 de maio de 1973. O adjunto do coordenador passou a guardar todas as informações. Anotava cada passo. No final, faria relatório para os superiores.

Trinta militares do DOI-CODI do Comando Militar do Planalto e da 3ª Brigada de Infantaria receberam treinamento para a infiltração no Araguaia. Aprenderam a se comportar como bodegueiros, roceiros, funcionários do Incra e da CEM. As diretrizes iniciais sofreram algumas alterações. A pedido do Exército, a Coordenadoria Centro-Oeste do Incra deu instrução, em Brasília, para seis homens. Todos ganharam cargos de fachada no Araguaia. Um capitão se faria passar por engenheiro civil, designado para o Projeto Fundiário de Araguaína. O próprio adjunto do coordenador exerceria esse papel.

Outro capitão assumiu a chefia do Incra em São Geraldo. Seria coordenador da Área Sul. Teria um segundo-tenente como auxiliar. Um sargento trabalharia como motorista do adjunto. Outro sargento seria vistoriador do Incra, e um soldado, motorista. Os dois lotados no escritório de São Geraldo. O primeiro atuaria como informante em Ananás. O segundo ajudaria o subcoordenador da Área Sul.

A Sucam também deu cargos e treinamento para agentes da Operação Sucuri. Em Goiânia, funcionários do órgão de combate à malária ensinaram as práticas mais comuns no Araguaia.

Na constituição da rede de informação da área da Transamazônica houve uma mudança importante. Em vez de infiltrar-se no DNER, o subcoordenador agiria como engenheiro da Sucam em Marabá.

A chefia do subdistrito da Sucam em Bacaba ficou com um sargento. Um cabo e dois soldados trabalhariam como borrifadores, acompanhados de dois informantes civis.

Dois sargentos completavam a equipe. Chefiariam as equipes de borrifadores.

Os donos de bodega, dois sargentos e três soldados, aprenderam o ofício em barzinhos nas cidades-satélites de Brasília. Em uma chácara, dez soldados foram preparados para trabalhar na roça. Um tenente de comunicação desempenharia o papel de engenheiro da Rodobrás. Ficaria em Araguaína.

Oito informantes civis ajudariam os militares. Um deles, agente federal, agiria em Araguatins. Três, da região, circulariam pelos Caianos. Um se passaria por *gateiro* e andaria pela área de Palestina, Saranzal e Gameleira. Outros três em Metade, Lagoa, Palestina e Angical.

As equipes passaram por treinamentos diferenciados. O CIE adotava a técnica de compartimentar as informações para dificultar a quebra de sigilo. Cada agente saberia apenas o necessário ao desempenho do papel indicado. Os integrantes da Operação Sucuri ficaram subordinados ao CIE. Mas o adjunto enfrentou dificuldades para montar o grupo. Alguns comandos militares relutaram na liberação dos homens para a missão no Araguaia. Resistiram também a mantê-los, descaracterizados, alojados nos quartéis.

Durante a operação, caberia ao adjunto executar as medidas administrativas necessárias. Um suprimento extra de CR$ 5.000,00 foi colocado à disposição para o capitão disfarçado de engenheiro do Incra.

Cada oficial receberia Cr$ 1.500,00 por mês para manutenção pessoal. Os sargentos, Cr$ 800,00. Cabos e soldados, Cr$ 400,00.

Nos deslocamentos por terra, o adjunto usaria um Volkswagen civil do DOI/CMP com documentação particular completa. Mais tarde, talvez recebesse uma caminhonete.

O agente móvel, baseado em São Geraldo, teria à disposição um jipe Toyota do Incra. O Departamento de Polícia Federal emprestaria uma caminhonete C-10 para o subcoordenador da Área Norte.

Todos os veículos seriam abastecidos nos postos da Rodobrás.

Os chefes da operação entregaram aos agentes o armamento mínimo para defesa pessoal. Receberam armas de caça, facões e revólveres semelhantes aos usados na região. Os dois subcoordenadores e o adjunto teriam porte de arma. Os roceiros levariam espingardas. Os infiltrados em órgãos federais portariam documentos frios de funcionários. Donos de roças e botecos, apenas certidões de nascimento.

Se algum agente fosse preso, alegaria ser ex-funcionário do Incra, amigo do engenheiro de Araguaína. No caso, o adjunto do coordenador. Solicitaria referências e deixaria o resto por conta do CIE.

Em caso de identificação pelos guerrilheiros, o espião deveria abandonar a área na mesma hora e ir ao encontro do adjunto. Quando não conseguisse cobrir algum ponto previsto, o comando da operação iniciaria de imediato a procura do agente desaparecido.

O adjunto do coordenador chegou a Araguaína no dia 16 de maio de 1973. Assumiu a função de engenheiro do Incra. Faria estudos socioeconômicos para definir as áreas prioritárias em futuras titulações de terra. A história deu cobertura e facilitou a coleta de informações. Depois de algum tempo, o adjunto passou a morar em uma casa do tipo república. Muitos agentes, em situação de emergência, passaram pela residência do capitão.

Infiltrado como motorista do Incra, o auxiliar do adjunto saiu da cidade e ficou à disposição do subcoordenador da Área Norte. O *gateiro* caiu nas mãos dos guerrilheiros. Foi retirado da região e não houve substituição.

O informante móvel de Ananás conseguiu executar os planos. O militar escalado para Brejo Grande não encontrou nenhuma bodega para comprar. Ajeitou-se como vendedor ambulante. Negociava arroz, galinha e madeira. Depois de algum tempo, comprou uma posse às margens do rio Saranzal. Obteve muito proveito na busca de informes e abrigou os roceiros que não conseguiram se instalar em Consolação.

O bodegueiro designado para Araguanã fracassou na tentativa de montar um comércio. Teve instruções para montar outro tipo de negócio. Também não conseguiu. Ficou à disposição do escritório do Incra de São Geraldo e, depois, foi deixado de lado por falta de condições para o trabalho de informações.

Em São Domingos, o militar fez tudo como planejado. Comprou uma bodega e ainda buscava madeira no interior da mata. A mesma coisa em Santa Cruz. O infiltrado montou uma padaria, uma hospedaria e também entrou no ramo madeireiro.

O subcoordenador da Área Sul teve problemas com o antecessor no cargo de chefe do escritório do Incra em São Geraldo, mas firmou-se no posto.

Na Área Norte, o subcoordenador não conseguiu tomar posse como engenheiro da Sucam em Marabá. Desencontrou-se do chefe do órgão e ficou algum tempo na cidade sem cobertura. Acabou na sede da Polícia Federal, em Estreito, no Maranhão, deslocado da Operação Sucuri.

Em vez de assumir a vaga de engenheiro, o encarregado de operar a estação de rádio trabalhou em uma residência da Rodobrás. No final, transferiu-se para a república do adjunto em Araguaína. A equipe de funcionários do Incra infiltrou-se sem problemas no escritório de São Geraldo. Mas a turma de combate à malária encontrou dificuldades para começar a trabalhar. A sede da Sucam em Marabá não teve estrutura para oferecer o estágio de uma semana previsto para os agentes.

Os agentes tinham aparência física muito diferente dos moradores. Em um encontro com os guerrilheiros, receberam ameaças. Os verdadeiros funcionários da Sucam ficaram assustados e se recusaram a retomar os trabalhos. A época também se mostrou inoportuna para a borrifação das casas.

A falta da bodega de contato em Araguanã provocou atraso de três dias no cronograma dos soldados encarregados das roças em Pau Preto e Mutum. Mudaram o roteiro, passaram por São Geraldo e se instalaram no local previsto.

Sem encontrar terra para tomar posse, os agentes enviados a Couro D'Antas empreitaram derrubada de matas e serviços de garimpo com os bodegueiros de Santa Cruz. A dupla de soldados deslocada para Consolação também não conseguiu comprar ou abrir roças. Terminaram deslocados para as margens do rio Saranzal, perto da confluência com o Araguaia.

Em Abóbora foi fácil organizar roças. O mesmo ocorreu na Gameleira. O agente enviado a Palestina não conseguiu comprar ou montar bodega. Estabeleceu-se como comerciante de arroz.

Iniciada a operação, as dificuldades se multiplicaram. O adjunto do coordenador fazia algumas comparações para dimensionar a missão. Os 32 agentes tinham de cobrir uma área de 12 mil quilômetros quadrados, correspondente a oito vezes o Estado da Guanabara, mais da metade do território de Israel.

As estradas ruins, algumas intransitáveis ou inacabadas, atrapalhavam os contatos para troca de informação. Os posseiros, muitas vezes, percorriam até 40 quilômetros para encontrar um bodegueiro. Prevista para durar dois meses, a Operação Sucuri se estendeu por cinco.

CAPÍTULO 102

Nilton encontra Osvaldão e nada pode fazer

41795

MINISTÉRIO DO EXÉRCITO
PRIMEIRO EXÉRCITO
DESTACAMENTO DE OPERAÇÕES DE INFORMAÇÕES

Nome: Glênio Fernandes de Sá — APRESENTOU-SE VOLUNTARIAMENTE
Codinome(s): "[illegible]"
Nome(s) Falso(s):
Filiação: [illegible] Martins de Sá e Raimunda Fernandes de [illegible]
Data de Nascimento: 30 de Dezembro de 1950.
Naturalidade: Caraúbas — Rio G. Do Norte — Brasil
Município — Estado — País
Estado Civil: Solteiro
Nome do Cônjuge:
Documento de Identidade:
cutis: [illegible] altura: 1.75 cabelos: Cast. Cl olhos: Cast. Cl
bigode: Não usa barba: Cast. Cl

Um avião levou Glênio de Brasília para o Rio em meados de 1973. Conduzido ao DOI-CODI, passou por um interrogatório e, já na cela, recebeu papel e caneta para escrever um depoimento. Na sala ao lado, um homem gritava. O guerrilheiro preso concluiu tratar-se de uma sessão de tortura.

De vez em quando um negro forte entrava na cela para certificar-se de que o militante fazia as anotações.

As declarações de Glênio ocuparam 25 páginas depois de datilografadas pelos militares. O esquerdista falou sobre contatos com Carlos Danielli e José Duarte, ambos dirigentes do PCdoB. Em um texto detalhado e cheio de informações sem importância, o preso fez um relato sobre a vida no Araguaia. Falou dos planos do PCdoB e dos documentos do partido distribuídos à população. Deu nomes e funções dos integrantes do Destacamento B — todos conhecidos pelos agentes da repressão. Confirmou os nomes de vários companheiros vistos em fotografias. Demonstrou dúvidas em relação a Michéas Gomes de Almeida, o Zezinho, Ângelo Arroyo, o Joaquim, e Walquíria Afonso Costa.

Glênio narrou os treinamentos militares, as estratégias da guerrilha, a deficiência em localizar-se na mata, as orientações dadas por Osvaldão, as emboscadas planejadas, a fuga do destacamento para o interior da mata e o momento em que se perdeu dos companheiros.

Com muitas trivialidades e informações erradas, o esquerdista descreveu as técnicas para sobreviver na floresta. Em vez de se referir ao bate-pau Alfredo Fogoió, por exemplo, citou José Fogoió, codinome do guerrilheiro gaúcho José Humberto Bronca. Os moradores do Araguaia costumavam apelidar de Fogoió toda pessoa ruiva, caso desses dois *fogoiós*.

* * *

O prolongamento da Operação Sucuri favoreceu a busca de informações, mas gerou transtornos entre os militares. Famílias reclamavam, parentes adoeciam e faltavam explicações para ausências tão prolongadas. Os agentes também começaram a ter problemas de saúde. Muitos homens tiveram autorização para viajar até Brasília. A movimentação interrompia o fluxo de informações e chamava a atenção da população. Os chefes do CIE começaram a temer pela vida dos comandados.

Apesar das falhas, a Operação Sucuri começou a dar resultados. Misturados aos moradores, os espiões desvendaram segredos da rede de apoio dos guerrilheiros. Muitas vezes, tiveram contatos pessoais com os comunistas. Nada puderam fazer. Preocuparam-se apenas em memorizar detalhes como armamentos, roupas e equipamentos usados.

Aos poucos, o CIE mapeava o modo de agir dos guerrilheiros do Araguaia. Silenciosamente.

* * *

Logo depois de iniciada a Operação Sucuri, Nilton passou a operar sob novo disfarce: agente da Superintendência de Campanhas de Saúde Pública (Sucam).

Ao cair de certa tarde, alcançou a posse do camponês apelidado de Paraíba. Ficava distante uns 15 quilômetros de Brejo Grande. O caminho era pela mata. A casa, grande, de palha e barro, tinha varanda em redor.

Como agente da Sucam, tinha sabido que um dos filhos do posseiro estava com malária. Sua obrigação era ir até lá. Atendeu o rapazote, colheu amostras de sangue e seguiu para a varanda, onde estava o dono da casa. Dois dedos de prosa e Nilton assistiu ao cair da noite. A prudência recomendava não sair da casa, no entanto precisava se despedir para receber o convite para permanecer.

Entregou comprimidos à base de quinino. Explicou que faria o exame e afirmou que logo o rapaz estaria bem. Não era uma terçã maligna. Esticou a mão em saudação e agradeceu. O camponês falou que não permitiria a saída do funcionário da Sucam. A mata era perigosa de noite. Ele que armasse a rede na varanda e pernoitasse por ali. Nilton agradeceu e sentou-se num banco para conversar mais.

Em dado instante resolveu agir como informante. Começou a perguntar sobre negócios, quem comprava e vendia alimentos e querosene por ali e se ele conhecia uns tais paulistas. O camponês respondia calmamente. Sim, conhecia um pessoal com apelido de paulistas. "Boa gente."

Enquanto falava, olhou para dentro da sala. Nilton estranhou e voltou a cabeça para o mesmo lado. Ficou paralisado quando viu o filho mais velho do homem apontar a espingarda para fora. Um tiro. E o camponês soltou uma gargalhada galhofeira.

"Cê tá ficando bão!", comentou, e gritou: "Mulher! O menino matou a galinha, depena ela pra janta do convidado".

Nilton, ainda espantado, sorriu também. O rapaz tinha acertado a ave com um tiro. Passado o susto, ele jantaria carne naquela noite.

* * *

Em agosto de 1973, Helena morreu de desgosto, cancerosa, em Cachoeiro do Itapemirim. Viveu pouco mais de três anos depois de receber a última carta do filho Arildo. Chamou pelo caçula até o último minuto.

* * *

A Comissão Militar fez uma reunião em agosto de 1973 com Zé Carlos e Piauí, Osvaldão, Pedro Gil e Dina, comandantes e vices dos três destacamentos. A cúpula do movimento armado fez uma avaliação positiva do *trabalho de massa*, mas alertou para a precariedade do armamento disponível e a deficiência do serviço de informação.

Os chefes comunistas previam que o inimigo poderia chegar a qualquer momento. Quando atacasse, os esquerdistas deveriam se concentrar antes de decidir como agir. Tentavam, assim, evitar o isolamento de parte dos combatentes, como aconteceu com o Destacamento C durante o primeiro ano do confronto armado.

Os líderes definiram a sobrevivência e a conservação de forças como estratégia principal naquela fase. Se os militares realizassem operações de grande envergadura, os comunistas recuariam para as áreas de refúgio. Caso chegassem com pequenos efetivos, os guerrilheiros continuariam o trabalho de massa e desencadeariam ações de emboscada e fustigamento.

Eles consideravam que os ataques dos militares deveriam ocorrer até outubro. O início das chuvas desestimularia a ação do Exército. Na avaliação dos comunistas, os inimigos permaneceriam pouco tempo na área por falta de logística e carência de tropas especializadas em selva. Agiriam apenas nas estradas e grotas, reforçariam a repressão sobre a população, mas não entrariam na mata. As derrotas sofridas pelas tropas oficiais em 1972 estimularam o ingresso de camponeses no movimento guerrilheiro. Muitos se comprometeram a engrossar os destacamentos se os militares entrassem nas roças.

A estrutura de grupos fixos deixou de existir desde fins de 1972. Pelo novo modelo, mantinham-se os chefes originais, mas, para cada ação, formava-se uma turma diferente, escolhida em função das necessidades da tarefa. Os destacamentos contavam, assim, com o conjunto dos combatentes.

Em setembro de 1973, a enfermeira Tuca passou do Destacamento B para a Comissão Militar. Assumiu a responsabilidade pelo setor de saúde do movimento armado.

* * *

Nilton adaptou-se à condição de infiltrado entre os moradores do Araguaia. A função destinada ao agente secreto, passar-se por gente comum, facilitou o contato com a população. Os camponeses mostravam-se hospitaleiros. Recebiam estranhos, ofereciam comida e até pernoite.

Certa vez, depois de andar um dia inteiro, Nilton chega à casa de um lavrador. Recebido com gentilezas, conversa com o morador, toma café e senta-se em uma rede. De repente, chega um grupo de homens. O sangue de Nilton gela. À frente está um negro gigantesco. Só pode ser Osvaldão. Agentes secretos têm ordens para matar o comandante do Destacamento B, mas as condições não permitem. Sozinho, sem arma e cercado pela família do lavrador, Nilton fica quieto na rede. Osvaldão entra, cumprimenta Nilton e se afasta com o dono da casa.

"Quem é esse sujeito?"

"Um peão em busca de serviço. Procura uma fazenda para trabalhar."

A história dá certo. Os guerrilheiros saem sem fazer mais perguntas. Levam apenas uma matula de comida preparada pela mulher do camponês. Nilton fica calado, para não despertar suspeitas. Esteve muito perto de ser desmascarado, mas a disciplina e a aparência de caboclo adquirida nos últimos meses o salvaram.

O agente secreto acabava de conhecer o mito guerrilheiro.

CAPÍTULO 103

Guerrilheiros executam Osmar e incendeiam posto da PM

Muitos documentos dos agentes de informação citam o camponês Osmar como integrante da rede de apoio aos guerrilheiros. Reconhecido como um dos melhores mateiros da região de Palestina, o caboclo tornou-se grande amigo de Osvaldão. Pressionado e ameaçado pelo Exército, passou a ajudar na perseguição aos comunistas.

Antes de cair nas mãos dos militares, o guerrilheiro Glênio encontrou-se com Osmar. O camponês mandou dizer a Osvaldão que trabalhava forçado para o Exército. Dava algumas voltas com os militares, mas apenas por perto. Glênio foi preso antes de dar o recado. O Destacamento B prendeu, julgou e executou Osmar. Osvaldão participou do fuzilamento.

* * *

Segunda quinzena de setembro de 1973. Guerrilheiros do Destacamento Helenira Resende cercam o posto da Polícia Militar do Pará no entroncamento da Transamazônica com a estrada para São Domingos. Chegam quando o dia amanhece.

O comandante do destacamento, Zé Carlos, desperta os soldados com um grito. Exige a rendição. Alguns minutos se passam sem manifestação alguma dos homens do posto. Outro grito de Zé Carlos dá ordem para os guerrilheiros atirarem. Ateiam fogo no posto. Sufocados, os soldados saem do meio das chamas e da fumaça e se entregam.

Os policiais passam por severo interrogatório, obrigados a tirar as roupas e ficar de cuecas. Amedrontados, recebem ameaça de execução caso voltem a cometer violências contra a população. No final, são expulsos do posto.

O ataque rende seis fuzis, um revólver, munição, fardas e calçados para o Destacamento A. Pela primeira vez os guerrilheiros obtêm sucesso em uma ação militar planejada contra os repressores. O episódio gera euforia entre os comunistas e torna-se exemplo para futuras investidas. Um comunicado sem data narra o êxito. Dirigido aos moradores de Marabá, São Domingos e Brejo Grande, o texto termina com as costumeiras palavras de ordem:

Abaixo a ditadura militar fascista!
Fora os grileiros!
Viva a liberdade!
José Carlos – Comandante do Destacamento

* * *

Os comunistas sofreram duas baixas em setembro. Um guerrilheiro de codinome Paulo, do Destacamento A, fugiu da área quando se dirigia ao posto da PM no grupo comandando por Zé Carlos. Antes de mudar para o sudeste do Pará, tinha atuado na mesma base estudantil de Dagoberto, o Miguel, onde usava o pseudônimo Cláudio. Vivia com a combatente Rosa e ficou conhecido no destacamento como Paulo Paquetá. Tratava-se de João Carlos Wisnesky, chamado em alguns documentos militares de João Carlos Borgeth. Quando saiu da região, deixou a companheira no movimento armado.

No Destacamento B morreu o guerrilheiro Mundico. Na versão da Comissão Militar, acidentou-se com a própria arma.

PARTE V

O EXTERMÍNIO

Outubro de 1973 a dezembro de 1976

CAPÍTULO 104

Operação Marajoara: guerrilheiros não têm mais nem chinelos

As informações da Operação Sucuri municiaram a fase repressiva concebida para exterminar a Guerrilha do Araguaia. Os agentes secretos identificaram a rede de apoio aos inimigos. Muitos colaboradores dos comunistas se transformaram em mateiros controlados pelos militares.

A Operação Marajoara começou no dia 7 de outubro de 1973. Planejada pela 8ª RM, com colaboração do CIE, dividiu-se em duas etapas. Na primeira, as patrulhas prenderam e neutralizaram a rede de apoio aos guerrilheiros. Na segunda, vasculharam as áreas de depósito e homizio.

O CIE calculava em 63 o número de inimigos. Em relação a janeiro de 1973, apresentavam reforço de cinco novos combatentes fornecidos pelo partido e 12 recrutados na população. Fizeram remanejamentos internos. Ficaram sete integrantes na Comissão Militar, 26 no Destacamento A, 14 no Destacamento B e 16 no Destacamento C. João Amazonas e Elza Monerat, tidos como integrantes da Comissão Militar, continuavam fora da área. Com os dois, o Exército contabilizava 65 guerrilheiros.

A Operação Marajoara foi desencadeada com menos de 300 militares. Agiram em trajes civis e com equipamentos diferentes dos usados pelas Forças Armadas. A 8ª RM mandou 120 homens, o Comando e o Estado-Maior. A Brigada de Paraquedistas enviou 100 soldados, também com Comando e Estado-Maior. Do CMP, saiu um destacamento de informação baseado em Araguaína. O CIE atuou com 30 agentes.

A FAB, no transporte dos militares, empregou aviões do ETA-1, de Belém, e do ETA-6, de Brasília. Usou quatro helicópteros UH-1D e quatro aviões L-19 da 1ª Zona Aérea no apoio aerotático. Uma equipe de quatro homens do Cisa atuou no setor de informação. As polícias militares do Pará e de Goiás ajudaram com barreiras nas estradas, prisões, guarda de presos e vigilância das vias de acesso.

Sem prazo para acabar, a Operação Marajoara teria os resultados avaliados a cada 30 dias. Conforme o planejado, no dia 7 de outubro as patrulhas entraram ao mesmo tempo pelo sul e pelo norte.

* * *

Entre os 120 homens da 8ª RM viajou o soldado Adolfo da Cruz Rosa, irmão do Cabo Rosa morto em maio de 1972. Ele engajou-se no 2º BIS e fez cursos antiguerrilha. Tinha curiosidade pelos combates no sudeste do Pará. Ouvia rumores dentro do Exército. Falava-se em aviões cheios de mortos. Adolfo conhecia a área fazia alguns anos, quando trabalhou como cobrador de ônibus. Na época, soube da presença de alguns *paulistas* nos vilarejos.

O soldado Adolfo queria ver de perto os responsáveis pela morte do irmão. Não pensava em vingança. Queria entender as razões da tragédia. Chegou a Marabá no dia 6 de outubro. A Operação Marajoara começou à meia-noite do dia seguinte. Seguiu primeiro para a Casa Azul, depois para Bacaba. A Casa Azul era a base militar instalada no DNER de Marabá. Os militares se reuniam ali e ela também servia como prisão.

Formaram-se equipes de cinco homens, os Grupos de Combate (GCs), de três, as *zebras*; e de dois, os *gorros-pretos*. Todos à paisana. Mateiros e agentes do CIE andavam na frente. Os *gorros-pretos* ficavam nos vilarejos, com as armas e um rádio escondidos. Prestavam atenção em tudo. Quem chegava, quem saía, quantidade de alimentos comprados, suprimentos que chegavam. As equipes *zebras* andavam pela mata com mochilas cheias de alimentos fáceis de cozinhar, remédios para assadura, soro, linha para sutura, cigarros e cachaça.

Na hora de fazer fogo, recorriam à experiência dos mateiros: conseguiam manter a chama acesa até debaixo de chuva — e sem deixar escapar fumaça.

* * *

Quando o Exército iniciou a Operação Marajoara, o PCdoB tinha 56 guerrilheiros no Araguaia: o Destacamento A contava com 22 combatentes, o B com 12, o C com 14 e a Comissão Militar com 8.

O armamento continuava insuficiente, segundo o *Relatório Arroyo.* Oito fuzis em condições de uso e um no conserto; cinco rifles 44, uma metralhadora fabricada na mata e uma INA; oito espingardas 20; 22 revólveres 38 e um 32, no A. No B, um fuzil, uma submetralhadora Royal, três rifles 44, duas espingardas 16 de dois canos, uma espingarda 16, uma carabina 32-20, duas espingardas 20, uma carabina, uma carabina 22, 12 revólveres 38. No C, dois fuzis, sete rifles 44, cinco espingardas 20 e 14 revólveres 38.

Mais de dez armas longas dependiam de reparo e cada revólver 38 dispunha, em média, de 40 balas. Não havia cartuchos suficientes para as espingardas 20 nem munição calibre 22. A maioria dos combatentes tinha pouca roupa e não havia mais calçados. Alguns usavam chinelos feitos de restos de pneus e muitos andavam descalços. Faltavam bússolas, isqueiros, facas, pilhas, querosene e plásticos para proteger suprimentos e combatentes. A guerrilha dispunha de Cr$ 400,00 para sustentar a luta contra o governo Médici. Era o equivalente ao soldo de um dia para os cabos e soldados que os combatiam.

Apesar da precariedade, Joaquim considerava o moral dos companheiros bastante elevado. Mas o relatório da Operação Marajoara (trecho abaixo) não deixava dúvidas sobre a decadência da guerrilha.

(3) - Valor da Força inimiga em 12 Jan 74.

FRAÇÃO	EFETIVO INICIO OPERAÇÃO	PERDAS OUT 73 / JAN 74	EFETIVO EM 12 JAN 74		
			DO PARTIDO	ELM LOCAIS	TOTAL
COM MILITAR	9 (**)	3	4	-	4
DST "A"	26	15	10	1	11
DST "B"	14	4	10	-	10
DST "C"	16	8	7	1	8
S O M A	65	30	31	2	33

(**) - Dois estão fora da área

CONTINUA...

SECRETO

CAPÍTULO 105

Ouviram um barulho. Parecia folha de coqueiro caindo

Nas primeiras ações, os integrantes da Operação Marajoara perceberam os comunistas mais treinados e estruturados. Aproveitaram a trégua para organizar áreas de homizio e estocar alimentos, remédios e munições. Conheceram mais a mata, aperfeiçoaram técnicas de navegação e ganharam mais apoio da população. Mesmo assim, os guerrilheiros foram pegos desprevenidos.

Em três dias, a maior parte dos colaboradores dos comunistas se encontrava "neutralizada". Em pouco tempo começaram a chegar a Joaquim informações sobre as ações dos militares. O Exército queimou casas e prendeu quase todos os homens válidos da área. Deixou nas roças apenas mulheres e crianças.

Dezenas de comerciantes foram para a cadeia. Alguns moradores ficaram loucos de tanto apanhar. Guiadas por bons mateiros, as forças repressivas ocuparam fazendas, castanhais, roças, estradas e grotas. Ao fim de uma semana, os esquerdistas perderam quatro combatentes. A Comissão Militar marcou uma reunião para 20 de outubro de 1973.

* * *

O lavrador Cícero Pereira Gomes tinha uma posse na região de São Geraldo. Nascido em Colinas, Maranhão, morava no sudeste do Pará havia dez anos. Em outubro de 1973, recebeu a visita de uma equipe do Exército à paisana.

"Toda vez que um terrorista aparecer aqui você tem de nos avisar", afirmou um dos militares.

Os homens voltaram e recrutaram Cícero como mateiro. O camponês conhecia alguns guerrilheiros e gostava de todos. Quis recusar a convocação, mas pensou na família. As cenas vistas nos dias seguintes desestimularam qualquer tentativa de resistência. Várias vezes o caboclo viu conhecidos apanharem com tala de coco por se negarem a colaborar. Muitos foram postos de cabeça para baixo dentro de tambores de 200 litros cheios de água.

* * *

Cinco esquerdistas comandados por Zé Carlos encontravam-se perto da roça de um morador chamado Alfredo, recrutado pela guerrilha. No dia 13 de outubro, o grupo sabia da presença do Exército na área e procurava comida na mata. Alfredo quis pegar dois porcos deixados na lavoura. Zé Carlos achou arriscado. Militares haviam passado pelo local seis dias antes e poderiam voltar.

"Não vamos morrer pela boca", argumentou o comandante do Destacamento A.

O camponês insistiu e Zé Carlos cedeu, depois de muito resistir. Os guerrilheiros chegaram à roça por volta das nove horas. Mataram os porcos com quatro tiros. Começaram a limpar e retalhar. Fizeram fogo de palha e, em uma hora, terminaram de sapecar os dois animais.

As alças das mochilas não resistiram ao peso e partiram quando tentaram transportar a carne. Alfredo resolveu amarrar a carga com cipó. Os cinco homens terminaram a tarefa perto do meio-dia. Preparavam-se para sair quando o camponês ouviu um barulho. Um dos comunistas, conhecido como João Araguaia, pensou tratar-se da queda de uma folha de coqueiro.

CAPÍTULO 106

Zé Carlos, Alfredo e Zebão morrem no ato; Nunes a seguir

O major Lício Maciel comandava uma equipe formada pelo sargento Cid, o major Alberico, cinco soldados e o mateiro Manoel Lima, o Vanu, em um lugar conhecido como Caçador. O barulho de tiros chamou a atenção do grupo. Em silêncio, caminharam pela mata.

Chegaram a uma roça e viram quatro homens terminando de arrumar grandes pedaços de carne para carregar. Na mesma hora, começou um tiroteio. Vestido com a farda tomada dos PMs, Zé Carlos disparou e acertou a perna de um soldado. A tropa de Lício abriu fogo. Morreram Zé Carlos, Zebão e Alfredo. Nunes, ferido, caiu nas mãos dos militares. O lugar não permitia acesso de helicóptero. Todos passaram a tarde e a noite ali mesmo.

Único a conhecer a região, Nunes ajudou os militares a encontrar água. Na manhã seguinte, caminharam até o sítio de Alfredo. A mulher do camponês engajado na guerrilha viu quando um helicóptero desceu e levou o ferido na direção de Marabá.

O goiano Nunes, treinado na China, morreria em seguida na Casa Azul. Único a escapar, João Araguaia mais tarde relatou para Joaquim o confronto responsável pela queda de quatro companheiros.

* * *

O agente secreto Regis, do CODI/3ª Brigada, várias vezes campeão das olimpíadas do Exército, também participou da guerrilha. Nas horas de folga, dava instruções de judô e defesa pessoal na Casa Azul.

Os alunos eram oficiais e sargentos que aprendiam as técnicas que o atleta tinha para ensinar.

Ao mesmo tempo em que a arte marcial era utilizada para exercitar, fazia com que mantivessem um pouco do equilíbrio mental. Era o momento de relaxar das tensões do dia a dia.

Regis era sargento. Durante os treinos, mesmo com o apelo de alguns oficiais para que o professor não fosse tão duro, todos eram tratados com o mesmo rigor. Não havia patente para o aprendizado.

Lício Maciel, Wilson Romão, Joaquim Arthur (Ivan) e outros faziam parte da turma de aprendizes.

Regis sentia satisfação em repassar o conhecimento adquirido em vários anos de campeonato, mas não gostava de saber que seus golpes eram, por vezes, utilizados para humilhar prisioneiros.

"Judô é uma arte marcial de defesa pessoal. Seus golpes não são feitos para machucar indefesos", dizia ele com firmeza.

ÁLBUM DE FAMÍLIA

O sargento Regis e suas aulas de judô para crianças, nos anos 1980

CAPÍTULO 107

Uma trapalhada fatal: Polícia Militar contra Exército

Serviço de Identificação do Exército – Chefia
Id Inicial: (1º Ago 68)
Reg. n.º 8G-487.283-A
BRITO
Nome FRANCISCO DAS CHAGAS ALVES DE BRITO
Pai João Justino de Brito
Mãe Filomena Machado de Brito
Nascido a 14 de Janeiro de 1949
Natural do Estado do Piauí - Município de Parnaiba
Estado civil Solteiro Instrução Sim
Pôsto, grad ou cat 3º Sargento QM 07-101, servindo no 2º BIS1
Motivo Reid p/obter Cart Idt
Prot n.

CARACTERES FÍSICOS INDIVIDUAIS, ETC.

TS"A" — FRh"+
Cútis Morena
Cabelos Cast esc lis
Cabeça
Barba Rasp
Bigode Cast esc apar
Olhos Cast esc
Altura 1,71 m
Incl 1ª praça:-15 Jul 68; 2ª praça:-1º Jun 70
Excl 16 Out 73 p/falecimento
Doc mil apres.
Carteira de Identidade n. 13.622
Observações
RMagalhães 3º Sgt ICT — Identificador
Belém - Pará 27 de outubro de 1971
Francisco das Chagas Alves de Brito — Assinatura do Identificado
Chefe
Datiloscopista

Sargento Brito, do 2º BIS: morto pela PM em confronto sem sentido

O ataque ao posto da PM assustou os militares. Com as fardas e armas tomadas, os esquerdistas poderiam tentar confundir as equipes de repressão. Os chefes da Operação Marajoara, por precaução, retiraram as barreiras das estradas.

No dia 16 de outubro, uma caminhonete do Incra avança em direção a Bacaba, com sete homens à paisana. No comando do grupo está o terceiro-sargento Francisco das Chagas Alves Brito, do 2º BIS. Viaja ao lado do soldado Adolfo. Próximo a Brejo Grande, avistam uma barreira policial.

Os ocupantes da caminhonete ficam tensos. Pelas orientações recebidas, não deveria haver barreira naquele local. Preocupado, o sargento Brito pede que o motorista pare. Desce com o FAL em riste e pede identificação a um dos homens da barreira — um sujeito vestido com farda da PM.

Em vez de atender, o homem atira no sargento. Brito deixa o fuzil cair. Os outros passageiros da caminhonete abrem fogo. No meio do tiroteio, percebem o engano. Trata-se, de fato, de uma barreira da PM. O soldado puxou o gatilho contra o sargento Brito por nervosismo. Quando a confusão acaba, Brito se encontra ferido com gravidade e alguns policiais também gemem no chão.

Correram todos para Bacaba. Brito agonizava. A neblina impedia o pouso do helicóptero para um socorro urgente. Puseram o comandante da equipe em um carro com destino ao hospital de Marabá. O sargento morreu durante a viagem, amparado por um soldado chamado Farias.

CAPÍTULO 108

Uma dezena de armas descarregadas contra Sônia

Os estragos causados pelo Exército impediram a reunião da Comissão Militar marcada para 20 de outubro de 1973. O encontro limitou-se a um contato entre combatentes do Destacamento A e um integrante da cúpula do movimento armado. Piauí assumiu o lugar antes ocupado por Zé Carlos; Beto foi nomeado vice.

Os comunistas contavam com a adesão de dois camponeses no fim de outubro. Deveriam aparecer em um ponto da mata no dia 22. Não apareceram. No mesmo dia, dois guerrilheiros seguiram para o local conhecido como Taboão. Pretendiam localizar um grupo chefiado por Nelito. Sônia e um morador recrutado chamado Wilson saíram do acampamento na tarde do dia 24 com intenção de encontrar outros dois companheiros. A dupla desobedeceu a ordem de não andar por caminhos conhecidos pela população.

As botas de Sônia apertavam seus pés. Por isso, deixou-as para trás. Quando voltou não as encontrou. Pensou tratar-se de brincadeira de alguém. Assoviou para chamar o responsável pelo sumiço. Apareceu uma patrulha do Exército chefiada pelo Doutor Asdrúbal — codinome do major Lício Maciel. Os militares deram voz de prisão, Sônia sacou um revólver do coldre. Lício atirou e feriu a guerrilheira na perna. Parte da patrulha saiu em busca de Wilson, mas o rapaz desapareceu. Começou a escurecer e os militares desistiram.

Atingida na coxa, a militante sangrava no chão. Ao retornar da ronda, o major aproximou-se para conversar com a inimiga. Achou a moça bonita e não verificou se continuava armada. Em vez de ouvir o major, a guerrilheira puxou o revólver e deu três tiros.

Lício foi baleado no rosto e na mão. Caiu com a cara no chão, desacordado. Outro oficial do Exército, de codinome Doutor Luchini, encontrava-se atrás e levou uma das balas no braço. Os outros militares imobilizaram Sônia.

"Qual é o seu nome?", perguntou um deles.

"Guerrilheira não tem nome, seu filho da puta. Eu luto pela liberdade", respondeu a combatente ferida.

"Se quer liberdade, então toma!", reagiu o homem do Exército.

Quase uma dezena de militares descarregou as armas na combatente comunista. Então, socorreram Asdrúbal, que continuava desmaiado e perdia muito sangue. O corpo de Sônia foi deixado no local.

* * *

O Doutor Luchini tornou-se homem poderoso na caçada aos guerrilheiros. Na função de adjunto do coordenador da Operação Sucuri, assumiu o papel de portador das ordens da cúpula militar. Ocupava o espaço deixado pelo major Gilberto Airton Zenkner, instalado em Brasília e pouco presente na área de confronto.

O adjunto teve liberdade para viajar por toda a região. Fazia a ligação das equipes, reunia as informações colhidas pelos agentes espalhados na área e retransmitia para os superiores. Na fase de extermínio, Luchini cuidou da execução das operações. Participou de muitas ações na mata. Ambicioso, gostava de impressionar subordinados e superiores com demonstrações de valentia contra subversivos. Mostrava-se implacável. Tinha prazer em falar da morte dos guerrilheiros e cobrava de todos o mesmo comportamento.

O capitão Sebastião Rodrigues de Moura, nome verdadeiro do Doutor Luchini, desfrutava de prestígio em Brasília. Antes do início da Operação Sucuri, andava pelo Araguaia na condição de ajudante de ordens do comandante militar do Planalto, Olavo Vianna Moog. Atuava no setor de informações desde o início dos anos 1960. Pertenceu ao SNI e participou de operações contra organizações de esquerda no Paraná. Filho de um barbeiro, nasceu em São Sebastião do Paraíso, Minas Gerais, em 1934. Tinha menos de 40 anos quando chegou ao Araguaia.

Durante a Operação Marajoara, mostrou-se ainda mais obsessivo para combater comunistas. Quando ouvia relatos sobre a presença de militantes do PCdoB em determinada área, fazia questão de deslocar-se para participar do *chafurdo* — gíria usada pelos militares para a eliminação dos guerrilheiros. Arrastava os comandados em longas caminhadas pela floresta. Afoito, atravessava rios, subia e descia a Serra das Andorinhas. Às vezes, deixava os outros irritados.

Certa vez, uma equipe sob o comando de Luchini caminhou nove dias seguidos à procura de esquerdistas na mata. Cansados e sem comida, deveriam ter voltado para a base ao final de uma semana, mas o capitão quis continuar. Nilton participava da missão.

Os homens do Exército na mata sentiram alívio ao ouvir Luchini chamar um helicóptero pelo rádio. Finalmente teriam cama e almoço quente, pensaram. Quando o aparelho chegou, preparavam-se para embarcar, mas foram interceptados pelo capitão.

"Só vou eu" – disse.

O helicóptero partiu e voltou mais tarde. Luchini desceu com um bolo para os comandados. Era aniversário do capitão. Muitos dos presentes consideraram a atitude uma afronta e pisaram no bolo. Não se contentavam com um pedaço de doce. Queriam cama limpa e comida quente, mas a missão durou mais de 15 dias.

* * *

Wilson e outro morador recrutado pelos comunistas, Ribamar, pediram para abandonar o movimento. Não aguentaram a pressão militar. No dia 27 de outubro de 1973, os dois guerrilheiros deslocados para encontrar a turma liderada por Nelito voltaram para o acampamento sem localizar os compa-nheiros. O grupo de Nelito apareceu no dia 2 de novembro, depois de fracassar em duas ações. Na primeira, fizeram uma emboscada com a ajuda de nove moradores, mas os soldados não apareceram. Na segunda, tentaram explodir uma ponte na Transamazônica. Chegaram a tocar fogo, mas a ponte não caiu.

Um dos moradores permaneceu com Nelito. Os outros voltaram para casa. Os Destacamentos B e C passaram a atuar juntos, comandados por Pedro Gil desde o início da nova investida dos militares. Osvaldão saiu com um grupo de dez guerrilheiros para preparar uma emboscada. Voltaram dez dias depois sem encontrar a tropa inimiga.

Ari liderou outros cinco esquerdistas em uma ação de fustigamento na região de Franco. Deram apenas alguns tiros, sem atingir os militares.

Em meio à batalha, os comunistas recrutaram mais um morador. Chamava-se Jonas e tinha sido preso durante a Operação Papagaio. Quando se integrou ao movimento armado, o pai encontrava-se na cadeia, acusado de ajudar a guerrilha.

Uma patrulha do Exército passou a cerca de 30 metros dos Destacamentos B e C no início de novembro. A guarda dos guerrilheiros não percebeu. Dois esquerdistas viram a tropa quando voltavam para o acampamento e se esconderam.

MYRIAN LUIZ ALVES

Zezinho (Michéas) e Jonas, morador do Araguaia recrutado pela guerrilha. Preso pelo Exército, o guerrilheiro Tobias o ajudou com importantes declarações sobre sua inocência. A repressão o liberou e ele passou 30 anos desaparecido até fazer contato com Zezinho. Xambioá, início de 2005

CAPÍTULO 109

Encontraram o corpo de Ari no chão, sem a cabeça

A Comissão Militar reuniu-se em meados de novembro para fazer um balanço da situação. Mais de um mês depois do início da Operação Marajoara, os comandantes comunistas desconheciam a dimensão do ataque inimigo. Com base nas informações disponíveis, concluíram que os militares atacavam com pequenos efetivos, sem muita pretensão.

O dirigente Joaquim assumiu o comando do Destacamento A e nova reunião foi marcada para 20 de dezembro de 1973. Dias depois, os fatos demonstraram que os comunistas estavam enganados com relação à proporção da ofensiva do governo Médici.

Sinais da presença dos militares começaram a aparecer em locais inesperados. Quando se dirigiam para o Destacamento A, Joaquim e outros dois combatentes perceberam grande quantidade de rastros de soldados. Os militares percorriam a mata não apenas onde existiam moradores, como antes, mas também nas áreas de refúgio. Aviões e helicópteros sobrevoavam e assustavam os esquerdistas.

Landin e um companheiro tentaram fazer contato com alguns camponeses. Encontraram todas as casas vazias e souberam que todos os amigos estavam presos. Um grupo chefiado por João Araguaia deslocou-se até o lugar conhecido como Tabocão. Queria suprimentos e informações. Alguns colaboradores atenderam parte das necessidades. Os caboclos que participaram da tentativa de sabotagem na ponte da Transamazônica haviam sido presos; dois deles, obrigados, serviam de guias para o Exército.

Todos os moradores de Tabocão foram para a cadeia. Os combatentes Ari, Raul e Jonas se dirigiram para os Destacamentos B e C no dia 24 de novembro. Voltavam de um contato com camponeses e pararam perto de uma grota na região de Piçarra. Jonas ficou de guarda enquanto os outros dois afastaram-se um pouco. De repente ouviram um tiro e Ari caiu. Raul correu. O comando dos destacamentos ouviu os tiros e enviou quatro esquerdistas.

Encontraram o corpo de Ari no chão, sem a cabeça, ao lado de três mochilas. O guerrilheiro Jonas, morador da região, desapareceu.

Cinco militares e três guias participaram da ação. Um dos mateiros chamava-se Sinézio Martins Ribeiro. No dia seguinte, a cabeça de Ari chegou à base do Exército de Xambioá. Um militar que se apresentava na base de Xambioá como Doutor Cezar recebeu a prova macabra da morte do guerrilheiro no dia seguinte.

Raul voltou ao acampamento e relatou o ocorrido. O episódio forçou o deslocamento dos dois destacamentos e da Comissão Militar para a área de Palestina. Jonas conhecia a localização dos esquerdistas e poderia informar os militares.

Em Palestina ainda havia alguns depósitos de suprimentos. Resolveriam o problema de abastecimento, agravado pelo grande número de combatentes. A cúpula da guerrilha e os dois destacamentos somavam 32 pessoas, divididas em três grupos durante o deslocamento.

Simão comandou sete companheiros. Em um dos últimos dias de novembro, os oito acamparam na cabeceira da Grota do Nascimento. Chico e Toninho, um caboclo recrutado, saíram para caçar jabuti. A tarde chegava ao fim quando um tiro certeiro abateu Chico.

CAPÍTULO 110

Outra cabeça cortada: clima de terror no Araguaia

Uma equipe do Exército segue pela mata por volta das cinco da tarde. O oficial comandante da missão apresenta-se como Doutor Silva. O mateiro Cícero e outro morador, Raimundo Severino, guiam a patrulha. Em uma curva do caminho, aparece um guerrilheiro. Raimundo aponta a espingarda e puxa o gatilho. Chico recebe o tiro no peito, leva a mão ao rosto e solta um gemido profundo. O lamento de dor e desespero ecoa pela mata e faz Cícero estremecer. Chico morre na hora.

Orientado pelo Doutor Silva, Raimundo Severino avança com um facão na direção do corpo. A lâmina corta o pescoço e separa a cabeça do combatente. O sangue quente do comunista escorre pelo chão do Araguaia.

Adriano Fonseca Filho, o Chico, tinha 28 anos. Mineiro de Ponte Nova, estudava Filosofia na Universidade Federal do Rio de Janeiro antes de entrar para o movimento armado. Devido ao tamanho do maxilar inferior, ficou conhecido na região como Queixada. O companheiro de Chico na caça a jabutis, Toninho, entrou na mata e sumiu.

Doutor Silva manda Cícero colocar a cabeça do guerrilheiro em um saco e carregar até outro ponto da floresta. Com os nervos abalados pela cena, o mateiro tem a sensação de carregar um corpo inteiro.

* * *

Os companheiros de Chico ainda ouviram mais seis tiros disparados pelos soldados. Do grupo comandado por Simão faziam parte Jaime, Ferreira e Daniel, além do caboclo Toninho. Todos correram para dentro da floresta. Abandonaram mochilas, panelas e bornais. No momento do ataque, Daniel consertava um revólver. A arma também ficou para trás.

Jaime e Ferreira perderam-se dos outros. Os cincos remanescentes sob o comando de Simão vagaram pela mata sem ter o que comer. Nem isqueiro tinham mais. Juntaram-se ao destacamento quase uma semana depois, famintos e inchados de picadas de insetos. O camponês Toninho fugiu no dia 13 de dezembro. Conhecedor da mata e dos planos dos guerrilheiros, deixou-os ainda mais preocupados. Mesmo assim, sob o comando de Pedro Gil, os 28 restantes seguiram em uma só coluna até o local escolhido para a reunião da Comissão Militar. A viagem demorou dois dias.

Por ordem de Pedro Gil, Manoel e do armeiro, saíram para buscar Joaquim. Zezinho, Raul e Lourival voltaram para apagar os rastros deixados pela coluna. Foram surpreendidos por inimigos. Conseguiram escapar e, em vez de retornar para o comando dos Destacamentos B e C, seguiram para o ponto em que estaria Joaquim. Temiam que o dirigente comunista encontrasse os militares.

A presença das forças da repressão fez Pedro Gil retirar os guerrilheiros. Levou-os para a área em que o Destacamento A se encontrava refugiado. Perto de uma base do Exército, Josias fugiu.

* * *

O comando guerrilheiro emite comunicado no dia 22 de dezembro de 1973 sobre os últimos ataques dos militares. O texto refere-se a *nova campanha* contra a guerrilha e os moradores do Araguaia desencadeada para *liquidar em curto prazo a resistência armada da população local.* Os comunistas calculam em alguns milhares o número de soldados presentes na região.

O *Comunicado nº 8* atribui o comando da operação a oficiais treinados pelos Estados Unidos. As tropas, especializadas em combate na selva, espancaram centenas de pessoas. Quase todos os homens válidos da área rural foram levados para prisões em Marabá, Xambioá e Belém, segundo o documento. Ficaram nas roças apenas mulheres e crianças.

O Exército queimou casas, destruiu paióis e estabeleceu um clima de terror contra o povo: *A ordem é matar*, diz o texto. A mensagem anuncia a morte de Zé Carlos, Nunes, Alfredo, Ari e Sônia. Deixa de mencionar Zebão, abatido junto com os três primeiros. Os mortos recebem homenagem por parte da direção do movimento esquerdista:

Eles cumpriram com honra e até o fim seu dever de revolucionários a serviço do povo. Seus nomes ficarão gravados para sempre no coração de todos os que amam a liberdade e anseiam por uma pátria livre de opressores.

A Comissão Militar dos comunistas acreditava no apoio crescente da população. Os camponeses, cada vez mais, tomariam consciência de que a união e a luta armada seriam o *caminho seguro* para a liberdade e a construção de uma *vida feliz.*

As Forças Guerrilheiras do Araguaia fizeram um apelo a todos os habitantes do Pará, Maranhão, Goiás e Mato Grosso. Pediram a intensificação da ajuda e a solidariedade aos combatentes com a criação de *toda sorte de dificuldades* às tropas federais. De preferência, os moradores deveriam desferir golpes nos militares e paralisar a *investida criminosa.* Os que ajudavam o Exército também mereciam castigo.

O apelo se estendeu à maioria dos brasileiros, oprimidos e espoliados pela *ditadura fascista.* Assinavam:

Abaixo a ditadura!
Abaixo os generais traidores da nação!
Morte aos que perseguem e atacam os moradores e os combatentes do Araguaia.
Viva a liberdade!
Em algum lugar da Amazônia, 22 de dezembro de 1973.

Comando das Forças Guerrilheiras do Araguaia.

* * *

As ações militares e a fuga de Josias provocaram o adiamento da reunião de 20 de dezembro de 1973. Os sobreviventes convergiram para a região do A, onde o comando decidiria como reagir. Joaquim, Zezinho, João Araguaia e outro combatente chegam no dia 25 de dezembro ao ponto marcado na selva. Aguardam orientações. Mané e Chica já estavam ali. Informam que a maior parte dos companheiros acampou a cerca de duas ou três horas de caminhada. Os seis marcham com cautela na direção dos camaradas.

Seis anos antes, no Natal de 1967, Mário, Joca e Dona Maria desembarcaram na Faveira para iniciar a implantação da guerrilha rural. Os militantes conquistaram a população e resistiam, há quase dois anos, aos ataques das forças do governo. A luta armada planejada pelo PCdoB tornou-se realidade. Em menor escala, os comunistas com inspiração chinesa repetiam na Amazônia a proeza de Antônio Conselheiro e seus seguidores em Canudos, Bahia, 80 anos antes.

No Natal de 1973, os combatentes vivem a fase desesperadora da guerrilha. Acossados, temem reproduzir o drama de Che Guevara na selva boliviana. Isolados, famintos, doentes e com armamento obsoleto, enfrentam as Forças Armadas da ditadura militar. O sexto aniversário da chegada de dirigentes do PCdoB ao Araguaia em nada lembra as românticas primeiras impressões da Faveira. A majestade do rio e o voo das gaivotas do final de 1967 parecem um sonho distante. Há inimigos por toda parte. Marcas no chão e pedaços de papel higiênico usado denunciam a movimentação dos homens do governo. Um helicóptero sobrevoa a área.

* * *

Três colunas de militares vasculham a área no Natal de 1973. Com apoio do helicóptero da FAB, seguem as marcas deixadas pelos comunistas. Os sinais tornam-se cada vez mais constantes.

CAPÍTULO 111

Um tiroteio ecoa no final da manhã de Natal

Os seis guerrilheiros sob o comando de Joaquim estão a um quilômetro do acampamento da Comissão Militar quando ouvem as rajadas de metralhadora. Aparecem Áurea e Peri. Eles informam que o barulho ocorreu no acampamento da Comissão Militar. Dois helicópteros e um avião passam a sobrevoar a mata. Joaquim tem a impressão de que levam mais tropas ou retiram corpos. A movimentação dos aparelhos continua até o final da tarde.

Os comandados de Joaquim caminham um quilômetro para passar a noite. Pretendem, no dia seguinte, avançar até uma referência na mata na qual poderão encontrar outros companheiros.

* * *

Com a ajuda de mateiros, os militares seguiam as pistas deixadas, quando, inesperadamente, deram de frente com a Comissão Militar, acampada no alto de um morrote. O comando guerrilheiro reagiu como pôde. Cansados, doentes e com armas insuficientes, enfrentaram as forças do governo agora preparadas para o combate na selva.

Cinco guerrilheiros tombaram crivados de bala. Mário, Pedro Gil, Luiz, Amauri e Paulo Rodrigues entraram para a lista secreta de mortos das Forças Armadas. Não foram mais vistos pela população. As baixas sofridas pelos comunistas no Natal de 1973 e nas semanas seguintes provocaram a derrocada do movimento guerrilheiro do PCdoB no Araguaia. Os sobreviventes perderam a direção central, tentaram reagrupar-se e transformaram-se em fugitivos.

* * *

A decisão tomada pelo grupo de Joaquim de andar até uma referência no dia 26 de dezembro de 1973 deu resultado. No local estavam Osvaldão,

Lia, Batista e Lauro. Osvaldão contou o que sabia a respeito do tiroteio do dia anterior. A Comissão Militar aguardava a chegada dos companheiros para a reunião em um ponto alto da floresta. Os outros esperavam mais abaixo. Quinze comunistas acampavam no local. Na parte alta, agrupavam-se o comandante Mário e os guerrilheiros Paulo, Pedro Gil, Joca, Tuca, Dina e Luís — os dois últimos ardendo em febre. Embaixo, Zeca Fogoió, Lourival, Daniel e Raul ralavam coco babaçu, enquanto Lia e Lauro faziam a guarda. Osvaldão e Batista camuflavam os arredores.

Os guerrilheiros João Araguaia e Mariadina haviam saído para procurar Zezinho, Raul e Lourival. Amaury e Walk andavam pela mata em busca dos cinco companheiros. Outros dois, Ivo e Simão, tentavam descobrir o paradeiro de Jaime e Ferreira, desaparecidos desde a morte de Chico.

Osvaldão ouviu quando os militares atacaram. O guerrilheiro gigante correu ao sentir as balas ricocheteando na mata. Fugiu sem saber o que aconteceu com os companheiros. A pressão dos inimigos continuou nos dias seguintes.

Na manhã de 28 de dezembro de 1973, Joaquim enviou Chica e Mané na tentativa de localizar Simão, Ivo, Jaime e Ferreira em uma referência marcada para o dia 30 na antiga área do Destacamento B. Se tudo desse certo, Mané se deslocaria para um ponto na área do Destacamento A nos dias 1º ou 15 de fevereiro de 1974. Joaquim o aguardaria no local. O comando comunista previu um longo período de dispersão dos combatentes. A partir de março, poderiam se encontrar na região da Gameleira.

A movimentação de aviões e helicópteros continuava nos últimos dias de 1973. O grupo de Joaquim compunha-se de dez guerrilheiros. Dividiu-se em dois e fugiu mata adentro. Turmas menores facilitavam o abastecimento e deixavam menos sinais por onde passavam. Os dois grupos chegaram ao acampamento do Destacamento A na tarde do dia 28. Reuniram-se ali 25 guerrilheiros.

O comando decidiu abandonar o local. Sairiam em turmas de cinco. Cada grupo poderia se comunicar com, no máximo, um morador — mesmo assim, de absoluta confiança. Os grupos teriam no comando Joaquim, Osvaldo, João Araguaia, Nelito e Landin. Marcaram pontos para os dias 1° e 15 de fevereiro de 1974, mesmas datas fixadas para o encontro com Mané.

Antes de deixar o acampamento, os 25 guerrilheiros fizeram uma reunião na noite do dia 29. Os líderes chamaram a atenção para a gravidade do momento. Viviam o período mais crítico. Apesar das dificuldades, deveriam levar em conta que outros povos passaram por situações semelhantes. Venceram por persistir na luta. Unidos e determinados, poderiam reverter o quadro desfavorável. Os comandantes Osvaldão e Arroyo fizeram uma proposta inesperada. Se algum guerrilheiro se sentisse abalado e quisesse abandonar a luta, teria autorização. Ninguém manifestou vontade de deixar a mata.

Os esquerdistas desconheciam a sorte dos integrantes da Comissão Militar atacados no Natal. Poderiam estar mortos, mas não havia certeza. Um novo contato seria tentado. Os cinco grupos deixaram o Destacamento A na manhã de 30 de dezembro. No início da tarde, Joaquim ouviu disparos de metralhadora na direção seguida por Osvaldão e Landin. Três dias depois, escutou o mesmo barulho no rumo tomado por Nelito.

CAPÍTULO 112

Rosa foi vista viva dentro de um carro na frente da cadeia

Dia 2 de janeiro de 1974. O almoço de Nelito, Duda, Cristina, Rosa e Carretel tem pepino e abóbora. O chefe do grupo encontrou os legumes em uma roça perto do lugar em que descansava no início da tarde. A lata usada para transportar os alimentos faz muito barulho durante a caminhada.

Carretel, morador recrutado pelos comunistas, faz a guarda. Cristina e Rosa entraram na mata e se afastaram um pouco. Duda e Nelito aguardam a volta das companheiras. Rajadas de metralhadora quebram o silêncio da mata. Carretel corre para escapar das balas e Nelito entrincheira-se enquanto procura Rosa e Cristina. Os soldados se aproximam. Seguem os rastros deixados pelos guerrilheiros e se orientam pelo ruído da lata.

Nelito tenta fugir, mas leva um tiro. Cai, levanta-se e percorre cerca de 20 metros até ser novamente atingido. Morre mais um militante enviado pelo PCdoB para o Araguaia.

A mata protegeu Duda. Ele se escondeu entre as árvores e desapareceu do campo de visão dos atiradores. A pressa o impediu de saber o que aconteceu com Cristina, Rosa e Carretel.

* * *

Rosa, ou Rosinha, como a chamavam os camponeses, perdeu-se dos companheiros. Chega à casa de Manoelzinho das Duas — o sujeito vive com duas mulheres na mesma casa. Manoelzinho tenta convencer a guerrilheira a se render. Muita gente está sofrendo por causa do conflito, argumenta o caboclo.

"Prefiro morrer do que me entregar", reage Rosinha.

Diante da negativa, Manoelzinho agarra a militante, domina-a e entrega ao delegado de São Domingos, Geraldo da Colo. Muitos moradores do vilarejo viram Rosinha viva, muito magra e suja, dentro de um carro parado na frente da cadeia.

Os militares levaram a guerrilheira para Bacaba.

* * *

No dia 4 de janeiro, Joaquim, Zezinho, Edinho, Piauí, Beto e Antônio seguiram até a casa de um morador. Encontrou a família atemorizada e soube da presença de soldados nas redondezas. Os militares avançavam com rapidez e ocupavam todas as áreas de refúgio da guerrilha.

CAPÍTULO 113

Maurício Grabois cai: "O inimigo está desarticulado"

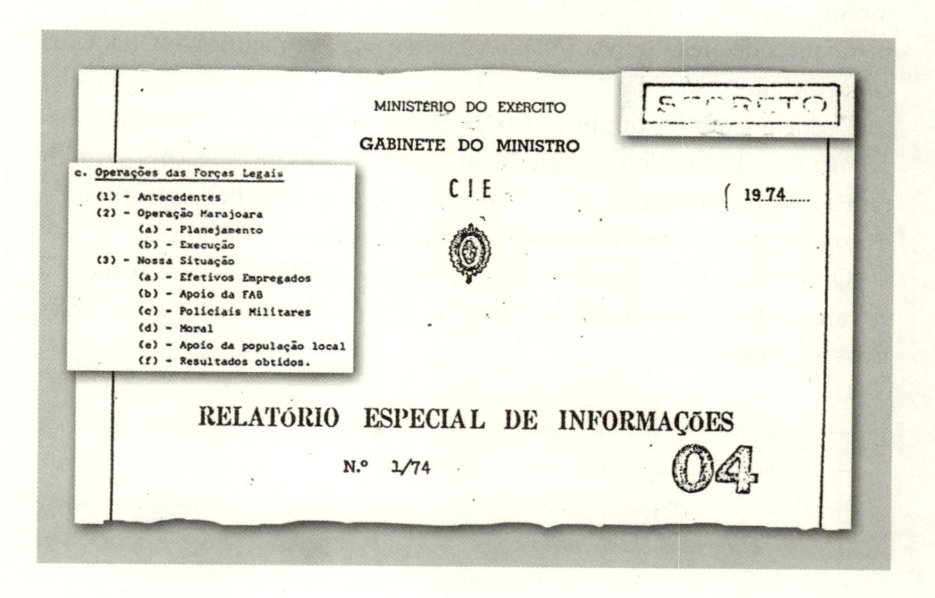

MINISTÉRIO DO EXÉRCITO

GABINETE DO MINISTRO

CIE

19.74

c. Operações das Forças Legais

(1) - Antecedentes
(2) - Operação Marajoara
(a) - Planejamento
(b) - Execução
(3) - Nossa Situação
(a) - Efetivos Empregados
(b) - Apoio da FAB
(c) - Policiais Militares
(d) - Moral
(e) - Apoio da população local
(f) - Resultados obtidos.

RELATÓRIO ESPECIAL DE INFORMAÇÕES

N.º 1/74

04

FINALIDADE: Dar conhecimento aos Generais Comandantes de Áreas, aos Chefes de Departamento e ao chefe do Estado-Maior do Exército da situação das operações antiguerrilha que se realizam no SE do Estado do Pará, através de relato sucinto.

Um relatório produzido pelo CIE em janeiro de 1974 apresenta os resultados dos primeiros três meses da Operação Marajoara. As consequências dos ataques foram avassaladoras para a guerrilha. Na conta do Exército, os inimigos haviam perdido quase metade dos combatentes.

Dos 63 esquerdistas relacionados em outubro de 1973, restavam 33. João Amazonas e Elza Monerat continuavam fora da área. Mais que a quantidade, os autores do documento comemoraram a importância das baixas. *Perderam o Comandante-Geral, Maurício Grabois, um elemento da Comissão Militar, o armeiro, dois comandantes de destacamento, cinco comandantes de grupo e uma enfermeira*, ressalta o texto.

As 13 páginas datilografadas têm a inscrição *Secreto* e o carimbo redondo do CIE com o brasão do Exército rubricado. Anexo, um esboço da região do confronto. O CIE distribuiu o Relatório Especial de Informações nº 1/74 para 19 unidades militares das três Forças. No Exército, os destinatários foram o ministro, os chefes do Estado-Maior e dos departamentos e os comandantes de área. Na Marinha, o Cenimar; na Aeronáutica, o Cisa. Uma cópia dirigiu-se ao SNI.

O documento faz um histórico da caçada aos guerrilheiros desde o depoimento de Pedro Albuquerque, no início de 1972. As investigações permitiram a descoberta de uma *organização subversiva de vulto*. Bem estruturados, os comunistas trabalhavam por conquistas de médio e longo prazos.

O exame de papéis apreendidos ajudou os militares a compreender a estratégia dos esquerdistas. No texto de janeiro de 1974, anotam os objetivos identificados:

— *Formação e treinamento de guerrilheiros rurais*
— *Comprovação da viabilidade da guerrilha rural*
— *Estabelecimento de uma base de guerrilha e, a longo prazo, formação de um "Exército de Libertação"*
— *Obtenção de apoio externo, com a consequente repercussão internacional*
— *Adesão de outras organizações subversivas*
— *Exploração dos antagonismos existentes na área*
— *Criação de uma rede de apoio*

No histórico da ação militar, o CIE lembra as tentativas de derrotar a guerrilha do PCdoB durante quase dois anos de confronto. Desde o início, as operações sucederam-se *no tempo e no espaço*, com os efetivos militares *mais diversos*, sem conseguir retirar os inimigos da área.

O partido se mantinha *coerente* com a linha maoísta, na interpretação do serviço secreto do Exército. O deslocamento de militantes para o trabalho de campo permitiu o surgimento do movimento armado. *Viria a ser a maior experiência em guerrilha rural desenvolvida, até o presente, em território nacional*, registram os autores do relatório.

Na primeira fase, os comunistas estabeleceram as bases e os contatos com a população. Na segunda, arregimentavam moradores com doutrinas políticas e exploração dos problemas da terra. Na terceira, fariam a tomada violenta de propriedades e desencadeariam a guerrilha rural.

A realidade começou a mudar com as ações desencadeadas depois de quase cinco meses de Operação Sucuri. O relatório de janeiro chama a atenção para as deficiências do inimigo. Os rebelados tinham armas de caça, principalmente calibres 20 e 16, espingardas 44, velhos fuzis e mosquetões. As informações disponíveis ainda apontam para uma dotação de 25 cartuchos por revólver e 50 cartuchos por espingarda ou fuzil.

O equipamento, sumário, consistia em mochilas, de couro ou lona, na maior parte de fabricação própria. Carregavam arroz, farinha, sal, leite condensado e em pó, medicamentos, material cirúrgico, pólvora e chumbo, material para impressão, ferramentas, armas, roupas e calçados.

Logo nos primeiros dias da Operação Marajoara, as mortes em sequência dos guerrilheiros tornaram evidentes suas fraquezas. O governo Médici começava a ganhar a guerra contra o PCdoB.

No dia 12 de janeiro de 1974, restavam apenas dois moradores armados ao lado dos comunistas. O documento do serviço secreto do Exército não dá os nomes. Com exceção de Maurício Grabois, também não fornece a identidade dos militantes abatidos, as circunstâncias e as datas. Tampouco esclarece se foram mortos ou presos. Ou mortos depois de presos. Alguns se entregaram. *As deserções são difíceis devido ao controle cerrado, mas mesmo assim já houve 7 (sete) deserções*, informa o relatório.

O CIE omite mais uma vez nomes e destino dos guerrilheiros. Dá apenas uma pista: entre os que abandonaram a luta, alguns eram moradores da região; outros, militantes levados para o Araguaia pelo PCdoB.

A precariedade da situação dos comunistas na mata animava os chefes da Operação Marajoara. Os autores do relatório relacionam as perdas infligidas ao inimigo:

— *Maioria dos depósitos de gêneros*

— *Depósitos de medicamentos e material cirúrgico*

— *Oficina de ferramentas e de armas*

— *Oficina gráfica*

— *Roças que possuíam em parceria com elementos de apoio*

— *Paióis de gêneros em residências de apoios*

— *Biblioteca do partido e da "FOGUERA", com documentos valiosos*
— *25 (vinte e cinco) mochilas com vasto material individual*
— *Mais de 20 (vinte) armas e grande quantidade de munição*

Os autores do documento do CIE classificam de *meticuloso e inteligente* o trabalho de montagem da rede de apoio aos guerrilheiros, mas o levantamento dos agentes da Operação Sucuri permitiu identificar e desmantelar a teia de colaboradores. Nas palavras do relatório, os moradores no início relutaram em prestar apoio *consciente e efetivo* às forças legais. Faltava *confiança* nos militares. Os sucessivos afastamentos das tropas deixavam a população *entregue à própria sorte e à sanha dos guerrilheiros.*

A continuidade das operações levou os moradores a ajudar os agentes do governo. O documento não especifica as técnicas de convencimento utilizadas. *Os mesmos homens que, inadvertidamente, vinham apoiando a ação guerrilheira, estão oferecendo apoio irrestrito às Forças Legais, como guias, com alimentos e informações*, afirma o relatório.

Diferentemente do ano anterior, os militares permaneceram na região durante as chuvas. A presença dos repressores durante as festas de fim de ano impediu as visitas dos comunistas aos moradores. Os resultados obtidos nos primeiros três meses da Operação Marajoara estão resumidos na página 12 do relatório:

— *Reconquista da população e seu apoio*
— *Destruição de mais de 70% dos estoques de suprimentos do inimigo*
— *Destruição de sua oficina de armas e impressora*
— *Levantamento da maior parte das áreas de homizio*
— *Apreensão de 30% de seu equipamento e 20% de seu armamento*
— *50% de perdas na Comissão Militar, com a neutralização do Comandante-Geral*
— *50% de perdas nos Comandos de Destacamentos e Grupos (incluído 2 dos 3 Cmt Dst)*
— *40% de perdas no total dos combatentes do Partido e 75% de perdas nos combatentes recrutados na área.*

Os chefes do CIE avaliavam que tantas perdas deixavam os comunistas com o moral abalado. A falta de alimentos, a perseguição, as doenças, as privações de material e a precariedade de armas criavam um ambiente propício para deserções. Comiam carne de caça, castanha e palmito, quando conseguiam. As dificuldades de sobrevivência deixaram os combatentes do PCdoB *bastante desgastados fisicamente.*

Os homens do CIE notaram mudanças nas atitudes dos guerrilheiros no decorrer da Operação Marajoara. No início, a intenção dos inimigos era colocar em prática ações de fustigamento e emboscadas. Pretendiam desgastar as tropas, causar baixas, capturar armas e munições. Os ataques simultâneos, pelo sul e pelo norte, com o controle da rede de apoio, impediram a ação dos esquerdistas.

A nova estratégia dos militares deixou os guerrilheiros na defensiva desde os primeiros dias da nova operação. Pegos de surpresa, tiveram poucas oportunidades de pôr em prática as técnicas aprendidas na selva ou na China de Mao Tsé-Tung. Em consequência, deslocavam-se sem parar de um acampamento para outro. Dispersavam-se e reagrupavam-se. Mas não saíam da área. Sempre que surpreendidos, reagiam *pelo fogo.*

O documento produzido pelo gabinete do ministro do Exército, Orlando Geisel, recomendou a continuação do extermínio: *Na fase atual, torna-se fundamental o prosseguimento das operações até a eliminação total das Forças Guerrilheiras do Araguaia "FOGUERA". Uma interrupção da operação "MARAJOARA", antes da destruição total do inimigo, poderá possibilitar seu ressurgimento, ainda com maior vigor e experiência. Poderá ainda proporcionar-lhe a comprovação da viabilidade, no BRASIL, da guerrilha rural como instrumento de luta para a conquista do Poder. Convém lembrar que a frente realizada entre APML do B e o PCdoB representa revigoramento que poderá ser encaminhado para a área.*

A situação atual do inimigo, em plena decomposição, minimizará as dificuldades normais, encontradas em operações dessa natureza, em plena selva amazônica. É possível afirmar que, em termos de organização, o inimigo está desarticulado.

No penúltimo parágrafo do documento, o ÇIE recomenda a execução de medidas de ação de governo para o atendimento da população. Refere-se a estradas, escolas, hospitais e, em particular, à solução dos problemas relacionais com a posse de terra pelos camponeses, principais bandeiras dos subversivos.

Notável vem sendo a experiência adquirida pelas Forças Legais nas operações de contraguerrilha na selva.

S E C R E T O

MINISTÉRIO DO EXÉRCITO
GABINETE DO MINISTRO
CENTRO DE INFORMAÇÕES DO EXÉRCITO

=RELATÓRIO ESPECIAL DE INFORMAÇÕES Nº 1/74=

D I S T R I B U I Ç Ã O	QUANT DE EXEMPLARES
-GABINETE DO MINISTRO	1
-ESTADO-MAIOR DO EXÉRCITO	1
-DEPARTAMENTO GERAL DO PESSOAL	1
-DEPARTAMENTO GERAL DE SERVIÇOS	1
-DEPARTAMENTO DE MATERIAL BÉLICO	1
-DEPARTAMENTO DE ENGENHARIA E COMUNICAÇÕES	1
-DEPARTAMENTO DE ENSINO E PESQUISA	1
-DIRETORIA GERAL DE ECONOMIA E FINANÇAS	1
-I EXÉRCITO	1
-II EXÉRCITO	1
-III EXÉRCITO	1
-IV EXÉRCITO	1
-CMP/11a. RM	1
-CMA/12a. RM	1
-CIE/RIO	1
-CIE	3
-SNI	1
-CISA	1
-CENIMAR	1
T O T A L	21

De acordo com o Art 44 do Regulamento para Salvaguarda de Assuntos Sigilosos (Decreto nº 60.417, de 11 Mar 67), ficam os destinatários deste Relatório autorizados a difundir às Agências que lhes forem subordinadas, os itens que julgarem convenientes.

S E C R E T O

Os militares faziam cópias controladas dos documentos secretos, distribuíam para os órgãos envolvidos e lembravam que podiam redistribuí-los, sendo sempre responsáveis por sua guarda e preservação do sigilo. Foi assim que, embora as forças Armadas afirmem que os arquivos tenham sido destruídos, muitos dos originais e cópias utilizadas neste livro foram preservados.

SECRETO

(CONTINUAÇÃO DO RELATÓRIO ESPECIAL DE INFORMAÇÕES Nº 1 /74 - - - 13)

3. CONCLUSÃO

Na fase atual torna-se fundamental o prosseguimento das operações até a eliminação total das Forças Guerrilheiras do ARAGUAIA-"FOGUERA". Uma interrupção da operação "MARAJOARA", antes da destruição total do inimigo, poderá possibilitar o seu resurgimento, ainda com maior vigor e experiência.Poderá ainda proporcionar-lhe a comprovação da viabilidade, no BRASIL, da guerrilha rural como instrumento de luta para a conquista do Poder. Convém lembrar que a frente realizada entre a APML do B e o PC do B representa revigoramento que poderá ser encaminhado para a área.

A situação atual do inimigo, em plena decomposição, minimizará as dificuldades normais, encontradas em operações dessa natureza, em plena selva amazônica. É possível afirmar que, em termos de organização, o "inimigo" está desarticulado.

Paralelamente a esse prosseguimento, tornam-se necessárias medidas de ação de governo, ressaltando-se o estadual, visando o apoio à população local: estradas, escolas, hospitais e, particularmente, solução ao problema relacionado com a posse de terra pelos homens do campo, exigem medidas imediatas dos órgãos responsáveis. Convém ressaltar que esses problemas constituiram-se nas principais bandeiras dos subversivos para a conquista do apoio da população.

Notável vem sendo a experiência adquirida pelas Forças Legais nas operações de contraguerrilha na selva.

SECRETO

A guerrilha já estava exterminada, com seu quase absoluto saldo de mortos e desaparecidos, quando as Forças Armadas concluíram que só isso não bastava: seria preciso investir em ações sociais na região, tomada pela corrupção dos políticos e funcionários públicos e violência dos fazendeiros. Situação que perdura, 30 anos depois.

CAPÍTULO 114

Joaquim e Zezinho fogem; Glênio recebe notícia triste

Dia 14 de janeiro de 1974. O grupo comandado por Joaquim acampa perto de uma capoeira. Cansados e com fome, Zezinho, Edinho, Piauí, Beto e Antônio sofrem os reveses da guerrilha junto com o comandante. Encontram alguns pés de mandioca, arrancados sem preocupação de camuflagem.

Ainda pela manhã, ouviram barulho na mata. Pouco depois, viram quando uma equipe de militares à paisana seguia os rastros deixados pelos esquerdistas. Chegam perto e passam a cerca de dez metros dos guerrilheiros escondidos na capoeira. Os soldados descarregam rajadas de metralhadora em torno. Joaquim, Zezinho e Edinho escapam por um lado e não veem o que aconteceu com os outros três.

Quatro dias se passam. Os combatentes liderados por Joaquim encontram Duda. O sobrevivente do ataque do dia 2 de janeiro relata o confronto com os militares; não tem notícia sobre Carretel e as duas companheiras. As baixas deixam Joaquim inseguro quanto ao melhor caminho a seguir. No dia 19 de janeiro de 1974, o dirigente comunista resolve voltar para o local em que a Comissão Militar sofreu o ataque no Natal. Espera encontrar algum remanescente do combate.

Acompanhado de Zezinho, Joaquim sai mais uma vez pela floresta. Duda e Edinho ficam, com a recomendação de que, se encontrarem Piauí, devem informá-lo dos pontos marcados para os dias 1º e 15 de março. Rastros no chão, antigos e recentes, e sinais na mata denunciam a presença de militares perto do último acampamento da Comissão Militar. A sensação de perigo aumenta quando helicópteros sobrevoam a área. A mata do sudeste do Pará pela primeira vez parece pequena para o dirigente do PCdoB.

Joaquim decide então abandonar o Araguaia com a ajuda de Zezinho, o mais preparado militante do partido para as entradas e saídas da região do confronto. Acompanhados de um terceiro homem, eles fogem na direção do Maranhão.

* * *

A visita do irmão Gilberto surpreende Glênio no quartel da Cavalaria do Exército, no Rio. O guerrilheiro se encontra preso há um ano e um mês. A boa notícia chega acompanhada de uma ruim. Gilson, outro irmão, morreu afogado pouco tempo antes. Glênio e Gilberto choram juntos.

O militante preso pensa em como o destino foi ironicamente cruel com o irmão acidentado. Na guerrilha e na prisão, Glênio correu risco de vida todos os dias, mas continuou vivo. O irmão levava vida pacata, mas em um descuido se afogou.

Em pouco tempo, o pai do esquerdista apareceu no quartel. Conservador, costumava dizer que preferia ter um filho plantador de batatas a um comunista. Por ironia, pensou Glênio, tornou-se praticamente as duas coisas. A emoção de ver o jovem preso fez o visitante baixar a guarda e deixar o machismo de lado. Pela primeira vez o filho viu lágrimas nos olhos do pai.

CAPÍTULO 115

Esquisito: Waldir saiu para comprar cigarros e não voltou

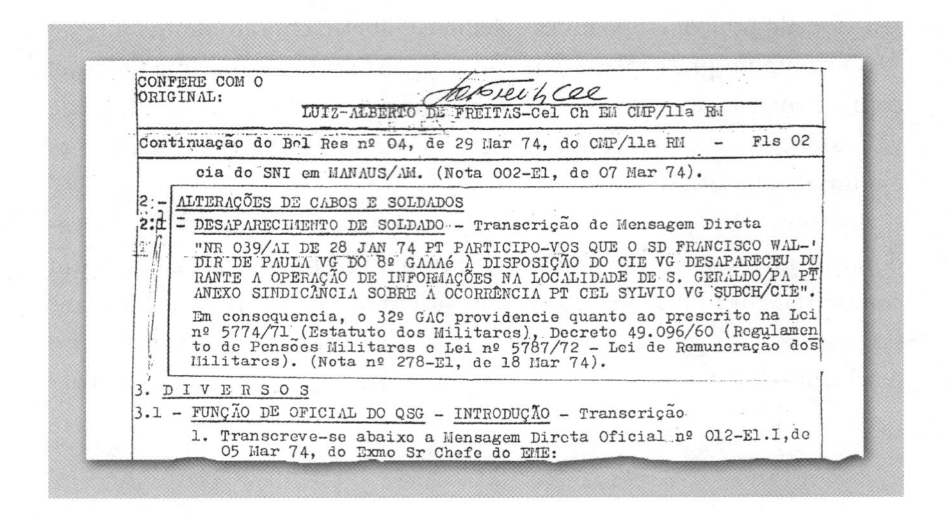

CONFERE COM O
ORIGINAL:
LUIZ-ALBERTO DE FREITAS-Cel Ch EM CMP/11a RM

Continuação do Bol Res nº 04, de 29 Mar 74, do CMP/11a RM - Fls 02

cia do SNI em MANAUS/AM. (Nota 002-E1, de 07 Mar 74).

2. - ALTERAÇÕES DE CABOS E SOLDADOS

2.1 - DESAPARECIMENTO DE SOLDADO - Transcrição de Mensagem Direta

"NR 039/AI DE 28 JAN 74 PT PARTICIPO-VOS QUE O SD FRANCISCO WALDIR DE PAULA VG DO 8º GAAAé À DISPOSIÇÃO DO CIE VG DESAPARECEU DURANTE A OPERAÇÃO DE INFORMAÇÕES NA LOCALIDADE DE S. GERALDO/PA PT ANEXO SINDICÂNCIA SOBRE A OCORRÊNCIA PT CEL SYLVIO VG SUBCH/CIE".

Em consequencia, o 32º GAC providencie quanto ao prescrito na Lei nº 5774/71 (Estatuto dos Militares), Decreto 49.096/60 (Regulamento de Pensões Militares e Lei nº 5787/72 - Lei de Remuneração dos Militares). (Nota nº 278-E1, de 18 Mar 74).

3. DIVERSOS

3.1 - FUNÇÃO DE OFICIAL DO QSG - INTRODUÇÃO - Transcrição

1. Transcreve-se abaixo a Mensagem Direta Oficial nº 012-E1.I, de 05 Mar 74, do Exmo Sr Chefe do EME:

A chuva constante e o calor deixavam as tardes de janeiro quentes e abafadas. O soldado Francisco Waldir de Paula, do 8º GAAAe, vivia há três meses em uma posse perto do rio Gameleira. Goiano de Mineiros, ajudava na Operação Sucuri. De vez em quando andava até São Geraldo para passar informações.

Waldir morava na posse com o soldado Pinto, do mesmo batalhão. Um dia, o rapaz de Mineiros saiu para São Geraldo e avisou que aproveitaria para tirar um dia de folga. Chegou à cidadezinha e instalou-se em uma pensão lotada de militares.

No meio de uma conversa com os colegas, Waldir levou a mão ao bolso da camisa à procura de cigarro. Não tinha. Também não encontrou na mochila. Enfrentou o calor e saiu para comprar um maço em uma das bodegas de São Geraldo. Disse que voltaria logo.

Depois de algumas horas, os militares não se preocuparam. O goiano poderia ter atravessado o rio para se divertir no Quentão ou no Vietnã. A noite chegou. No dia seguinte, ninguém sabia do soldado. No segundo dia, os colegas levaram o caso aos superiores. O Exército ligou para a casa do rapaz e deixou recado. Se não voltasse, seria considerado desertor. O rapaz poderia ter tido um rompante de saudade dos pais ou da namorada, conforme avaliaram os comandantes.

Equipes de soldados vasculharam São Geraldo e Xambioá à procura de Waldir, e nada. Andaram pelos bares, pela zona do meretrício e à beira do rio sem encontrar sinal algum da presença do jovem goiano. Começaram a surgir hipóteses. Waldir poderia ter caído nas mãos dos guerrilheiros, mas parecia pouco provável uma ação dos comunistas dentro das cidades ocupadas pelos militares. A Polícia Militar do Pará entrou na lista de suspeitos em razão das desavenças entre as tropas estaduais e o Exército. Não surgia uma única pista concreta.

Um irmão de Waldir, José Maria, morava no Núcleo Bandeirante, cidade-satélite de Brasília. Comparecia toda semana ao 8º GAAAe para perguntar pelo soldado. Cobrava uma posição do Exército sobre o paradeiro do irmão. Não obtinha resposta.

CAPÍTULO 116

Sequência macabra: mais cinco guerrilheiros mortos

Ângelo Arroyo, o Joaquim, apesar das limitações impostas pelos combates, escreveu as passagens importantes da guerrilha entre abril de 1972 e janeiro de 1974. Anotou coisas que viu e relatos dos companheiros. Porém, deixou a área sem saber o resultado do ataque contra a Comissão Militar no Natal de 1973.

Com a saída de Joaquim, os registros sobre o movimento armado ficaram mais escassos. Maurício Grabois, o Mário, fazia uma espécie de diário, mas desapareceu desde aquele Natal. Na hipótese de os militares terem matado o velho Grabois, apreenderam os documentos.

Em segredo, agentes do Exército e da Marinha faziam anotações sobre o destino dos combatentes do PCdoB. Listas com nomes completos, codinomes, datas e locais das baixas sofridas ficaram registradas nos arquivos do CIE e do Cenimar. Com algumas imprecisões, os escritos traçam a sequência macabra de eliminação dos esquerdistas no sudeste do Pará. Os homens do Exército escreveram à mão uma espécie de rascunho. Em folhas sem timbre, fizeram uma lista com os nomes dos esquerdistas, codinomes e época em que foram presos ou abatidos. Quando mortos, assinalavam uma cruz; quando presos, desenhavam uma grade. Até dezembro de 1973, assinalaram a data precisa da morte. A partir de janeiro de 1974, apenas o ano.

Desde 1972 a Marinha demonstrava interesse em documentar o confronto armado. Durante a Operação Papagaio, o capitão de corveta Uriburu Lobo da Cruz deu ordens para os subordinados identificar os guerrilheiros mortos com fotografias e impressões digitais. O sepultamento dos inimigos deveria ocorrer em cemitérios comunicados aos superiores. O capitão de corveta Hermenegildo Pereira da Silva Filho determinou que as vítimas fossem enterradas na mata.

As anotações guardadas pelo Cenimar continham fichas dos comunistas, muitas vezes baseadas em informações trocadas com agentes do Exército e da Aeronáutica. Em janeiro de 1974, ficaram registradas as mortes de Nelson Lima Piauhy Dourado, Rodolfo de Carvalho Troiano, Telma Regina Cordeiro Correa, Vandick Reidner Pereira Coqueiro e José Lima Piauhy Dourado.

Nos papéis do Exército, os cinco guerrilheiros apareceram entre os mortos de 1974, identificados também pelos codinomes Nelito, Mané, Lia, João e Zé Piauí. José Lima Piauhy Dourado, na verdade, apresentava-se no Araguaia como Ivo ou José.

CAPÍTULO 117

Levaram o preso para a mata e o fuzilaram

Em uma das passagens por Xambioá, o soldado Adolfo da Cruz Rosa conheceu o guerrilheiro Simão, preso pelos militares. O esquerdista andava solto pela base das Forças Armadas montada nos arredores da cidade. Sem algemas, mas vigiado, bombeava água para o acampamento por ordem dos comandantes. Alto, branco, Simão estava com Osvaldão na refrega em que morreu o cabo Rosa. Havia dúvida sobre quem deu o tiro fatal. Colegas estimulavam Adolfo a matar o comunista e vingar a morte do irmão. O soldado dizia que considerava a ideia um absurdo. Adolfo e Simão conversaram várias vezes. Uma vez, o irmão do cabo Rosa quis tirar a dúvida.

"Você matou meu irmão?"

"Não, não fui eu."

Mais, Simão não disse. Perguntado sobre a responsabilidade de Osvaldão, nada respondeu. O tempo passou. Um dia, ao voltar de uma missão, Adolfo percebe a ausência do preso. Alguém diz que foi levado para Brasília. Mentira. Simão, indefeso, foi morto na mata.

O nome verdadeiro do guerrilheiro abatido era Cilon da Cunha Brum. Nascido em São Sepé, Rio Grande do Sul, ficou também conhecido no Araguaia como Comprido. Estudou economia na PUC de São Paulo, presidiu o Diretório Acadêmico do curso e ocupou o mesmo cargo no DCE da Escola. Pertencia ao Destacamento B.

Simão, agachado, à direita. Fotografado por um militar depois de preso.

CAPÍTULO 118

Atravessaram o Araguaia a nado e entraram no cerrado

Os anos passados no Araguaia fizeram de Zezinho o mais experiente mateiro dos guerrilheiros. Há muito tempo cabia ao militante treinado em Pequim conduzir companheiros para fora da zona de combate. Guiou João Amazonas, Elza Monerat e Crimeia. Também comprava remédios para Mário, o velho Maurício Grabois. Algumas vezes viajou até cidades distantes, como Imperatriz e Anápolis, para encontrar Higroton 50 — vasodilatador para hipertensos. A idade, o desconforto da mata e as doenças debilitavam a saúde do dirigente comunista.

Fazia mais de um mês que Joaquim e Zezinho não tinham notícias de Mário e de outros companheiros. Saíam do Araguaia sem saber quantos deixavam vivos. Zezinho assumiu o comando da retirada da área — ocupada por patrulhas à paisana, equipes *zebras*, viaturas e helicópteros. O mateiro sofreu uma espécie de transformação, como sempre acontecia quando servia de guia. A tarefa exige concentração absoluta, como se o corpo fizesse parte da mata. Andava na frente, sentidos aguçados.

Usava o que aprendeu a vida inteira. As raízes de caboclo, a disciplina do partido, os conhecimentos adquiridos na China e a experiência no Araguaia. Olhava para o céu, para o chão, para os morros, para as árvores. Percebia todos os movimentos, ouvia todos os ruídos.

Não se preocupava com a retaguarda, onde seguia Joaquim. Os dois se conheciam desde Goiânia, no início dos anos 1960, quando o PCdoB ainda se reorganizava depois do racha com o PCB. Na selva amazônica, perseguidos pelas Forças Armadas, viviam o momento mais tenso de suas vidas. O terceiro fugitivo seguia atrás.

Como guia, Zezinho escolhia os caminhos, decidia os avanços e fixava as paradas. Andaram de noite, descansaram de dia. Com esperanças de encontrar algum companheiro, ainda passaram em alguns pontos. Pegavam cavalos nas fazendas e soltavam quando encontravam outros.

Nadaram para atravessar o Araguaia e entraram em um cerrado.

CAPÍTULO 119

Morre Osvaldão, o mito da guerrilha

O mateiro Arlindo Piauí guia uma equipe pela mata quando avista um perfil inconfundível. Sentado em um barranco, o guerrilheiro Osvaldão parece cansado e sem forças. Em nada lembra o lendário combatente perseguido há quase dois anos pelo Exército.

A espingarda de Piauí atira primeiro. Os militares aproximam-se depois da queda do comandante do Destacamento B. Mal conseguem acreditar no que veem: o mais perigoso combatente do PCdoB no Araguaia está morto. A equipe avisa a base. Um helicóptero chega e leva o corpo dependurado. O corpo ainda cai uma vez, antes de ser exibido em alguns povoados e chegar a Xambioá.

Na base do Exército, Osvaldo é colocado numa maca. Soldados ficam com o chinelo feito de pneu e não se sabe para onde foi levado o corpo do guerrilheiro.

* * *

Um relatório manuscrito pelos militares em Tocantinópolis no dia 12 de fevereiro de 1974 registra a fuga de Arroyo, o Joaquim, e Zezinho. Com base em informações transmitidas por Doutor Zico, militar instalado em Marabá, o documento refere-se à saída dos dois guerrilheiros na direção do Bico do Papagaio. Os agentes secretos souberam que os dois comunistas atravessaram o rio Araguaia e desapareceram no extremo norte de Goiás. A descoberta provocou a formação de duas equipes encarregadas de procurar os esquerdistas na região.

* * *

Os fugitivos cruzam o norte de Goiás e entram no Maranhão. Depois de alguns dias, Zezinho percebe a ausência do terceiro sujeito. O guia não sabe de quem se trata. Por razões de segurança, Joaquim não permitia o contato entre os dois. Ficou o mistério.

Viajam de ônibus e pretendem chegar a São Luís, mas mudam de rumo quando sabem da movimentação de tropas na direção da capital maranhense. Passam por Teresina, pelo Piauí e param no Crato, zona do Cariri, interior do Ceará. Ângelo Arroyo e Michéas Gomes de Almeida, o Zezinho, compram passagens para São Paulo. Embarcam no ônibus sem documentos.

CAPÍTULO 120

Pensou que fosse o inimigo e disparou a metralhadora

Maria França Gomes e Francisco Gomes da Costa criavam 13 filhos na periferia de Macapá, capital do Amapá. O mais velho, Ovídio, cresceu bastante apegado à família. Desde cedo preocupou-se em melhorar o padrão de vida dos pais e dos irmãos. A vida na periferia de Macapá apresentava poucas perspectivas.

O alistamento como soldado do Exército surgiu como oportunidade para realizar o desejo do rapaz. O soldo melhorou a situação da família, mas surgiram novas despesas. Namorador incorrigível, Ovídio manteve romances com muitas mulheres. Assumiu a paternidade de quatro crianças — de duas mães diferentes.

Ovídio gostou da carreira militar. Fez curso para cabo e, com a promoção, obteve aumento nos vencimentos. Enviado para uma missão em Marabá, evitou falar sobre o trabalho quando voltou para casa. Com muito custo, disse que participou de uma operação de combate ao crime. Vagamente, referiu-se a roubos e assassinatos, sem fazer menção alguma a uma guerrilha e a combates na selva. Mesmo assim, a mãe demonstrou preocupação.

"Não teve perigo. Só fiquei na cidade e não corri nenhum risco", tranquilizou o filho.

A família acreditou.

Pouco depois, o Exército manda Ovídio novamente para Marabá. O cabo conhece a selva do sudeste do Pará. As chuvas despencam do céu amazônico em fevereiro de 1974. Um pelotão de jovens inexperientes em ações de contraguerrilha encontra-se na mata à procura de comunistas. Sem contato com a família, vivem dias de tensão e medo. Árvores gigantescas encobrem o sol a partir das cinco da tarde e a escuridão torna o ambiente ainda mais amedrontador.

Durante o dia, um rapaz fica de guarda e cozinha no acampamento enquanto os outros dão uma volta rotineira de inspeção. As roças abandonadas pelos camponeses retirados da área fazem a alegria dos jovens militares. Encontram cana, mamão, milho.

Ovídio carrega um fuzil e um pedaço de cana ao voltar da ronda com os colegas no dia 16 de fevereiro. Um soldado apelidado de Garrote vigia o acampamento e cuida da cozinha. A solidão deixa Garrote nervoso. Enquanto prepara a comida, tem sobressaltos ao mínimo ruído. Um barulho ouvido na mata faz o coração bater mais forte. O rapaz vê um vulto andar na direção da casa, mas não consegue identificar a pessoa.

Num segundo de desespero, Garrote pensa tratar-se de um inimigo e dispara a metralhadora. A rajada de tiros vara o corpo do cabo Ovídio. O moço de Macapá andava à frente dos colegas. Morreu aos 26 anos. Deixou pai, mãe, 12 irmãos e quatro filhos.

FOTOS ÁLBUM DE FAMÍLIA

O cabo Ovídio França Gomes, de Macapá: morte inglória na selva – metralhado por engano

CAPÍTULO 121

Geisel em cena: "Matar é uma barbaridade, mas tem que ser"

O colégio eleitoral instituído pela ditadura militar escolheu o general Ernesto Geisel para suceder Médici. Irmão do ministro do Exército, Geisel alinhava-se com o grupo de seguidores do ex-presidente Castello Branco, morto em 18 de julho de 1967 em um acidente de avião. A presença do Alemão, como era conhecido, no Palácio do Planalto significava uma derrota da linha-dura — ala radical dos quartéis, fortalecida desde a ascensão de Costa e Silva.

Antes de tomar posse, em 16 de fevereiro de 1974, Geisel chamou o general Dale Coutinho para uma conversa. Velhos amigos, falaram de política e de combate à subversão. O jornalista Elio Gaspari, em *A Ditadura Derrotada*, reproduz o seguinte diálogo:

> *"Ah, o negócio melhorou muito. Agora, melhorou, aqui entre nós, foi quando nós começamos a matar. Começamos a matar" — afirmou Coutinho.*
> *"Porque antigamente você prendia o sujeito e o sujeito ia lá para fora (...) Ô Coutinho, esse troço de matar é uma barbaridade, mas eu acho que tem que ser", respondeu Geisel.*

Na sequência do diálogo, o futuro presidente refere-se à morte recente de um líder da guerrilha. Não sabe o nome. Coutinho fala em Luizão ou Chicão. Provavelmente Osvaldão, mas até aquele momento ainda não havia informação confirmada sobre a queda do gigante negro.

Ao concordar com o método de eliminação de adversários sugerido pelo general, o futuro presidente autorizou a linha-dura a continuar o extermínio. No mesmo encontro, Geisel convida Dale Coutinho para substituir o irmão Orlando no Ministério do Exército.

CAPÍTULO 122

Zombaram da sentinela, punição: tapar buracos nas ruas

O nome de Osvaldo Orlando da Costa, o Osvaldão, aparece na lista dos mortos de fevereiro de 1974 feita pelo Cenimar. O mais temido guerrilheiro do Araguaia caiu no dia 9. No mesmo mês, segundo a Marinha, as Forças Armadas abateram Jana Moroni Barroso, Custódio Saraiva Neto, Tobias Pereira Júnior, Antônio Guilherme Ribeiro Ribas, Antônio Teodoro de Castro e Cilon da Cunha Brum.

A relação manuscrita do Exército registra as sete baixas, com algumas diferenças nas datas. Pelas anotações do CIE, Jana Barroso, a Cristina, desapareceu no dia 2 de janeiro de 1974; e Antônio Ribas, o Ferreira, morreu em 19 de dezembro de 1973 — seis dias antes da queda de Antônio Castro, o Raul.

* * *

Mais de um mês se passa sem notícia sobre o soldado Waldir. Na casa da família, nos quartéis e na região da guerrilha nada se descobriu sobre o sumiço do jovem goiano. O irmão José Maria vive angustiado, os militares não têm uma justificativa. O Exército abriu sindicância para apurar o caso do soldado de Mineiros. As investigações concluem pelo desaparecimento de Waldir, sem apresentar explicação. A família do jovem passa a receber uma pensão do governo brasileiro.

Quando saiu para buscar cigarro, Francisco Waldir de Paula encontrava-se a serviço do CIE.

* * *

Os jovens soldados enviados para a Operação Marajoara aprendiam a conviver com a mata aos poucos. Depois de muitas jornadas por trilhas, grotas e igarapés, começavam a distinguir árvores, bichos, insetos, barulhos e cheiros. Adolfo observava cada detalhe, encantado com os mistérios da Amazônia. Muitos soldados tinham menos de 20 anos.

Os combates provocavam medo e sofrimento, mas representavam também uma vida cheia de emoções. Não sabiam bem contra o que lutavam, mas o medo de um encontro com os comunistas tornava cada dia uma aventura diferente. Quando podiam, tentavam se distrair. Gostavam de brincar com os apelidos, muitas vezes associados a alguma característica da pessoa. Ninguém revelava o nome verdadeiro. O anonimato dificultaria, no futuro, a identificação dos responsáveis pela caçada aos esquerdistas. Conheciam-se como Bronze, Nugget, Garrote.

Às vezes, alguns passavam da conta nas bebedeiras. Certa noite, durante um temporal, Nugget acabou com a cachaça e queria mais. Não tinha. Descontrolado, misturou um litro de álcool com leite condensado e bebeu tudo. A ventania e a chuva continuavam. Nugget tentou dormir na rede. Depois de algum tempo, levantou-se para urinar. Um barulho sacudiu o acampamento quando um galho desprendeu-se do alto e despencou no meio dos soldados — bem no lugar em que Nugget estivera deitado segundos antes.

Os melhores momentos aconteciam em Xambioá, nos dias de descanso. Na base militar, havia comida quente, bebidas e diversão. Os soldados penduravam latas de cerveja como alvo e apostavam. Quem acertasse tinha direito a beber. As idas a Xambioá também significavam mulheres.

As entradas e saídas das bases militares dependiam de senhas e contrassenhas. Adolfo e mais um voltavam da noitada de dança e bebedeira, quando foram abordados pela sentinela. Responderam com pilhérias, mas conseguiram entrar. O comandante da base, de codinome Doutor João, reuniu a tropa no dia seguinte e perguntou quem eram os engraçadinhos. Ninguém respondeu, mas a sentinela os apontou. A punição saiu em seguida. Os dois teriam de passar uma semana tapando buracos nas ruas de Xambioá ou então seriam enviados de volta para Belém. Preferiram ficar.

As alegrias na cidade ajudavam a enfrentar as dificuldades na selva. Os deslocamentos recebiam códigos distintos para facilitar a comunicação e a segurança. Em um dia de março, o soldado Adolfo e os companheiros de equipe receberam ordem para prosseguir na missão Índia II. Pegaram o azimute rumo ao sul. Fazia parte do grupo um paraquedista de codinome Severino.

Adolfo ficou responsável por carregar a estação de rádio PRC. O equipamento pesava bastante, e o soldado ainda tinha de carregar um FAL, um revólver e a bolsa de medicamentos. De repente, uma rajada de metralhadora quebrou o silêncio da mata.

Adolfo montou o rádio às pressas e ouviu uma mensagem: *Uma baixa. Papa Mike acertou um dos nossos.* Os militares usavam o alfabeto fonético internacional para as comunicações. Na mensagem, *Papa* significava P, de povo; e *Mike*, M, de mata. Referia-se ao "povo da mata", uma das expressões usadas em relação aos guerrilheiros. A equipe saiu em disparada na direção dos tiros. Adolfo desmontou a estação e saiu atrás. Quando tentava pular um barranco, sentiu um puxão violento pelas costas. Deu um grito de pavor e ficou quieto. Não tentou se soltar, nem atirou.

Devagar, virou-se para trás e não acreditou no que viu. A antena da estação de rádio tinha ficado mal dobrada e se prendeu a um cipó. Aliviado, ele retomou o caminho. No local, soube que o militar ferido, um sargento de nome Adalmir, tinha sido socorrido.

CAPÍTULO 123

Arlindo, o mateiro, conta como seguir pegadas na floresta

A eficiência do mateiro Arlindo Vieira impressionava os homens do Exército. Morador antigo na região, o responsável pela morte de Osvaldão tinha um jeito peculiar de identificar marcas na mata. Os militares não entendiam como ele conseguia enxergar coisas que ninguém via. Quando se deparava com uma pegada no chão, o caboclo parava e olhava atentamente. Em poucos segundos, dizia se a pessoa pisou ou não no mesmo dia. Nunca errava. Outras vezes, observava fixamente o mato à beira da trilha. Logo informava se alguém havia passado pelo local nas últimas duas ou três horas.

O guia um dia contou ao sobrinho Adailton Vieira Bezerra as técnicas usadas para seguir os fugitivos. No caso das pegadas, ele observava se uma minúscula teia de aranha tinha se formado no chão marcado pelo autor da pegada. Aquele tipo de sinal levava 24 horas para aparecer e permitia o diagnóstico preciso.

Com os ramos na beira dos caminhos, acontecia algo semelhante. Depois que a pessoa passava, pequenos mosquitos pousavam nas folhas. A quantidade de mosquitos definia quanto tempo antes o mato tinha sido tocado. O mateiro achava que os insetos se alimentavam do suor deixado por quem esbarrava nas folhas.

CAPÍTULO 124

E os últimos guerrilheiros vagam famintos e sem destino

Dia 15 de março de 1974. Tem fim o período mais contraditório da ditadura militar. O governo Médici termina sem eliminar a guerrilha do PCdoB. Duas dezenas de militantes vagam desesperados pelas matas do Araguaia quando o presidente do "milagre brasileiro" passa o cargo para Ernesto Geisel. O bom desempenho da economia, as obras faraônicas, o sucesso da propaganda oficial e a euforia do tricampeonato no futebol tornaram Médici um presidente popular. Nos porões da repressão e nas matas do Araguaia, o aparato comandado por Orlando Geisel calava as vozes descontentes.

Médici se afinava com a turma de Costa e Silva, apoiado em grande parte pela linha-dura, ala mais radical do regime fardado. Aceitou o nome de Ernesto por força da vontade de Orlando, homem de confiança, responsável pela segurança do governo. Ernesto Geisel demonstrava interesse em adotar medidas de retorno à ordem institucional, mas enfrentava a resistência da linha-dura. Os radicais queriam manter em funcionamento o aparato de extermínio de subversivos. Avanços na direção da democracia poderiam levar à perda da proteção oferecida pelo Estado aos responsáveis por prisões, torturas, mortes e desaparecimentos de inimigos do regime militar.

Os laços de sangue com o ministro do Exército de Médici reforçavam a expectativa de manutenção da máquina repressiva. A conversa com o general Dale Coutinho ajudou a tranquilizar os radicais.

* * *

A caçada aos guerrilheiros Ângelo Arroyo, o Joaquim, e Zezinho estendeu-se até o Planalto Central. Um *Relatório de Operações* confidencial, produzido no dia 22 de março de 1974 pelo DOI-CODI de Brasília, mostra a preocupação do Exército em localizar a dupla comunista.

Com a possível saída de Ângelo Arroyo e "Zezinho" do SE do PARÁ, com destino a SÃO PAULO, resolveu-se acompanhar as atividades do PCdoB em BRASÍLIA/ANÁPOLIS/GOIÂNIA, afirma o texto, sem esclarecer a identidade do companheiro de Joaquim. Michéas Gomes de Almeida, o Zezinho, um dos militantes do PCdoB treinados na China, passava despercebido pelas forças da repressão.

Em busca dos dois fugitivos, os militares prendem três suspeitos de integrar outras organizações clandestinas. Rogério José Dias, Ricardo Alberto Aguado Gomes, codinome Ramon, e Tufi Abud da Silva chegam às celas do DOI-CODI nesse mês de março. A atenção dos serviços de informação da ditadura volta-se para a ALN e a Ala Vermelha. As investigações apontam a Universidade de Brasília como reduto de arregimentação de novos militantes. O governo teme a formação de uma *frente única* composta por remanescentes de várias facções da esquerda brasileira.

* * *

Geisel pôs na chefia do Serviço Nacional de Informações (SNI) o general João Baptista de Oliveira Figueiredo, ex-chefe do Gabinete Militar de Médici. Um documento do serviço de informação sobre o combate à subversão chega à mesa do presidente em março de 1974. A página 4.1, com inscrição de "Confidencial", no tópico *Atividades Subversivas*, revela as últimas descobertas e ações relativas à guerrilha no sudeste do Pará.

As chuvas forçaram a redução da ofensiva. Na primeira semana do mês, estavam praticamente paralisadas. O SNI considerava os resultados da Operação Marajoara *bastante animadores*. Dos 90 *terroristas* contados no início da missão, restavam uns 20. Privados da colaboração dos moradores, os remanescentes da guerrilha perambulavam sem destino. Famintos, com armamento obsoleto, moral baixo.

No final do documento, o serviço secreto faz uma observação: *Aguarda-se a melhoria das condições meteorológicas para o reinício das operações visando a destruição dos elementos que ainda se encontram na região.*

CAPÍTULO 125

Informações desencontradas. E mortes, mais mortes

A realidade observada pelo Cenimar no Araguaia revela mais um mês de muitos prejuízos para o PCdoB. Os arquivos da Marinha contam em março de 1974 as mortes de Luiz René Silveira e Silva, Maria Célia Corrêa, Antônio de Pádua Costa, José Humberto Bronca, Hélio Luiz Magalhães Navarro, Demerval da Silva Pereira e Lúcio Petit da Silva.

Algumas informações diferem da lista do CIE. O rascunho do Exército inclui José Humberto Bronca, o Zeca Fogoió, entre os mortos do Natal de 1973. Maria Célia Corrêa, a Rosinha, Hélio Navarro, o Edinho, Demerval Pereira, o João Araguaia, e Lúcio da Silva Petit, o Beto, constam como *desaparecidos* em 1974.

A data da queda de Beto também não confere. Segundo a Marinha, ocorreu em março. Os homens do Exército marcaram 14 de janeiro. Moradores do Araguaia contestaram as duas versões.

CAPÍTULO 126

Arroyo explica derrota: guerrilha tomou caminho próprio

Arroyo procura a direção do PCdoB assim que chega a São Paulo. O Comitê Central não mantinha contato com emissários da guerrilha desde a fuga de Elza Monerat, dois anos antes. O relatório de Arroyo apresenta detalhes de um ano e dez meses de luta. Narra as três campanhas dos militares e descreve a morte de companheiros.

Arroyo apresenta números exagerados sobre as tropas oficiais. Fala em 10 mil homens durante a grande manobra de setembro de 1972. Calcula a base de apoio dos guerrilheiros em 90% dos moradores. A cúpula do PCdoB toma conhecimento, pela primeira vez, da dimensão dos estragos sofridos no Araguaia. Mesmo sem confirmação da queda da Comissão Militar, as baixas sofridas revelam-se suficientes para abalar o partido.

Mas Arroyo mostra-se otimista quanto ao futuro do movimento. Considera a derrota temporária e acredita na capacidade de resistência dos combatentes deixados na mata. Acha que o partido adquiriu experiência para expandir a luta no Araguaia e tem condições de avançar para outras regiões.

Os camaradas leem o relatório com muita atenção. Encontram-se diante de uma situação difícil de avaliar. As informações sinalizam o fracasso da iniciativa armada, mas mostram-se insuficientes para um diagnóstico conclusivo. A análise do episódio exige cautela. Arroyo parece ainda muito envolvido com os combates para formular pontos de vista isentos. Ao mesmo tempo, o partido precisa levar em conta, e saber valorizar, o sacrifício e a abnegação dos militantes no enfrentamento desigual contra a ditadura.

As questões estratégicas também geram polêmica entre os dirigentes comunistas. Isolada no Araguaia, a guerrilha tomou as características de foco — o modelo cubano de revolução — condenado pelo partido no documento *Guerra Popular — Caminho da Luta Armada no Brasil.*

* * *

A formação de destacamentos revolucionários sem a prévia conscientização da população quanto aos objetivos do movimento guardava muitas semelhanças com os fracassos de Ernesto Che Guevara no Congo e na Bolívia, depois da vitória em Cuba. O PCdoB parecia repetir os mesmos equívocos, mas Arroyo insistia em lembrar o estreito relacionamento dos militantes com os moradores. Muitos, cerca de dez, engajaram-se na luta contra as forças do governo.

No texto escrito para o partido e nas conversas com os camaradas, Arroyo apontava acertos e erros. Acreditava no aumento do prestígio do partido quando as notícias sobre o Araguaia furassem a censura e chegassem à população. Atribuía a derrota ao fato de as Forças Armadas terem atacado as bases de treinamento antes da estruturação completa dos destacamentos.

Os problemas identificados por Arroyo decorriam de falhas militares, como deficiências no armamento e falta de refúgio seguro para emergências. Em nenhum momento o ex-comandante guerrilheiro questionou a decisão política de implantação da luta no Araguaia. Ao mesmo tempo, os fatos mostravam que o movimento tomou caminho próprio, independente da direção do partido. A prática contrariava os preceitos, inspirados na revolução chinesa, de subordinar as decisões militares aos aspectos políticos.

Desde o início dos combates, em abril de 1972, a Comissão Militar assumira a condução da guerrilha descolada do Comitê Central. Em São Paulo, a cúpula comunista dependia de mais informações sobre os desdobramentos dos combates para fazer uma avaliação definitiva da experiência armada no Araguaia.

CAPÍTULO 127

"Chifrudo, sem-vergonha!"

O mateiro Cícero Pereira Gomes presenciou o diálogo entre o Doutor Luchini e a guerrilheira Mariadina, presa pelo Exército.

"Cadê seus companheiros?", perguntou o militar.

"Chifrudo, sem-vergonha! Quer ver uma mulher brigar me dá uma arma, seu covarde!", respondeu a prisioneira.

O oficial respondeu com um tapa na cara da combatente comunista. Mariadina era o codinome usado no Araguaia pela baiana Dinaelza Santana Coqueiro, mulher de Vandik Reidner Coqueiro, o João. Os dois pertenciam ao Destacamento B e moravam na região da Gameleira. Pela semelhança de nomes, muitas vezes foi confundida com a mais famosa das guerrilheiras, Dinalva Oliveira Teixeira, a Dina, do Destacamento C. Em comum, as duas tinham também a origem na Bahia, onde nasceram e moraram antes de se mudarem para o Araguaia.

* * *

Manoelzinho das Duas tornou-se um delator contumaz. No dia 21 de abril de 1974, os guerrilheiros Beto, Antônio Alfaiate e Valdir procuraram o morador para pedir sal e comida. Desarmados, caíram nas mãos de uma equipe de agentes escondidos perto da casa.

Um helicóptero levou os três combatentes comunistas para Bacaba. Valdir mancava em consequência da leishmaniose espalhada pela panturrilha. Um fotógrafo registrou o momento do embarque dos prisioneiros apanhados no dia de Tiradentes. Antônio Alfaiate, Beto e Valdir desapareceram sob a responsabilidade do Exército Brasileiro.

* * *

Os homens do Cenimar anotaram as mortes de Dinaelza Soares Santana Coqueiro e Uirassu de Assis Batista em abril de 1974. A combatente caíra no dia 8. Os arquivos não fazem referência à data da queda do guerrilheiro.

Os manuscritos do Exército davam Dinaelza como desaparecida desde o Natal de 1973. Uirassu Batista, o Valdir, sumiu em 1974, conforme escreveram os agentes do CIE.

CAPÍTULO 128

Para Curió, corrupção e pobreza ajudaram a guerrilha

GABINETE DO MINISTRO
C I E
S/104

RELATÓRIO DA OPERAÇÃO DE INFORMAÇÕES REALIZADA PELO C I E
NO SUDESTE DO PARÁ
OPERAÇÃO SUCURI

INDICE DOS ASSUNTOS		
Nº DE ORDEM	TITULO	FOLHA
1	I - FINALIDADE	1
	II - ANTECEDENTES	
2	1 . HISTÓRICO	1
3	2 . O INIMIGO	1

FINALIDADE: O presente relatório visa apresentar o planejamento, a execução, apontar as deficiências e os resultados obtidos pela OPERAÇÃO SUCURI, bem como sugerir medidas que possibilitem maior eficiência para uma operação do gênero.

O capitão Sebastião Rodrigues de Moura assina o relatório final da Operação Sucuri. Desconhecido no Araguaia pelo nome verdadeiro, o adjunto do coordenador — que usava o codinome de Major Luchini e se tornou famoso como Major Curió, depois prefeito de Serra Pelada e deputado federal — assume a responsabilidade pela execução da maior missão de informação ali realizada. Na data de conclusão do documento, 24 de maio de 1974, há poucos guerrilheiros vivos na mata.

O relatório ignora a matança de comunistas. Faz um histórico do confronto com o PCdoB, analisa a situação do inimigo no início da operação, apresenta opiniões sobre as características econômicas, políticas e sociais da região. Faz referência aos "prefeitos corruptos, incapazes e primários" da região, afirma que eles operavam em sintonia com a polícia e altos funcionários públicos do Incra e grandes proprietários de terra e observa que tudo isso fez com que os camponeses acabassem simpatizando com os guerrilheiros — que prometiam, claro, acabar com aquilo.

O capitão trata também dos planos de infiltração elaborados um ano antes, detalha a movimentação dos militares, sem citar nomes, e relembra o plano de ocupação da área. Relata o treinamento dos agentes em botecos, chácaras, no Incra e na Sucam. Reclama de problemas para a instalação dos informantes e dos cuidados tomados para manter a segurança da operação. Sem identificar os homens escalados, mostra falhas e infiltrações bem-sucedidas.

Como aspectos positivos, o capitão ressalta o segredo mantido durante cinco meses de trabalho. Enfatiza o levantamento completo do modo de agir dos guerrilheiros, o trabalho de massa, a identificação da rede de apoio e as vias de acesso e fuga. O trabalho dos infiltrados permitiu, por exemplo, a descoberta da área de atuação do Destacamento A, até então considerada um mistério.

Com os últimos trabalhos, o Exército elaborou um mapa completo do sudeste do Pará. Antes, o serviço secreto dispunha de uma carta muito vaga da região.

O CIE tinha mais informação sobre os Destacamentos B e C. A estrutura do B ficou conhecida pelos depoimentos de José Genoino e Glênio Fernandes de Sá. O C, desde o início dos combates, sofreu os maiores prejuízos.

As insatisfações do capitão ficaram registradas nos aspectos negativos listados. A primeira reclamação dirige-se aos agentes inexperientes. Colhiam e transmitiam dados incompletos. As equipes do Incra da área sul trabalharam de fato na solução dos problemas da terra. Na opinião do capitão, deveriam ter-se dedicado especificamente à coleta de informação. A instalação do subcoordenador da área norte, no posto da Polícia Federal em Estreito, também prejudicou a missão.

No mesmo posto, ficaram agentes da área norte quando passavam informação para o subcoordenador. Mais um erro, segundo o autor do relatório. O fracasso na instalação da bodega em Araguanã deixou a rede de informação descoberta em um ponto-chave.

OPERAÇÃO SUCURI

Mapa da região (detalhe)

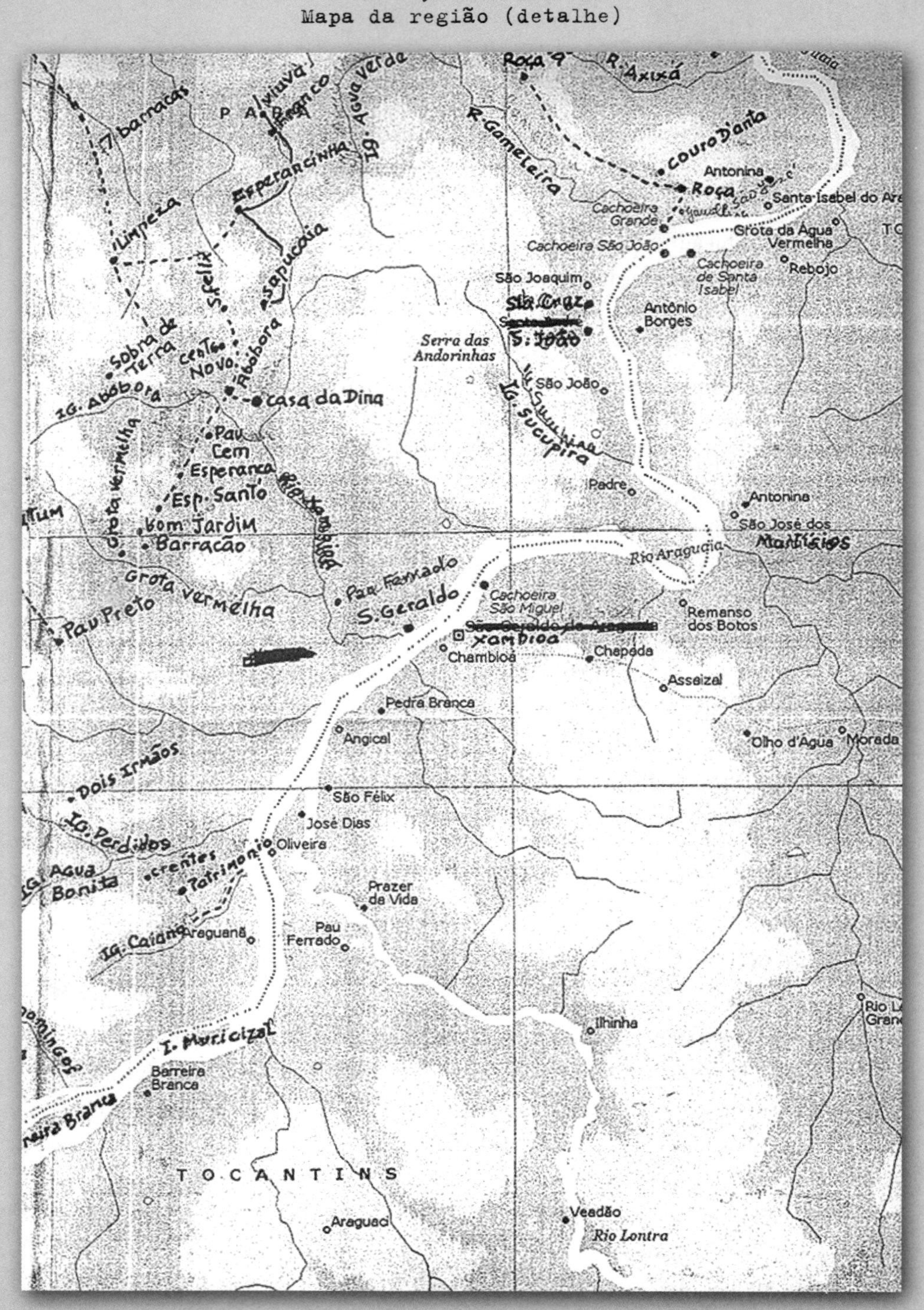

OPERAÇÃO SUCURI

O relatório de Curió (detalhe)

b. ASPECTOS POLÍTICOS, ECONÔMICOS E PSICOSSOCIAIS

A região em que se fixaram os terroristas, acima citada, faz parte dos municípios de CONCEIÇÃO DO ARAGUAIA, SÃO JOÃO DO ARAGUAIA e MARABÁ.

A considerável distância das sedes dos municípios à zona em que se radicaram, fez com que os subversivos, da mesma forma que os habitantes locais, se ligassem e se servissem mais dos municípios de MARABÁ, IMPERATRIZ, XAMBIOÁ e ARAGUATINS.

É importante ressaltar as precárias condições em que o poder político se exercita na área, representado quase sempre por prefeitos corruptos, incapazes e primários, mancomunados, via de regra, com a autoridade policial, em princípio apática e irresponsável. Como também os órgãos federais na área eram inoperantes e mesmo corruptos, a serviço dos grandes proprietários, como era o caso do INCRA, escritório de S GERALDO, ligado ao PROJETO MARABÁ.

Pelos aspectos acima, sentiu o Comando da OP a necessidade de acionar os órgãos de Governo, responsáveis por aquela situação, na dependência lógica de se conseguir a simpatia e o apoio da população. Assim foi que, a Presidência do INCRA, através do levantamento sócio-econômico, e mesmo fundiário, feito pela nossa equipe do Escritório de S GERALDO, procedeu à titulação parcelada de uma série de posseiros (pequenos proprietários).

Com este ato, começamos a ganhar a simpatia e o interesse da população, de onde tiraram, nossos agentes, grande proveito no campo das informações.

Esta Operação, "sui generís" em nosso País, teve suas falhas e seus ensinamentos, legando-nos, porém, um saldo altamente positivo, em volume de informações e ensinamentos para o futuro.

Aprendemos, a par dos trabalhos de informações em uma área de implantação de guerrilha rural, que a repressão sufocará, por si, o movimento subversivo, atemorizará a população, mas não derrubará a bandeira da subversão, nem tampouco conscientizará a população analfabeta e miserável daquela área, se, a par da mesma, não for realizado um trabalho honesto e eficiente dos órgãos de Governo, responsáveis pela solução dos problemas cruciantes da área.

SEBASTIÃO RODRIGUES DE MOURA

CAP ADJUNTO-CIE

A retirada dos posseiros e bodegueiros no início da Operação Marajoara expôs os homens do CIE e desmantelou a rede de informantes. O capitão defendia a permanência dos infiltrados nos povoados e nas roças durante a fase repressiva.

Na conclusão, o capitão classifica de "*sui generis*" a Operação Sucuri. Com *falhas* e *ensinamentos*, deixou saldo *altamente positivo*. Dá mais detalhes: *Aprendemos, a par dos trabalhos de informações em uma área de implantação de guerrilha rural, que a repressão sufocará, por si, o movimento subversivo, atemorizará a população, mas não derrubará a bandeira da subversão, nem tampouco conscientizará a população analfabeta e miserável daquela área, se, a par da mesma, não for realizado um trabalho honesto e eficiente dos órgãos do governo, responsáveis pela solução dos problemas cruciantes na área.*

O documento termina com as sugestões de Sebastião Rodrigues de Moura para inibir futuros movimentos armados no Araguaia. Na prática, uma versão simplificada dos 27 pontos defendidos pelos guerrilheiros do PCdoB para a população: combate à grilagem, com punição dos responsáveis, legalização da posse da terra, atendimento médico-hospitalar, pré-natal, melhoria das condições sanitárias, infraestrutura para o ensino primário e repressão à exploração dos empregados mais fracos pelos donos dos castanhais — *que não pagam o justo preço pela mão de obra.*

O texto condena extorsões e abusos policiais a mando de políticos e reivindica a presença de órgãos administrativos estaduais e municipais. Pede a concessão de financiamentos do Funrural, depois da legalização das terras, e o estabelecimento de preços mínimos para o pequeno produtor.

Em 19 páginas, o relatório não faz referência alguma a torturas e mortes de comunistas e moradores. Havia passado um ano desde o início da Operação Sucuri e sete meses do início da fase repressiva. Os últimos guerrilheiros soltos perambulavam, famintos, pelas matas do Pará.

CAPÍTULO 129

O soldado teve pena dos prisioneiros. Nunca mais os veria

Maio de 1974. O PCdoB perde mais um guerrilheiro. O Cenimar aponta o dia 14 como data da morte de Elmo Corrêa, codinome Lourival, do Destacamento B. Casado com Telma Regina Cordeiro Corrêa, a Lia, estudou até o 3º ano de Medicina antes de se mudar para o Araguaia.

Uma camponesa chamada Petronilha contou aos agentes da repressão que recebeu algumas visitas de um casal de guerrilheiros. O caboclo Batista, recrutado pelo PCdoB, e a professora Áurea apareciam para pedir comida. Deviam voltar naquela noite. Viúva, Petronilha morava sozinha em uma casa de palha. Tinha a confiança dos guerrilheiros porque era comadre de Batista. Sem dar importância para o laço religioso, a cabocla informou sobre os fugitivos a militares instalados na casa do mateiro Arlindo Vieira. Delatou com medo de represálias por parte dos militares.

Escalado para ficar na espreita, o soldado Domingos temia pela chegada dos dois inimigos. Escondido dentro da casa, em um quarto escuro, fixava os olhos na direção da mata. Com um FAL na mão, sem poder fazer movimentos, o coração parecia bater mais alto. O jovem tinha a impressão de que de muito longe se poderia ouvir o barulho saído de dentro do peito.

Domingos Barros de Almeida adotou no Araguaia o apelido Doba, junção das primeiras sílabas do nome e do sobrenome. Entrou para o Exército em janeiro de 1973, na mesma turma de Adolfo. Um ano depois, chegou ao Araguaia. No meio da noite, à espera do casal de guerrilheiros, lembrou-se do primeiro dia em Marabá.

No pátio da Casa Azul, o Doutor Luchini dispôs os soldados em fila. Vestido à paisana, o oficial do Exército passou por cada um, olhou fixo nos olhos e trocou algumas palavras. Quis conhecer um pouco dos comandados. Ao apresentar-se a Domingos, deparou-se com um rapazote com jeito de menino. Muito branco e magro, ele aparentava menos idade do que os 19 anos.

"E você, rapaz, com essa cara de anjo, tem coragem de matar alguém?", perguntou o Doutor Luchini.

"Se for preciso", respondeu o soldado, quase sem pensar.

No fundo, Doba esperava nunca precisar apertar o gatilho contra alguém. As horas de expectativa na casa de Petronilha mostravam que talvez fosse necessário. O dia amanheceu. Doba respirou aliviado. Mais tarde, acampados na mata, os militares receberam a visita de dois irmãos, Manoelzinho Araújo e Domingos, mesmo nome do soldado. Ofereceram ajuda para capturar Áurea e Batista.

"Nós *sabe* onde eles esconderam."

"Tudo bem, mas a recompensa é a mesma. Se vocês pegarem os terroristas, dividem o dinheiro", propôs o comandante do grupo, um sargento.

"Tá certo, mas nós *precisa* de uma arma. Só temos uma."

O sargento aceitou, e os dois irmãos sumiram na mata. Reapareceram às seis horas da manhã do dia seguinte. Conduziam Áurea e Batista a pé, amarrados com cordas. Domingos, o soldado, teve pena dos guerrilheiros. Sujos, fracos e humilhados, andavam com dificuldade.

Os dois prisioneiros, amarrados, estavam praticamente nus. Os espinhos da mata e a umidade deixavam as roupas em frangalhos. Áurea usava apenas um sutiã, mesmo assim rasgado de um lado. Caminharam todos até a casa de Petronilha. A comadre de Batista deu comida aos dois e um vestido para Áurea. O casal foi colocado em um helicóptero. O soldado Domingos assistiu à partida. Nunca mais viu os guerrilheiros.

Áurea Elisa Pereira Valadão morreu no dia 13 de junho de 1974, segundo a ficha da Marinha. No mesmo mês, ficaram registradas a eliminação de Luíza Augusta Garlippe e a de Daniel Ribeiro Callado.

CAPÍTULO 130

"Mate, mas não judia assim". E a morte de Castiglia, o Joca

O trabalho de parteira fez com que Tuca ficasse conhecida na região da Gameleira. Generosa, engajou-se no Destacamento B quando os combates começaram. Com a morte de Juca, assumiu a área de saúde. Luíza Garlippe, a Tuca, chegou ao sudeste do Pará com grande experiência no tratamento de doentes. Havia trabalhado como enfermeira do Departamento de Moléstias Transmissíveis do Hospital das Clínicas de São Paulo. Companheira do combatente Peri, sumiu no Natal de 1973 e teve o nome incluído entre as vítimas dos militares em junho de 1974.

A morte de Daniel Callado chocou os amigos deixados no Araguaia. Ficou a lembrança de um sujeito atencioso, disposto e apaixonado por futebol. Bom de bola, montava times por onde passava. Antes de se mudar para a região, viveu em Rondonópolis, Mato Grosso, e sagrou-se campeão municipal por um time amador.

Muitos moradores viram-no preso com os militares nos primeiros meses de 1974. O soldado Josean José Soares servia na base de Xambioá quando viu Daniel chegar algemado. Durante cinco dias, o guerrilheiro saía de manhã com uma equipe de agentes e mateiros para procurar guerrilheiros sobreviventes. Voltavam no final da tarde. Daniel dormia em uma cama de pau, sem colchão, deitado de bruços, amarrado com cordas de paraquedas. Muito fraco, uma vez pediu para Jossian colocar um apoio sob sua cabeça. Longe dos oficiais, o combatente do Destacamento C gostava de conversar.

"O que você faz num lugar desses?", perguntou o soldado.

"Um dia você vai saber", respondeu Daniel.

O mateiro Cícero Pereira Gomes sentiu o coração partir quando viu o Doutor Luchini dar murros e chutes no guerrilheiro. Daniel rolava no chão e gemia de dor.

"Por que o senhor faz isso? Se o homem merece morrer, mate, mas não judia assim dele", interveio Cícero.

"Ele tem de entregar os outros", explicou o militar à paisana.

Em pouco tempo, Daniel apareceu na lista de mortos da Marinha.

* * *

Fim de tarde. O soldado Adolfo está na mata, em mais uma missão Gorro Preto, na localidade de Abóbora. O rádio chama. É a equipe de Compadre, codinome do soldado Alcântara, há três dias no rastro de três guerrilheiros. Adolfo e Marrom deveriam pegar a "picada do Osvaldão" e seguir até a localidade de Cupuaçu, com suprimentos para a tropa.

Os dois militares seguem pela mata sem saber, exatamente, onde fica o local. Sabem apenas que está a mais ou menos oito quilômetros de distância.

Nesta região da Amazônia a noite cai cedo, por volta das cinco da tarde, quando já não se pode enxergar quase nada. Os soldados então tateiam o escuro, traçam o azimute e seguem a picada.

No caminho dão de frente com uma luminosidade estranha. Sentem medo e, sem poder ligar as lanternas, aproximam-se com todo o cuidado. Mas é só uma casa de insetos. Parecem cupins que, estranhamente, brilham e dão aparência fantasmagórica ao pequeno morrote.

Passado o susto, continuam a caminhada, medindo a distância com um fino e largo fio: cada 78 passos significam cem metros percorridos — cada cem metros, um nó no fio.

Três horas e uns 80 nós adiante, na escuridão selvagem da noite, os dois soldados consideram que já andaram o suficiente e param. Armam as redes e dormem.

Por volta das seis da manhã, levantam e reiniciam a marcha. Quatrocentos metros e quatro nós depois, encontram a tropa. Os acampados não tinham percebido a passagem dos amigos durante a noite. Encomendas entregues, Adolfo e Marrom voltam para o acampamento.

Uma hora depois, ainda na picada do Osvaldão, rajadas de metralhadora cortam a verde muralha da mapa.

Adolfo monta rapidamente o rádio PRC–25 e escuta. O informe é claro: Papa Mike caiu.

— Joca caiu, os outros dois dispersaram, continuaremos no encalço!

Morria, naquele momento, Líbero Giancarlo Castiglia, o Joca. Morria o italiano, único estrangeiro a participar da guerrilha, ex-comandante do Destacamento A e integrante da Comissão Militar.

CAPÍTULO 131

Oficiais mandam recrutas sair da base e executam Walquíria

O Cenimar teve notícia da morte da temida Dina em julho de 1974. Os agentes da Marinha não conseguiram confirmar a informação. Em agosto, a combatente Suely Yomiko Kamayana, a guerrilheira Chica, engrossou a relação de vítimas dos militares.

* * *

Adaílton Vieira Bezerra, sobrinho do mateiro Arlindo Vieira da Silva, o homem que matou Osvaldão, servia ao Exército como enfermeiro em 1974. No final de outubro, conheceu Walquíria Afonso Costa, presa em Xambioá. Muito magra e desnutrida, a guerrilheira mantinha-se intransigente diante do comandante militar responsável pela base. O oficial queria saber o destino de quatro comunistas. Walk nada respondia. Ela mudava de comportamento quando era abordada pelos soldados. Aceitava conversar e demonstrava certa cumplicidade. Um dia, depois que o comandante saiu, Walk chamou Adaílton.

"Se você me soltar e entregar uma arma, eu acabo com meio mundo", afirmou a prisioneira.

Logo depois da chegada a Xambioá, a guerrilheira passou por exames feitos por um médico militar, que receitou um coquetel de remédios para se desintoxicar e fortalecer. Adaílton aplicou a injeção lentamente, para acompanhar a reação do organismo debilitado. Soldados levaram a prisioneira de volta para a cela.

Em um fim de tarde, os chefes militares pediram que os recrutas se retirassem da base. Ficaram apenas oficiais. Quando os recrutas voltaram, souberam da execução de Walk. Na memória da população, tratava-se da última guerrilheira do PCdoB nas matas do Araguaia. Nos registros de outubro, o Cenimar atesta as mortes de Walquíria Afonso Costa e José

Maurílio Patrício, conhecido por Manoel do B. A eliminação da guerrilheira marcou o fim da luta no sudeste do Pará.

Os órgãos de informação do governo, porém, pretendiam continuar a caçada. Na avaliação dos agentes da ditadura, o serviço estaria incompleto enquanto o fugitivo Ângelo Arroyo continuasse vivo.

* * *

Os organismos de informação desencadearam uma operação de extermínio da história do Araguaia ao final das ações contra o PCdoB no sudeste do Pará. No início de 1975, dois helicópteros da Aeronáutica, descaracterizados, fizeram vários voos com equipes de militares envolvidos na morte dos guerrilheiros. Cabeludos e barbudos, andavam à paisana e usavam bermudas e tênis.

O capitão Pedro Corrêa Cabral, da Aeronáutica, pilotou um dos helicópteros. Um descendente de japoneses, também da FAB, conduziu o outro aparelho. Em alguns pontos da mata, os agentes desceram e repetiram um ritual macabro. Cavavam o chão, desenterravam corpos em decomposição e colocavam em sacos plásticos pretos.

Os dois helicópteros levaram os corpos até um ponto na Serra das Andorinhas. Em cada viagem, transportaram de dois a cinco cadáveres putrefatos. O mau cheiro tomou conta dos ambientes. Os militares puseram máscaras contra gás, mas o artifício atrapalhou a comunicação. Optaram por usar lenços embebidos em perfumes e desodorantes para suportar.

De dentro do helicóptero, os agentes jogaram os corpos, uns sobre os outros, perto de uma palmeira no alto da serra. Lançaram pneus velhos, despejaram gasolina e atearam fogo. Acabou a Guerrilha do Araguaia, naquele momento, para o governo militar. Faltava pegar Joaquim, mas o dirigente comunista se encontrava fora da área de confronto havia um ano.

Em nome do Estado, homens do setor de informações das três Forças Armadas encerraram uma fase de quase três anos de perseguições, prisões, torturas, mortes em combate e execuções de militantes comunistas e camponeses no sudeste do Pará. Cumpriam ordens verbais dos superiores.

Encerrada a missão, fizeram um pacto de silêncio sobre a eliminação da guerrilha comunista no Araguaia.

O Doutor Luchini ficou na região para garantir o controle dos serviços secretos sobre a área do confronto. Protegido por homens armados, espalhou homens de confiança em pontos estratégicos e manteve a população com medo.

* * *

O Exército exterminou a guerrilha sem conhecimento do PCdoB. Longe do confronto, a direção do partido permaneceu ignorante quanto ao destino dos militantes. Sem informações atualizadas, os comunistas baseavam-se no *Relatório Arroyo* para formular conclusões.

A defasagem nas informações permitiu o amadurecimento de uma versão fantasiosa sobre a resistência dos guerrilheiros. No aparelho, em São Paulo, a cúpula do partido discutia a continuação do movimento armado no Araguaia quando não havia mais um só combatente vivo. Mesmo sem conhecer a realidade completa, alguns dirigentes questionavam a validade da iniciativa. A qualidade e a quantidade das perdas sofridas no enfrentamento contra os militares tornavam frágeis os argumentos em defesa da luta.

Liderados pelo veterano Pedro Pomar, os descontentes apontavam erros de estratégia da Comissão Militar. Se os destacamentos ainda não se encontravam preparados, deveriam ter adiado o confronto com as Forças Armadas. A divulgação dos documentos das Forças Guerrilheiras do Araguaia em maio de 1972 expusera sem necessidade o espírito do trabalho realizado pelo partido na região.

A concepção militarista suplantara a supremacia da política. As boas relações dos militantes com a população mostraram-se insuficientes para a deflagração de uma guerra popular prolongada sustentada pelas massas camponesas.

No segundo semestre de 1974, encontrava-se bastante adiantado o processo de incorporação da AP pelo PCdoB. Os novos companheiros, encabeçados por Haroldo Lima e Aldo Arantes, surpreenderam-se com a dimensão do movimento organizado no Araguaia. Também tiveram dúvidas sobre a estratégia adotada pelo partido. Ficaram divididos entre as duas posições.

CAPÍTULO 132

Militares divididos: linha-dura resiste à abertura política

As eleições para o Congresso realizadas em novembro de 1974 provocaram inesperada derrota para o governo Geisel. O MDB, Movimento Democrático Brasileiro, partido de oposição aceito pela ditadura, elegeu 16 senadores para as 22 vagas em disputa para o Senado. O resultado demonstrou a insatisfação dos brasileiros com o regime militar e enfraqueceu o presidente, escolhido indiretamente por um colégio eleitoral.

Pouco tempo depois da derrota nas urnas, o SNI do general Figueiredo elaborou um documento com *apreciações* sobre o clima nos quartéis. Havia divisão entre uma ala interessada em amenizar o combate à subversão e outra formada por defensores da manutenção da caçada aos comunistas. Os radicais sentiam-se desamparados pelo presidente na luta anticomunista. Resistiam à abertura política acenada por Geisel.

A bem da verdade, é necessário que se afirme ter sido observada uma falta de coordenação entre os Centros de Informações Militares ou até mesmo entre o CIE e os DOI/Ex ou, o que será mais nocivo, uma falta de confiança em informar aos escalões superiores a verdade quando um elemento é preso para averiguações, conclui o documento do SNI.

As contradições nos porões do Exército chegavam ao presidente, comandante-chefe das Forças Armadas.

CAPÍTULO 133

Geisel anuncia fim da guerrilha. PCdoB diz que a luta continua

mamonto e um estímulo à unidade e à luta.

O êxito da luta armada no interior depende, em grande parte, do apoio e da solidariedade dos grandes centros. Os lutadores do campo enfrentam todo tipo de dificuldades e passam por grandes sofrimentos. Apoiá-los sem reservas e por todos os meios e divulgar a sua luta por toda parte são deveres de todos os verdadeiros democratas, patriotas e revolucionários.

Viva as Forças Guerrilheiras do Araguaia!

Viva a Luta Armada!

Viva a Revolução Brasileira!

A primeira referência pública oficial sobre a guerrilha foi feita em 15 de março de 1975 por Ernesto Geisel. Em mensagem enviada ao Congresso Nacional, o presidente anunciou o desmantelamento do movimento armado no Pará. Chamou os combatentes esquerdistas de "fanáticos".

* * *

A declaração de Geisel mostrou-se insuficiente para convencer a direção nacional do PCdoB do fim da luta no sudeste do Pará. Em abril de 1975, uma publicação interna divulgou um documento em comemoração aos *três anos de existência* das Forças Guerrilheiras do Araguaia.

Com muitas informações extraídas do *Relatório Arroyo*, o texto de 18 páginas fez um histórico triunfalista da luta no campo desencadeada pelo partido. Referiu-se à presença de 20 mil militares na área do conflito durante a manobra de setembro de 1972. Sem indício algum da permanência de sobreviventes na área do confronto, a cúpula comunista enalteceu a resistência dos militantes armados.

Na última folha, o documento convidou as *forças democráticas e patrióticas* a formar uma *frente única antifascista* para enfrentar a ditadura. O êxito da luta armada no interior, afirmava o texto, depende em grande parte do apoio e da solidariedade dos grandes centros.

O panfleto do PCdoB termina com as tradicionais saudações:

Viva as Forças Guerrilheiras do Araguaia!
Viva a luta armada!
Viva a revolução brasileira!

CAPÍTULO 134

Para Ângelo Arroyo, derrota foi "temporária"

NOSSAS TAREFAS ATUAIS

No ARAGUAIA, nosso Partido procurou aplicar a orientação traçada no seu Documento sobre o CAMINHO DA LUTA ARMADA NO BRASIL. Cometeram-se erros e acertos. A guerrilha sofreu uma derrota temporária, o que não invalida o caminho traçado pelo nosso Partido para a conquista do Poder. A derrota se deve a erros na condução da luta e às deficiências que já foram assinaladas. Nas condições atuais do BRASIL, a conquista do Poder pelas forças revolucionárias se fará através da luta armada no campo, ou seja, o caminho do cerco das cidades pelo campo. As particularidades da situação brasileira que indicavam esse caminho não mudaram, mas ao contrário se aprofundaram. A ditadura se tornou mais feroz, a dependência ao imperialismo cresceu. O interior continua a ser o ponto mais débil da reação. Aí as forças revolucionárias têm mais campo de manobra, melhores condições para sobreviver, se desenvolver e criar seu Exército revolucionário. Devido ao desenvolvimento desigual de nosso país, tanto no plano políti-

Termina o primeiro semestre de 1975. A ilusão da resistência no Araguaia mantém-se inalterada. Ângelo Arroyo escreve outro texto, mais elaborado, sobre o movimento armado. *A guerrilha no sul do Pará sobrevive há mais de três anos. Nenhuma luta com esse caráter em nosso país sustentou-se durante tanto tempo*, afirma.

O texto recebe o título de *Análise do Partido Sobre a Guerrilha do Araguaia* e apresenta sete tópicos de argumentos em favor da iniciativa do PCdoB no campo. Enaltece a integração com as massas, a orientação política *correta*, a orientação militar *no fundamental, correta*, a região *bem escolhida*, a preparação dos combatentes, a reserva logística e a inexperiência do inimigo.

Nos *erros e deficiências*, o documento faz autocrítica de alguns procedimentos. *Apesar de a guerrilha ter conseguido, particularmente, entre a primeira e a terceira campanha, importantes êxitos, registraram-se também falhas, deficiências e erros que devemos analisar, os quais nos conduziram a sofrer uma derrota temporária no curso da terceira campanha*, escreve Arroyo.

O principal erro identificado pelo ex-comandante refere-se à não expansão da base da guerrilha. Houve excessiva concentração dos combatentes em uma área reduzida, na opinião do dirigente comunista. A Comissão Militar adotou uma estratégia errada em novembro de 1973 quando decidiu fundir os três destacamentos.

Arroyo aponta cinco deficiências responsáveis pela queda de companheiros: falta de vigilância, carência de rede de informações, deficiência da rede de comunicações, insuficiência de armamentos e ausência do partido nos estados do Pará, Maranhão e Goiás para dar apoio aos guerrilheiros.

Na última parte do texto, dedicada aos passos seguintes, o dirigente refere-se ao movimento como uma aplicação das orientações do PCdoB traçadas no documento *Guerra Popular — Caminho da Luta Armada no Brasil.* Na opinião do autor, a *derrota temporária* não invalida o rumo escolhido pelo partido, pois deveu-se a erros na condução da luta.

Mais de um ano depois de retornar da região do confronto, Arroyo prega a continuação da guerra: *Nas condições atuais do Brasil, a conquista do Poder pelas forças revolucionárias se fará através da luta armada no campo, ou seja, o caminho do cerco das cidades pelo campo.*

CAPÍTULO 135

Ditadura mata Herzog. Arroyo quer manter guerrilha

Camaradas. Como prosseguir no caminho da preparação e desencadeamento da luta armada ? A experiência do ARAGUAIA tem ou não validade ? Em suas linhas gerais tem validade. É preciso aproveitar a experiência positiva do ARAGUAIA, corrigir os erros e as deficiências. Nas condições atuais do BRASIL, com o inimigo atento, esse é o caminho mais indicado. Isto não significa ser o único caminho viável. É possível que no esforço para levar à prática a orientação da guerra popular apareçam novas experiências.

Sugerimos ao CC que se deve pôr em prática medidas tais como:

1) Escolher áreas boas do ponto de vista político, massas e mata que ofereçam cobertura e abrigo aos combatentes, que tenha recursos naturais e seja autosuficiente em alimentos. Estas áreas devem estar localizadas de maneira que o inimigo não consiga isolá-las e que tenham possibilidades de exercer influência sobre áreas vizinhas. De preferência, áreas onde hajam disputas de terras ou atritos locais.

No segundo semestre de 1975, as organizações de luta armada encontravam-se desmanteladas. Ainda assim, a linha-dura militar continuava a caçada — mesmo aos militantes do Partido Comunista Brasileiro, o Partidão, defensores do caminho pacífico de tomada do poder. Um documento produzido pelo SNI analisou o envolvimento das Forças Armadas na repressão aos ini-migos do regime militar. *Embora muitas vezes ao arrepio da lei, não tiveram outra alternativa senão a de chamar para si o combate, rápido e enérgico, dos diferentes agrupamentos antirrevolucionários*, justificou o relatório.

A confissão da ilegalidade praticada pelos agentes do governo refletiu o conflito entre os radicais e os partidários da distensão política abrigados dentro do governo Geisel. Os diferentes serviços secretos montados pelos militares competiam entre si, escondiam informações e agiam fora do controle dos comandos militares.

A análise do SNI tratou dos métodos empregados pelos agentes da repressão: *seria faltar à verdade deixar de reconhecer que prisões têm sido feitas sob a forma de aparente sequestro, maus-tratos têm sido aplicados aos prisioneiros, prazos legais não têm sido obedecidos, comunicações sobre as prisões não têm sido feitas como manda a lei.*

Pressionado pela vitória do MDB nas eleições do ano anterior, Geisel demonstrava interesse em controlar o aparato repressivo, mas batia de frente com a linha-dura. Em 25 de outubro de 1975, o jornalista Vladimir Herzog apareceu morto em uma cela do DOI-CODI de São Paulo no mesmo dia em que se apresentou espontaneamente para prestar depoimento.

Na versão do II Exército, Herzog cometeu suicídio enforcando-se com o cinto do macacão. A opinião pública não acreditou. Militante do PCB, o jornalista não tinha ligação alguma com a luta armada.

Os radicais dos quartéis prosseguiam na caçada. A linha-dura operava para atrapalhar os movimentos de Geisel na direção do retorno à democracia. Em janeiro de 1976, o operário Manuel Fiel Filho, também ligado ao Partidão, apareceu morto no DOI-CODI de São Paulo. O comandante do II Exército, general Ednardo d'Ávila Melo, repetiu a farsa de suicídio, desta vez alegando enforcamento com um par de meias.

Geisel então demitiu Ednardo d'Ávila Melo. Em seu lugar, colocou Dilermando Monteiro, mais afinado com a abertura política do presidente.

* * *

Ângelo Arroyo usava o codinome Jota, vivia recluso em um aparelho do PCdoB em São Paulo e parecia não se perdoar por ter deixado os companheiros na mata. A defesa da guerrilha, muitas vezes, soava como necessidade de justificar o sacrifício heroico dos militantes no sudeste do Pará.

O ex-comandante da guerrilha fazia planos para novas tentativas de implantação de um movimento revolucionário. Pretendia usar a experiência no Araguaia para avançar na direção de uma guerra popular. A vida de Arroyo só fazia sentido se a luta continuasse. O homem enclausurado no bairro da Lapa, zona oeste da capital paulista, queria reassumir o quanto antes o papel de Joaquim.

Dentro do PCdoB, continuava o debate em torno da avaliação da guerrilha. As críticas encabeçadas por Pedro Pomar ganhavam força à medida que o tempo passava e ficava evidente o extermínio dos combatentes.

Os dirigentes começaram a preparar uma reunião da Executiva e do Comitê Central para dezembro de 1976. O encontro tinha o objetivo de discutir o Araguaia e, se possível, unificar a posição do partido.

CAPÍTULO 136

Arroyo não se conforma e busca áreas para nova guerrilha

CÓPIA DA DOCUMENTAÇÃO APREENDIDA NO APARELHO DO PC DO B DA RUA PIO XI/SP - DEZ 76

ANÁLISE DO PARTIDO SOBRE A GUERRILHA DO ARAGUAIA

"Camaradas

Na última reunião do CC foi apresentado um relato objetivo do trabalho de preparação da luta armada em várias regiões do BRASIL, após a reorganização do Partido. Deu-se particular atenção aos preparativos, desencadeamento e desenvolvimento da resistência armada no ARAGUAIA. Nesta reunião, se discutirá essa experiência.

A vontade de reorganizar a guerrilha levou Ângelo Arroyo a viajar para o oeste do Brasil à procura de novas áreas. Andou por Mato Grosso, Rondônia e Acre em fins de setembro e começo de outubro de 1976. Fez um minucioso levantamento sobre conflitos de terra, políticas e economias locais, topografia, efetivos militares, rios, jornais e problemas da população. Em um manuscrito, sugeriu a infiltração de militantes nas atividades de posseiro, fazendeiro, comerciante, médico, dentista, professor, vendedor e motorista de táxi.

Em novembro, passou de ônibus por Capim Grosso, Petrolina, Picos, Valença, Teresina, Bacabal, Santa Inês e Castanhal até chegar a Belém. Pegou um barco e gastou quatro dias até Manaus. Fez anotações sobre as principais cidades e as distâncias percorridas pelo rio Amazonas.

Ângelo Arroyo, o Joaquim, pretendia transmitir as informações aos camaradas na reunião da Executiva e do Comitê Central marcada para começar no dia 12 de dezembro.

CAPÍTULO 138

Dirigente de codinome Rui preocupa o Comitê Central

A ação implacável do aparato repressivo transformou a militância comunista em atividade de altíssimo risco. A realização de reuniões ficou cada vez mais difícil. Por segurança, a Executiva e o Comitê Central nunca se reuniam com todos os integrantes. Se caísse uma parte, a outra manteria a organização em atividade. Os participantes dos encontros usavam codinomes, embora muitos se conhecessem há décadas. Chegavam às casas de olhos vendados, conduzidos por um motorista do partido. A convocação se fazia pelo sistema de pontos, com antecedência, e sob cuidados especiais.

O Comitê Central tinha três remanescentes da velha guarda. João Amazonas, o Cid; Pedro Pomar, o Mário; e um terceiro de codinome Rui. Os outros eram de uma geração intermediária, a exemplo de Arroyo, ou dos mais jovens, como o cearense Sérgio Miranda, o Zecão, então com 29 anos. Havia ainda os egressos da AP.

A situação de Rui preocupava a direção. O veterano comunista negava-se a deixar o Rio, apesar das seguidas baixas sofridas pelo partido na região do II Exército. No segundo semestre de 1976, causou ainda mais apreensão ao deixar de comparecer a um ponto. Poderia estar preso.

Em novembro, no Rio, Zecão conseguiu encontrar Rui em uma *referência*, nome dado a lugares previamente marcados para uma segunda tentativa de encontro caso a primeira falhasse. Avisou da reunião da cúpula do partido, marcada para acontecer a partir do dia 12 de dezembro de 1976.

Rui confirmou presença.

Um depoimento cordial

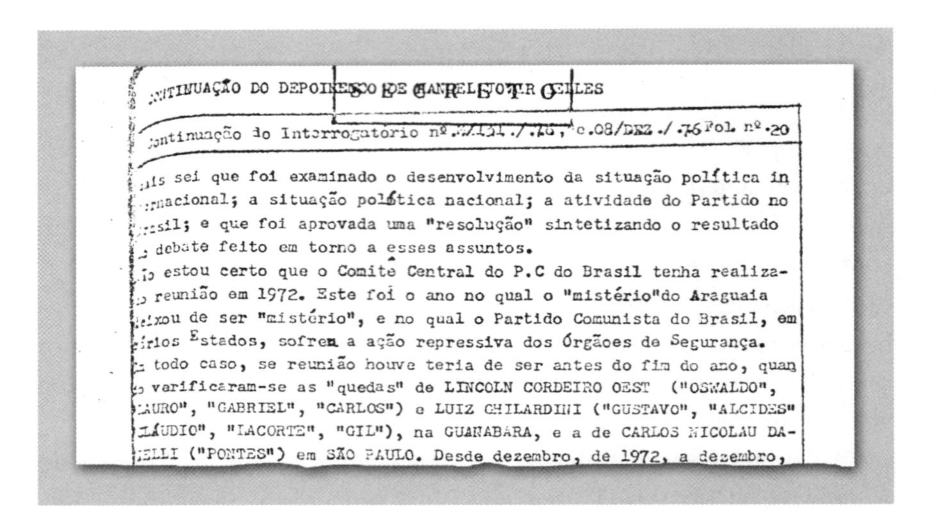
NTINUAÇÃO DO DEPOIMENTO DE MANOEL JOVER TELLES

ontinuação do Interrogatório nº [illegible], de 08/DEZ./76 Fol. nº 20

is sei que foi examinado o desenvolvimento da situação política in
rnacional; a situação política nacional; a atividade do Partido no
asil; e que foi aprovada uma "resolução" sintetizando o resultado
debate feito em torno a esses assuntos.
o estou certo que o Comitê Central do P.C do Brasil tenha realiza-
reunião em 1972. Este foi o ano no qual o "mistério" do Araguaia
ixou de ser "mistério", e no qual o Partido Comunista do Brasil, em
rios Estados, sofrem a ação repressiva dos Órgãoes de Segurança.
todo caso, se reunião houve teria de ser antes do fim do ano, quan
verificaram-se as "quedas" de LINCOLN CORDEIRO OEST ("OSWALDO",
AURO", "GABRIEL", "CARLOS") e LUIZ GHILARDINI ("GUSTAVO", "ALCIDES"
LÁUDIO", "LACORTE", "GIL"), na GUANABARA, e a de CARLOS NICOLAU DA-
ELLI ("PONTES") em SÃO PAULO. Desde dezembro, de 1972, a dezembro,

O gaúcho Manoel Jover Telles prestou depoimento a agentes da repressão no dia 8 de dezembro de 1976. Em tom cordial, fez um histórico do PCdoB e recordou o relato de Ângelo Arroyo sobre o Araguaia. Explicou as divergências dos dirigentes quanto à avaliação da guerrilha.

João Amazonas, Ângelo Arroyo e, um pouco menos, Haroldo Lima aceitavam a derrota no Pará, mas consideravam correto o caminho da guerra popular no campo para se chegar ao poder. Pedro Pomar classificava a iniciativa um erro por se tratar de um *foco*, mas concordava com os princípios gerais da luta armada para a deflagração de uma revolução comunista.

"Minha posição os senhores já conhecem: eu acho que a guerra não se justifica; a guerra popular no Brasil é inviável", afirmou Jover Telles.

Na opinião do depoente, guerras populares só vingavam em nações sob dominação estrangeira, quando faziam fronteiras com países interessados em colaborar com o movimento revolucionário ou, ainda, com a economia estagnada. O Brasil, ressaltou, não se enquadrava em nenhuma das três condições. Não tinha problemas com os vizinhos e, nos últimos anos, alcançara níveis de desenvolvimento sem precedentes.

Jover Telles encontrava-se preso no Rio. Nas declarações, fez duras críticas ao PCdoB. O partido errava ao tentar transplantar experiências estrangeiras para o Brasil, afirmou. Como exemplo, citou a guerrilha e lembrou, com desprezo, uma comparação feita por Arroyo entre as três investidas militares no Araguaia e as três campanhas de cerco enfrentadas por Mao Tsé-Tung durante a revolução chinesa.

"Basta, é demais!", exaltou-se o comunista arrependido.

O prisioneiro descreveu para os agentes a primeira reunião do Comitê Central com a participação de dirigentes provenientes da AP, realizada no final de 1974. Deu nomes e codinomes de todos. Entre eles, o procurado Ângelo Arroyo. Falou da existência de um aparelho do partido em São Paulo no qual se realizavam os encontros.

Em determinado momento da conversa, Jover Telles usou a expressão "nosso amigo" ao se dirigir a um dos interrogadores. Comunista desde a juventude, o depoente pertencia ao Comitê Central do partido. Na conversa com os homens da repressão, mostrou-se desanimado com a organização. Há quatro anos, disse, amadurecia a ideia de mudar de vida, afastar-se da política e dedicar-se mais à família.

No Comitê Central do PCdoB, Manoel Jover Telles usava o codinome Rui.

* * *

Um ofício do chefe do Estado-Maior do II Exército, general Carlos Xavier de Miranda, chega no dia 10 de dezembro de 1976 ao secretário de Segurança Pública de São Paulo, coronel Erasmo Dias. *Foi montada uma operação de informações; no curso das investigações, foram levantadas atividades subversivas de elementos condenados e sobejamente conhecidos por suas atuações junto ao PCdoB, tais como: Pedro Felipe Ventura de Araújo Pomar; Ângelo Arroyo; Aldo Arantes*, afirmou o documento.

* * *

A direção do partido incumbe Pedro Pomar de viajar para a Albânia e a China com a missão de relatar aos governos dos países amigos o fim dos combates no Araguaia. Dias antes da viagem, a mulher do velho militante fica gravemente enferma, com poucas chances de sobreviver. Pomar pede para João Amazonas fazer a viagem em seu lugar. O secretário-geral reclama um pouco, mas rende-se diante do argumento do camarada. Conseguem novos passaportes falsos e passagens aéreas às pressas.

CÓPIA DE DOCUMENTO APREENDIDO NO APARELHO DO PC DO B - SÃO PAULO - DEZ 76

RELATÓRIO DO CC/PC DO B SOBRE CONTATOS MANTIDOS NA ALBÂNIA E CHINA (1972 - 1973 ??)

1. Primeiros contatos na EUROPA, inclusive na ALBÂNIA, bastante frios, não revelando qualquer interesse pela visita, com perguntas sobre quais os objetivos da viagem etc. Após duas explicações exaustivas, convite feito para tratamento de saúde.

Amazonas tinha interesse em ficar no Brasil e presidir a reunião do Comitê Central. Concordava com as posições de Arroyo e, presente, teria mais condições de influenciar a decisão do partido. Na ausência do secretário-geral, a condução do encontro caberia a Pedro Pomar, de opinião contrária sobre o Araguaia.

Mesmo insatisfeito, Amazonas atendeu ao pedido do velho companheiro.

CAPÍTULO 139

Jover Telles, o Rui, vai ao aparelho do Comitê Central

CÓPIA DE DOCUMENTO APREENDIDO NO APARELHC
DO PC DO B - S. PAULO - Dez 76

\- REUNIÃO DO CC/PC do B EM 14 DEZ 1976 -

Participantes:

"MÁRIO"..............	PEDRO VENTURA DE ARAUJO POMAR
"JORGE"	ÂNGELO ARROIO
"ZÉ ANTÔNIO"	HAROLDO RODRIGUES DE LIMA
"DIAS"	ALDO DA SILVA ARANTES
"OLIVEIRA"...........	MANOEL JOVER TELLES
"MARIA"	ELSA DE LIMA MONERAT
"VALTER".............	WLADIMIR VENTURA TORRES POMAR
"EVARISTO"	JOÃO BATISTA FRANCO DRUMOND
"MANOEL"	RAMIRO DE DEUS BONIFÁCIO

Três dias depois de depor no Rio, Jover Telles encontra-se em um aparelho do PCdoB em São Paulo para participar da reunião da Comissão Executiva e do Comitê Central. No papel de Rui, soube na véspera que João Amazonas não estaria presente. Quer saber a razão e ouve a explicação de Pedro Pomar, que, assim como Maurício Grabois, já morto, usava o codinome de "Mário".

Jover Telles iniciou a participação no movimento comunista nas lutas de mineiros do Rio Grande do Sul, na década de 1940. Entrou cedo para a cúpula do antigo PCB e saiu para formar o PCBR, Partido Comunista Brasileiro Revolucionário, junto com Mário Alves, Jacob Gorender e Apolônio de Carvalho. Passou para o PCdoB. Ficou conhecido como *Príncipe Espanhol* pela elegância e pela ascendência castelhana.

Rui nada diz aos camaradas sobre sua prisão no Rio dias antes. Como todos os outros, chegou de olhos vendados. Apenas o motorista e Elza Monerat sabem o endereço.

Noite de 11 de dezembro de 1976. Encontram-se na casa Ângelo Arroyo, o Jota, ou Joaquim; Haroldo Lima, o Zé Antônio; Aldo Arantes, o Dias; Pedro Pomar, o Mário; e Rui; além do motorista, Joaquim Celso de Lima, o Jaques, e da mulher dele, Maria Trindade, a Mara. O casal se passa por empregados de Elza Monerat, a Maria, e João Amazonas, o Cid. Jota também mora no aparelho, alugado pelo partido na rua Pio XI, 767, Lapa.

Nos dois primeiros dias, 12 e 13 de dezembro, reúne-se a Comissão Executiva para preparar o encontro do Comitê Central marcado para 14 e 15. Outros companheiros ainda chegariam.

* * *

O general Carlos Xavier de Miranda escreve outro ofício para Erasmo Dias no dia 14 de dezembro: *O DOI-CODI realizará no dia 16 do corrente uma operação urbana visando a detenção de militantes do PCdoB, que se encontram homiziados na casa sita à Rua Pio XI, n. 767, bairro da Lapa, nesta cidade. Em consequência, solicito providências no sentido de que a partir das 6h do dia 16 de dezembro de 1976 seja montado um esquema de segurança, com a finalidade de tranquilizar os moradores vizinhos da citada residência e os transeuntes, bem como seja o trânsito desviado das proximidades do local onde será realizada a operação.*

* * *

Mário chamou Zé Antônio na noite do dia 13 para conversar com Rui sobre a situação no Rio. Queriam também saber a razão das sucessivas falhas nos pontos. Manifestaram curiosidade a respeito de como o companheiro pagava as despesas sem apoio do partido.

As respostas de Rui saíram na ponta da língua. Não havia razão para preocupações com ele no Rio. Usava um lugar totalmente seguro, o *dispositivo da Titia*. Em relação aos pontos, tinha comparecido a todos, mas não encontrou o contato. Talvez tivesse ocorrido alguma confusão de horário, justificou. A explicação do *Príncipe Espanhol* para a sobrevivência à margem do PCdoB surpreendeu os dois interlocutores:

"Consegui uns romances pornográficos para fazer e dá para o sustento", afirmou Rui.

"Romances pornográficos?", perguntou Zé Antônio, espantado.

"É, romances pornográficos, sacanagem pura. Era o que tinha para fazer e não pensei duas vezes."

Zé Antônio questionou se o *dispositivo da Titia* não era conhecido de Frutuoso, militante do partido capturado pela repressão em 1975. Rui respondeu que sim, mas depois de tanto tempo sem cair, o aparelho com certeza não havia sido entregue pelo companheiro preso. Mário e Zé Antônio não gostaram do que ouviram. Reclamaram pelo fato de o partido não ter sido avisado. Mas, como sempre, Rui falou com firmeza e a conversa acabou.

Para o encontro do Comitê Central, ainda chegaram Jorge, Evaristo, Valdir e Maria, responsável pela condução de todos até o aparelho. Na manhã do dia 14, os nove integrantes da cúpula do PCdoB iniciaram as discussões sobre o Araguaia.

Primeiro falou Jota. Fez uma longa defesa da guerrilha e propôs a seleção de novas áreas para a luta armada. O segundo foi João Batista Franco Drummond, o Evaristo.

"O Araguaia foi um erro de estratégia política e militar", afirmou, em defesa da avaliação de Pedro Pomar.

"Foi uma estupidez, foi um erro colossal, seja do ponto de vista político, seja do ponto de vista militar", definiu Rui, terceiro a falar.

A agressividade surpreendeu os camaradas. Nunca o *Príncipe Espanhol* havia falado com tanta veemência sobre o assunto. Desta vez, foi além e ainda pediu que fosse tomada decisão imediata a respeito da guerrilha. O dirigente Wladimir Pomar, o Valdir, filho de Pedro, reafirmou a avaliação de que o movimento foi foquista, militarista, voluntarista e sem base popular. Quando atacados, os combatentes deveriam ter fugido e retomado o trabalho de massas.

O partido continuava dividido, constatou Zé Antônio ao se dirigir aos companheiros. Achou inviável conseguir militantes suficientes para o partido iniciar outra experiência armada, mas discordou também da proposta feita por Rui de se tomar uma decisão imediata sobre o assunto.

A voz severa de Maria levantou-se no fim da tarde para defender a guerrilha.

"Nós não podemos trair os companheiros que morreram no Araguaia. É muito fácil, daqui, sem haver passado pela experiência prática da luta, criticar os erros, falar que deveria ter sido feito de um jeito ou de outro, que se deveria ter recuado."

A velha comunista discordou da avaliação de que não havia base de massas. Voltou a falar do apoio de 90% da população, fundamental na sobrevivência dos combatentes enquanto durou a luta. A reunião foi encerrada e retomada no dia seguinte.

Dias condenou a guerrilha, Jorge também e ainda foi contra a tomada de posição imediata. Mário fechou a discussão depois de rápida consulta sobre a proposta de Rui, defensor da realização de votação imediata sobre a questão do Araguaia e da preparação de novas frentes de luta armada.

O Comitê Central deixou para o futuro a decisão sobre o Araguaia.

* * *

Os dirigentes do PCdoB, em dupla e de olhos vendados, começaram a deixar a rua Pio XI na noite de 15 de dezembro. Os primeiros a sair foram Wladimir Pomar, o Valdir, e João Batista Franco Drummond, o Evaristo, acompanhados do motorista Jaques e de Elza Monerat, a Maria, responsáveis pela vigilância. Os homens do DOI-CODI prenderam Valdir na mesma noite. Evaristo apareceria morto no dia seguinte. Jaques e Maria voltaram e pegaram Haroldo Lima, o Zé Antônio, e Aldo Arantes, o Dias. Os dois comunistas vindos da AP também acabaram capturados depois de deixar o carro. Na madrugada do dia 16, por volta das cinco horas, foi a vez de Rui e Jorge serem retirados do aparelho. Desta vez caíram os quatro. Depois de deixar a dupla, Jaques e Maria também foram presos.

Na casa da Lapa ficaram a cozinheira Mara, Ângelo Arroyo, o Jota, e Pedro Pomar, o Mário.

CAPÍTULO 140

Dois mortos, lado a lado

COMPANHIA DA MEMÓRIA

Angelo Arroyo e Pedro Pomar: trágico fim no "aparelho" da Lapa

O barulho de porta arrombada e vidros quebrados assustou a gaúcha Mara. A dedicada militante não teve tempo para nada. Viu, na mesma hora, o corpo de Jota projetar-se para cima sob o impacto de uma saraivada de balas. Sentado na sala, Mário levantou-se e andou às pressas na direção do quarto. Antes de chegar à metade do caminho, caiu, atingido por tiros nos braços, nas pernas e no peito.

Mara reconheceu estampidos de revólveres, rajadas de metralhadoras e o estrondo de uma granada. Os agentes entraram e prenderam a única sobrevivente da casa 767.

Na casa da rua Pio XI, os corpos de Ângelo Arroyo e Pedro Pomar ficaram estirados no chão. A cena traduziu com perfeição a trágica história do PCdoB no Araguaia. Lado a lado, tombaram as duas posições divergentes sobre a guerrilha.

As execuções do dia 16 de dezembro de 1976 ficaram conhecidas como "Chacina da Lapa".

* * *

O DOI-CODI de São Paulo tinha uma lista de codinomes de Elza Monerat, a veterana comunista responsável por levar guerrilheiros para o Araguaia. Nos dias 12, 13, 14 e 15 de janeiro de 1977, a Turma de Interrogatório Preliminar C colheu um longo depoimento da militante presa no dia da Chacina da Lapa.

Elza contou como conduziu os dirigentes do partido para a reunião do Comitê Central. A velha senhora tornara-se responsável pelo aparelho da Lapa desde o início de 1973, segundo contou. A maior parte das declarações tratou da guerrilha. A dirigente do PCdoB falou sobre os militantes levados por ela para o Araguaia por indicação de Carlos Danielli. Saíam de um aparelho localizado na Granja Julieta, região de Santo Amaro. Relatou também a viagem feita com Rioko Kayano e Eduardo José Monteiro Teixeira, quando soube da presença do Exército na área, e o encontro com João Amazonas na rodoviária de Anápolis.

Descreveu as rotas usadas para chegar ao sudeste do Pará e comentou a reunião realizada no final de 1971 com a presença de Maurício Grabois. Cinco comandantes discutiram a remoção da militante Lúcia Regina Martins de Souza para tratar de grave doença em Anápolis.

A comunista referiu-se à fuga de Lúcia Regina do hospital e narrou episódios sem importância. Os militares quiseram saber a identidade dos combatentes. A velha senhora deu 34 nomes, alguns falsos. De todos, apenas um conseguiu escapar da caçada empreendida pela ditadura: Michéas Gomes de Almeida, o Zezinho.

PARTE VI

O PÓS-76, DA DERRUBADA DO PCdoB NA LAPA

CAPÍTULO 141

Depois da chacina, o silêncio

Os brasileiros pouco souberam sobre a guerrilha nos anos seguintes à luta no Araguaia. O governo impôs a lei do silêncio e a imprensa quase nada publicou sobre o assunto. Apenas alguns familiares conheciam o destino dos militantes do PCdoB enviados ao sudeste do Pará, pelos relatos dos prisioneiros sobreviventes, apanhados no início dos combates.

A falta de informações alimentava a expectativa da chegada dos parentes perseguidos pela ditadura.

As notícias eram esparsas, imprecisas e não havia menção a corpos. Os camponeses e moradores das cidades e dos vilarejos próximos à área de guerrilha tinham medo dos militares e dos informantes remanescentes. O governo federal negava a existência do movimento armado.

O PCdoB tentava se reorganizar depois da queda do último sobrevivente foragido da guerrilha, Ângelo Arroyo, e do dirigente Pedro Pomar, no episódio conhecido como "Chacina da Lapa". José Genoino Neto saiu da cadeia em abril de 1977 e divergiu da análise sobre o Araguaia predominante na cúpula do partido. Em pouco tempo deixou a organização.

Nem todos os presos do Araguaia retomaram os vínculos com o PCdoB depois de libertados. Dagoberto Alves da Costa, Luzia Reis Ribeiro, Eduardo José Monteiro Teixeira e Danilo Carneiro tocaram a vida distantes da antiga militância. Separados uns dos outros, apoiados pelas famílias ou so-zinhos em algum rincão do País, lutavam para superar as sequelas físicas e os traumas psicológicos sofridos nas prisões.

Jornais pequenos, grandes notícias

Os homens da área de informação envolvidos na morte e no desaparecimento de inimigos do regime permaneciam em luta contra a subversão. Resistiam à abertura política negociada pelo presidente Geisel e davam sustentação à linha-dura. Trabalhavam pela escolha do ministro do Exército, Sylvio Frota, para suceder Geisel no Palácio do Planalto; e brigavam contra o nome do chefe do Serviço Nacional de Informações, general João Baptista Figueiredo, preferido do chefe do Gabinete Civil, o general Golbery do Couto e Silva.

Ernesto Geisel demitiu Frota em outubro de 1977 e impôs o nome de Figueiredo à cúpula militar. A linha-dura sentiu-se traída e acusou o governo de tolerância com a subversão.

Enviado pela ditadura para administrar o garimpo de Serra Pelada, no sudeste do Pará, Sebastião Rodrigues de Moura, antes chamado de Doutor Luchini, adotou o apelido de Major Curió. Curió, na Operação Sucuri, era a denominação de major no dialeto inventado pelos militares. O ex-adjunto montou um exército particular e dominou a região pela força. Usava os ex-guias como tropa de choque. Os militares que o apoiavam davam suporte às atividades diante do garimpo.

João Baptista de Oliveira Figueiredo assumiu a Presidência da República no dia 15 de março de 1979 e manteve o general Golbery do Couto e Silva no Gabinete Civil. Nomeou Petrônio Portella ministro da Justiça e articulador político junto ao Congresso e à sociedade civil. Os dois auxiliares assumiram a condução do processo lento e gradual de distensão política.

O Congresso aprovou em agosto de 1979 a Lei da Anistia, decisão responsável pela libertação dos presos em território nacional e pela volta dos exilados ao Brasil. As famílias de seis dezenas de militantes do PCdoB aguardavam a chegada dos parentes envolvidos na luta contra o regime e eles nunca voltaram.

As notícias sobre a guerrilha apareceram aos poucos na imprensa alternativa. O *Coojornal*, de Porto Alegre, e o *Movimento*, de São Paulo, apresentaram em julho de 1978 as primeiras reportagens, feitas por um grupo de repórteres de grandes veículos de comunicação. A editora paulista Alfa-Ômega publicou em agosto do mesmo ano uma revista de 78 páginas com o resultado de seis anos de apurações dos jornalistas Palmério Dória, Vincent Carelli, Sergio Buarque e Jaime Sautchuk — os mesmos responsáveis pelo material divulgado nos jornais alternativos. Mais elaborado, o trabalho mostrou depoimentos de camponeses, fazendeiros, bate-paus, padres, bispos, índios, militares e uma entrevista do ex-guerrilheiro José Genoino Neto.

Em 1979, o jornalista Fernando Portella fez uma série de reportagens para o *Jornal da Tarde* e entrevistou militares, moradores, ex-guerrilheiros e religiosos. O trabalho originou um livro lançado no mesmo ano.

Uma bomba no colo do sargento

Em agosto de 1980, o advogado de presos e desaparecidos políticos Luiz Eduardo Greenhalgh recebeu, no interior de Goiás, um envelope pardo com mais de 30 fotos dos combates no Araguaia. As imagens revelaram cenas de movimentação de tropas e corpos não identificados.

Uma caravana de familiares percorreu a região do confronto em outubro do mesmo ano. Traumatizados e amedrontados pela presença de militares na área, os moradores resistiam em dar informações. Um lavrador entregou ao advogado paraense Paulo Fontelles uma lata de leite em pó cheia de documentos de guerrilheiros desaparecidos. Ele encontrou o material quando arava a terra.

O avanço da abertura política provocou a reação dos representantes da linha-dura. Uma sequência de atentados atingiu bancas de revistas, a Câmara Municipal do Rio de Janeiro e a sede da Ordem dos Advogados do Brasil — onde morreu a secretária do presidente da entidade. Uma bomba explodiu dentro do carro ocupado por um sargento e um capitão do Exército ao lado do Riocentro, onde se realizava um show de música popular na noite de 30 de abril de 1981. O sargento morreu. As evidências indicam que o alvo eram os milhares de jovens reunidos no centro de convenções. A bomba teria explodido antes por "acidente de trabalho".

Os advogados Luiz Eduardo Greenhalgh e Luís Carlos Sigmaringa Seixas representaram os familiares de 22 desaparecidos no Araguaia em uma ação protocolada em fevereiro de 1982, na Seção Judiciária do Distrito Federal. Reivindicaram do Estado o direito de enterrar os mortos no confronto. Juntaram ao processo as fotografias do envelope pardo e os documentos da lata de leite em pó.

O governo militar ainda não reconhecia a existência do movimento armado no Araguaia.

Discussão no PCdoB: quem delatou?

O 6º Congresso do PCdoB, em 1982, aprovou uma análise da guerrilha na linha defendida por Ângelo Arroyo, diferente da avaliação de Pedro Pomar, pouco antes de morrer na Lapa, e pelo filho Wladimir. No documento, o partido reafirmou a luta armada como instrumento necessário para a conquista do socialismo.

Dois anos depois, o PCdoB publicou a revista *Guerrilha do Araguaia* pela editora Anita Garibaldi. O material divulgado em cem páginas incluiu o *Relatório Arroyo*, texto assinado por João Amazonas, entrevista de Elza Monerat, pequenas biografias dos combatentes mortos, poesias e cartas dos militantes.

Perdurou dentro do partido uma divergência sobre como os militares descobriram a guerrilha. Ângelo Arroyo atribuiu a delação ao cearense Pedro Albuquerque, fugitivo do Destacamento C em junho de 1971 e preso no início do ano seguinte em Fortaleza. Elza Monerat acusou Lúcia Regina (mulher de Lúcio Petit, o Beto), que abandonou um hospital em Anápolis no final de 1971 depois de viver mais de um ano no Destacamento A. Pela versão da velha comunista, a desertora teria falado sobre a preparação da guerrilha para a família e esta para o Exército.

Começa a queima de arquivos

Ao final do mandato de Figueiredo, último presidente da ditadura militar, os chefes dos serviços secretos das Forças Armadas ordenaram a destruição dos arquivos referentes ao confronto no Pará. Os responsáveis pelas mortes e torturas temiam revanchismo por parte dos novos governantes.

Uma reportagem assinada pelo jornalista Raymundo Costa na edição do dia 4 de setembro de 1985 da revista *IstoÉ* tornou públicas as fotos dos combates entregues ao advogado Greenhalgh. O texto revelou o ferimento em combate do tenente Álvaro de Souza Pinheiro, filho do general Ênio dos Santos Pinheiro, e limitou em no máximo quatro mil o número de militares envolvidos na maior mobilização de tropas contra a guerrilha do PCdoB.

Três corpos não identificados apareceram em uma das imagens divulgadas pela revista. Só em 2003 — com a revelação de parte dos documentos deste livro — se soube que um deles seria de João Carlos Haas Sobrinho. Na mesma edição, *IstoÉ* contou como o jornalista Ronaldo Duque e a fotógrafa Paula Simas pesquisavam e coletavam material para a produção de um documentário sobre a guerrilha.

Os militares ligados aos organismos de informação perderam espaço durante o governo José Sarney. O ministro do Exército, Leônidas Pires Gonçalves, defendeu os militares das tentativas de revanchismo da esquerda, mas evitou a nomeação de homens envolvidos na guerra contra a subversão para postos relevantes. Muitos agentes foram transferidos para quartéis longe dos grandes centros para não chamar a atenção da opinião pública.

Logo depois de assumir a Presidência da República, Fernando Collor de Mello ordenou a destruição das fichas dos oposicionistas do regime militar feitas pelo SNI. Produzida como jogada de *marketing*, a orientação deu aos serviços secretos uma motivação formal para nova queima de arquivos da ditadura.

O texto *Relato de um Guerrilheiro*, escrito pelo ex-combatente Glênio Sá e publicado pela editora Anita Garibaldi em 1990, narrou a preparação da luta, o enfrentamento contra os inimigos, a experiência de viver perdido na mata, a prisão e as torturas nos cárceres da ditadura.

Em setembro de 1990, por ocasião da descoberta da vala clandestina no cemitério Dom Bosco, em Perus, a Câmara Municipal de São Paulo instaurou uma Comissão Parlamentar de Inquérito com o objetivo de apurar a origem e a responsabilidade sobre as ossadas e investigar a situação dos demais cemitérios da cidade. Os 1.049 restos mortais de pessoas enterradas como indigentes estavam em sacos plásticos sem identificação. Exumados em 1975, foram deixados na sala de velórios do próprio cemitério por quase um ano e depois devolvidos à vala comum.

Alguns desaparecidos políticos foram identificados, entre eles Sônia Angel e Frederico Eduardo Mayr. Ao fim das investigações, os relatores da CPI exigiram também a investigação sobre os guerrilheiros desaparecidos no Araguaia.

Em 1991, por determinação da CPI, a Comissão Justiça e Paz, acompanhada por advogados e familiares, coordenou uma escavação no cemitério de Xambioá, onde populares apontavam o local em que estariam os corpos dos ex-guerrilheiros.

Dois corpos foram exumados. Um foi encontrado com a cabeça envolta em um saco plástico. Depois de manipulado pelo legista Badan Palhares, foi colocado em um saco plástico e devolvido à terra. O outro, segundo Elza Monerat, acompanhante da Comissão e ex-dirigente do PCdoB, seria de Francisco Chaves.

Ex-piloto relata queima de corpos

O repórter Ronaldo Brasiliense, do *Jornal do Brasil*, conheceu os arquivos secretos do Major Curió no primeiro semestre de 1992. Junto com o chefe da sucursal de Brasília, Etevaldo Dias, publicou a partir de 22 de março uma série de informações inéditas sobre a guerrilha.

Sem mostrar as cópias dos documentos sigilosos, as reportagens do *JB* apresentaram uma espécie de balanço da luta contra os comunistas. Referem-se a uma mobilização máxima de 3.200 homens para combater 92 guerrilheiros. Entre os militares registraram 16 mortos, dez feridos e um desaparecido — sem citar nomes.

Um dos documentos atribuiu a Pedro Albuquerque as primeiras pistas obtidas pela repressão sobre a área de treinamento de guerrilha no Pará. As informações relacionadas ao movimento esquerdista chegavam ao ministro do Exército, general Orlando Geisel, ao ministro-chefe do Gabinete Militar, general Hugo Abreu, e ao presidente da República, Emílio Garrastazu Médici.

O material revelou as operações fracassadas e a rede de informantes infiltrados pelo CIE entre os moradores na última fase do confronto.

A Câmara dos Deputados instaurou, em 1992, uma Comissão Externa destinada a ajudar na localização dos desaparecidos durante a ditadura. O grupo parlamentar fez viagens e audiências públicas para ajudar na reconstituição dos fatos escondidos pelo regime militar.

A história ganhou mais um impulso em 1993 com o livro *Xambioá — Guerrilha no Araguaia*, ficção baseada na experiência real vivida pelo coronel reservista da Aeronáutica Pedro Corrêa Cabral. Na patente de capitão, pilotou um helicóptero na última fase do confronto.

A obra de Cabral referiu-se pela primeira vez à queima de corpos de guerrilheiros na Serra das Andorinhas.

A revista *Veja* entrevistou o ex-piloto e publicou reportagem assinada pelo jornalista Rinaldo Gama na edição de 13 de outubro de 1993. O militar confirmou a execução de militantes do PCdoB depois de presos.

Ainda em 1993, o ministro da Justiça, Maurício Correia, pediu às Forças Armadas os relatórios sobre os 144 brasileiros desaparecidos. Sobre a guerrilha, a Marinha informa as datas das mortes de quase todos os guerrilheiros. Embora haja a informação sobre inexistência de arquivos, as informações "parciais" foram registradas até 1991.

Coronel revela uso de napalm

Um artigo escrito em 1995 pelo então coronel Álvaro de Souza Pinheiro apresentou pela primeira vez uma versão militar sobre a guerrilha — com autorização do Ministério do Exército. Divulgado pela edição brasileira da *Air Power Journal*, o texto "Guerrilha na Amazônia: uma Experiência no Passado, o Presente e o Futuro" fez um histórico das lutas na região Norte do Brasil e expôs os erros de estratégia cometidos pelas Forças Armadas.

Ferido em combate, Álvaro Pinheiro teve acesso privilegiado às informações oficiais sobre o confronto. O artigo mostrou a estrutura montada pelos comunistas e revelou o uso de napalm durante o confronto. Os militares, descaracterizados, passavam-se por policiais federais para não envolver as Forças Armadas com as últimas missões executadas no Araguaia.

O texto ignorou as mortes dos dois lados, omitiu as execuções de prisioneiros e não tratou do destino dado aos corpos. Hoje ele não comenta o assunto.

Um pacote de documentos inéditos sobre a guerrilha do Araguaia obtido por *O Globo* com a filha de um militar da reserva originou uma série de reportagens publicadas entre abril e julho de 1996. O material incluiu fichas com nomes e datas das mortes de combatentes, fotos e relatórios sobre as operações.

Os jornalistas Adriana Barsotti, Amaury Ribeiro Jr., Ascânio Seleme, Aziz Filho, Cid Benjamin, Consuelo Dieguez, Daniel Hessel Teich, Florência Costa, Letícia Helena, Maria Lima, Marta Barcellos, Mônica Gugliano e Ricardo Miranda assinaram as reportagens, que contêm análises dos registros oficiais e entrevistas com os moradores, ex-guerrilheiros e parentes. É um dos mais reveladores trabalhos sobre o movimento armado no Araguaia.

Uma das fotos exibidas por *O Globo* permitiu a descoberta do corpo da guerrilheira Maria Lúcia Petit, identificada em 1996. A ossada foi encontrada com um saco plástico na cabeça e devolvida à terra em 1991. Em 1993 foi novamente retirada. Era a única identificada, por antropologia, até março de 2005.

Em paralelo, a comissão de Direitos Humanos da Câmara dos Deputados e a Comissão de Desaparecidos Políticos seguiram com familiares, antropólogos forenses argentinos e a Polícia Federal para a área de guerrilha. Retiraram da reserva indígena Suruí restos de pernas de duas pessoas, nove dentes e projéteis. Deixaram lá ainda alguns restos mortais. Ainda não foi possível realizar a extração do DNA. Elas estão armazenadas, na expectativa de que o avanço na ciência possibilite a identificação.

A Comissão Especial dos Mortos e Desaparecidos Políticos tem a guarda das três ossadas que possivelmente são de militantes de esquerda mortos no Araguaia. Duas delas não estão completas; são fragmentos de ossada. Os peritos argentinos identificaram-nos por X1, X2, X3. A de João seria a chamada X2.

Os peritos da Universidade de Buenos Aires fizeram o confronto do material genético com familiares de João Carlos Haas Sobrinho e o resultado foi negativo. Agora, a equipe inicia o confronto com o material genético de outros familiares, apontados como possibilidade de identificação pelo relatório da equipe do antropólogo Luis Fondebrider.

Arquivo de general guardava carta de Grabois

Seis anos de pesquisa do historiador Romualdo Pessoa Campos Filho, da Universidade Federal de Goiás, originaram o livro *Guerrilha do Araguaia – A Esquerda em Armas*, publicado em 1997 pela editora UFG. Com rigor acadêmico, o autor apresentou uma obra baseada em documentos e, principalmente, entrevistas inéditas com moradores da região e ex-guerrilheiros. Realizou um estudo profundo sobre as inspirações teóricas e referências históricas adotadas pelo PCdoB na implantação da guerrilha. O livro apresentou as divergências internas do partido na avaliação da iniciativa armada.

O historiador conheceu Michéas Gomes de Almeida, o Zezinho, ex-guerrilheiro clandestino desde 1974, ano em que fugiu da região do confronto com o dirigente Ângelo Arroyo, o Joaquim. O ex-combatente vivia em São Paulo com nome falso e decidiu aparecer depois de ver na televisão as repercussões das reportagens de *O Globo*.

O jornal divulgou mais documentos em 1998, quando o repórter Amaury Ribeiro Jr. teve acesso aos arquivos do general Antônio Bandeira sobre os combates. Entre os papéis estava a carta escrita para o partido, no final de 1972, por Maurício Grabois.

O então deputado Nilmário Miranda, futuro secretário dos Direitos Humanos no governo Lula, escreveu o livro *Dos Filhos Deste Solo* juntamente com o jornalista Carlos Tibúrcio em 1999, resultado de oito anos de investigações parlamentares sobre mortes e desaparecimentos durante a ditadura. As 650 páginas traçam um histórico das organizações perseguidas pelo regime militar e incluem pequenas biografias das vítimas. Entre elas, os 59 combatentes do PCdoB tombados no Araguaia.

Um indício de sumiço de preso

Em 2001, formou-se o primeiro grupo parlamentar específico para apurar as questões pertinentes à Guerrilha do Araguaia sob a coordenação de Luiz Eduardo Greenhalgh. Logo a equipe começou a ter dificuldades em obter informações sobre o paradeiro dos corpos retirados de Xambioá. Depois de algumas tentativas frustradas, o deputado recebeu a informação de que existiam três caixas de papelão contendo ossadas na sede da Polícia Federal, em Brasília. Uma tinha a inscrição "X2"; as outras, "devolver ao Cemitério".

O Ministério da Justiça negou o pedido de transferência dos restos mortais para o IML, e as fichas antropológicas cedidas pelas famílias também tiveram destino ignorado; nenhum legista brasileiro foi acionado para investigar os corpos retirados.

O relatório da equipe argentina aponta João Carlos Haas como primeira possibilidade de identificação para a ossada X2 e indica, na sequência, outros nomes para o mesmo corpo. Incoerentemente coloca pessoas de características físicas totalmente diferentes umas das outras: Bergson Gurjão Farias, Manuel José Nurchis, Idalísio Soares Aranha, Kleber Lemos e Antônio Carlos Monteiro Teixeira.

No mesmo ano, Pedro Corrêa Cabral seguiu com o grupo de trabalho para a região. Confirmou as informações sobre os corpos desenterrados e queimados, mas não encontrou o local. E afirmou nada saber sobre corpos enterrados em cemitérios e depois desenterrados pela Operação Limpeza.

Em 23 de março de 2001, na audiência pública da Comissão, forneceu detalhes sobre a Operação Limpeza e falou sobre a execução de guerrilheiros por uma patrulha comandada pelo Doutor Luchini, o Major Curió.

Na segunda quinzena de julho de 2001, o jornalista Euler Belém mostrou no *Jornal Opção*, de Goiânia, uma foto do guerrilheiro Daniel Ribeiro Callado, preso ao lado do sargento João Santa Cruz. A imagem indica a responsabilidade do Exército no desaparecimento de militantes apanhados vivos.

A *Folha de S. Paulo* publicou no dia 19 de agosto de 2001 uma reportagem sobre a Operação Sucuri. O chefe da Sucursal de Brasília, Josias de Souza, teve acesso aos documentos produzidos pelo CIE sobre a infiltração de militares entre a população do Araguaia a partir de maio de 1973. Os papéis tinham nomes e codinomes de 32 militares destacados para a missão secreta.

Erros primários de guerrilheiros e militares

Uma série de reportagens do *Correio Braziliense* a partir de 28 de novembro de 2001 apresentou o testemunho de dezenas de moradores do Araguaia sobre a guerrilha. Muitos sofreram torturas, outros perderam parentes. O agricultor Cícero Pereira Gomes, ex-mateiro do Exército, contou como um caboclo matou e cortou a cabeça de Adriano Fonseca Filho, combatente do PCdoB, a mando de um militar.

O Ministério Público Federal divulgou em janeiro de 2002 um relatório sobre investigações conduzidas pelos procuradores Marlon Alberto Weichert, Guilherme Zanina Schelb, Ubiratan Cazetta e Felício Pontes Jr. Os quatro colheram depoimentos de 55 moradores do Araguaia e produziram um levantamento consistente sobre o sofrimento imposto à população pelos militares.

O documento chamou a atenção para as humilhações sofridas nas bases do Exército por camponeses e pequenos comerciantes acusados de colaboração com a guerrilha. Muitos morreram em consequência de torturas.

Dois militares ligados à comunidade de informações trataram da Guerrilha do Araguaia em livros. Em 2001, o general Agnaldo Del Nero Augusto escreveu *A Grande Mentira*, editado pela Biblioteca do Exército, longo histórico sobre as tentativas da esquerda brasileira de chegar ao poder. Teve acesso a documentos secretos do Araguaia e forneceu detalhes das operações.

Em 2002, o coronel Aluísio Madruga de Moura e Silva publicou *Guerrilha do Araguaia — Revanchismo — A Grande Verdade.* O livro fez uma análise do movimento comunista no Brasil, mostrou as divisões internas das organizações inimigas do regime militar e narrou as investidas militares contra o PCdoB. O autor atuou na Operação Sucuri como um dos coordenadores dos agentes infiltrados na região.

Os livros escritos por Del Nero e Madruga não esclarecem as circunstâncias das mortes nem a localização dos corpos.

A Guerrilha do Araguaia mereceu 66 páginas no livro *A Ditadura Escancarada*, segundo volume de *As Ilusões Armadas*, escrito pelo jornalista Elio Gaspari e editado pela Companhia das Letras. O autor fez um cuidadoso trabalho de cruzamento de todas as informações publicadas sobre o confronto armado no Pará, entrevistou sobreviventes e contou bastidores inéditos do acompanhamento feito pelo Palácio do Planalto.

Gaspari destacou os erros primários cometidos por guerrilheiros e militares. Extraiu os trechos mais importantes dos depoimentos prestados ao Ministério Público e narrou as circunstâncias das mortes de muitos guerrilheiros.

No terceiro volume, *A Ditadura Derrotada*, publicado em 2003, Gaspari revelou o diálogo reproduzido no capítulo 121 deste livro.

Regina se defende 30 anos depois

A ação dos familiares dos desaparecidos tramitou pelos tribunais de Brasília por mais de 20 anos até julho de 2003, quando a juíza federal Solange Salgado determinou a quebra de sigilo de todas as informações oficiais relativas à guerrilha. Na sentença, a magistrada intimou todos os militares envolvidos no confronto contra o PCdoB.

O então ministro da Defesa, José Viegas, afirmou não existirem documentos sobre a Guerrilha do Araguaia nos arquivos das Forças Armadas. A União recorreu da decisão da juíza e o presidente Luiz Inácio Lula da Silva nomeou uma comissão interministerial para investigar a existência de informações oficiais a respeito dos combates no Pará.

Uma série de reportagens publicadas pelo *Correio Braziliense* a partir do dia 27 de julho de 2003 contestou a versão oficial com a divulgação de farta documentação — em grande parte inédita — produzida pelos organismos de informação da ditadura. Guardados por um militar interessado em preservar a história do Brasil, os papéis chegaram ao jornal pelas mãos da pesquisadora Taís Morais, coautora deste livro.

As reportagens mostraram as declarações prestadas sob tortura pelos militantes Pedro Albuquerque, José Genoino Neto, Rioko Kayano, Danilo Carneiro e Eduardo José Monteiro Teixeira. Os papéis de Taís Morais, divulgados pelo *Correio*, incluíram ainda informações inéditas sobre a Operação Marajoara, a missão responsável pelo extermínio do movimento armado desencadeada em outubro de 1973.

Um longo depoimento prestado pelo coronel Lício Augusto Ribeiro ao jornalista Luiz Maklouf Carvalho tornou pública a participação do major Nilton Cerqueira no confronto. Veterano em missões de repressão, Cerqueira tornara-se conhecido nas Forças Armadas por matar Carlos Lamarca no sertão da Bahia. Publicadas em livro pela editora Objetiva, as declarações mostraram os bastidores dos combates na selva e apresentaram os oficiais mais envolvidos na caçada aos militantes do PCdoB.

Maklouf reproduziu também os principais trechos da entrevista concedida por Lúcia Regina Martins de Souza em 2002 aos estudantes Ana Carolina Almirón, Maria Cláudia Calaf Zucare, Mariana Morais Leite e Rafael Oliveira Andrade, da Faculdade de Comunicação Social Cásper Líbero, de São Paulo.

Sob a acusação de Elza Monerat de revelar a localização da guerrilha aos militares, Regina ficou 30 anos sem falar a respeito. Aos estudantes, disse nunca mais ter sido procurada pelo PCdoB e negou qualquer tipo de colaboração com a repressão depois da fuga do hospital de Anápolis. Quando foi presa, no segundo semestre de 1974, o movimento armado encontrava-se dizimado.

Ronaldo Duque terminou o filme sobre a Guerrilha do Araguaia no primeiro semestre de 2004. No meio do caminho, desistiu de fazer um documentário e produziu uma obra de ficção. A guerrilha ganhou as telas do Brasil com o nome de *Araguaya, Conspiração do Silêncio*.

A pergunta sem resposta: onde estão?

Em março de 2004, os ossos apontados como sendo de João Carlos Haas teriam sido enviados, segundo a imprensa pelo secretário de Direitos Humanos, Nilmário Miranda, para a universidade de Buenos Aires a fim de serem analisados pela perita Andréa Corach. O processo de investigação foi acompanhado inicialmente por outro argentino, o antropólogo Luis Fondebrider. Procurada pelas pesquisadoras Taís Morais e Myrian Luiz Alves, a perita não foi encontrada.

Junto aos restos mortais seguiram amostras de sangue da família Haas, mas a ação em nada rendeu. O relatório final concluiu que não era o médico, mas a família não recebeu o laudo. Nenhuma das outras pessoas ligadas aos possíveis "donos" das ossadas foi contactada nem tive seu sangue colhido — com exceção da irmã de Manoel José Nurchis.

A divulgação pelo *Correio Braziliense*, em outubro de 2004, de arquivos da ditadura guardados desde 1997 na Comissão de Direitos Humanos levou o Centro de Comunicação Social do Exército a defender, na resposta ao jornal, os métodos usados pelo regime militar para combater os inimigos.

Três fotos de um preso confundido com o jornalista Vladimir Herzog, morto em 1975 na prisão, faziam parte dos papéis encontrados.

O presidente Luiz Inácio Lula da Silva exigiu uma retificação do texto, e o Exército obedeceu. Desgastado com a situação, José Viegas renunciou ao cargo.

No dia 6 de dezembro de 2004, o Tribunal Regional Federal da 1ª Região, com sede em Brasília, reafirmou a sentença da juíza Solange Salgado e determinou a abertura dos arquivos da guerrilha. No mesmo dia, em entrevista ao programa *Roda Viva*, da TV Cultura, o ministro da Justiça, Márcio Thomaz Bastos, revelou a existência de cópias de documentos sobre os combates.

Até o fim de dezembro de 2004, a decisão de abrir os arquivos da ditadura estava mantida. A mídia noticiou amplamente.

Documentos "plantados" foram encontrados na base aérea de Salvador.

A comissão criada na Câmara para analisar e elaborar uma legislação sobre a abertura dos arquivos da ditadura teve seus trabalhos acelerados após a decisão do Tribunal Regional Federal de Brasília. O governo informou que não recorreria da decisão do TRF, mas pediu embargo da ação.

Em janeiro de 2005, as fotos das ossadas retiradas do cemitério de Xambioá e da reserva indígena, guardadas pela Comissão de Direitos Humanos, foram mostradas a um perito-legista do Ceará.

Ao visualizar as imagens do crânio apontado como sendo o de João Carlos Haas Sobrinho, o perito afirmou que o mesmo poderia não ser dele, mas de Bergson Gurjão Farias, por causa do tipo de crânio e dos problemas na mastoide, já apontados pelos antropólogos argentinos.

Em abril de 2005, o secretário de Direitos Humanos, Nilmário Miranda, voltou a afirmar que enviaria os restos mortais à Argentina, sem explicar as razões de não usar os serviços de legistas brasileiros.

Em paralelo, Iara Xavier, da CDH, recolhia amostras de sangue, de forma irregular, das mães de Bergson e de Antonio Monteiro.

Em julho de 2009, a Secretaria Especial dos Direitos Humanos da Presidência da República (SEDH) anunciou que foi identificada a ossada do guerrilheiro cearense Bergson Gurjão Farias, em Brasília, desde 1996.

Os parentes reclamam da demora na localização de seus mortos e as Forças Armadas continuam sem prestar declarações definitivas sobre os desaparecidos na Guerrilha do Araguaia.

ÁLBUM DE FAMÍLIA

Líbero Giancarlo Castiglia (Joca) e a turma de montanhismo. Era italiano. Comandou o Destacamento A, integrou a Comissão Militar e só foi identificado no final do confronto. Usava o nome de João Bispo Ferreira da Silva.

João Gualberto Calatroni (Zebão)

Gilberto Maria Olímpio (Pedro Gil)

Demerval Pereira (João Araguaia)

Rodolfo Troiano (Manoel A)

Vandick (João Goiano)

José Lima Piauhy Dourado (José)

FOTOS FEITAS POR SOLDADOS

Na foto acima, militares prontos para entrar em ação no Araguaia. Foram militares como estes que prenderam Lúcio Petit da Silva (Beto), capturado em abril de 1974. Lúcio (no detalhe abaixo) é também o da esquerda, no helicóptero. Depois dessa foto, sumiu.

Na foto, feita por um soldado, com a tropa armada ao fundo, foram identificados Simão (Cilon da Cunha Brum) e Piauí (Antônio de Pádua Costa). Eles eram obrigados a andar com os militares pela mata em busca de suprimentos. Na foto ao lado, Piauí, dentro de um buraco. As Forças Armadas afirmam que ele teria sido morto, a facão, por Maria Célia. Ela teria sido fuzilada no mesmo dia, 5 de março de 74. Não há razões para acreditar nisso.

ÁLBUM DE FAMÍLIA

Casamento de Arildo Valadão (Ari) e Áurea (Elisa) Pereira. Arildo foi morto e decapitado no final de 1973. Áurea foi vista com vida no início de 1974, no 23º BIS. A Marinha diz que ela morreu no dia 13 de junho

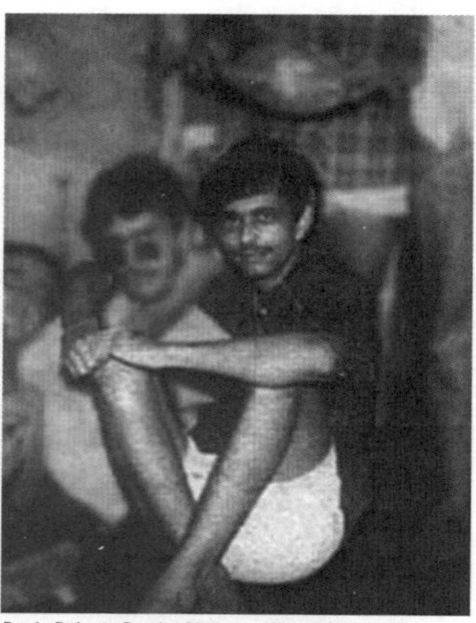

Paulo Roberto Pereira Marques (Amauri). Morto em combate no acampamento da Comissão Militar do PCdoB.

Daniel Ribeiro Callado (Doca), no detalhe, foi preso pelo Exército, torturado e levado de um lado para o outro na mata. Na foto acima, aparece ao lado do sargento Santa Cruz. Foi morto em março de 1974, segundo a Marinha.

Luiz Renê Silveira e Silva (Duda). Segundo a Marinha, morreu em março de 1974.

ÁLBUM DE FAMÍLIA

José Maurílio Patrício (Manoel do B) é o do meio. Segundo relatório Arroyo ele não foi mais visto desde o fim de 73. As forças Armadas registram sua morte em outubro de 74, na região do Saranzal.

FOTO FEITA POR UM SOLDADO

Um grupo de militares à paisana e com fitas na cabeça para diferenciar-se dos castanheiros. À esquerda, meio apagado, o soldado Domingos Barros, a quem Curió perguntou se teria coragem de matar alguém.

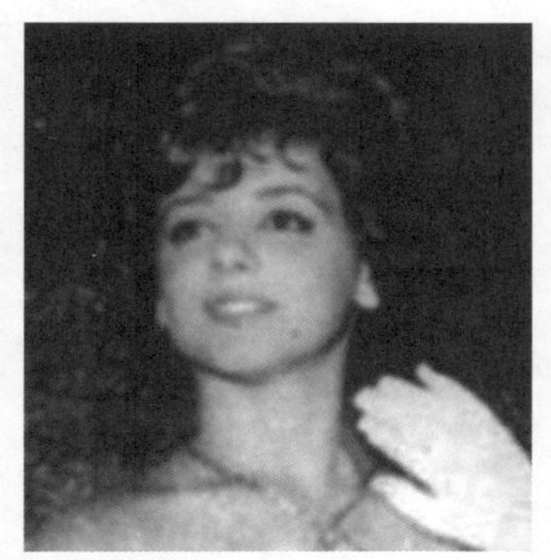

Maria Célia Corrêa (Rosinha), namorada de Paulo Paquetá, que deixou a guerrilha. Ela ficou e morreu.

Luzia Reis Ribeiro (Lúcia): foto feita na prisão, pelos militares, em 1972. Hoje vive em Salvador.

Militares no Araguaia, em foto feita por um deles. Recrutas registraram em segredo as suas próprias atividades.

O FIM DE TUDO

FOTOS COMPANHIA DA MEMÓRIA

A casa no bairro da Lapa, em São Paulo, onde a direção do PCdoB foi finalmente chacinada pelas forças policiais.

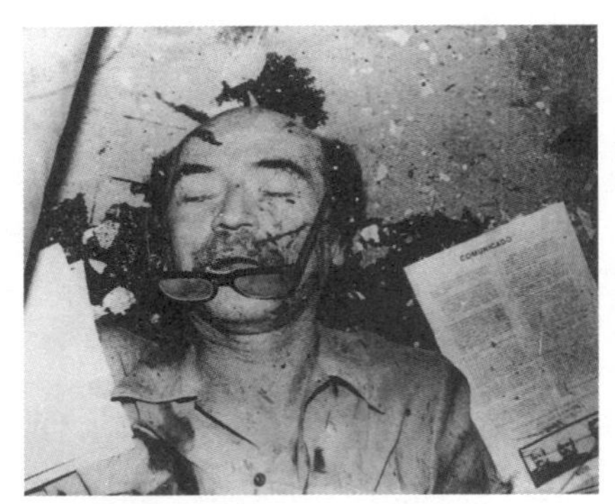

Fim da linha para Pedro Pomar...

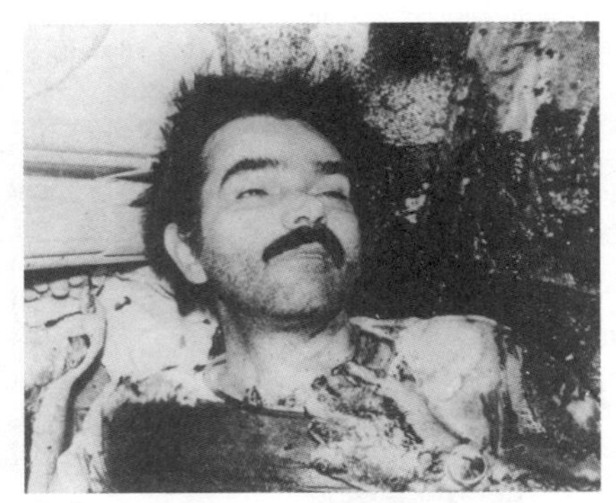

... e Ângelo Arroyo.

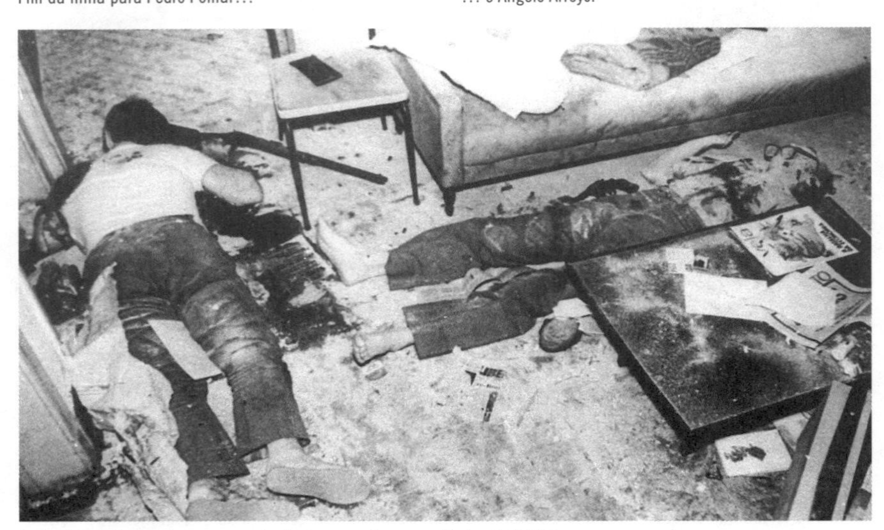

A chacina da Lapa colocou um ponto final na aventura guerrilheira do PCdoB.

OS SOBREVIVENTES DA GUERRILHA

João Amazonas (Cid), chefe supremo do PCdoB, saiu do Araguaia quando começaram os combates. Morreu em 2002, aos 90 anos.

Elza de Lima Monerat (Dona Maria), comunista desde 1936, foi presa em 1976, na Lapa, e libertada três anos depois. Ficou no PCdoB até morrer, em agosto de 2004.

AGÊNCIA FOLHA

José Genoino (Geraldo) e Rioko Kayano conheceram-se na cadeia. Casaram-se e tiveram três filhos. Hoje, ele preside o PT.

Luzia Reis Ribeiro (Lúcia), primeira mulher da guerrilha a ser presa. Vive em Salvador.

MYRIAN LUIZ ALVES

Michéas Gomes de Almeida (Zezinho) saiu do Araguaia em 1974 e escapou de ser preso. Em 2005, aos 70 anos, vivia em Goiânia. Na foto ao lado, aparece com Valéria (irmã de Walk, morta na guerrilha) e com o ex-soldado Josean, seu antigo adversário: três lados da história.

THIAGO GASPAR

Pedro Albquerque Neto deixou a região da guerrilha contra a vontade do PCdoB para acompanhar a mulher grávida. Preso em fevereiro de 1972, foi humilhado e torturado pelas forças da repressão

ÁLBUM DE FAMÍLIA

Luzia Reis Ribeiro (Lúcia), Zezinho, Eudardo Monteiro Teixeira, que hoje vive em Salvador e sua irmã Emília Monteiro, que militava no PCdoB e não foi presa

ÁLBUM DE FAMÍLIA

Luzia Reis Ribeiro (Lúcia) e Regilena Carvalho (Lena). Conheceram-se no Destacamento C. Depois da prisão, a amizade que perdura

ÁLBUM DE FAMÍLIA

Dagoberto Alves da Costa (Miguel) chegou ao Araguaia em 1972, já no meio dos combates. Foi preso 52 dias depois e passou um ano e meio entre os militares. Mora em Recife, onde é psicólogo. Na foto, aparece com os filhos.

GILBERTO ALVES — CORREIO BRAZILIENSE

Pedro Onça, amigo dos guerrilheiros do Destacamento C e memória viva da guerra. Continua na região, na mesma posse de terra, com sua mulher Chica.

ÁLBUM DE FAMÍLIA

Otacílio Alves de Miranda, morador do Araguaia, é dono de uma pensão, em Marabá. Ficou muito debilitado por causa das torturas.

TAÍS MORAIS

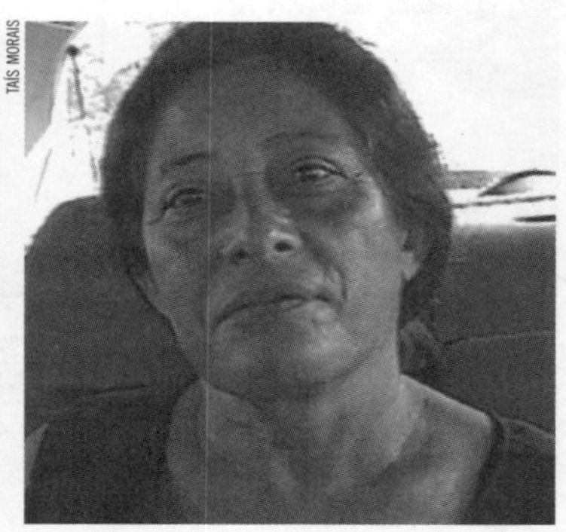

Neusa Lins, camponesa, viveu com Amaro até 1985, na selva. Amaro morreu no fim dos anos 90.

Reformada, a Casa Azul nem de longe lembra o que foi

Adolfo da Cruz Rosa, ex-soldado. Vive em Belém.

Domingos Barros de Almeida, ex-soldado de Belém.

Sargento Sarges, ex-responsável pelas comunicações.

Nélio da Mata Rezende, ex-tenente que comandou a missão em que morreu o cabo Rosa. Vive em Belém e diz que passou a admirar os guerrilheiros.

José Alberico da Silva. Reformado como sargento

GILBERTO ALVES — CORREIO BRAZILIENSE

O mateiro Cícero Pereira Gomes: presenciou a decapitação de Adriano Fonseca Filho (Chicão)

AGÊNCIA ESTADO

Sebastião Rodrigues de Moura (Doutor Luchini, Curió). Era capitão do Exército quando coordenou a Operação Sucuri. Foi ferido em combate. Permaneceu no Araguaia durante toda a fase de extermínio dos guerrilheiros. Depois da guerrilha, continuou na região e recebeu o garimpo de Serra Pelada para administrar. Fundou a cidade de Curionopólis, da qual foi prefeito por três vezes. Elegeu-se deputado. Em fevereiro de 1993 matou um adolescente em Brasília. Continua com poder e recusa-se a ajudar os familiares na busca dos corpos dos desaparecidos. Diz que vai escrever um livro sobre a guerrilha.

OS AGENTES SECRETOS

Joaquim Arthur (Ivan), Loureiro e dois não identificados, agentes secretos que levantaram informações e guardaram documentos, fotos e mapas sobre a guerrilha do Araguaia. Fotografias dos anos 1970, em algum lugar do Araguaia.

Os agentes em campo.

PARTE VII

EPÍLOGO

CAPÍTULO 142

Os combatentes do PCdoB

O Birô Político, cúpula da guerrilha, tomava as decisões políticas e estratégicas. Na prática, confundiu-se com a Comissão Militar — CM. Comando armado da guerrilha, a CM subordinava-se ao Comitê Central do PCdoB, mas agiu com independência a partir do início dos combates, quando os contatos com as cidades foram interrompidos.

Os Destacamentos, frações do efetivo comunista, eram formados por até 23 integrantes. Havia três no Araguaia. O Destacamento A, próximo à Transamazônica; o B, na região da Gameleira; e o C, na área dos Caianos. Cada um se dividia em três grupos de cinco a sete combatentes. Em ordem alfabética, a seguir, um resumo do que se sabe sobre os guerrilheiros.

As biografias foram escritas com base na pesquisa dos autores e em consultas a seis fontes principais: os livros *Dos Filhos Deste Solo*, de Nilmário Miranda e Carlos Tibúrcio, e *Guerrilha do Araguaia — A Esquerda em Armas*, de Romualdo Pessoa Campos Filho; a revista *Guerrilha do Araguaia*, produzida pelo PCdoB; os sites *www.desaparecidospoliticos.org.br* e *www.torturanuncamais.org.br*; também o documento produzido pela Marinha enviado à Comissão Externa dos desaparecidos políticos, da Câmara dos Deputados, em 1993. Foram ainda utilizados os depoimentos dos camponeses, prestados ao Ministério Público em 2001.

GUERRILHEIROS MORTOS

Adriano Fonseca Filho (Chicão, Queixada)

Estudava Filosofia na Universidade Federal do Rio de Janeiro. Chegou ao Araguaia em abril de 1972, depois do início da guerrilha. Alto, com pele e cabelos claros, pertenceu ao Destacamento C. Morreu quando caçava jabuti, em 3 de dezembro de 1973, de acordo com relatório da Marinha. O mateiro Cícero Pereira Gomes diz ter presenciado quando outro mateiro atirou, matou e cortou sua cabeça.

Mãe: Zely Eustáquio Fonseca | **Pai:** Adriano Fonseca | **Nascimento:** 18/12/45, Ponte Alta (MG)

André Grabois (Zé Carlos)

Carioca, caiu na clandestinidade aos 17 anos, quando abandonou os estudos e viajou para a China, onde treinou guerrilha na Academia Militar de Pequim. Visi-tou a Albânia. Morou em Porto Franco e, em 1968, mudou para o Araguaia e ins-talou-se na Faveira. Tomou o lugar de Líbero Giancarlo Castiglia no comando do Destacamento A, quando ele foi transferido para a Comissão Militar, antes do início dos confrontos. Assumiu o comando do Destacamento A, até 13 de outubro de 1973, quando morreu em combate com uma patrulha do Exército. Alto e forte, mas meio desajeitado, participou do assalto à Polícia Militar de Brejo Grande. Morreu quando preparava a carne de porcos abatidos a tiros na roça de Alfredo, camponês engajado na guerrilha. O barulho alertou os militares. Caíram outros dois comunistas, vestidos com fardas da PM, tomadas no ataque ao quartel. No Araguaia conheceu a militante Alice, de quem se tornou companheiro e com quem teve um filho, João Carlos — nome dado em homenagem a João Carlos Haas Sobrinho.

Mãe: Alzira Costa Reis | **Pai:** Maurício Grabois | **Nascimento:** 3/7/46, Rio de Janeiro (RJ)

Antônio Carlos Monteiro Teixeira (Antônio da Dina)

Geólogo, descendente de plantadores de cacau. Na faculdade, casou com Dinalva Oliveira, a Dina, a mais conhecida das guerrilheiras. Formado, foi para o Rio e trabalhou no Ministério das Minas e Energia. O casal chegou ao Araguaia em 1970 e se integrou ao Destacamento C. Antes do início dos combates, o casal se separou. Reservado, estudioso e carismático, usava a formação universitária para conhecer em profundidade a região. Demonstrava aos amigos consciência das poucas chances do movimento armado. Morreu em confronto com o Exército no dia 29 de setembro de 1972, segundo documentos do Exército. De acordo com o *Relatório Arroyo*, foi preso durante o combate, torturado e executado.

Mãe: Maria Luiza Monteiro Teixeira | **Pai:** Gerson da Silva Teixeira | **Nascimento:** 22/8/1944, Ilhéus (BA)

Antônio de Pádua Costa (Piauí)

Estudou no Instituto de Física da Universidade Federal do Rio de Janeiro. Atuou no movimento estudantil de 1967 a 1970. Preso e indiciado no Congresso de Ibiúna, em 1968, entrou para a clandestinidade. No Araguaia, morou na região de Metade e tornou-se vice-comandante do Destacamento A.

Com a morte de Zé Carlos, assumiu o comando. Moradores contam que em uma festa, em meados de 1973, Piauí dançou e namorou uma moça a noite inteira — sem tirar a arma das costas. Tinha temperamento alegre e brincalhão. Preso na casa do morador Antônio Almeida, foi obrigado a andar com o Exército diversas vezes pela mata, em busca dos depósitos de suprimentos. Levou os militares apenas a esconderijos vazios. O ex-guia do Exército Manoel Leal de Lima, o Vanu, afirmou, em depoimento ao Ministério Público, tê-lo visto preso na base de Bacaba. Algum tempo depois, encontrou o corpo na mata, ao lado de outros dois guerrilheiros. Piauí é apontado em duas fotos dos arquivos do Ministério Público. Em uma, está cercado de militares armados. Na outra aparece dentro de um buraco do Vietnã. De acordo com a Marinha, Piauí foi morto pela guerrilheira Rosinha, codinome de Maria Célia Corrêa, no dia 5 de março de 1974. A versão não faz sentido.

Mãe: Maria Jardilina da Costa | **Pai:** João Lino da Costa | **Nascimento:** 12/6/1943, Piauí (PI)

Antônio Ferreira Pinto (Antônio Alfaiate)

Pouco se sabe sobre esse combatente. Militou em movimentos populares em Duque de Caxias, na Baixada Fluminense, no início dos anos 1960. De origem nordestina, trabalhava como alfaiate. Mudou para a região de Metade e integrou o Destacamento A. Em alguns documentos, aparece como José Antônio Botelho, informação falsa dada por Danilo Carneiro. O *Relatório Arroyo* afirma que foi visto pela última vez no dia 14 de janeiro de 1974, quando participava de tiroteio contra militares. O camponês Antônio Félix da Silva, em depoimento ao Ministério Público, conta que no dia 21 de abril de 1974 viu o militante junto a Valdir e Beto, preso na casa do morador Manoelzinho das Duas, com os pulsos amarrados.

Antônio Teodoro de Castro (Raul)

Recrutado para o PCdoB num sanatório para tuberculosos. Começou os estudos de Farmácia no Ceará, depois transferiu-se para o Rio para fugir de perseguições políticas. Aceitou atuar no trabalho de campo e engajou-se no Destacamento B, na região da Gameleira. Raul foi ferido no episódio da morte de Juca, Gil e Ciro Flávio em 1972. Em conversa com moradores, mostrou-se disposto a morrer pela causa revolucionária. A Marinha acusa os guerrilheiros pela morte de Raul, executado em 27 de janeiro de 1974, e fala em "provável justiçamento". A versão não faz sentido nem tem testemunhas. O guerrilheiro encontrava-se vivo até o Natal de 1973, segundo o *Relatório Arroyo.*

Mãe: Benedita Pinto de Castro | **Pai:** Raimundo de Castro Sobrinho | **Nascimento:** 12/4/45, Itapipoca (CE)

Arildo Aírton Valadão (Ari)

Estudou na Universidade Federal do Rio de Janeiro. Presidiu o Diretório Acadêmico do Instituto de Física, onde militou na companhia de Áurea Elisa Valadão e Antônio de Pádua Costa. Casou com Áurea pouco antes de mudar para o sudeste do Pará. Mesmo sem formação acadêmica em Odontologia, extraía dentes e fazia pequenos tratamentos para a população. Foi morto pelas forças repressivas no final de 1973, na região de Pau Preto. Sinésio Martins Ribeiro, guia do Exército, viu quando foi abatido e decapitado depois de um encontro casual com o Exército, segundo depoimento ao Ministério Público. Outros dois moradores, Iomar Galego e Raimundo Baixinho, participaram da missão.

Mãe: Helena Almochdice Valadão | **Pai:** Altivo Valadão de Andrade | **Nascimento:** 28/12/48, Itaici (ES)

Áurea Elisa Pereira (Elisa)

Mulher de Ari, estudou Física na Universidade Federal do Rio de Janeiro antes de transferir-se para o Araguaia. Querida por todos, trabalhou como professora no po-voado de Boa Vista e esbanjava simpatia. Dois mateiros a prenderam no início de 1974 e a entregaram à repressão. Amarrada, muito magra, faminta e doente, vestia apenas um pedaço de sutiã. As roupas rasgaram em meses seguidos de fuga pela mata úmida e cheia de espinhos. Foi encontrada junto com Batista, morador da região recrutado pela guerrilha, também debilitado pelas dificuldades de sobrevivência na mata. Áurea foi vista viva, depois de presa, na base de Xambioá. Pelos registros da Marinha, morreu em 13 de junho de 1974. O depoimento de Amaro Lins, ex-militante do PCdoB, afirma que nos primeiros meses de 1974 ela estava viva, em bom estado de saúde e presa no 23º BIS.

Mãe: Odila Mendes Pereira | **Pai:** José Pereira | **Nascimento:** 6/4/50, Areado (MG)

Bergson Gurjão Farias (Jorge)

Entrou para o movimento estudantil quando cursava Química na Universidade Federal do Ceará. Feriu-se em uma manifestação de rua e, recuperado, mudou para o sudeste do Pará. Falante e brincalhão, ficou muito conhecido entre os moradores de Caianos. Os companheiros gostavam muito de ouvi-lo cantar as músicas de Noel Rosa, na hora de dormir. Tornou-se o primeiro militante do PCdoB morto pelas forças repressivas. Teve o corpo varado de balas no dia 2 de junho de 1972, depois de ser traído por um camponês com quem marcara encontro. Seus restos mortais foram apontados no cemitério de Xambioá, de onde foram retirados e levados para Brasília. A Secretaria de Direitos Humanos e a Comissão de Mortos e Desaparecidos nunca fizeram a identificação.

Mãe: Luiza Gurjão Farias | **Pai:** Gessiner Farias | **Nascimento:** 17/5/47, Fortaleza (CE)

Cilon da Cunha Brum (Simão ou Comprido)

Nasceu no Rio Grande do Sul, estudou na PUC de São Paulo, onde presidiu o Diretório Acadêmico de Economia e integrou o Diretório Central dos Estudantes. Trabalhou na MPM publicidade. No Araguaia, pertenceu ao Destacamento B. Simão acompanhava o comandante Osvaldão no momento da morte do cabo Rosa, primeiro militar abatido pelos guerrilheiros. Foi visto com vida na base de Xambioá, onde bombeava água para os militares, antes de desaparecer. A Marinha aponta sua morte em 27/2/1974.

Mãe: Eloá Cunha Brum | **Pai:** Lino Brum | **Nascimento:** 3/2/46, São Sepé (RS)

Ciro Flávio Salazar de Oliveira (Flávio)

Cursou Arquitetura na UFRJ e participou do movimento estudantil. Passou parte da infância em Uberlândia (MG), antes de a família mudar-se para o Rio. Em 1968, foi fotografado quando incendiava uma viatura policial. A imagem estampada pela revista *Manchete* resultou em intensa perseguição do militante. Acabou preso quando distribuía panfletos subversivos. Solto, mudou para a região da Gameleira, enviado pelo PCdoB. Integrou-se ao Destacamento B e morreu ao lado dos companheiros Juca e Gil, em 30 de setembro de 1972, durante confronto com tropas do Exército.

Mãe: Maria Lourdes Oliveira | **Pai:** Arédio Oliveira | **Nascimento:** 26/12/43, Araguari (MG)

Custódio Saraiva Neto (Lauro)

Órfão de pai, começou a militar no movimento secundarista do Ceará. Participou de manifestações de rua e entrou para a lista de perseguidos da repressão. Viajava pelo Brasil para ajudar na organização política dos estudantes de segundo grau. Num encontro entre dirigentes da UBES e da UNE, em Salvador, conheceu militantes mais tarde deslocados para o Araguaia. Entre eles estava a líder Helenira Resende. Combateram juntos no Destacamento A. Durante os confrontos, Lauro foi deslocado para a guarda da Comissão Militar. Morreu em 15 de fevereiro de 1974, segundo a Marinha.

Mãe: Hilda Quaresma Saraiva Leão | **Pai:** Dario Saraiva Leão | **Nascimento:** 5/4/52, Ceará

Daniel Ribeiro Callado (Doca)

Serviu no Exército onde chegou ao posto de terceiro-sargento. Trabalhou como operário no Rio, fez curso de guerrilha na China e residiu em áreas próximas ao Araguaia antes de se fixar no sudeste do Pará. Bom de bola, montava times de futebol por onde passava. Em Rondonópolis (MT), fez parte da equipe campeã de um torneio amador em 1966. Teve na cidade uma oficina juntamente com Líbero Giancarlo Castiglia, o Joca. Doca fez muitos amigos entre os moradores do Araguaia. Quando começou o confronto, conhecia a região como poucos companheiros. Pertenceu ao Destacamento C. Preso pelo Exército, apanhou muito e foi levado de um lado para outro na mata pelos militares. De acordo com documentos da Marinha, morreu em 28 de março de 1974.

Mãe: América Ribeiro Callado | **Pai:** Consueto Ribeiro Callado | **Nascimento:** 16/10/40, Rio de Janeiro

Demerval da Silva Pereira (João Araguaia)

Ativista do movimento estudantil, fez parte da diretoria do Diretório Acadêmico da Faculdade de Direito da Universidade Federal da Bahia. Expulso com base no Decreto 477, concluiu o curso na Faculdade Católica e trabalhou como advogado em Salvador. Militante do PCdoB, mudou-se para a região de Metade. Pertenceu ao Destacamento A. Possuía bom preparo para a vida de combatente na mata e foi o único sobrevivente de um combate em que quatro guerrilheiros caíram. Preso pelo Exército, foi visto pela última vez no início de 1974. A Marinha registrou a morte de João Araguaia em 28 de março de 1974. Tinha 29 anos.

Mãe: Francisca das Chagas Pereira | **Pai:** Carlos Gentil Pereira | **Nascimento:** 16/2/45, Salvador (BA)

Dinaelza Soares Santana Coqueiro (Mariadina)

Ao lado do marido Vandick Reidner Coqueiro, o João Goiano, integrou o Destacamento B. Ainda na adolescência, em Jequié, o casal participou com Luzia Reis Ribeiro, a Lúcia, de grupos de estudo com influência esquerdista. Estudou até o segundo ano de Geografia na Universidade Católica de Salvador. Escreveu uma carta em tom brincalhão aos pais, em 1971; falava que estava bem, mas havia engordado tanto que o pessoal dizia que ela iria virar um barril. Com carinho perguntou se a mãe continuava gorda como sempre e se estavam bem. Presa pelo mateiro Manoel Gomes nas proximidades da OP-1, revoltou-se com o tratamento recebido do Exército. Meiga com os familiares, xingou o Major Curió de "chifrudo" e cuspiu na cara de um oficial. Foi morta em 8 de abril de 1974, segundo os registros da Marinha.

Mãe: Junília Soares Santana | **Pai:** Antônio Pereira de Santana | **Nascimento:** 22/3/49, José Gonçalves (BA)

Dinalva Oliveira Teixeira (Dina)

Formada em Geologia pela Universidade Federal da Bahia, ganhou fama no Araguaia como parteira. Trabalhou como camponesa e professora. Ganhou respeito e gratidão pela ajuda prestada à população. Nascida no interior da Bahia, de origem humilde, adaptou-se bem à vida na mata. Virou exemplo de coragem e preparo físico e para os companheiros. Durante os combates, chegou ao posto de subcomandante do Destacamento C. De temperamento forte, exercia liderança entre companheiros e moradores. Sobreviveu a confrontos com o Exército, saiu ferida de um tiroteio e provocou medo nos soldados. Tornou-se símbolo da resistência esquerdista na selva paraense. No Natal de 1973, encontrava-se muito doente, com malária, quando o Exército atacou o acampamento da CM. Há vários relatos sobre as circunstâncias da morte da guerrilheira, todos contraditórios, incompletos ou feitos por informantes anônimos. O coronel-aviador Pedro Corrêa Cabral, em depoimento à Comissão de Direitos Humanos da Câmara dos Deputados, disse ter visto na Casa Azul uma mulher grávida muito parecida com a combatente baiana. Nunca teve certeza da identidade da prisioneira, mas soube que foi morta pelos militares. Não há versão conclusiva sobre a queda de Dina.

Mãe: Elza Conceição Bastos | **Pai:** Viriato Augusto Oliveira | **Nascimento:** 16/5/45, Argoim, município de Castro Alves (BA)

Divino Ferreira de Souza (Nunes, Goiano)

Nascido em família de origem camponesa, possuía um pequeno comércio em Goiânia quando conheceu Michéas Gomes de Almeida. Os dois se tornaram amigos, entraram juntos para o PCdoB, viajaram para a China, dividiram quarto em Pequim, treinaram luta armada com os comunistas e participaram da preparação da guerrilha. Segundo Pedro Marivetti, em entrevista a Romualdo Campos Filho, Nunes teria sido o ator principal do assalto ao posto da PM de Brejo Grande. O grupo dormiu na casa de Marivetti naquela noite e contou como foi o episódio. "Os soldados chegaram meio de porre e entraram. Depois de incendiar o teto, Nunes chutou a porta. Os guerrilheiros entraram, renderam os três policiais, pegaram armas e munições e os deixaram apenas com as cuecas." Nunes andou pelo norte de Goiás antes de chegar ao Araguaia. Chefiou um dos grupos do Des-tacamento A. Ferido e preso em outubro de 1973, no combate que matou Zé Carlos, morreu nas mãos do Exército.

Mãe: Maria Gomes de Souza | **Pai:** José Ferreira de Souza | **Nascimento:** 12/9/42, Mossâmedes (GO)

Elmo Corrêa (Lourival)

Estudou até o terceiro ano na Escola de Medicina e Cirurgia do Rio de Janeiro. Envolveu-se com o movimento estudantil e mudou-se para o Araguaia, em 1971, acompanhado da mulher, Telma Regina Cordeiro Corrêa. Irmão de Maria Célia Corrêa. Combateram no Destacamento B, com sede na região da Gameleira. Lourival desapareceu no final de 1973, depois do ataque do Natal. O relatório da Marinha registrou a morte de Elmo no dia 14 de maio de 1974.

Mãe: Irene Corrêa | **Pai:** Edgar Corrêa | **Nascimento:** 16/4/46, Rio de Janeiro (RJ)

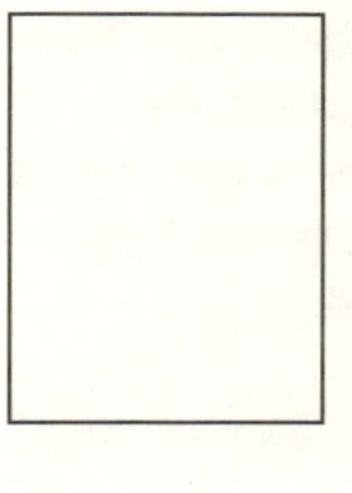

Francisco Manoel Chaves (Zé Francisco, Chico, Velho Chico)

Veterano comunista, atuou desde a juventude, quando entrou para a Marinha. Em 1935, participou da Aliança Nacional Libertadora, frente de esquerdistas e nacionalistas contrários a Getúlio Vargas. Negro, de família camponesa, sofria discriminação racial entre os marinheiros. Em 1937, foi expulso da Força Naval. Ficou preso com Graciliano Ramos, que o cita em em *Memórias do Cárcere.* Na década de 1940, chegou a suplente do Comitê Central do Partido Comunista.

Depois do golpe militar de 1964, entrou para a clandestinidade e foi morar na região dos Caianos. Morreu em combate no dia 29 de setembro de 1972. Quando os combates começaram, tinha mais de 60 anos. Não há registros sobre familiares e local de nascimento de Francisco Chaves.

Gilberto Olímpio Maria (Pedro, Pedro Gil)

Estudou engenharia em Praga, antiga Tchecoslováquia, junto com Osvaldo Orlando da Costa. Em São Paulo, trabalhou no *Classe Operária*, jornal do PCdoB. Passou a viver na clandestinidade depois de 1964. Casado com uma filha de Maurício Grabois, Victória, mudou-se para o interior do Brasil para fugir da perseguição e aplicar a política do partido. Antes de chegar ao sudeste do Pará, morou em Porto Franco (MA), na mesma casa do sogro e do cunhado. No Araguaia, integrou a Comissão Militar. Assumiu o comando do Destacamento C, ao lado de Dina, no decorrer dos combates. Documentos militares atestam a morte de Pedro Gil no Natal de 1973.

Mãe: Rosa Olímpio Cabello | **Pai:** Antônio Olímpio Maria | **Nascimento:** 11/3/42, Mirassol (SP)

Guilherme Gomes Lund (Luiz)

Cursou o secundário no Colégio Militar do Rio de Janeiro. Gostava de praia, hipismo e festas antes de entrar para a Faculdade Nacional de Arquitetura da UFRJ e se engajar na política. Foi preso em 1968, quando distribuía panfletos em uma passarela juntamente com companheiros. Condenado a seis meses de prisão, fugiu para Porto Alegre e, no início de 1970, mudou-se para o Araguaia. Deixou carta que fala da decisão de viver outro tipo de vida. Diz que continuar os estudos, naquela conjuntura, de nada adiantaria. A situação estava cada vez mais difícil para os jovens. Ele não conseguia se manter alienado. Iria embora, pois não fazer o que tinha em mente seria atentar contra a própria consciência. Pertenceu à guarda da Comissão Militar, passou pelo Destacamento C e morreu no Natal de 1973, quando estava doente de malária.

Mãe: Júlia Gomes Lund | **Pai:** João Carlos Lund | **Nascimento:** 11/7/47, Guanabara

Helenira Resende de Sousa Nazareth (Preta, Fátima)

Líder estudantil, integrou a diretoria da UNE em 1968. Cursou Letras na Faculdade de Filosofia da USP. Apelidada Preta, por ser mulata. Passou duas vezes pela prisão antes de ir para o Araguaia. Uma delas, durante o Congresso de Ibiúna. Valente e carismática, encarnou o espírito guerrilheiro da geração. Abatida em combate no dia 28 de setembro de 1972. Moradores viram Fátima viva nas mãos do Exército. Outros ajudaram a transportar o corpo, em lombo de burro. Em homenagem à companheira, o Destacamento A passou a chamar-se "Helenira Resende".

Mãe: Euthália Rezende de Sousa Nazareth | **Pai:** Adalberto de Assis Nazareth | **Nascimento:** 11/1/44, Cerqueira César (SP)

Hélio Luiz Navarro de Magalhães (Edinho)

Aluno de Química da UFRJ, teve intensa participação no movimento estudantil no final dos anos 1960. Filho de comandante da Marinha, largou a escola depois do AI-5. Mudou-se para as proximidades da Transamazônica e engajou-se no Destacamento A. Gostava de música e tocava flauta na mata. Na cidade, estudava piano. Preso quando o mateiro Raimundo Nonato dos Santos, o Peixinho, junto com o soldado Ataíde e o Capitão Salsa, encontrou-o com Duda perto da "cabeceira da Borracheira". Durante o embate Edinho levou três tiros. Duda nada sofreu. Edinho foi colocado em uma padiola e socorrido. Os dois foram transportados de helicóptero. A Marinha registra a morte como ocorrida em 14/3/74. O relatório de fevereiro afirma: "Foi preso gravemente ferido, como terrorista, na região de 'Chega com Jeito', portando um fuzil-metralhadora adaptado cal. 38, um revólver cal.38 e uma cartucheira com 36 cartuchos. Filho do Comandante Hélio Gerson Menezes Magalhães, foi preso após ter sido ferido. Possibilidades de sobrevivência desconhecidas".

Mãe: Carmen Navarro de Magalhães | **Pai:** Helio Gerson Menezes de Magalhães | **Nascimento:** 23/11/49, Rio

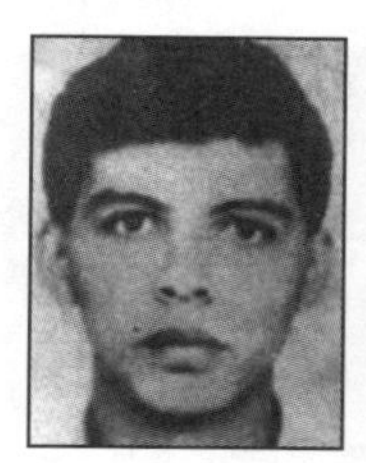

Idalísio Soares Aranha Filho (Aparício)

Casado com Walkíria Afonso Costa, estudou Psicologia na Universidade Federal de Minas Gerais depois de morar em Teófilo Otoni, no interior. Presidiu o Diretório Acadêmico da Faculdade de Filosofia e Ciências Humanas da UFMG. Chegou ao Araguaia em 1971, junto com a companheira. Colegas contam que era excelente violeiro e alegrava as noites. Militares afirmam que resistiu bravamente enquanto durou sua munição. Os documentos registram a morte em 13/7/72, na região de Perdidos.

Mãe: Aminthas Rodrigues Pereira | **Pai:** Idalísio Soares Aranha | **Nascimento:** 21/8/47, Rubim (MG)

Jaime Petit da Silva (Jaime)

Irmão dos guerrilheiros Maria Lúcia e Lúcio Petit. Nasceu no interior de São Paulo, estudou no Rio e entrou para o Instituto Eletrotécnico de Engenharia de Itajubá. Dava aulas para se sustentar e casou com Regilena da Silva Carvalho, estudante secundarista. Elegeu-se presidente do Diretório Acadêmico do curso e foi preso no Congresso da UNE, em Ibiúna. O casal viveu em Goiânia. Jaime trabalhava como eletricista. Mudaram para o Pará e combateram no Destacamento C. Regilena entregou-se em julho de 1972. O depoimento de Sinézio Martins Ribeiro, ex-mateiro e guia do Exército, afirma que a morte de Jaime aconteceu quando ele guiava uma equipe. Um informe de Josias, guerrilheiro que se entregou aos militares, teria indicado um ponto próximo à OP 2, marcado para o caso de perder-se. Ao deparar-se com a equipe, Jaime disparou dois tiros e sua arma travou. Ao morrer encontrava-se muito magro e com feridas de leishmaniose nas pernas. Sua cabeça teria sido levada pelo mateiro Baixinho para a base de São Raimundo e entregue a um militar de codinome Doutor Augusto. Os registros oficiais datam a morte em 22/12/73.

Mãe: Julieta Petit da Silva | **Pai:** José Bernardino da Silva Júnior | **Nascimento:** 18/6/45, Iacanga (SP)

Jana Moroni Barroso (Cristina)

Nasceu no Ceará e estudou na Faculdade de Biologia da UFRJ. Militou na imprensa clandestina do PCdoB no Rio e transferiu-se para a região da Metade. Integrou o Destacamento A, ao lado de Nelson de Lima Piauhy Dourado, o Nelito. Trabalhou na roça e deu aulas em escolas primárias. Em entre-vista ao historiador Romualdo Pessoa Campos Filho, o morador José Veloso de Andrade contou que Cristina morreu nas mãos dos militares. Segundo o depoimento do ex-mateiro Raimundo Nonato dos Santos, o Peixinho, para o Ministério Público, Jana teria sido presa em um local chamado Grota da Sônia. Ela se deslocava para o ribeirão Fortaleza para encontrar Duda. Este, já preso, foi obrigado a levar os militares ao ponto. Raimundo, ao avistá-la, teria feito sinal para que fugisse, mas outra equipe já a cercava. Cristina estava desarmada, mas um soldado disparou contra ela. Raimundo afirma que Jana foi deixada no local, insepulta. Apenas um foto teria sido feita. A Marinha aponta sua morte em 8 de feve-reiro de 1974.

Mãe: Cyrene Moroni Barroso | **Pai:** Girão Barroso | **Nascimento:** 1/7/48, Fortaleza (CE)

João Carlos Haas Sobrinho (Dr. Juca e Bula)

Um dos mais populares militantes do PCdoB no Araguaia. Formou-se em Medicina pela Universidade Federal do Rio Grande do Sul e ganhou prestígio pela assistência prestada à saúde da população e dos guerrilheiros. Fez curso de luta armada na China, morou em Porto Franco (MA), antes de se mudar para a casa de Paulo Rodrigues, nos Caianos. Exercia forte liderança. A boa formação acadêmica, o jeito afável e o preparo militar tornaram Juca admirado e respeitado no partido. Tomou parte de alguns combates e saiu ferido de um deles. Integrou a Comissão Militar como responsável pelo setor de saúde. Morreu aos 31 anos. Chefiava um grupo constituído para tentar reatar contato da CM com o Destacamento C. A atuação política do Dr. Juca começou na universidade. Presidiu o Diretório Acadêmico da faculdade e, depois, a União Estadual dos Estudantes. No Araguaia, fez estudos e anotações sobre doenças tropicais. Quando morreu, experimentava uma vacina contra a malária. As pesquisas do médico comunista desapareceram. Os relatórios apontam sua morte no dia 30 de setembro de 1972. O corpo foi exibido para a população de Xambioá.

Mãe: Ilma Link Haas | **Pai:** Ildefonso Haas | **Nascimento:** 24/5/41, São Leopoldo (RS)

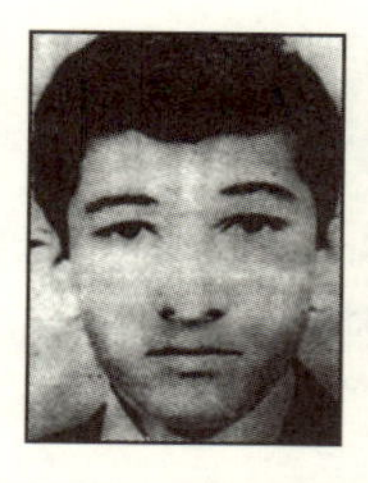

João Gualberto Calatroni (Zebão)

Participou do movimento de estudantes secundaristas do Espírito Santo. No Araguaia, morou em Chega com Jeito e fez parte do Destacamento A. Adaptou-se bem às funções de mateiro e tropeiro. Os documentos registram sua morte no dia 14 de outubro de 1973, junto com Zé Carlos e Alfredo.

Mãe: Maria Bueno Calatroni I **Pai:** Virgílio Calatroni I **Nascimento:** Data desconhecida

José Humberto Bronca (Zeca Fogoió)

Formado em mecânica de aeronaves, trabalhou na Varig antes de fazer o curso de guerrilha na Academia Militar de Pequim. Voltou e, clandestino, morou no Rio. Foi para o Araguaia em 1969 e instalou-se na Gameleira, área do Destacamento B, do qual foi vice-comandante. Durante os confrontos, desentendeu-se com os companheiros e foi transferido para a guarda da Comissão Militar. Documentos do Exército registram a passagem de Bronca em Cuba para curso de guerrilha e explosivos, informação até hoje não confirmada. Pelo relatório da Marinha, morreu no dia 13 de março de 1974.

Mãe: Ermelinda Mazzaferro Bronca I **Pai:** Humberto Atteu Bronca I **Nascimento:** 8/9/34

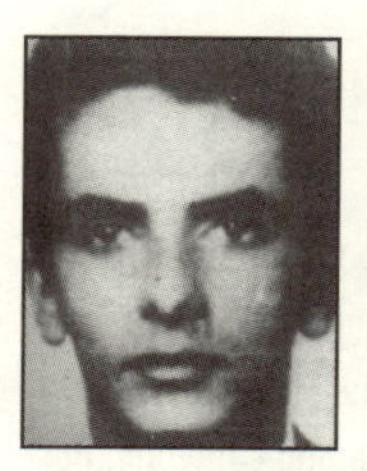

José Lima Piauhy Dourado (José, Ivo)

Irmão do guerrilheiro Nelito, estudou na Escola Técnica Federal da Bahia. Em Salvador, trabalhou como fotógrafo. No Araguaia fez parte da guarda da Comissão Militar e, durante os combates, reforçou o Destacamento C. Desapareceu no final de 1973. Morreu no dia 24 de janeiro de 1974, segundo a Marinha.

Mãe: Anita Lima Piauhy Dourado I **Pai:** Pedro Piauhy Dourado I **Nascimento:** 24/3/46, Barreiras (BA)

José Maurílio Patrício (Mané, Manoel do B)

Estudou na Escola Técnica da Universidade Rural do Rio de Janeiro, foi preso no congresso da UNE em Ibiúna e condenado à revelia a seis meses de reclusão. Nascido no interior do Espírito Santo, tinha experiência em florestas e foi um dos últimos a morrer. Integrou-se ao Destacamento B, na região da Gameleira. Desapareceu no final de 1973. A Marinha registrou a morte de Mané em outubro de 1974, na região do Saranzal.

Mãe: Isaura de Souza Patrício I **Pai:** Joaquim Patrício I **Nascimento:** 13/9/44, Santa Teresa (ES)

José Toledo de Oliveira (Vítor)

Advogado, trabalhou como bancário no Rio. Ficou quase um ano preso por atuação política. Militava no PCdoB. Torturado nas instalações da Marinha, na Ilha das Flores, foi solto em julho de 1970. Mudou-se para o Araguaia e ocupou o posto de vice-comandante do Destacamento C. Morreu em confronto com o Exército no dia 29 de setembro de 1972, na região de Pau Preto. No mesmo dia, morreram Zé Francisco e Antônio da Dina.

Mãe: Adelaide Toledo de Oliveira | **Pai:** José Sebastião de Oliveira | **Nascimento:** 17/7/41, Uberlândia (MG)

Kleber Lemos da Silva (Carlito, Kelé)

Participou do movimento estudantil no Rio de Janeiro no final dos anos 60. Formou-se em Economia, mudou-se para o Araguaia e integrou o Destacamento C. Muito organizado e ativo. Teve leishmaniose e malária. Ao sair em missão, não conseguiu caminhar e ficou deitado em uma rede no meio da mata. Aguardava o socorro dos companheiros quando foi visto por um morador, que o delatou. Preso pelo Exército em 26 de junho de 1972, morreu três dias depois. Um documento dos Fuzileiros Navais afirma que Carlito morreu ao tentar fugir para não revelar a localização de depósitos de suprimentos dos guerrilheiros.

Mãe: Karitza Lemos da Silva | **Pai:** Norival Euphrosino da Silva | **Nascimento:** 21/5/42, Rio de Janeiro

Libero Giancarlo Castiglia (Joca)

Nascido na Itália, fez curso de torneiro mecânico e militou no movimento operário do Rio nos anos 1960. Para fugir da repressão, viajou para o interior. Morou em Rondonópolis (MT), onde teve uma oficina com Daniel Callado. Mudou em dezembro de 1967 para a região da Faveira, onde montou um pequeno comércio. Possuía um barco a motor, plantava roça e conhecia muito bem a região. Antes de integrar a Comissão Militar da guerrilha, foi comandante do Destacamento A. De temperamento reservado, desfrutava de respeito junto à população. Os militares ouviram falar de Joca desde a primeira Operação Peixe, mas somente descobriram a identidade verdadeira no final do confronto armado, pois o italiano usava o nome falso de João Bispo Ferreira da Silva.

Mãe: Elena Gilbertini Castiglia | **Pai:** Luigi Castiglia | **Nascimento:** Data desconhecida, San Lucido, Itália

Lúcia Maria de Souza (Sônia)

Abandonou a Escola de Medicina e Cirurgia do Rio de Janeiro para viver na região de Brejo Grande. Na universidade, distribuía o jornal *Classe Operária*. De origem pobre, envolveu-se com a população do Araguaia e ficou conhecida como parteira. Dona de temperamento doce e enérgico, atuou no Destacamento A. Teve participação decisiva na determinação de retirar Lúcia Regina Martins para tratar da saúde fora da área de preparação da guerrilha. Uma patrulha do Exército matou Sônia no dia 24 de outubro de 1973. A guerrilheira morreu metralhada depois de levar tiros nas pernas, sacar a arma, atirar e ferir os oficiais Lício Augusto Ribeiro Maciel, o Doutor Asdrúbal, no rosto, e Sebastião Rodrigues de Moura, o Doutor Luchini, mais tarde Major Curió, no braço.

Mãe: Jovina Ferreira | **Pai:** José Augusto de Souza | **Nascimento:** 22/6/44, São Gonçalo (RJ)

Lúcio Petit da Silva (Beto)

O mais velho dos três irmãos guerrilheiros formou-se em Engenharia em Itajubá, Minas, e trabalhou em São Paulo antes de deslocar-se para o sudeste do Pará. Vivia na área do Destacamento A com Lúcia Regina, a paulista que fugiu de um hospital em Anápolis para não mais voltar para o Araguaia. Sério, calado e determinado, Lúcio destacava-se na escola, gostava de estudar línguas e recitar poesias. A morte prematura do pai o levou a trabalhar desde cedo para ajudar a família. Teve forte influência na formação política dos irmãos Jaime e Maria Lúcia. Foi o último dos três a morrer na guerrilha. Moradores afirmam tê-lo visto ser preso pelo Exército no dia 21 de abril de 1974, na casa de Manoelzinho das Duas.

Mãe: Julieta Petit da Silva | **Pai:** José Bernardino da Silva Júnior | **Nascimento:** 1/12/43, Piratininga (SP)

Luiz René Silveira e Silva (Duda)

Deixou a Escola de Medicina e Cirurgia do Rio de Janeiro aos 20 anos para viver no Araguaia. Dedicado à revolução, esforçava-se ao máximo para superar os limites no cumprimento das tarefas partidárias. Pertenceu ao Destacamento A e combateu pelo menos até janeiro de 1974. Preso pelos militares na região de Chega com Jeito, foi visto vivo pelo morador Pedro Moraes da Silva, com os pulsos esfolados por estarem amarrados com corda de náilon. De acordo com a Marinha, morreu em março de 1974.

Mãe: Lulita Silveira e Silva | **Pai:** Renê de Oliveira e Silva | **Nascimento:** 15/7/51, Rio de Janeiro (RJ)

Luiza Augusta Garlippe (Tuca)

Formada em Enfermagem pela USP, adquiriu experiência profissional no Departamento de Doenças Tropicais do Hospital das Clínicas de São Paulo e especializou-se em moléstias transmissíveis. Assumiu a coordenação do setor de saúde da guerrilha depois da morte de João Carlos Haas. Antes morou na região da Gameleira a atuou no Departamento B. Vivia com Pedro Alexandrino de Oliveira, o Peri. Cuidava de doentes e fazia partos. Desapareceu no Natal de 1973. Morreu em maio de 1974 segundo o Exército, ou em junho segundo a Marinha.

Mãe: Aracy Vieira de Sousa Garlippe | **Pai:** Armando Garlippe | **Nascimento:** 16/10/41, Araraquara (SP)

Manoel José Nurchis (Gil)

Operário paulista, pertenceu ao Destacamento B. Morou na região da Gameleira. Agitado, falante e namorador, tornou-se exemplar cumpridor de tarefas do partido. Orgulhava-se do tempo em que morava em São Paulo e se destacava como um dos melhores vendedores do *Classe Operária*, principal jornal do PCdoB. Em setembro de 1972, fez parte de um grupo de cinco guerrilheiros encarregados pela Comissão Militar de retomar contato com o Destacamento C. Os combatentes comunistas encontraram várias patrulhas militares. Em um dos confrontos, no último dia do mês, morreu junto com Juca e Flávio. Sua morte foi registrada na Operação Papagaio em 30/9/72.

Mãe: Rosalina Carvalho Nurchis | **Pai:** José Francisco Nurchis | **Nascimento:** 19/12/40, São Paulo (SP)

Marcos José de Lima ou José Marcos de Lima (Ari Armeiro, Zezinho do A)

Trabalhava como ferreiro no Destacamento A. Consertava e fabricava armas. Entrou para o PCdoB no Espírito Santo, onde teve atuação no movimento operário. Desapareceu no final de 1973. Documentos militares revelados pelo jornal *O Globo* em 1996 afirmam que Ari Armeiro foi preso na Transamazônica no dia 25 de dezembro, depois de desertar do movimento armado comunista. O relatório do Exército de 12/1/74 fala da perda do armeiro, mas não se sabe se estava preso ou morto.

Maria Célia Corrêa (Rosa, Rosinha)

Irmã de Elmo Corrêa, trabalhava como bancária no Rio de Janeiro. Foi viver no Araguaia com o companheiro João Carlos Campos Wineski, o Paulo Paquetá. Os dois entraram no Destacamento A. Paulo Paquetá fugiu da guerrilha, Rosa continuou. Depois de algum tempo, relacionou-se com Nunes, mas o novo parceiro morreu em outubro de 1973. No início de 1974, a guerrilheira perdeu-se dos companheiros no meio de um tiroteio. Rocilda Souza dos Santos afirma que viu

Rosinha e João Araguaia serem presos pelo Exército. Rosinha foi conduzida por Manoelzinho das Duas e Geraldo da Coló, delegado de São Domingos. O relatório da Marinha diz que Maria Célia foi executada a tiros depois de matar o guerrilheiro Piauí a golpes de facão. A versão não faz sentido.

Mãe: Irene Creder Corrêa | **Pai:** Edgar Corrêa | **Nascimento:** 30/4/45, Rio de Janeiro (RJ)

Maria Lúcia Petit da Silva (Maria)

Tinha 20 anos quando chegou ao Araguaia. A mais nova dos três irmãos guerrilheiros terminou o curso normal em São Paulo. Recebeu influência política de Jaime e Lúcio quando morava no interior do estado. Mudou-se para a região dos Caianos com intenção de melhorar a vida das pessoas e lutar contra a opressão. Trabalhou na roça, ficou conhecida como professora e pelo carinho dedicado às crianças. Foi executada pelo Exército no dia 16 de junho de 1972, traída por um camponês. O relatório da Marinha aponta a morte em 16/6/72 em Pau Preto. Seus restos mortais foram identificados em 14/5/96.

Mãe: Julieta Petit da Silva | **Pai:** José Bernardino da Silva Júnior | **Nascimento:** 20/3/50, Agudos (SP)

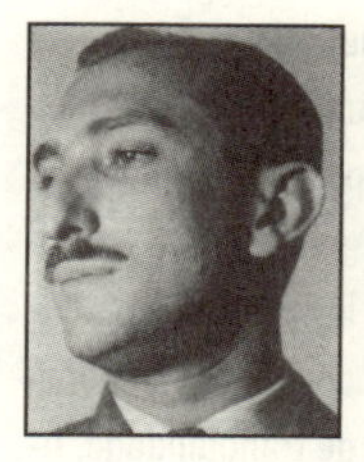

Maurício Grabois (Mário, Tio Mário)

Comandante-geral da guerrilha. Filho de imigrantes judeus, elegeu-se deputado federal pelo PCB do Rio de Janeiro em 1947. Liderou o partido na Constituinte de 1946. No racha dos comunistas, em 1962, foi um dos líderes da facção agrupada na sigla PCdoB, contrária ao comando de Luiz Carlos Prestes. Com o golpe de 1964, entrou para a clandestinidade. Mudou-se para o Araguaia em 25 de dezembro de 1967 e caiu nas mãos do Exército seis anos depois, no Natal de 1973. Integrou o Birô Político, a Comissão Militar e o Comitê Central do partido.

Mãe: Dora Grabois | **Pai:** Augustin Grabois | **Nascimento:** 2/10/1912, Salvador (BA)

Miguel Pereira dos Santos (Cazuza)

Militante do PCdoB desde muito jovem, mudou-se com a família do Recife para São Paulo em 1964. Órfão de pai desde os 14 anos, terminou o curso científico no Colégio de Aplicação da Faculdade de Filosofia, Ciências e Letras da USP. Em 1965 trabalhava como bancário e começou a sofrer perseguições por sua atuação política. Documentos da CIA enviados aos serviços secretos brasileiros registraram a passagem de Miguel por um curso de guerrilha na China. No final dos anos 1960, mudou-se para Praia Chata, no norte de Goiás e, em seguida, fixou-se na região de Pau Preto, área de preparação do Destacamento C. Misterioso, nada dizia aos companheiros sobre o passado de militância. Morreu metralhado no dia 20 de setembro de 1972, em uma emboscada armada por um cabo e cinco soldados do Exército. Os militares demoraram alguns meses até identificar o guerrilheiro reservado conhecido como Cazuza.

Mãe: Helena Pereira dos Santos | **Pai:** Pedro Francisco dos Santos | **Nascimento:** 17/7/43, Recife (PE)

Nelson Lima Piauhy Dourado (Nelito)

Trabalhava para a Petrobras, na Bahia, quando entrou para a clandestinidade. Treinado na China, morou algum tempo no norte de Goiás antes de se mudar para a região de Metade. Vivia com Cristina, codinome de Jana Moroni Barroso; integravam o Destacamento A. Nelito chefiou um grupo de guerrilheiros durante os combates. O morador Luiz Martins dos Santos e sua mulher Zulmira Pereira Neres contam que Nelito, certa vez, dispensou a ajuda de moradores que davam comida ao grupo dizendo: "Nós já estamos no sufoco; se é para morrer vocês, que morra só a gente, vocês têm família". Declarações de Raimundo Nonato dos Santos, o ex-mateiro Peixinho, afirmam que Nelito foi baleado por Zé Catingueiro na mesma ocasião da captura de Pedro Carretel. A Marinha aponta sua morte em 2/1/74.

Mãe: Anita Lima Piauhy Dourado | **Pai:** Pedro Piauhy dourado | **Nascimento:** 3/5/41, Jacobina (BA)

Orlando Momente (Landin, Landinho, Alexandrine, Alandrine)

Começou a atuação política no movimento operário de São Paulo no final dos anos 1950. Militou no antigo PCB e passou para o PCdoB. Com o golpe militar, mudou-se com a família para Fernandópolis, interior de São Paulo. Seguiu sozinho para o norte de Goiás e fixou moradia no sudeste do Pará, próximo à Transamazônica. Incorporou-se ao Destacamento A e passava-se por irmão de Ari do A. Tinha em torno de 40 anos quando começou a guerrilha. Em raros momentos de tranquilidade, tirava do bolso uma foto da filha Rosana para matar a saudade. Os vizinhos o chamavam de Alandrine e pensavam que fosse chinês ou japonês. A dedução equivocada levou os militares a acreditar na presença de guerrilheiros estrangeiros, enviados por países comunistas. Desapareceu no final de dezembro de 1973. Documentos oficiais não registram a data da morte, ocorrida provavelmente em 1974.

Mãe: Antônia Ruiglini Momente | **Pai:** Álvaro Momente | **Nascimento:** 11/1/1933, Rio Claro (SP)

Osvaldo Orlando da Costa (Osvaldão)

Comandante do Destacamento B, marcou as pessoas do Araguaia. Com quase dois metros de altura, negro, muito forte e bom de papo, chamou a atenção nos povoados e garimpos da região nos últimos anos da década de 1960. Gostava de dançar nas festas e nunca se metia em confusão. Osvaldão destacou-se em tudo o que realizou desde a adolescência. Fez o curso industrial básico de cerâmica em São Paulo e formou-se técnico de máquinas e motores no Rio. Lutou boxe no

Botafogo, serviu no Curso Preparatório de Oficiais da Reserva (CPOR) e passou para a reserva como oficial do Exército. Estudou Engenharia de Minas na antiga Tchecoslováquia, trabalhou em filme, virou personagem de livro e fez sucesso com as mulheres de Praga. Na volta aceitou a proposta do PCdoB de mudar para o sudeste do Pará e ajudar a preparar a guerrilha. Trabalhou como garimpeiro, mariscador, plantou lavoura e conheceu toda a região. Generoso e prestativo, fez muitos amigos. Quando começou a guerrilha, morava na Gameleira. Dava especial atenção ao treinamento militar e mostrava-se crítico com o despreparo dos companheiros. Matou um militar em encontro casual na mata e participou da execução de um morador. Tornou-se lenda na área da guerrilha. No imaginário da população, Osvaldão adquiriu fama de imortal. Os soldados inexperientes tremiam de pavor quando ouviam histórias sobre o gigante invencível. Os agentes secretos caçavam o comandante negro e ofereciam recompensa para quem informasse seu paradeiro. O mateiro Arlindo Paiuí viu Osvaldão sentado na mata e, antes de qualquer reação do guerrilheiro, atirou e matou o mais famoso dos comunistas do Araguaia. A Marinha registra a morte em 7/2/74. O corpo foi içado pelo helicóptero e mostrado em toda a região antes de ser levado para a Base de Xambioá.

Mãe: Rita Orlando dos Santos | **Pai:** José Orlando da Costa | **Nascimento:** 27/4/1938, Passa Quatro (MG)

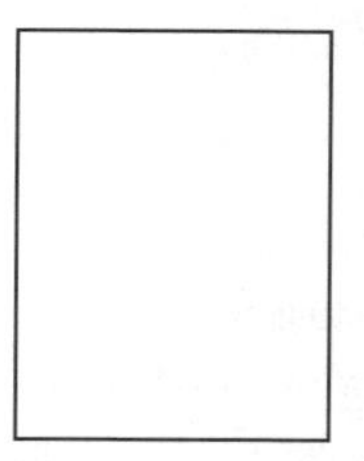

Paulo Mendes Rodrigues (Paulo)

Economista gaúcho, fez curso de guerrilha na China e comprou duas fazendas no sudeste do Pará. Deu emprego para outros militantes e, quando começaram os combates, comandou o Destacamento C. As baixas sofridas nos primeiros meses de confronto deixaram Paulo transtornado. O Destacamento C ficou oito meses isolado da Comissão Militar. Quando o contato foi retomado, Paulo perdeu o cargo de comandante para Pedro Gil e passou a integrar a CM. A partir do ataque do Natal de 1973, não foi mais visto.

Mãe: Otília Mendes Rodrigues | **Pai:** Francisco Alves Rodrigues | **Nascimento:** 29/5/31, Rio Grande do Sul

Paulo Roberto Pereira Marques (Amaury)

Bancário mineiro, participou de greves em 1968, quando tinha 19 anos. Perdeu o emprego e foi enquadrado na Lei de Segurança Nacional. Mudou-se para o Araguaia em 1969, teve farmácia em Palestina e depois em Santa Cruz, povoados na região da guerrilha. Fornecia remédios baratos, às vezes de graça, e ganhava a confiança da população. Tinha a missão de observar o movimento de estranhos nos vilarejos e no rio. Combateu no Destacamento B. Segundo o *Relatório Arroyo*, encontrava-se no acampamento da Comissão Militar no momento do ataque dos militares. Nunca mais foi visto.

Mãe: Maria Leonor Pereira Marques | **Pai:** Sílvio Marques Canelo | **Nascimento:** 14/5/49, Pains (MG)

Pedro Alexandrino de Oliveira (Peri)

Mineiro, trabalhou no Banco Hipotecário, hoje Banco do Estado de Minas Gerais. Envolveu-se com o movimento estudantil e ficou preso em Belo Horizonte em 1969. Sumiu depois de passar o Natal com a família. Mudou-se para o Araguaia com a namorada Luiza Augusta Garlippe, a Tuca, em 1971. Os dois entraram para o Destacamento B. O relatório da Marinha aponta sua morte em 4 de agosto de 1974, em Xambioá.

Mãe: Diana Piló Oliveira | **Pai:** Pedro Alexandrino de Oliveira | **Nascimento:** 19/3/47, Belo Horizonte (MG)

Rodolfo de Carvalho Troiano (Manoel do A)

Militou no movimento estudantil secundarista no interior de Minas e foi preso em Rubim. Saiu da cadeia e mudou-se para o sudeste do Pará. Incorporou-se ao Des-tacamento B e sobreviveu até o final de 1973. Moradores ouviram relatos de militares sobre a execução de Manoel do A na mata. Teria sido fuzilado, envolto em panos e levado até a casa de Luís Martins dos Santos. Morreu no dia 12 de janeiro de 1974, segundo a Marinha.

Mãe: Geni de Carvalho Troiano | **Pai:** Rodolfo Troiano | **Nascimento:** Juiz de Fora (MG)

Rosalindo de Sousa (Mundico)

Líder estudantil em Salvador em 1968, presidiu o Diretório Acadêmico da Faculdade de Direito da Universidade Federal da Bahia. Transferiu-se para o Rio devido às perseguições políticas. Concluiu o curso na Faculdade Cândido Mendes, trabalhou como advogado no interior da Bahia e mudou-se para o Araguaia depois de condenado à revelia a dois anos e dois meses de prisão pela participação nas agitações de 1968. Morou na região de Caianos e entrou para o Destacamento C. Morreu em setembro de 1973, vítima de um acidente com a própria arma, segundo o PCdoB. Justiçado pelo partido, pelos relatos de moradores e militares. Depois de enterrado no mato, Mundico foi retirado e decapitado a mando dos militares.

Mãe: Lindaura Cypriano Sousa | **Pai:** Rosalvo Cypriano Sousa | **Nascimento:** 2/1/40, Caldeirão Grande (BA)

Suely Yumiko Kanayama (Suely, Chica)

Primeira filha de um casal de imigrantes, ela nasceu na zona rural do município de Coronel Macedo, SP. O pai era um homem do campo, foi agricultor e criador de gado. Radicou-se em São Gotardo/MG, nos anos 1980. Faleceu em 2000, aos 82 anos. A mãe, Emiko, era exímia cozinheira, costureira, artista plástica e artesã. Ainda vive em Minas Gerais. Seus dois irmãos são engenheiros. Um reside em São Paulo e o outro em Minas Gerais. Aos 4 anos de idade, Suely mudou-se para a cidade de Avaré, onde fez os estudos básicos e secundários. Cursou também língua inglesa, na qual era fluente. Em 1965, mudou-se com a família para São Paulo, morava em Santo Amaro, Zona Sul da cidade e estudava letras na USP. Nessa época começou a participar do movimento estudantil. Era inteligente e dedicada. Para não depender da ajuda dos pais, dava aulas de inglês para pagar as suas despesas. Ingressa no PCdoB e, em 1971, muda-se para o Araguaia e integra o destacamento B. Aprendeu rapidamente a trabalhar como lavradora, a relacionar-se com a população, a andar na mata com sua mochila de 20 kg às costas e também a caçar. O relatório Arroyo cita: "Talvez ainda estivesse viva porque havia saído junto com José Maurílio Patrício, antes do dia 25/12/73, para buscar Cilon e José Lima Piauhy. Nunca mais foram vistos". Documentos do Exército registram: em 1974, cercada pelas forças de segurança, foi morta ao recusar sua rendição. Não registram o mês. A Marinha registra sua morte em setembro de 74.

Mãe: Emiko Kanayama | **Pai:** Yutaka Kanayama | **Nascimento:** Coronel Macedo (SP)

Telma Regina Cordeiro Corrêa (Lia)

Cursou Geografia na Universidade Federal Fluminense e participou do movimento estudantil até o início da década de 1970. Casada com Elmo Corrêa, o Lourival, foi morar no Araguaia e pertenceu ao Destacamento B. Pelo *Relatório Arroyo,* sobreviveu até o final de 1973. Um documento da Marinha registra sua morte em janeiro de 1974.

Mãe: Celeste Durval Cordeiro | **Pai:** Luis Durval Cordeiro | **Nascimento:** 23/7/47, Rio de Janeiro

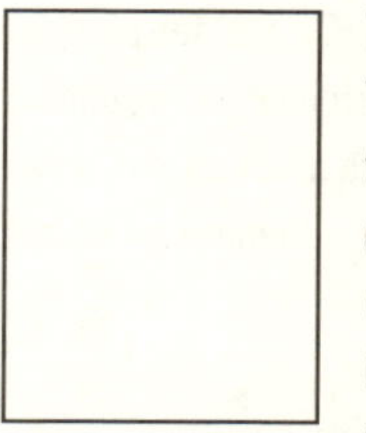

Tobias Pereira Júnior (Josias)

Tinha menos de três meses na mata quando os militares atacaram. Abandonou o terceiro ano de Medicina para viver no interior. Duvidou desde o início das chances de êxito da guerrilha, mas resistiu por mais de um ano e meio sem cair nas mãos dos inimigos. Desertou no final de 1973. Em depoimento ao Ministério Público, o ex-guia Sinésio Martins Ribeiro afirmou que Josias entregou-se ao Exército e para isso teve de fingir uma dor de barriga para se afastar dos companheiros, que já o vigiavam, e fugir. Depois, levou os militares até um ponto de encontro dos guerrilheiros. Apesar da colaboração com a repressão, morreu no dia 15 de fevereiro de 1974, segundo a Marinha.

Uirassu de Assis Batista (Valdir)

O quarto filho de uma família de sete irmãos chegou ao Araguaia em 1971. Destacara-se no movimento estudantil secundarista da Bahia. Fixou-se na região de Metade para fugir da repressão. Muito alegre e cheio de vida, gostava de frequentar festas e conquistou a amizade dos companheiros e moradores da região. O camponês Antônio Félix da Silva viu Valdir, Antônio e Beto presos pelo Exército antes de serem executados, no dia 21 de abril de

1974. Valdir seguiu para o helicóptero pulando, por causa das feridas de leishmaniose que lhe cobriam a batata da perna, e cantarolando. Os documentos da Marinha registram sua morte em abril de 1974.

Mãe: Aidinalva Dantas Batista | **Pai:** Francisco de Assis Batista | **Nascimento:** 5/4/52, Alagoinhas (BA)

Vandick Reidner Pereira Coqueiro (João, João Goiano)

Interessou-se por política desde o colégio, em Jequié, interior da Bahia. Adolescente, fez parte do grupo de estudo de literatura e política junto com Dinaelza Santana e Luzia Reis Ribeiro. Estudou Economia na Universidade Federal da Bahia e deu aula de História. Deixou o curso no terceiro ano para atender ao chamado do PCdoB. Chegou com Dinaelza à Gameleira em 1971. Escreveu várias cartas para a família nas quais chama carinhosamente os pais de "velhos". Em uma delas diz: "Aqui está tudo bem. Encontramos pessoas boas e estamos em casa. Depois que eu e Dina deixamos de ser vagabundos, aprendemos a plantar feijão e melancia". Pelo relatório da Marinha, morreu no dia 17 de janeiro de 1974.

Mãe: Elza Pereira Coqueiro | **Pai:** Arnóbio Pereira Coqueiro | **Nascimento:** 9/12/49, Boa Nova (BA)

Walquíria Afonso Costa (Walk)

Estudou na Faculdade de Artes e Educação da UFMG em Belo Horizonte e participou do Diretório Acadêmico. As atividades políticas tornaram Walk visada pela repressão. Largou o curso e mudou-se com o marido Idalísio Soares Aranha Filho, o Aparício, para a região da Gameleira em janeiro de 1971. O casal fez parte do Destacamento B. Walk perdeu contato com o comando guerrilheiro em dezembro de 1973. Foi vista viva presa em uma base militar antes de aparecer nas listas de mortos da repressão. Morreu no dia 25 de outubro de 1974, segundo a Marinha, e tornou-se a última guerrilheira abatida pelas Forças Armadas no Araguaia.

Mãe: Odete Afonso Costa | **Pai:** Edwin Costa | **Nascimento:** 9/8/45, Uberaba (MG)

CAMPONESES MORTOS

Antônio Alfredo de Lima (Alfredo)

Paraense, engajou-se na guerrilha depois de ameaçado por um grileiro de expulsão das terras que ocupava. Tinha 35 anos e entrou para o Destacamento A. Com os novos companheiros aprendeu a ler e a escrever em poucos meses. Em troca ensinou os segredos de caçador e mateiro. Revoltado com as desigualdades da região, adotou um discurso agressivo contra os poderosos. "O cativeiro terá fim", dizia. Depois que se engajou na guerrilha, a mulher, Oneide, e os três filhos foram levados para uma base militar e torturados, segundo depoimentos prestados pelos familiares ao Ministério Público. Alfredo morreu no dia 14 de outubro de 1973. No mesmo combate que matou Zé Carlos, Nunes e Zebão.

Lourival de Moura Paulino

Barqueiro, camponês amigo de Osvaldão e outros militantes do PCdoB, morreu na cadeia de Xambioá, no início da guerrilha, depois de ser preso pelo Exército. Apareceu na cela pendurado pelo pescoço por uma corda. Na versão do delegado de Xambioá, Carlos Teixeira Marra, foi suicídio. A família não acreditou.

Mãe: Jardilina Santos Moura | **Pai:** Joaquim Moura Paulino

Luiz Vieira de Almeida (Luizinho)

Morava em São Domingos e tinha uma roça perto de Bacaba. Recrutado pela guerrilha, combateu no Destacamento A. Com menos de 50 anos, morreu depois de preso, segundo testemunhas. A viúva, Joana Vieira, não recebeu o corpo, abandonado no meio do mato perto da Fazenda Fortaleza. Foi visto com vida, pela última vez, no final de 1973.

Pedro Carretel (Carretel)

Posseiro recrutado pelos guerrilheiros para o Destacamento A. Desapareceu no dia 2 de janeiro de 1974, junto com Cristina e Rosinha. Poucos dias depois, Manoel Leal de Lima, o Vanu, viu Carretel preso antes de ser levado para a mata por militares. Ele acredita que o camponês tenha sido executado.

Batista

Caboclo da região, entrou para o movimento armado do PCdoB. Encontrava-se no acampamento da Comissão Militar no Natal de 1973, quando o Exército atacou e derrubou a cúpula da guerrilha. Sobreviveu ao tiroteio e fugiu pela mata. Traído por uma camponesa, foi preso junto com Áurea.

MORTOS NA CIDADE

Ângelo Arroyo (Joaquim, Aluízio, Ademir)

Entrou no Partido Comunista em 1945 e atuou no movimento sindical dos metalúrgicos de São Paulo na década de 1950. Entrou para o Comitê Central em 1954 e no racha de 1962 alinhou-se ao PCdoB. Trabalhou no campo a partir de 1964 para organizar o partido na zona rural. Viajou pelo País e fez estudos para reconhecimento de áreas adequadas à implantação do movimento armado. Fez parte da Comissão Militar e, durante os combates, assumiu o comando do Destacamento A. Fugiu da área em janeiro de 1974, menos de um mês depois da queda da CM. De volta a São Paulo, insistia com o partido para a continuação da luta armada na Amazônia, em áreas próximas ao Araguaia. Considerava a experiência no sudeste do Pará uma "derrota temporária". Exaltava com frequência o heroísmo dos militantes mortos e não aceitava o fracasso. Morreu metralhado em 16 de dezembro de 1976, em São Paulo, durante ataque da Operação Bandeirantes (Oban) contra integrantes do Comitê Central do Partido reunidos em uma casa no bairro da Lapa.

Mãe: Encarnação Parditto | **Pai:** Ângelo Arroyo | **Nascimento:** 6/11/1928, São Paulo (SP)

Carlos Nicolau Danielli (Pontes, Antônio)

Dirigente nacional do PCdoB, morava em São Paulo e fazia a ligação entre a cidade e a guerrilha. Participava das conversas com os militantes antes de serem enviados para o Araguaia. Ativo e dinâmico, ganhou o apelido de Mosquito Elétrico. Filho de comunistas, envolveu-se no movimento sindical desde os 15 anos. Elegeu-se para o Comitê Central do PCB em 1954, aos 24 anos. No racha de 1962, ficou no PCdoB, contra o grupo de Prestes. Preso na Vila Mariana, em São Paulo, morreu torturado no dia 31 de dezembro de 1972 sem nada revelar aos interrogadores do DOI-CODI. A queda de Danielli rompeu os vínculos existentes entre a guerrilha e a cúpula do partido nas cidades.

Mãe: Virgínia Silva Chaves | **Pai:** Paschoal Danielli | **Nascimento:** 14/9/1929, Rio de Janeiro

Pedro Ventura Felippe de Araujo Pomar

Paraense de Óbidos, entrou muito cedo para o movimento comunista. Foi preso pela primeira vez em 1937, quando fazia o terceiro ano de Medicina e, pela segunda, em 1940. Fugiu da cadeia junto com João Amazonas. Durante o governo Vargas, foi um dos principais responsáveis pelo trabalho de organização do Partido Comunista Brasileiro (PCB). Em 1947, foi eleito deputado federal, por São Paulo, com 135 mil votos. Em 1962, depois do racha que o levou para o PCdoB, foi eleito membro do Comitê Central do PcdoB e redator-chefe do jornal *A Classe Operária*. Liderou a corrente do PCdoB com posição crítica à guerrilha. Executado na chamada Chacina da Lapa, em 16 de dezembro de 1976, junto com Ângelo Arroyo.

Mãe: Rosa de Araújo Pomar | **Pai:** Felipe Cossio Pomar | **Nascimento:** 23/9/1913, Óbidos (PA)

CAPÍTULO 143

Os militares

Arnaldo Bastos de Carvalho Braga

No caso Lamarca — capitão que integrou a Vanguarda Popular Revolucionária (VPR), grupo de guerrilha urbana — participou de IPM no qual indicou que o sargento Newton Pedreira dos Santos facilitava a retirada de munições da companhia militar em troca de dinheiro e favores cedidos por Lamarca. Em 1972, foi chefe do CIE/DF e ocupava o posto de tenente-coronel. Em novembro daquele ano produziu um relatório sobre as operações no Araguaia. Em 1979, assumiu a Polícia Militar de São Paulo.

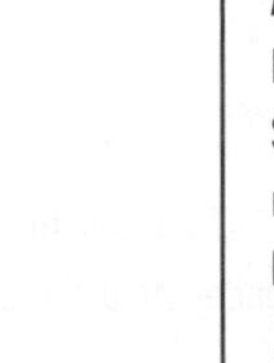

Aluísio Madruga de Moura e Souza

Entre maio e outubro de 1973, como capitão, Madruga participou da Operação Sucuri e baseava-se em Araguaína, onde montou uma república para os militares transitarem. De 1991 a 1995, exerceu o posto de adido de embaixada, em Montevidéu, Uruguai. Foi do SNI e comandou o 36º BI mtz de Uberlândia. Em 1999, já na reserva, comandou a Operação Mandacaru, destinada a reprimir o plantio e a venda de *Cannabis Sativa* (maconha) na cidade de Salgueiro, Pernambuco. Em 2002, publicou o livro *Guerrilha do Araguaia — Revanchismo.*

Álvaro Cardoso

Foi professor de História na Academia Militar das Agulhas Negras. Inseriu ali a disciplina História Militar Terrestre Crítica. Foi Comandante Militar da Amazônia em 1972.

Antônio Bandeira

O tenente-coronel Bandeira passou a ganhar notoriedade a partir do Golpe Militar de 1964, quando comandou forças no Nordeste. Em 1968, subiu ao generalato. Em 1972, convenceu o presidente da República, Emílio Garrastazu Médici, de que havia um foco guerrilheiro no Araguaia. Foi enviado ao local como comandante da 3ª Brigada de Infantaria. Confirmadas as suspeitas, comandou as operações no sudeste do Pará. Estivera diversas vezes na área.

Todos o conheciam por seu temperamento duro e pela inseparável bengala, certa vez quebrada na cabeça do guerrilheiro Eduardo Monteiro Teixeira. Em maio de 1973, Bandeira foi substituído pelo general Hugo Abreu e assumiu a chefia da Polícia Federal. O filme indicado para representar o Brasil no Festival de Berlim, *Toda Nudez Será Castigada*, foi censurado por Bandeira e retirado de cartaz. Comandou a 4ª divisão do Exército, em Minas. Em 1980, foi transferido para a reserva e encerrou a carreira militar no Rio Grande do Sul. Em 1996, a filha Márcia entregou documentos guardados por Bandeira ao jornal *O Globo*. Morreu no dia 19 de junho de 2003.

Carlos Alberto Brilhante Ustra (Tibiriçá)

Em 1964, comandou a bateria de canhões antiaéreos no Rio. Em 1970, assumiu o comando do DOI/CODI/II, onde segundo denúncias teria torturado os guerrilheiros Danilo Carneiro e Dagoberto Alves. Serviu na 9ª RM de Campo Grande. Em 1985, foi acusado publicamente de torturador pela atriz Bete Mendes no Uruguai, onde Ustra exercia o cargo de adido militar. No livro *Rompendo o Silêncio*, Ustra desmente as acusações. Passou a general da reserva.

Carlos Sérgio Torres

Em 1972, foi chefe de operações do CIE em Xambioá. Em 1973, o tenente-coronel, juntamente com o major Gilberto Airton Zenkner, respondeu pela elaboração do relatório da Operação Sucuri, comandada por ele.

Emílio Garrastazu Médici

Nasceu em 4 de dezembro de 1905, em Bagé, RS. Com 12 anos foi para o Colégio Militar de Porto Alegre. Em 8 de julho de 1929, já era tenente servindo no 12º Regimento de Cavalaria, em Bagé. Foi promovido a tenente-coronel em 1948. Serviu no III Exército e chefiou a 2ª seção do Serviço Secreto. Em julho de 1953, comandou o Centro de Propagação de Oficiais da Reserva em Porto Alegre. Foi convidado pelo general Costa e Silva, na ocasião comandando a III Região Militar, para ser seu chefe do Estado-Maior, onde permaneceu por dois anos. Em 1961, como general de brigada, comandou a 4ª Divisão de Cavalaria em Campo Grande, Mato Grosso. Em 1967, chefiou o Serviço Nacional de Informações. Promovido a general de exército, foi para o comando do III Exército em 28 de março de 1969. Assumiu a Presidência da República substituindo Costa e Silva por motivo de doença. Eleito pelo Congresso Nacional no dia 25 de outubro de 1969, tomou posse cinco dias depois. No dia 15 de março de 1974, foi substituído por Ernesto Geisel. Em 1985, morreu no Rio de janeiro.

Ernesto Geisel

Nasceu em Bento Gonçalves, RS, no dia 3 de agosto de 1907. Teve a data de nascimento alterada para entrar no Colégio Militar um ano antes do permitido. Na Revolução de 1930, comandou por dois meses uma bateria do Destacamento Miguel Costa que se deslocou do Rio Grande do Sul para São Paulo na vanguarda das forças revolucionárias gaúchas hostis ao governo de Washington Luís. Foi secretário-geral do governo da Paraíba e ocupou a Secretaria de Fazenda e Obras Públicas. Depois de passar pelo comando de algumas unidades, em 1961 foi destacado para a chefia da 11ª RM. Eleito Castello Branco presidente da República pelo Congresso em 11 de abril de 1964, Geisel foi nomeado general de divisão e assumiu a chefia do Gabinete Militar. Em 1969, início do mandato de Médici, foi para a presidência da Petrobras. Em 18 de junho de 1973, foi lançado pelo general Médici como candidato à sucessão. No dia 14 de setembro de 1973, a Arena homologou por unanimidade as candidaturas de Geisel para a presidência e do general Adalberto Pereira dos Santos para a vice-presidência. Eleitos pelo Colégio Eleitoral em 15 de janeiro de 1974, receberam 400 votos contra 76 destinados ao deputado Ulysses Guimarães e ao jornalista Alexandre Barbosa Lima Sobrinho. Houve 21 abstenções. O período de seu mandato foi alvo de críticas, o Brasil teve redução no crescimento e muitos militantes políticos foram mortos. Deixou a presidência em 1979 e o general Figueiredo a assumiu. Em junho de 1980, assumiu a presidência de uma empresa privada na área de química fina, a Norquisa. Morreu em 12 de setembro de 1996.

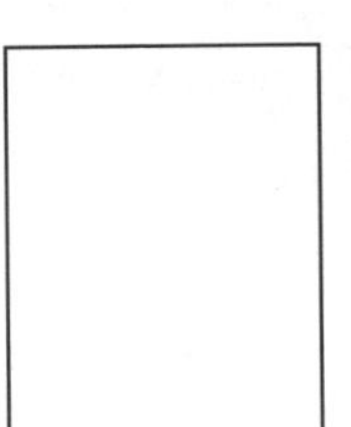

Gilberto Airton Zenkner

Major do Exército e coordenador-geral da Operação Sucuri. Ficava baseado em Brasília e deslocava-se eventualmente para a área. Recebia informações e as passava para Carlos Sérgio Torres, comandante da Operação.

Hugo Abreu

O general Hugo Abreu substituiu Antônio Bandeira no comando das ações no Araguaia, em 1973. Em 1977, quando ministro-chefe do Gabinete Militar da Presidência, interferiu diretamente no caso do jornalista Lourenço Diaféria. Lourenço foi preso e enquadrado na Lei de Segurança Nacional por desdenhar de Caxias e exaltar um sargento que morreu ao salvar um menino caído no poço de ariranhas, no zoológico de Brasília. Aludindo ao heroísmo do rapaz, o jornalista escreveu: "Prefiro este sargento a Duque de Caxias". A frase fez um inimigo: o general. Em 1978, quando chefe da Casa Militar, proibiu o *Jornal do Brasil* de publicar qualquer propaganda, o que causou imenso impacto no "jornal da Condessa". Em 2 de outubro de 1978, tornou-se o primeiro general da ativa a ser preso no País, após denunciar a "oligarquia espúria" do general Golbery do Couto e Silva. Em 6 de maio de 1979, foi preso novamente, por causa do livro *O Outro Lado do Poder*, que tornava públicos assuntos militares. No mesmo ano o general morreu, aos 62 anos, vítima de um acidente vascular cerebral.

João Baptista Figueiredo

Nasceu em 1918 no Rio. Estudou na Escola Militar de Realengo, na Escola de Aperfeiçoamento de Oficiais da Armada, na Escola de Comando e Estado-Maior do Exército e na Escola Superior de Guerra. Durante o governo Jânio Quadros, integrou a Secretaria-Geral do Conselho de Segurança Nacional. Foi chefe do Gabinete Militar do governo Médici, tornou-se ministro-chefe do SNI durante o governo de Geisel em 1974 e foi promovido a general de exército em 1977. Por meio de eleição indireta, assumiu a Presidência da República em 15 de março de 1979. Morreu em 1999.

Milton Tavares

Homem de confiança do general Orlando Geisel, acumulou cargos de chefia de gabinete do então ministro e a chefia do CIE de 1969 a 1974. Respondeu por missões de inteligência e recrutamento de alguns dos agentes. Em 1975, comandou a 10ª RM. No começo do mesmo ano, fala em público, pela primeira vez, sobre os conflitos no sudeste do Pará e afirma que a guerrilha teria malogrado em consequência da má localização da área escolhida e do isolamento dos guerrilheiros. Era conhecido por sua postura anticomunista. Morreu em 1986.

Nilton Cerqueira

Responsável pela morte de Carlos Lamarca, participou da guerrilha do Araguaia na última fase. Foi secretário de Segurança Pública do Rio de Janeiro. Defendeu a adoção da pena de morte. Acusado de praticar torturas e de incitar a polícia fluminense a matar os bandidos em vez de prender.

Olavo Vianna Moog

General de exército, foi secretário de Segurança Pública de São Paulo entre 29/8/1969 e 19/3/1970. Remanejado para a capital federal, assumiu o CMP. Foi responsável pela preparação do primeiro relatório da manobra de setembro de 1972, e no qual fez o balanço dos êxitos e das derrotas da campanha. Moog se refere ao documento como um “registro para as ações futuras, para que não se cometam os mesmos erros”.

Orlando Geisel

Nasceu em Bento Gonçalves, RS, em 1905. Participou dos levantes de 1930. Em 1968 era chefe do Estado-Maior das Forças Armadas e em 1969 foi nomeado ministro do Exército do governo Médici, onde permaneceu até 1974, quando o irmão, Ernesto Geisel, assumiu a Presidência da República. Morreu em 1979.

Othon do Rêgo Monteiro Filho (Cobra)

Comandou o PIC do BPE/Brasília em 1972. Acusado de torturas. No Araguaia chefiou a equipe que prendeu o ex-militante do PCdoB Amaro Lins, expulso da preparação de guerrilha por ter se casado com a camponesa Neusa Rodrigues.

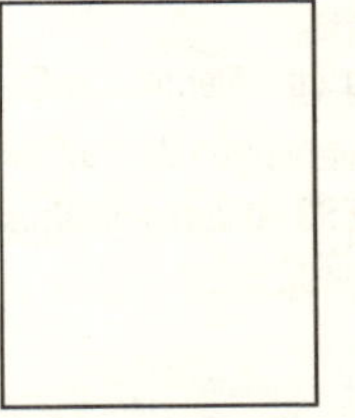

Raul Augusto de Mendonça Borges

O coronel cearense Borges chefiou a 2ª seção da 8ª RM, em 1972. Apaixonado por informações, comandou o setor localizado em Belém. Planejou a Operação Peixe, à qual assim nomeou em homenagem à Marinha e pelo fato de acreditar que a ação serviria como rede para pegar os peixes da subversão. Viajou para Brasília no início de abril de 1972 para, junto ao CIE, montar linhas de ação para a primeira investida de tropas no Araguaia. Ao regressar a Belém, embarcou no mesmo voo de Lício Maciel, João Pedro e Pedro Albuquerque, já preso. Em 2002, comandou o 36º Batalhão de Infantaria Motorizada de Uberlândia. Passou a morar no Rio e a participar de clube de rádio amador.

Sylvio Frota

Sucessor de Orlando Geisel no Ministério do Exército. Em telegrama ao comandante do Comando Militar do Planalto, o ministro do Exército pede cautela com os presos políticos para que ninguém morra nos porões da ditadura. Articulou um golpe militar da "linha-dura" contra o presidente Ernesto Geisel, mas foi derrotado e demitido pelo general presidente.

MARINHA

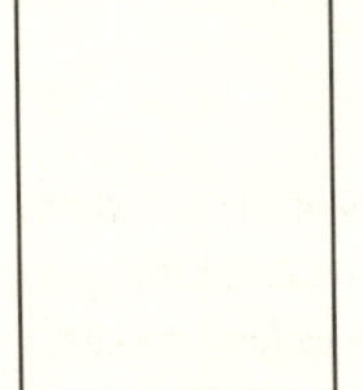

Uriburu Lobo da Cruz

Capitão de corveta, formou-se pela ESG em 1982. Dez anos depois comandava o Grupamento Operativo da Força de Fuzileiros da Esquadra (FFE).

Hermenegildo Pereira da Silva Filho

Capitão de corveta. Na reserva, faz parte do grupo denominado Guararapes, lançado na época de José Sarney na Presidência da República, para demonstrar a indignação contra o governo. Hermenegildo escreve em seu relatório que os guerrilheiros mortos deveriam ser enterrados na selva.

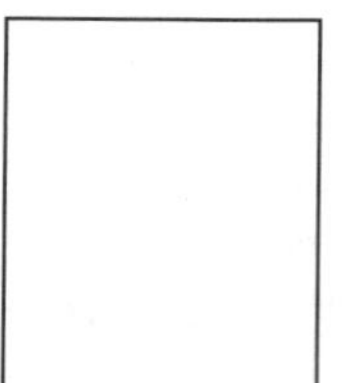

Eduardo Celso Rodrigues Serra de Castro

Capitão-tenente, imediato na época da guerrilha. Assinou documentos da Divisão Anfíbia do Corpo de Fuzileiros Navais. Em 1996, como capitão de fragata da reserva remunerada, fez parte da turma Guararapes da ESG no curso de Altos Estudos de Política e Estratégia.

MILITARES MORTOS

Francisco das Chagas Alves Brito

Terceiro-sargento do 2º BIS de Belém. Morreu durante tiroteio travado por engano entre uma patrulha à paisana do Exército e policiais militares do Pará. O encontro se deu em uma barreira montada em uma estrada próxima a São Domingos. Os dois lados julgaram estar diante de guerrilheiros e dispararam uns contra os outros. Brito morreu no dia 16 de outubro de 1973, dentro de um carro, a caminho de Marabá. Era filho de Filomena Machado de Brito e João Justino de Brito, nascido no dia 14 de janeiro de 1949 em Parnaíba, PI.

Jaime Luiz Kardiwski

Soldado do 1º Regimento de Cavalaria da Guarda de Brasília. Um relatório do Comando Militar do Planalto, escrito em 25 de setembro de 1972, registra o suicídio do rapaz em serviço na região da guerrilha. Kardiwski tinha antecedentes psicopatas, explicou o Exército, com base em documentos obtidos junto à família. Não há referências familiares.

João Francisco Picanço do Nascimento

Filho de tradicional família de Macapá, enviado ao Araguaia quando servia no 1ª/34º BI. Morto no dia 28 de outubro de 1972, por uma sentinela do Exército, ao pedir fogo para acender um cigarro. Tinha 20 anos. O colega de farda cochilava em cima de uma máquina, apavorou-se e matou João Francisco. A família teve dificuldade em obter compensação do Estado. O Exército culpava o próprio João Francisco pela tragédia. Depois de três anos de batalha judicial, o militar recebeu promoção *post mortem* a terceiro-sargento e a irmã caçula, Conceição, passou a receber pensão. As circunstâncias da morte não foram esclarecidas pelo Exército. Era filho de Raimunda Picanço do Nascimento e José Cabral do Nascimento, nascido no dia 26 de junho de 1952.

Luiz Antônio Ferreira

Soldado do 25º BC, sofreu acidente com armamentos e morreu durante a Operação Papagaio. O Comando Militar providenciou o transporte do corpo para São Luís, MA.

Mário Abrahim da Silva

Segundo-sargento do Exército, pertencia ao 1º BIS, de Manaus, AM. Morto por guerrilheiros em 28 de setembro de 1972, segundo documento produzido em dezembro de 1985 pela 2ª Seção da 8ª RM. O Exército não esclareceu à viúva, Maria da Conceição, as circunstâncias da queda de Abrahim. O corpo chegou a Manaus em urna dupla, lacrada. Foi enterrado sem o reconhecimento da família. Por um ano a viúva acreditou no aparecimento do marido. Depois se conformou. Maria da Conceição passou por depressão e dificuldades para criar os filhos. Recuperou-se e em 2003 vivia na periferia de Manaus. Filho de Jovelino Abrahim da Silva e Ana Mouzinho da Silva.

Odílio da Cruz Rosa

Cabo da 5ª Companhia de Guardas de Belém. Foi o primeiro militar morto por guerrilheiros. Caiu em um encontro surpresa no dia 8 de maio de 1972. Um tiro disparado por Osvaldão acertou a virilha do cabo. O corpo ficou dez dias no meio da mata sem resgate. Um irmão dele, Adolfo, também combateu no Araguaia na terceira fase da guerrilha. O Exército não prestou à família informações sobre as circunstâncias da morte de Odílio. Era filho de Olindina Aniceta da Cruz e Salvador Pires Rosa. Nasceu em 1º de julho de 1946, em Belém, PA.

Ovídio França Gomes

Cabo do 1º/34º BI de Macapá, AP. Morto por um soldado despreparado que disparou tiros de metralhadora. Ao avistar o cabo, pensou tratar-se de inimigo. O Exército classificou o episódio como acidente. O fato ocorreu no dia 16 de feve-reiro de 1974. Ovídio era responsável pelo sustento da família. Deixou 12 irmãos e quatro filhos em situação de pobreza na periferia da capital do Amapá. Era filho de Maria França Gomes e Francisco Gomes da Costa. Nasceu no dia 13 de dezembro de 1946, em Breves, PA.

Pedro Pinto Paixão

Soldado do 2º BIS de Belém, teve morte acidental quando participava de operações contra subversivos, segundo o documento da 8ª RM. A baixa ocorreu no dia 21 de junho de 1972. Era filho de Vicência Pinto Paixão e Manoel Felix Paixão, nascido em Igarapé-Açu, PA.

Raul Marques de Brito

Soldado da 5ª Companhia de Guardas de Belém, serviu durante a Operação Marajoara. No dia 8 de dezembro de 1973, morreu de causa acidental, de acordo com a relação de vítimas militares feita pela 8ª RM. O documento não revela as circunstâncias. Filho de Olzira Adélia Viana de Brito e Raimundo Marques de Brito, nasceu no dia 3 de dezembro de 1950.

Francisco Waldir de Paula

Soldado do 8º GAAAe de Brasília, a serviço do CIE. Sumiu no início de 1974 em São Geraldo, no Pará. Saiu para comprar cigarros quando se encontrava em uma pensão com outros militares e não voltou. Colegas, amigos e parentes nunca mais ouviram falar do rapaz. O Exército considerou o soldado Waldir desaparecido e nunca revelou à família a forma como ele sumiu.

MILITARES FERIDOS

Álvaro de Souza Pinheiro

Primeiro-tenente da Brigada de Paraquedistas do Rio, filho do general Ênio dos Santos Pinheiro, na época chefe da Escola Nacional de Informações (ESNI). Foi ferido em confronto contra um grupo de guerrilheiros do Destacamento C. Levou um tiro no ombro e sofreu perfuração do músculo deltoide. Há divergência com relação à data e à circunstância do fato. Pela descrição ouvida por José Genoino Neto na prisão de Xambioá, Álvaro recebeu o tiro no combate em que morreu o guerrilheiro Bergson Gurjão, em 2 de junho de 1972. Pelo documento da 8ª RM, foi atingido dois dias depois em confronto ocorrido em Patrimônio, no Pará. Pela atuação no Araguaia, Álvaro recebeu Medalha do Pacificador, com palma, honraria concedida a militares reconhecidos por atos de bravura. Em 1995, publicou o artigo "Guerrilha na Amazônia – Uma Experiência no Passado, o Presente e o Futuro" na edição brasileira da revista *Air Power Journal*. O texto tem 14 páginas. Chegou a general, passou a morar no Rio, foi colocado na reserva desde 2002. Não quis se pronunciar sobre o assunto.

Cláudio Roberto Ferreira Cunha

Segundo-tenente R/2 do 2° BIS de Belém. Ferido acidentalmente quando manuseava um artifício PJP-304 durante investida de guerrilheiros a uma base militar na região de Oito Barracas, sudeste do Pará. Teve arrancadas duas falanges do dedo indicador da mão direita, no dia 29 de setembro de 1972.

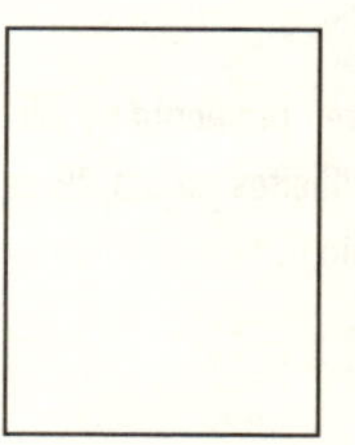

Francisco Adalmir Nunes da Silva

Terceiro-sargento da 5ª Companhia de Guardas de Belém. Vítima de explosão acidental de projéteis de chumbo, sofreu ferimentos múltiplos na coxa esquerda. Aconteceu no dia 14 de março de 1974, no meio da mata. No informe passado via rádio os ferimentos foram atribuídos a um ataque de guerrilheiros. Seguiu para Belém e não voltou. Hoje, recusa-se a falar sobre o assunto.

Lício Augusto Ribeiro Maciel

Major do Exército, em outubro de 1973 recebeu no rosto um tiro de revólver dado pela guerrilheira Lúcia Maria de Souza, a Sônia, depois de rendida. Os colegas a mataram. O capitão Sebastião Rodrigues de Moura, o Curió, também foi ferido. Lício entrou para a Escola Militar de Resende, antigo nome da Academia Militar das Agulhas Negras (AMAN), em 1950. Serviu em Alegrete, fronteira do Rio Grande do Sul, passou pela Escola de Paraquedistas do Exército e, em 1963, formou-se em Engenharia de Comunicações pelo Instituto Militar de Engenharia (IME). Em 1968 foi nomeado para o CIE e ficou lotado no gabinete do ministro do Exército por seis anos. Participou da operação que matou Jeová Assis de Souza em Guaraí, TO, e das operações contra o PCdoB no Araguaia desde abril de 1972, ainda nas primeiras investidas do Exército. Enviado em 1975 para a Comissão Militar Brasileira em Washington, retornou três anos depois. Em 1979, pediu passagem para a reserva. No posto de coronel, passou a dividir o tempo entre o prazer de um barco à vela, a família e os escritos sobre navegação.

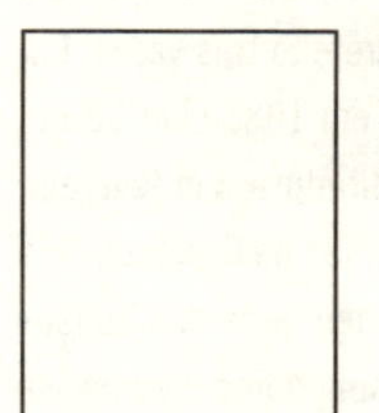

Manoel Pastana da Silva

Soldado do 2º BIS de Belém. No final de 1973, saiu ferido de uma operação de combate ao PCdoB no sudeste do Pará.

Milton Santa Brígida Ferreira

Soldado da 5ª Companhia de Guardas de Belém. Encontrava-se em uma fazenda na região de Marabá, em 3 de junho de 1972, quando sofreu ferimento no pé direito. Segundo o documento da 8ª RM, participava de combate contra guerrilheiros.

Raymundo Barbosa

Terceiro-sargento da Brigada de Paraquedistas do Rio. Sofreu ferimento no ombro direito quando tomava parte em combate contra guerrilheiros no dia 29 de maio de 1972, na região de Pau Preto, área do Destacamento C.

Sebastião Rodrigues de Moura (Doutor Luchini, Curió)

Símbolo da repressão contra o movimento armado do PCdoB. O capitão do Exército atuou como adjunto do coordenador-geral na Operação Sucuri. Foi ferido no braço pela guerrilheira Sônia em outubro de 1973. Presente na área durante toda a fase de extermínio dos guerrilheiros, centralizou as informações sobre as ações armadas durante a Operação Marajoara. Na função de adjunto, deu ordens em nome da cúpula militar instalada em Brasília e participou pessoalmente de ações que resultaram na morte de guerrilheiros. Em maio de 1974, assinou o relatório da Operação Sucuri sem qualquer informação sobre os inimigos mortos. Anticomunista desde a juventude, entrou para a área de informações no início da década de 1960. No Araguaia usava o codinome Doutor Luchini e se passava por engenheiro do Incra. Depois da guerrilha coordenou as ações de limpeza da área para apagar os sinais do confronto. Adotou o apelido de Major Curió e, por meio da coação e pelos pistoleiros a seu serviço, transformou-se no homem mais temido da região. Como representante do governo militar, espalhou medo e impôs a lei do silêncio aos moradores em relação ao período de extermínio dos militantes do PCdoB. Distribuiu lotes de terra para colaboradores e recebeu o garimpo de Serra Pelada para administrar. Transferido para a reserva, montou um aparato armado e manteve o controle sobre o sudeste do Pará. Fundou a cidade de Curionópolis e elegeu-se prefeito três vezes. Em 2004, ganhou mais um mandato pelo PMDB. Chegou à Câmara dos Deputados em 1983 com 50 mil votos. Pertencia ao PDS, legenda herdeira da Arena, partido de sustentação da ditadura. Em fevereiro de 1993, matou um adolescente e feriu outro em uma chácara em Brasília. Na versão de Curió, os dois roubaram uma televisão e um rádio-relógio. Nunca foi condenado pelo gesto. Defende-se das acusações de abuso no combate à guerrilha com o argumento de que cumpriu ordens superiores. Recusa-se a ajudar os familiares na busca dos corpos dos desaparecidos no Araguaia e exerce o poder por meio do medo na região do Bico do Papagaio. O Estado e as Forças Armadas sempre fizeram vistas grossas aos desmandos de Curió.

Wellisbeth Moraes Macedo

Terceiro-sargento da 5ª Companhia de Guardas de Belém. Ao ser atingido por um tiro na clavícula, fugiu do combate do dia 8 de maio de 1972 e deixou para trás o cabo Rosa, morto, e o tenente Nélio, sem saber o que havia acontecido com eles. No final de 2003, encontrava-se na reserva do Exército e possuía próspera empresa de segurança na capital paraense. Hoje, recusa-se a falar sobre o assunto.

CAPÍTULO 144

Os sobreviventes

Dezembro de 1976. A morte de Ângelo Arroyo na Lapa encerrou a fase de extermínio da Guerrilha do Araguaia pelo aparato repressivo da ditadura militar. Caiu o último dirigente comunista remanescente da luta no Pará. Os outros militantes do PCdoB sobreviventes do movimento armado espalharam-se pelo País. A seguir, um pouco da trajetória de alguns personagens até o momento em que este livro foi encerrado, no início de 2005.

GUERRILHEIROS

Crimeia Schmidt de Almeida (Alice)

Crimeia saiu grávida do Araguaia em agosto de 1972. Seguiu para São Paulo, onde morou durante alguns meses com a irmã, Maria Amélia de Almeida Teles, com o cunhado e dois sobrinhos. Foi presa dois dias depois da queda de Carlos Nicolau Daniellli, em dezembro do mesmo ano. Seu filho, João Carlos, nasceu no Hospital do Exército de Brasília. Crimeia logo foi solta e seguiu para casa de parentes em Minas Gerais. Soube da morte do pai de seu bebê, André Grabois, ocorrida em novembro de 73, somente em 74. Crimeia fez parte do PCdoB até os anos 80. Depois que sua irmã, da liderança da União de Mulheres, acusada de personalismo, foi expulsa do PCdoB, Crimeia também se desligou do partido. Em janeiro de 2001 recebeu a indenização de anistiados políticos. Hoje ela faz parte de uma Organização não Governamental voltada para assuntos de desaparecidos políticos no Brasil, mantém um site sobre o assunto e acompanha as atividades da Comissão de familiares de mortos e desaparecidos. João Carlos, em agosto de 2005, numa decisão inédita da Justiça do país, recebeu indenização por ter nascido na prisão.

Dagoberto Alves da Costa (Miguel)

Chegou depois de iniciados os combates. Preso depois de apenas 52 dias como guerrilheiro, em junho de 1972, permaneceu cerca de um ano e meio nas mãos da repressão. Morou no Rio junto com Danilo, com quem estreitou laços de amizade no PIC, em Brasília. Formado psicólogo, foi viver no Recife.

Danilo Carneiro (Nilo)

Preso em 15 de abril de 1972, depois de receber a tarefa de passar na casa de quatro moradores para avisar sobre as verdadeiras identidades dos paulistas, as ideias políticas e a razão pela qual deixavam suas casas na região, ganhou também a autorização para sair da área. Foi capturado próximo à Transamazônica. Espancado com golpes de fuzil e com o corpo perfurado por baionetas, teve traumatismo na cabeça e nos rins. Teve a cabeça usada para desatolar uma viatura. Ficou com tórax e membros em carne viva. Pendurado de cabeça para baixo, desmaiou ao ser afogado com um galão de água. Sofreu choques em todo o corpo. Ficou cerca de um ano e meio preso. Danilo teve os dedos quebrados e, devido à sujeira e aos ferimentos, chegou quase a se decompor em vida. O ex-militante do PCdoB, aos 63 anos, havia passado por cerca de 30 cirurgias para recuperar os danos causados pela tortura e morava em Florianópolis.

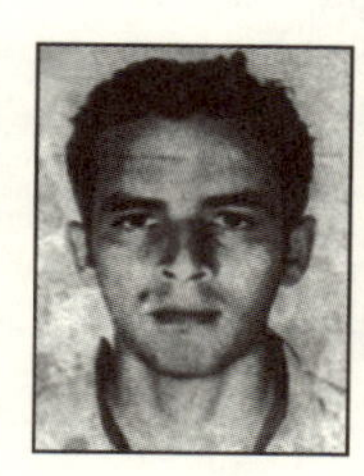

Dower Moraes Cavalcanti (Domingos)

Preso em junho de 1972, Dower saiu da prisão em 1977. Formou-se em Medicina na Universidade Federal de Fortaleza. Morreu aos 41 anos, de ataque cardíaco, depois de exercer a Medicina em Rio Branco, Fortaleza e Brasília, onde trabalhou no Ministério da Saúde.

Eduardo Monteiro Teixeira

Depois de libertado, retornou à Bahia. Montou um pequeno negócio de ourives em Salvador. A irmã Emília, ex-militante que tinha a tarefa de fazer a ligação entre os membros do partido, também perseguida, nunca foi presa. Igualmente montou um comércio em Salvador.

Elza de Lima Monerat (Dona Maria, Velha)

Membro do Comitê Central do Partido, entrou na militância em 1936, quando Vargas ainda não havia definido sua posição em relação à Segunda Guerra. Participava de manifestações contra o nazismo. Em 1945, filiou-se ao PCB e em 1962 ficou ao lado de João Amazonas no racha. No final dessa década, por determinação do Partido, viajou pela Europa e passou três meses em Pequim. Na volta começou a realizar tarefas para a organização da guerrilha. Tinha a missão de levar e retirar militantes das áreas de concentração, nas regiões Norte e Centro-Oeste do País. Elza só foi presa uma vez, em 1976, na Lapa, e ficou detida por três anos, em São Paulo. Foi libertada pela Lei da Anistia. Pertenceu ao PCdoB até agosto de 2004, quando morreu.

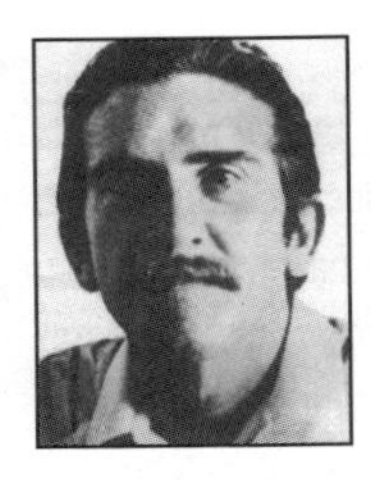

Glênio Fernandes de Sá (Glênio)

Preso em junho de 1973, permaneceu em reclusão por dois anos. Entrou para a vida política e participava da campanha eleitoral para senador do Rio Grande do Norte pelo PCdoB quando ocorreu o desastre automobilístico que o vitimou fatalmente, em 1990.

João Amazonas (Cid, Tio Cid)

Secretário-geral do PCdoB, mais importante cargo na hierarquia do partido na clandestinidade, era paraense de Belém, nascido a 1º de janeiro de 1912. Tinha mais de 60 anos quando chegou ao Araguaia. Integrou o Birô Político, a Comissão Militar e o Comitê Central do partido. Conversava com todos os militantes destacados para a guerrilha no Pará. Saiu antes do início dos combates e desistiu de voltar quando soube da presença dos militares na área. Morreu em 27 de maio de 2002, em São Paulo. Pediu que suas cinzas fossem depositadas em Xambioá, em homenagem aos companheiros de luta que ali tombaram.

João Carlos Wineski (Paulo Paquetá)

Ex-namorado de Maria Célia Corrêa. Fugiu da região de guerrilha em 1973. Formou-se médico. Não foi encontrado pela pesquisa.

José Genoino Neto (Geraldo)

Depois de cinco anos preso, foi professor universitário. Em 1980, ajudou a fundar o Partido dos Trabalhadores. Nas eleições de 1998, candidato à reeleição pelo PT, teve a maior votação para deputado federal por São Paulo. Aos 57 anos, tornou-se presidente nacional do partido.

Lúcia Regina de Souza (Regina)

Companheira de Lúcio Petit da Silva, Regina saiu do Araguaia em 1971, doente e também descontente com a vida que levava. Foi para a casa dos pais e nunca mais viu Lúcio. É acusada pelo PCdoB de ter denunciado a área de guerrilha para os militares, o que não é citado em qualquer documento oficial conhecido. Foi presa em 1974, quando o movimento armado já estava dissipado. Dentista, fixou-se em Tremembé, a 50 km da capital paulista.

Luzia Reis Ribeiro (Lúcia)

Presa em junho de 1972 e libertada alguns meses depois, Luzia foi a primeira mulher da guerrilha a cair nas mãos da repressão. Ao sair da prisão, voltou para a Bahia, estudou Ciências Econômicas e passou no concurso do Banco do Estado da Bahia. Aposentou-se e vive em Salvador.

Michéas Gomes de Almeida (Zezinho)

Saiu da área com Arroyo no início de 1974. Michéas ficou perdido em São Paulo, sem contato com o partido ou com a família. Passados alguns meses, conseguiu emprego como auxiliar de pedreiro. Encontrou uma identidade e adotou o nome de Antônio Pereira de Oliveira. Aos 71 anos, na conclusão deste livro vivia em Goiânia e lutava pela construção, em Xambioá, de um Memorial que ajude a eternizar a saga do Araguaia.

Pedro Albuquerque Neto (Pedro)

Militante da esquerda desde muito jovem, chegou ao Araguaia em 1970. Sua mulher não se adaptou. Quando ficou grávida da primeira filha, em meados de 1971, o casal fugiu. Preso em fevereiro de 1972, Pedro, sob tortura, revelou o treinamento na região de Conceição do Araguaia. Libertado, foi para o exterior. Em 2003 era professor universitário em Fortaleza. Em 2004 estava no Canadá.

Regilena Carvalho (Lena)

Presa em 1972 após entregar-se aos militares. Companheira de Jaime Petit da Silva. Depois de solta, no final de 1972, procurou a família de Jaime e falou sobre a morte de Maria Lúcia. Nas décadas seguintes, manteve contato com alguns ex-companheiros sobreviventes do Destacamento C, Luzia Reis, Dower Cavalcanti. Voltou a viver em Itajubá, no interior de Minas, onde conheceu Jaime.

Rioko Kayano

A moça descendente de orientais, presa em um hotel em Marabá no dia em que chegava ao Araguaia, começou um namoro com José Genoino Neto ainda na cadeia. Correspondiam-se por cartas e bilhetes escritos em maço de cigarro ou papel higiênico. Casaram e tiveram três filhos. No encerramento deste livro, a enfermeira Rioko estava com 55 anos.

Tereza Cristina Albuquerque (Ana)

Foi para a região de guerrilha junto com o marido, Pedro Albuquerque. Depois de muito insistir, fugiu da área de guerrilha. Ficou escondida na casa de parentes no Recife enquanto estava grávida da filha Isabela. Tereza passou a estudar e a viver no Canadá e não fala sobre o assunto.

MILITARES

Adolfo da Cruz Rosa

Trabalhou por mais de dez anos na companhia mineradora de Porto Trombetas. Casou com Maristela Barros, irmã do soldado Domingos, e tiveram dois filhos. Em novembro de 2004, completou 50 anos; era agente de segurança e morava em Belém.

Domingos Barros de Almeida

Domingos trabalhou na Companhia Vale do Rio Doce, no Pará. Alegre, conta as histórias da guerrilha com bom humor. Ressente-se por Áurea e Batista, a quem viu prenderem. Em janeiro de 2004, fez 50 anos; era comerciante e morava em Belém.

Nélio da Mata Rezende

Comandava a missão em que morreu o cabo Rosa e saiu ferido o sargento Wellisbeth Moraes Macedo. Documento aponta que teria sido ferido, mas ele nada sofreu. Passou para a reserva em agosto de 1972, três meses depois do tiroteio no Araguaia. Recebeu a Medalha do Pacificador pela atuação no Pará. No início de 2004, mostrava-se arrependido por ter prosseguido com a missão que matou o cabo Rosa, mesmo depois de perceber que usavam a estratégia errada. Com o tempo, passou a admirar a atitude dos guerrilheiros, que deixaram suas vidas confortáveis para viver em precárias condições no meio da selva. Discordava da violência como instrumento de ação. No entanto, entendia que o cerceamento à liberdade de manifestação do pensamento imposto pelo regime não deixava outra alternativa senão a luta pelos ideais. Geólogo da CPRM em Belém, em novembro de 2004 completou 54 anos.

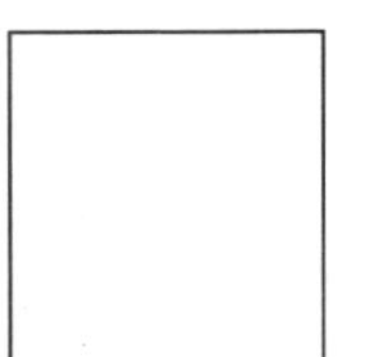

Nilton

Continuou nas Forças Armadas e participou de várias ações antissubversão. Durante a abertura do regime e a instalação da democracia, os antigos agentes de informação foram perdendo cargos por questões políticas. Nilton, que era sargento e hoje é major, pediu a reserva no início dos anos 1990. Aos 59 anos, vivia no interior do País na conclusão deste livro. Sua identidade é mantida sob sigilo para proteção da fonte.

PARENTES

Durvalina França Gomes

Irmã de Ovídio França Gomes, o cabo morto por fogo amigo, Durvalina brigou na Justiça Civil para receber a pensão do irmão para criar os quatro filhos, pois a Justiça Militar negara o pedido. Conseguiu que uma parte fosse depositada em conta para os sobrinhos e a outra metade fosse destinada para o sustento deles. Um dos filhos de Ovídio morreu aos 18 anos em um acidente de moto. Sem saber da verdade sobre a morte do parente, a família ainda morava no mesmo local, em Macapá.

Juarez Picanço do Nascimento

Depois de três anos de briga judicial, Juarez, irmão de João Francisco Picanço, o soldado Cabral, morto por fogo amigo, conseguiu que a irmã, Conceição, recebesse o soldo do soldado Picanço. A família, que seguia morando em Macapá, nunca recebeu esclarecimentos oficiais sobre a morte do soldado.

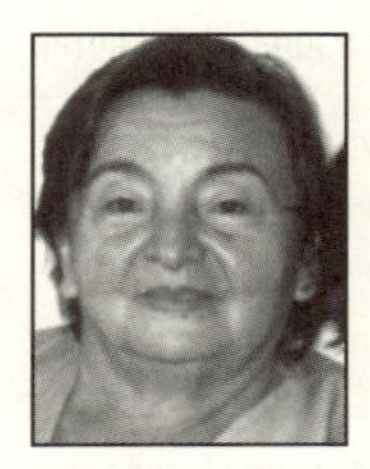

Maria da Conceição da Silva

Após a morte do marido, Mário, Conceição criou sozinha os cinco filhos. Trabalhou como salgadeira e morou em Curitiba durante alguns anos. Uma das filhas foi morar no exterior. Superou dificuldades e problemas de saúde. Em 2003, vivia em Manaus com um de seus filhos. Nunca havia recebido explicações sobre a morte do sargento Abrahim, ocorrida em setembro de 1972.

MORADORES DO ARAGUAIA

Pedro Onça e Chica

O casal de camponeses, amigo dos guerrilheiros do Destacamento C, continuou vivendo na região próxima aos Caianos, na mesma posse. Em fevereiro de 2004, Pedro, aos 70 anos, e Chica, 71, conservavam vivas as recordações da "época da guerra" e proseavam alegremente sobre o assunto. Pedro confessou: "Ajudei os militares porque era obrigado, mas nunca traí meus amigos".

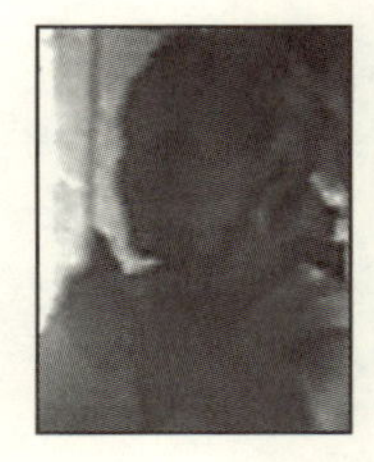

Eduardo Brito

Ex-colaborador dos "paulistas", foi obrigado a sair da sua propriedade, na Faveira, onde deixou tudo o que possuía e partiu com a família. Hoje mora em Marabá. A filha Irani, uma das suspeitas dos militares na Operação Peixe, nunca foi presa, apesar de conhecer os guerrilheiros e viver no hotel de propriedade de sua avó, onde os militares imaginaram que ela não teria condições financeiras para morar.

Neuza Lins

Neuza viveu com Amaro Lins até 1985 na Água Salobra, mesma posse da época da guerrilha. Para dar estudos aos filhos e estar mais perto da cidade no caso de doenças, mudou-se para São Geraldo, no Pará. Neuza ajudou a sustentar a família com a costura. Depois da morte de Amaro, a família continuou em São Geraldo.

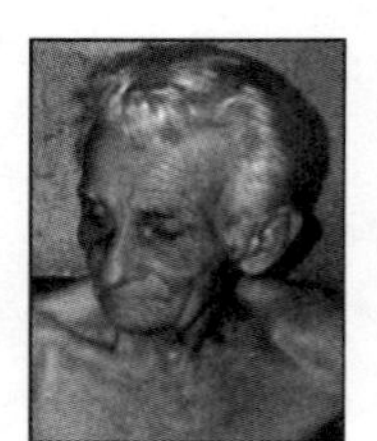

Amaro Lins

Militante do PCdoB desde a década de 1940, seguiu para o Araguaia em meados dos anos 1960. Foi gerente da fazenda de Paulo Rodrigues, comandante do Destacamento C, na localidade de Caianos. Desligado do partido no início dos anos 1970 por casar-se com Neusa. Sempre colaborou com a guerrilha. Morreu no fim dos anos 1990.

Otacílio Alves de Miranda

Depois de muito sofrer para conseguir uma cirurgia que retirasse os coágulos no cérebro decorrentes das torturas, Otacílio recuperou-se, mas não voltou a ter vida normal. Ele e a mulher Felicidade passaram a tocar uma pensão em Marabá.

Agradecimentos

De Taís Morais

Agradeço a todos aqueles que, direta ou indiretamente, tornaram possível a concretização dessa pesquisa, com sua colaboração.

Aos familiares de militares e de guerrilheiros que me ajudaram a resgatar estas memórias.

Em particular a meu pai, militar da reserva do Exército, que me formou e me deu exemplo de caráter e perseverança para prosseguir com meus sonhos e desejos.

A minha mãe, que nos acompanhou de perto enquanto os filhos cresciam e nos mostrou que é possível nos tornarmos fortes, pelo exemplo.

A meus filhos, Matheus e Camila, pela compreensão e pelo amor. Por entenderem que minha busca pelo resgate da história do País não é vã e servirá para que as próximas gerações saibam mais sobre o que aconteceu.

Ao Marcio Morais, por acompanhar os primeiros passos da pesquisa.

Ao João Urbano, 3º lugar no Curso de Instrução de Guerra na Selva – CIGS, por todo o apoio.

Aos moradores do Araguaia, pela coragem, pela hospitalidade, respeito e carinho com que me acolheram.

A Myrian Luiz Alves, por toda a ajuda, amizade, dedicação, pela busca incansável da verdade, pela obtenção das fotos inéditas usadas neste livro e pelo carinho com que tratou essa história.

Aos militares radicais e ao PCdoB, que me fizeram enxergar a linha tênue que separa ideal e intolerância. E tornaram possível a análise, sem comprometimento, de duas visões sobre um mesmo assunto.

Ao Alan Maia, pelo empenho na diagramação e a bela capa deste livro.

A Mylton Severiano, pelo carinho dedicado ao texto final.

A meu editor, Luiz Fernando Emediato, por acreditar no projeto desde o início e apoiá-lo.

E, finalmente, àqueles que guardaram fatos e documentos. Tanto em suas memórias quanto em suas pastas, o que tornou possível a reconstrução deste obscuro episódio.

De Eumano Silva

Serei para sempre grato a todos que colaboraram na execução deste trabalho. Em graus diferentes, mais de uma centena de pessoas se dispuseram a contribuir com a reconstituição da história da Guerrilha do Araguaia. Ex-guerrilheiros, militares da ativa e da reserva, moradores do Araguaia e familiares dos envolvidos nos combates aceitaram remexer em feridas de mais de três décadas em nome da relevância histórica do episódio.

O livro existe também pela ação direta de alguns amigos e companheiros de trabalho. O jornalista Luís Costa Pinto foi o primeiro a encampar minha proposta de viajar à região do Araguaia no final de 2001. Na época, Lula ocupava o cargo de editor-executivo do *Correio Braziliense*. Virou um entusiasta do projeto.

As reportagens de 2001 tiveram a participação decisiva do fotógrafo Gilberto Alves, grande parceiro, em duas semanas de estrada. A jornalista e pesquisadora Myriam Luiz Alves teve a responsabilidade de chamar minha atenção para as marcas deixadas pela luta na população do Araguaia

Na série de reportagens publicadas pelo *Correio Braziliense*, no segundo semestre de 2003, contei com a parceria e o talento dos repórteres Matheus Leitão, Thiago Vitale Jayme e Rodrigo Rangel. O envolvimento dos três com a história da guerrilha assegurou a qualidade das quase cinquenta páginas produzidas sobre o assunto. Mais tarde, Matheus foi responsável pela descoberta dos documentos e fotos relacionados com as prisões no Espírito Santo em 1972 publicadas neste livro.

O diretor de redação do *Correio*, Josemar Gimenez, abriu as páginas do jornal para a divulgação de parte dos documentos. Teve participação decisiva em todos as etapas do meu trabalho. Em 2004, permitiu meu desligamento da empresa para a conclusão do livro. A editora-chefe, Ana Dubeux, apoiou o trabalho do início ao fim.

Na editoria de política do *Correio*, contei com a valiosa ajuda dos amigos Oswaldo Buarim Jr., José Carlos Vieira, Leonardo Cavalcanti, Guilherme Evelin, Rudolfo Lago e Luiz Carlos Azedo.

Algumas edições tiveram grande participação do editor-executivo Carlos Marcelo. Em muitas ocasiões, contei com as sábias palavras da editora de Opinião, Dad Squarisi. Especialista em guerras, Pedro Paulo Rezende colaborou com sugestões pertinentes e uma memória prodigiosa.

A repórter Erika Klingl ajudou-me a encontrar o soldado que identificou o corpo de João Carlos Haas Sobrinho, numa foto tirada em 1972.

As conversas animadoras com os amigos Adriano Lafetá, José Cruz e Antônio Luiz de Souza ajudaram-me a superar as dificuldades.

Também estimulante foi a provocação feita pelo jornalista Ricardo Noblat, diretor de redação do *Correio* em 2001, na véspera de minha primeira viagem ao Araguaia. Em tom de brincadeira, disse que seria a reportagem de minha vida.

Os diagramadores Marco Antônio Freitas, Valdson Messias, Divino Alves e Cláudio de Deus embelezaram as páginas das séries publicadas em 2001 e 2003. O ilustrador Fernando Lopes caprichou na vinheta da segunda série.

Alguns amigos deram especial contribuição na fase final da produção do livro. Sérgio Sá, Pedro Paulo Rezende, João Bosco Adelino e Amaro Jr. fizeram sacrifícios pessoais para colaborar com este trabalho.

O Centro de Documentação do Correio, sob o comando de Vânia Moreira Caldas, atendeu com entusiasmo aos inúmeros pedidos feitos em três anos de pesquisa. Elizângela Carrijo e Edina Rodrigues Lima ajudaram-me na compreensão e organização dos documentos. Tive ainda a colaboração dos pesquisadores Walquíria Santos de Oliveira, Maria Casimiro, Francisco Lima Filho, Edmilson da Costa, Jomar Nickerson de Almeida e José Geraldelli.

Ainda no *Correio*, contei com a dedicação e o empenho dos funcionários Beth Oliveira, Daniela Albuquerque, Aída de Fátima, Dina Vieira, Iara Soares, Luciana Nunes, Andréa Cavalcanti, Sâmia Suelen, Sandra Damasceno, Patrícia Lins, Darlan de Oliveira, João Paulo da Silva, Edvaldo Caetano, Rafael Santos, Ruber Paulo e Edson Oliveira.

Fora do jornal, tive o privilégio de contar com a amizade de Paulo Eduardo Cabral, Danilo Forte, Donize Arruda, Fernando Molina e Joaquim Dal Moro Filho. Cada um a seu modo, todos prestaram valiosa colaboração. Leonêncio Nossa, jornalista com importante trabalho sobre a guerrilha, agiu com grandeza e desprendimento ao dividir informações sobre os combates.

O jornalista Elio Gaspari e o historiador Romualdo Pessoa Campos Filho contribuíram com generosas orientações e observações sobre as pesquisas. Wladimir Pomar, historiador e sobrevivente da Chacina da Lapa, teve importante papel na análise de documentos militares e do PCdoB. Dines Brozzeguine levou-me à família do guerrilheiro José Maurílio Patrício, no Espírito Santo, e João Negrão cedeu fotos de Daniel Callado num campo de futebol em Rondonópolis.

Meus amigos de longa data, os jornalistas Ricardo Kotscho, Mário Rosa e Luciano Suassuna honraram-me com conversas esclarecedoras e sugestões sensatas.

Em mais de três anos de investigações, muitas pessoas demonstraram coragem para superar traumas e ameaças para revelar informações sobre a guerrilha. Registro a participação, em momentos decisivos dos trabalhos, do ex-mateiro Cícero Pereira Gomes e de Eduardo Porto, dono de um museu sobre a guerrilha em São Geraldo do Araguaia.

No PCdoB, tive a preciosa atenção dos jornalistas Luiz Carlos Antero e Apolinário Rebelo e a oportuna colaboração dos deputados Sérgio Miranda e Socorro Gomes.

O deputado Luiz Eduardo Greenhalgh abriu valiosos arquivos acumulados ao longo de mais de duas décadas de busca dos corpos dos guerrilheiros mortos. Teve importante participação nas reportagens de 2003. Nilmário Miranda, hoje ministro da Secretaria Especial dos Direitos Humanos, prestou importante ajuda em alguns momentos das investigações.

O brigadeiro Antônio Guilherme Telles Ribeiro e o general Augusto Heleno Ribeiro Pereira honraram-me com proveitosos esclarecimentos sobre a participação das Forças Armadas no combate à guerrilha. Com espírito de historiador, Telles Ribeiro tornou-se um dos maiores estudiosos da guerrilha entre os militares.

Fica minha homenagem a todos meus companheiros de militância no movimento estudantil de Brasília e Fortaleza nos combativos anos 80. Juntos, lutamos para ajudar a acabar com a ditadura. Aos amigos de Iturama, faço questão de creditar minha gratidão por uma vida inteira de estímulos pelos rumos profissionais que tomei. Do professor Murilo César Ramos recebi os melhores ensinamentos sobre jornalismo.

Minha namorada Sílvia Pavesi, companheira de vida há quase cinco anos, confortou-me com doçura e firmeza desde o início da pesquisa. Jornalista, contribuiu com acertadas sugestões. Em todos os momentos, esmerou-se em garantir as condições para a produção do meu trabalho. Com muito amor, agradeço sua presença.

Também de coração, reconheço o incondicional apoio de meus irmãos, Edimar e Eleusa Silva, da cunhada, Wânia Raquel, e dos sobrinhos Gabriel e Alice. A proteção da família deu-me segurança e tranquilidade para persistir na caminhada.

Dedico este trabalho, com muito amor, à minha mãe, Diva Morais Silva, e à memória de meu pai, Sebastião Silva Neto. Os dois abriram para mim as portas do mundo.

Siglas e abreviaturas

Aciso – Ação Cívico-Social
Ap. adm – Apoio administrativo
BC – Batalhão de Caçadores
Bgda pqdt – Brigada de Paraquedistas
BGP – Batalhão da Guarda Presidencial
BIS – Batalhão de Infantaria de Selva
BPEB – Batalhão de Polícia do Exército Brasileiro
Cenimar – Centro de Informações da Marinha
CIA/GD – Companhia de Guardas
CIE – Centro de Informações do Exército
CIE/ADF – Centro de Informações do Exército/ Agência do Distrito Federal
CIE-GB – Centro de Informações do Exército/ Gabinete
Cisa – Centro de Informações Secretas da Aeronáutica
CM – Comissão Militar (guerrilheiros)
CMA – Comando Militar da Amazônia
CMP – Comando Militar do Planalto
CODI – Centro de Operações de Defesa Interna
COMAT – Comando das Operações Aerotáticas
COMGAR – Comando-Geral do Ar
Doi – Destacamento de Operações de Informações
Dompsa – Dobragem, Manutenção de Paraquedas e Suprimento pelo Ar
DOPS – Departamento de Ordem Política e Social
Dst FESP – Forças Especiais
E1 – Oficial de Pessoal do Exército
E2 – Oficial de Informações do Exército
E3 – Oficial de Operações do Exército
E4 – Oficial de Logística do Exército
E5 – Oficial de Comunicações do Exército
ERC – Estation Radio Comunicator
ESG – Escola Superior de Guerra
EVAMs – Evacuações Aeromédicas

FAL – Fuzil Automático Leve
FE Bgda pqd – Forças Especiais da Brigada de Paraquedistas
FFE – Força de Fuzileiros da Esquadra
Foguera – Forças Guerrilheiras do Araguaia (sigla usada apenas pelos militares)
FT – Frota Terrestre
Fzo Nav – Fuzileiro Naval
GC – Grupo de Combate
Gpt Fzo/FFE – Grupamento de Fuzileiros da Força de Fuzileiros da Esquadra
Gpto – Grupamento
Incra – Instituto Nacional de Colonização e Reforma Agrária
I E Com – Instrução Especial de Comunicações
MLP – Movimento para Libertação do Povo
PA – Ponto de Apoio
PC – Posto de Comando
Pesag – Pelotão Especial Antiguerrilha, criado durante a Operação Peixe
PIC - Pelotão de Investigações Criminais, de Brasília
PRC – Portátil Rádio Comunicador
PRT – Partido Revolucionário dos Trabalhadores
QG/Bda – Quartel-General da Brigada
RM – Região Militar
Sucam – Superintendência de Campanhas de Saúde Pública
UFBA – Universidade Federal da Bahia
UFRJ – Universidade Federal do Rio de Janeiro
ULDP – União pela Liberdade e pelos Direitos do Povo
UNE – União Nacional dos Estudantes
VAR-Palmares – Vanguarda Armada Revolucionária Palmares
VPR – Vanguarda Popular Revolucionária

Batalhões e localizações

1° Batalhão de Fuzileiros Navais, Batalhão Riachuelo – Rio de Janeiro/RJ
1ª BIS1 – primeira companhia do 1º Bis – Manaus/AM
1ª Zona Aérea – Belém/PA

2º B Fv – Batalhão Ferroviário – Araguari/MG

2ª BIS1 – segunda companhia do 1º Bis – Manaus/AM

3ª Zona Aérea – Rio de Janeiro/RJ

6º BC, Batalhão de Caçadores, na época em Ipameri. Transformou-se no 41° Batalhão de Infantaria Motorizada e, em 1975, foi transferido para Jataí/GO

6ª Zona Aérea – Brasília/DF

8ª GAAA, antes denominada 1ª Bateria Independente de Canhões Automáticos de 40 mm, situava-se no Rio de Janeiro. Com a transferência da capital para o Distrito Federal, passou a se chamar 8º GAAAe, Grupo de Artilharia Antiaérea; em janeiro de 1974 passou a se chamar 32º Grupo de Artilharia de Campanha – Setor Militar Urbano, Brasília/DF

10º BC – Batalhão de Caçadores – Goiânia/GO

25º BC – Batalhão de Caçadores – Teresina/PI

36º BI – Batalhão de Infantaria Motorizado – Uberlândia/MG

36º BI – Uberlândia/MG

IA/34B – Macapá/AP

Bibliografia

AÇÃO educativa contra a guerra revolucionária. Rio de Janeiro: SMG Imprensa do Exército, 1965.

AUGUSTO, Agnaldo Del Nero. *A grande mentira.* Rio de Janeiro: Biblioteca do Exército, 2001.

BERTOLINO, Osvaldo. *Maurício Grabois, uma vida de combates: da batalha de ideias ao comando da Guerrilha do Araguaia.* São Paulo: Anita Garibaldi; Instituto Maurício Grabois, 2004.

CABRAL, Pedro Corrêa. *Xambioá: Guerrilha no Araguaia.* Rio de Janeiro: Record, 1993.

CAMPOS FILHO, Romualdo Pessoa. *Guerrilha do Araguaia: a esquerda em armas.* Goiânia: Ed.UFG, 1997.

CARVALHO, Luiz Maklouf. *O coronel rompe o silêncio.* Rio de Janeiro: Objetiva, 2004.

CASTRO, Celso; D'ARAUJO, Maria Celina (Org.). *Dossiê Geisel.* Rio de Janeiro: Editora FGV, 2002.

CHAGAS, Carlos. *A guerra das estrelas (1964/1984): os bastidores das sucessões estaduais.* Porto Alegre: L&PM, 1985.

CUNHA, Euclides da. *Os sertões.* Rio de Janeiro: Record, 2000.

D'ARAUJO, Maria Celina; SOARES, Gláucio Ary Dillon; CASTRO, Celso. *Os anos de chumbo: a memória militar sobre a repressão.* Rio de Janeiro: Relume--Dumará, 1994.

FAUSTO, Boris. *História do Brasil.* São Paulo: Fundação para o Desenvolvimento da Educação, 2000.

GASPARI, Elio. *A ditadura derrotada.* São Paulo: Companhia das Letras, 2003.

————————. *A ditadura escancarada.* São Paulo: Companhia das Letras, 2002.

GÓES, Walder de. *O Brasil do general Geisel.* Rio de Janeiro: Nova Fronteira, 1978.

GORENDER, Jacob. *Combate nas trevas: a esquerda brasileira: das ilusões perdidas à luta armada.* São Paulo: Ática, 1987.

GUERRILHA do Araguaia. São Paulo: Anita Garibaldi, 1996.

MIRANDA, Nilmário; TIBÚRCIO, Carlos. *Dos filhos deste solo: mortos e desaparecidos políticos durante a ditadura militar: a responsabilidade do Estado.* São Paulo: Editora Fundação Perseu Abramo; Boitempo Editorial, 1999.

POMAR, Wladimir. *A revolução chinesa.* São Paulo: Ed. Unesp, 2003.

——————. *Pedro Pomar, uma vida em vermelho.* São Paulo: Xamã, 2003.

PORTELA, Fernando. *Guerra de guerrilhas no Brasil.* São Paulo: Global, 1986.

PRESIDÊNCIA DA REPÚBLICA, Casa Civil. *Governos da República.* Brasília: Biblioteca, 1997.

REBELO, Apolinário. *Jornal Classe Operária: aspectos da história, opinião e contribuição do jornal comunista na vida política nacional.* São Paulo: Anita Garibaldi, 2003.

ROMAGNOLI, Luiz Henrique; GONÇALVES, Tânia. *A volta da UNE: de Ibiúna a Salvador.* São Paulo: Alfa-Ômega, 1979. Coleção História Imediata.

SÁ, Glênio. *Relato de um guerrilheiro.* São Paulo: Anita Garibaldi, 2004.

SAUTCHUK, Jaime et al. *A Guerrilha do Araguaia.* São Paulo: Alfa-Ômega, 1978. Coleção História Imediata.

SAUTCHUK, Jaime. *A luta armada no Brasil dos anos 60 e 70.* São Paulo: Anita Garibaldi, 1995.

SCARTEZINI, A. C. *Segredos de Médici.* São Paulo: Marco Zero, 1985.

SOUZA, Aluísio Madruga de Moura e. *Guerrilha do Araguaia: revanchismo, a grande verdade.* Brasília: Edição do autor, 2002.

TAIBO, Paco Ignácio. *Ernesto Guevara, também conhecido como Che.* São Paulo: Scrita, 1997.

TZU, Sun. *A arte da guerra.* Rio de Janeiro: Record, 2003.

VENTURA, Zuenir. *1968: o ano que não terminou.* Rio de Janeiro: Nova Fronteira, 1988.

WRIGHT, Quincy. *A Guerra.* Rio de Janeiro: Biblioteca do Exército Editora, 1988.

ANEXOS

Carta a meus pais*

Estimados velhos, aqui vai um pequeno relato do início da luta em que estou empenhado.

— Começou a guerra!

O Comissário Político do Destacamento e eu voltávamos de uma tarefa. Fazer um depósito numa determinada região para alimentos, roupas, munição, remédios, etc.

Fazia doze dias que estávamos no meio da selva, numa região sem trilhas, sem gente, pouco conhecida e praticamente inexplorada.

Doenças, três dias de malária(1), diarreia e dores no estômago eram uma constante no companheiro Comissário. Mas nada o abatia. Viajava sem parar.

Perdidas de rumo com atraso de alguns dias até encontrar a direção certa, barrigadas de carne de caça com fubá e leite de castanha, chuvas torrenciais, estávamos no fim do inverno e trabalho árduo de cavar em terreno de serra, tudo isso alternava-se constantemente nesta tarefa.

Regressávamos para casa quando topamos com sinal no meio do caminho. Senha indicando que o inimigo tinha descoberto nosso esquema e consequentemente havia começado a luta. Não por iniciativa nossa como planejávamos, mas por intermédio deles.

— Começou a guerra! Vamos sair da estrada, subir este morro e observar a casa para saber o que aconteceu. Dali rumaremos direto para o primeiro ponto de apoio.

Assim, meus velhos, foi o início da guerra para mim.

Encontramos o comandante, este, um negro de mais de dois metros de altura, já lendário na região e extremamente querido pela população local, parecia maior ainda com seu chapéu de couro e a Parabellum na mão direita.

Aquilo que tanto almejávamos, chegou (exclamou ele). É a vez da luta armada, é a hora da libertação do nosso povo.

** Carta do guerrilheiro Ciro Flávio Salazar de Oliveira (Flávio) a seus pais*

Dali para frente foi abraços, urras e vivas à etapa da revolução que se iniciava!

Conheço bem a mata desta região, serra, rios, grotas, etc. Posso cruzar de um ponto a outro por dentro da selva a distância de mais de vinte quilômetros e sair onde quero com relativa segurança. Somente uma ideologia justa e a certeza da vitória de nossa luta pode fazer isto. Transformar um homem da cidade num homem do campo, que derruba imensas árvores a golpes de machado, que trata de roças, que tem suas mãos calejadas do trabalho duro e árduo do homem pobre do interior e que domina a selva como um experiente mateiro.

— A mata é a nossa segunda mãe!

As selvas do sul do Pará, norte de Goiás e oeste do Maranhão deixam de ser aquela coisa impenetrável, densa e misteriosa como apresentava ser ao observador inexperiente. Agora, é a nossa grande amiga. Limpa e avarandada, frondosa e bela com suas árvores gigantescas e águas amarelo ouro, desde a segurança contra as tropas inimigas que nela não conseguem penetrar(2), até a alimentação farta de carne de veado, anta, caititu e porcão(3), onça, gorgo e guariba(4), mutum, jacu, jacubim e jacamim(5), tamanduá, jaboti, tatu, paca, cotia, etc. e ainda palmito, coco babaçu, castanha-do-pará, frutas as mais diversas e mel de abelha. Tudo isso a selva nos proporciona.

— A mata é a nossa segunda mãe. Repetimos sempre.

Voltei com os companheiros. Reunimos e nos organizamos. Mais tarde foram formados os vários destacamentos armados, sob o nome de Forças Guerrilheiras do Araguaia (FOGUERA), braço armado do Movimento de Libertação do Povo (MLP), entidade que tem seu programa "em defesa do povo pobre e pelo progresso do interior", e que congrega a todos os camponeses, operários, estudantes, intelectuais, patriotas e democratas que almejem derrubar a ditadura fascista e instaurar um governo de liberdade e bem-estar para o povo.

É uma missão difícil, porém é uma região de muita gente, bastante diferente desta que este grupo atua. Em termos de revolução, para vocês, o horizonte ficará muito mais amplo. Vocês, companheiros, terão uma visão em perspectiva muito maior do nosso trabalho de massa. Boa sorte. Êxito.

Assim um dos membros da Comissão Militar nos apresentava a próxima missão, o que tínhamos de fazer e o que encontraríamos pela frente.

Éramos um grupo de cinco, incluindo o comandante desta tarefa. Este um jovem e competente médico, propaganda que a própria reação fez por nós. De início nos passa despercebido, pela sua modéstia quase não sentimos a sua presença, dá, à primeira vista, uma impressão falsa do que realmente é. Aos poucos a impressão vai se transformando, vai se impondo, passa de despercebido a pessoa que se destaca. Torna-se um gigante pela sua coragem e audácia aliada a uma segurança e malícia toda especial na arte militar. É um verdadeiro comandante.

Partimos para uma viagem longa. Andávamos 12 quilômetros por dia por dentro da mata sem trilhas, picadas ou caminhos. Andamos quase dois meses de ida e volta, perfazendo de 350 a 400 quilômetros no total. Levávamos farinha, sal e castanha, o resto teríamos que ir conseguindo da floresta ou dos camponeses que fôssemos encontrando.

A alimentação, no entanto, foi farta. Carne de caça comíamos diariamente e muito[(6)]. Conseguíamos nas casas dos camponeses que passávamos[(7)].

— Será que este aviãozinho pensa que nos assusta?

— Rá-tá-tá-tá! Era bala varando por todos os lados, deitados no chão, víamos as balas cortando galhos, ramos e talos de coco por cima de nossas cabeças.

Havíamos saído da casa de um camponês, tínhamos entrado pela mata e íamos subindo uma grota. Ao contornar um aberto de capoeira no momento em que passava um teco-teco de observação, começou o tiroteio.

Nos primeiros segundos não se escutava nada, só o pipocar das metralhadoras. Fiquei deitado, olhando, tentando localizar os lugares de onde saíam os tiros. Tínhamos caído numa emboscada e pensava como sairmos desta.

— Flávio! Flávio! Está ferido? Repetiu o comandante pela terceira vez.

— Não, estou bem.

Só agora num pequeno intervalo do tiroteio tinha escutado a voz do comandante. Vamos tentar sair, rasteje até aqui, dizia ele.

Minha mochila tinha arrebentado a alça naquele justo momento. Pensei em deixá-la para sem peso melhor rastejar e tentar sair mais fácil do cerco.

Tirei-a. Pensei melhor, lembrei-me que a mochila é a casa do guerrilheiro, consertei-a, enfiei nas costas e rastejei até junto do comando.

Este tempo todo as balas roçando por cima de nossas cabeças e nós numa calma impressionante.

— Vamos tentar sair. Pegue a noroeste.

Rastejei mais um pouco, como guia, na frente. Andei abaixado no chão, tirei o rumo pela bússola e juntos conseguimos sair dali. Andamos 500 metros por dentro de um cipoal e quando paramos, vimos o comandante, que tinha levado dois tiros na perna. Este tempo todo não havia dito uma única palavra sobre o ferimento.

Ficamos dois dias a menos de um quilômetro deles, pois o ferimento tinha piorado e ele não podia andar. Helicópteros e um avião passavam por cima o dia inteiro, mas não podiam nos ver na selva densa.

Aos poucos foi melhorando. Era uma dificuldade para andar com uma muleta que tínhamos improvisado, ou mesmo caminhar apoiado nos ombros de algum de nós, por dentro da mata. Afinal distanciamos dali e chegamos a um lugar seguro. Tinha sido o nosso batismo de fogo.

— Bom-dia, dona.

— Bom-dia, seu moço.

A primeira pessoa que encontrávamos. Uma camponesa, com aspecto de índia. Pele queimada, olhos temperados pelo sofrimento e pobreza.

— Vamos chegar.

— Dá licença. Vai desculpar a gente estar entrando na casa da senhora de armas na cintura.

— Tem nada não.

Nervosa a princípio, aos poucos foi ficando calma. Explicamos o que estava acontecendo, o porquê daqueles soldados do Exército na região e qual a nossa luta. Conforme falávamos víamos nascer aos poucos um brilho de esperança naqueles olhos sofridos. Apesar da pobreza, arranjou-nos um litro de leite e cuscuz de milho, única coisa que tinha em sua casa.

— Volte, seu moço, para conversar com meu marido.

— Voltaremos, dona. Até mais.

Visitamos daí em diante várias casas camponesas. A solidariedade, o apoio, as informações sobre nosso objetivo, sobre o inimigo e sua moral ....a cada casa que passávamos.

— Os soldados diz que vocês são terroristas. Hum! Terroristas são vocês, pensei cá comigo.

— Os paulistas tiveram aqui na semana passada. D. Dina tá botando medo nos soldados. Disse que não se entrega para homem nenhum. Se morrer, morre de bala. Ei, mulher danada.

— Os soldados, seu moço, tão num medão que faz dó. De noite num sai nem para urinar. Faz aí mesmo, ao lado daqueles saquinhos que eles dorme dentro.

— Outro dia o tenente foi dar uma batida em volta da casa e quis entrar na mata, só em volta da casa. Hum! Por quê! Dois soldados começou a chorar de medo. Isto lá é homem?

— Mas, moço! Eu sabia que vocês apareciam por aqui. Guardei uma quarta de farinha pra vocês. Os soldados tão achando que vocês vão morrer de fome. Se depender de mim, num morre não.

— Os soldados é tudo curau, só andam pelas estradas. Têm um medão danado de vocês e da mata. Um deles até disse: — quando voltar pra Belém vou é largar a farda. Nesta guerra eu não entro mais.

— A roça tá à disposição de vocês. Pode pegar o que quiser a qualquer hora, num precisa pedir licença. Mas quando vier aqui em casa, entre por ali que é mais seguro.

Alguns, receosos a princípio, conforme íamos desmistificando as mentiras do Exército sobre nós e explicando qual a nossa lei, descontraíam-se e acabavam dando seu inteiro apoio. Quase todos punham a roça à nossa disposição e apesar da miséria nos davam o que tinham para comer. Outros nos recebiam com entusiasmo. E, quando líamos o documento do MLP, "Em defesa do povo pobre...", este entusiasmo triplicava.

— Padrim Cícero já dizia, as eras de 1972 vai ser a vez dos pobres.

Outro, ainda, amigo do nosso comandante, companheiro do adjunto no trabalho da roça, ao ser lido o MLP, exclamou:

— Tá muito no rumo, eu tô é nesta.

Assim, meus velhos, é o povo desta região e a recepção que estão nos dando. Não foi em vão o nosso trabalho, a vivência diária com eles. É como dizia Euclides da Cunha: "O sertanejo é antes de tudo um bravo". E, com um povo bravo deste, meus velhos, não haverá ditadura que resista. Nossa união será um turbilhão de fogo que varrerá para sempre estes generais fascistas. Completamos a missão e regressamos.

Hoje faz cinco meses de guerra. A propaganda armada continua e amplia-se, vários soldados já provaram de nossas balas, a tendência é nossas fileiras começar a engrossar. Termino por aqui, pois sairei para outra missão. Antes, porém, quero que vocês não esqueçam o que vou lhes dizer:

— Meus velhos, olhem para o horizonte. Os raios de esperança demoram a nascer. Assim como o sol surge numa manhã limpa e clara e vai aos poucos tomando corpo e esquentando a terra, também nós e a revolução estamos nascendo, tomando corpo e esquentaremos a nossa Pátria com a fogueira da guerra popular.

Que os generais fascistas espumem de ódio, a revolução é uma realidade e o povo vencerá.

Meus queridos velhos, estou ansioso para chegar o dia de entrar em nossa casa, abraçá-los saudoso e lhes dizer: Eis aqui a revolução triunfante.

Do filho que os admira e estima
Flávio

P. S. 1. A malária, no início, para quem chega da cidade, parece um fantasma aterrador. A região é extremamente endêmica, o índice deve ser de 100% e a ditadura nada faz para saná-lo, nem sequer toma conhecimento. Antigamente distribuía-se alguns comprimidos entre a população, hoje, nem mais isto faz.

Nos primeiros seis meses tive quase uma malária por semana. Ficava prostrado, às vezes não conseguia nem me levantar da rede para urinar. Os acessos de febre variavam de 39º a 40º. Aos poucos, porém, vamos nos adaptando, os acessos vão ficando mais espaçados e, hoje, conseguimos até viajar com febre. A malária deixa de ser aquele fantasma aterrador.

2. O modo dos homens da mata, os guerrilheiros, o receio de todo aquele que vê a selva verde pela primeira vez e a falta de dominação do terreno.

3. Caititu e porcão, espécie de porco do mato e javali.

4. Gorgo e guariba. Macaco macho e fêmea, de carne deliciosa feita no leite da castanha e é um pouco menor que o chimpanzé.

5. Mutum, jacu, jacubim e jacamim. O mutum é uma espécie menor que o peru. É talvez uma das melhores carnes da mata, o jacu, jacubim e jacamim são aves do tamanho de um frango e de carne também bastante saborosa.

6. Nestes dois meses de viagem comemos: um veado, quatro caititus, oito gorgos, três lapixós (tamanduá), vinte e três jabotis, um macaco cochiu, cinco mutuns, um jacu, um coati e um tatu.

7. Esta é a relação das coisas que conseguimos com a massa nesses dois meses:

- temperos e condimentos: — sal, pimenta, cebola, alho, pimenta-do-reino, salsa, coentro, pimentão e cheiro-verde.
- frutas: — mamão, banana, lima, laranja, goiaba, maracujá, castanha, cana, sapucaia, cacau e amendoim.
- comida em geral: — ovos, galinha, tomate, macaxeira, cará, puba lavada, quiabo, leite, cuscuz de milho e abóbora.
- coisas as mais diversas: — chumbo para caça, querosene, panelas, pilhas, punho de rede, agulha, linha, fósforo, fumo, saco branco, garrafa, algodão, etc.

Talvez esta seja a única guerrilha na história que no seu início todos os guerrilheiros engordaram.

— "FOGUERA" QUE NÃO SE APAGA —
FORÇAS GUERRILHEIRAS DO ARAGUAIA
De algum lugar da Amazônia, 10 de setembro de 1972.

Depoimentos de José Genoino Neto

Aos cinco dias do mês de janeiro do ano um mil novecentos e setenta e três, nesta cidade de Brasília, Distrito Federal, no Comando da Terceira Brigada de Infantaria, perante o major Irineu de Farias — Encarregado deste termo, comigo ARMANDO HONÓRIO DA SILVA — 3° sargento, servindo de escrivão, compareceu JOSÉ GENUÍNO NETO (sic), de codinome "GERALDO", brasileiro, solteiro, com 26 anos de idade, nascido em 03 de maio de 1946, natural de Quixeramubim-CE, filho de Sebastião Genuíno Guimarães e de Maria Laís Nobre, estudante de Filosofia e Direito — Universidade Federal do Ceará, cursando o 2° ano de Filosofia e 1° ano de Direito, sabendo ler e escrever. Às perguntas da autoridade sobre suas atividades no Movimento Estudantil e, posteriormente, em Organizações Clandestinas de Esquerda, respondeu que iniciou suas atividades no M. E. em 1967, na faculdade de Filosofia — Universidade Federal do Ceará, ocasião em que o declarante era o presidente do Diretório Acadêmico daquela faculdade; que, quando na presidência do mencionado Diretório, passou a atuar junto à reitoria e Governo do Estado, em assuntos relacionados com maior número de salas de aula e melhor vencimento para os professores etc. Que, à época, maninha, digo, mantinha contatos com elementos do DCE e UNE, sendo que o presidente do DCE, na ocasião, era JOÃO DE PAULA, que, inclusive, recebia orientação da linha de ação da UNE; que em 1963, foi eleito presidente do DCE, em Fortaleza-CE, sendo certo que à época o declarante já era militante do PARTIDO COMUNISTA DO BRASIL — PC DO B. Que ingressou voluntariamente no partido, após ter tomado conhecimento da organização e linha do partido, através de documentação recebida de PEDRO ALBUQUERQUE, o qual o declarante já sabia militante de organização de esquerda, isso antes de seu ingresso na citada organização; que o declarante fazia parte do Comitê Universitário do PC do B, em Fortaleza-CE, juntamente com PEDRO ALBUQUERQUE, JOÃO DE PAULA e BERGSON FARIAS, cujas atividades resumia em atuar junto aos estudantes, seguindo a uma orientação do partido; que a documentação era distribuída por João de Paula, digo Bergson que ao que parece ao depoente era o vínculo de ligação de SP com CE; que, em julho de 1968, o depoente viajou para São Paulo-SP, a fim de manter ligações com a diretoria da UNE, onde manteve contatos com LUIZ TRAVASSOS e JOSÉ DIRCEU, sendo certo que o depoente recebeu uma razoável quantidade de documentos da UNE para serem distribuídos no Ceará, entretanto, o depoente teve a documentação que conduzia, apreendida na oportunidade em que foi preso na estação Rodoviária de São Paulo — SP; que permaneceu preso por 10 (dez) dias, na delegacia da Polícia Federal, sendo submetido a processos, face o teor da documentação que foi apreendida em seu poder e que logo depois da sua liberação, o depoente viajou para Fortaleza, mantendo-se à frente do DCE; que em outubro de 1968, o depoente participou do Congresso de Ibiúna, juntamente com cerca de mais de 30 (trinta) outros estudantes de Fortaleza, entre estes, Pedro Albuquerque, João de Paula, Bergson e Oséas, ocasião em que foram presos; que, logo após sua liberação em São Paulo, o depoente retornou a Fortaleza, continuando suas atividades no DCE; que, ainda em 1968, teve sua prisão decretada pela Auditoria de São Paulo, passando a ser procurado após a decretação do AI-5, oportunidade em que viajou para São Paulo, objetivando integrar-se ao PC do B, naquela cidade e também tentou conseguir transferência da Universidade; que, em São Paulo, o depoente procurou HELENIRA, a quem ficou conhecendo no congresso de Ibiúna e com quem manteve conversação em relação a atividades partidárias; que, em São Paulo, o depoente ficou no CRUSP até a invasão do mesmo pela polícia, quando passou então a residir com HELIOMAR, seu conhecido do Ceará, que se encontrava em São Paulo, fazendo pós-graduação. Sendo certo que Heliomar não tinha nenhuma ligação com o PC do B; que, em São Paulo, o depoente era ligado ao partido e funcionava, digo, atuava junto à UNE, juntamente com HELENIRA, RONALD e OSÉAS, ocasião em que ficou conhecendo RIOKO KAYANO e SUELI, ambas militantes do Partido; que permaneceu em São Paulo até junho de 1970, quando então ficara sabendo que seria dispensado de sua atuação na UNE, sendo que, na oportunidade, foi contactado com "ANTONIO", através de Helenira; que, nesse contato com "Antonio" levado a efeito na Vila Mariana, num Ponto de Rua, sendo levado, logo em seguida, para um "aparelho", ao qual foi conduzido num carro, tendo o depoente ido de olhos fechados; que, no "aparelho", "Antonio" falou ao depoente sobre o trabalho de campo que estava sendo desenvolvido pelo PC do B, ocasião em que consultou o depoente se estava interessado em executar tarefas relacionadas com o trabalho de campo que estava sendo executado pelo partido; que, na oportunidade, o depoente recebeu de "Antonio" a importância de CR$ 200,00 (duzentos cruzeiros), para comprar passagem e outros objetos de uso pessoal, recebendo a orientação de comprar passagem de ônibus para Anápolis — GO; que, ao chegar em Anápolis-GO, Antonio estava à espera do depoente, nas proximidades da estação rodoviária, num ponto preestabelecido, ocasião em que foi apresentado a "ZÉ FOGOIÓ", com quem foi de ônibus até Imperatriz — MA, onde tomaram um barco indo até Santa Cruz-PA; que, de Santa Cruz-PA, o depoente juntamente com "Zé Fogoió", seguiu para a Gameleira, onde passou a viver com "OSVALDO"; que Osvaldo cientificou o depoente que na região da Gameleira estava sendo formado um grupo para treinamento de guerrilha e posterior desencadeamento da GUERRA POPULAR; que ainda em 1970, chegaram GLÊNIO DE SÁ, AMAURY e FLÁVIO; que o grupo executava exercícios de andar na mata, tiro, corrida e trabalho junto à população; este de boa vizinhança e não político; que, em 1971, chegaram à área SUELY, VALQUÍRIA, APARÍCIO e RAUL.

O depoente acrescenta que "ZÉ FERREIRA" chegou também à área em 1970; que, com a chegada dos militantes citados, aquela área passou a ser considerada como área de atuação do Destacamento B, sendo que os militantes foram divididos em GRUPOS, cabendo ao depoente o comando do GRUPO DA GAMELEIRA, tendo como componentes: AMAURY — subcomandante, GLÊNIO, SUELY, MANOEL TUCA e PERY, estes últimos chegados na área também em 1971; que foram formados outros grupos, entretanto o depoente não tomou conhecimento de suas organizações, embora conhecesse todos os componentes do DESTACAMENTO B; que os grupos tinham uma autonomia muito limitada, estando todos subordinados ao Destacamento cujo comandante era OSVALDO; que normalmente, os componentes dos grupos recebiam revólver e espingarda, recebendo ainda, cada um, vinte e cinco cartuchos de espingarda e cinquenta balas de revólver; que as instruções de emboscada, marcha, acampamento, fustigamento, sobrevivência na selva eram ministradas por Osvaldo, sendo que, quando não estava presente, o depoente o substituía nas instruções, inclusive, promovia reuniões em que eram lidos e discutidos os documentos enviados pelo Partido; que o destacamento possuía depósitos de armamentos e equipamento, estes somente do conhecimento do Destacamento; que os militantes dedicavam-se também ao plantio de roças; que regularmente o depoente ia a XAMBIOÁ — GO comprar sal, açúcar, salgados, pilhas de lanternas, pólvora, balas de revólver, sendo que algumas vezes também fazia compras só para o seu grupo e, em outras, também para o destacamento; que faziam recarregamento de cartuchos de espingarda, utilizando-se de uma máquina manual apropriada, existente em seu grupo; que, periodicamente, o destacamento era visitado por "JOAQUIM", JOÃO AMAZONAS — "CID" e MAURÍCIO GRABOIS — "CHICO", os quais mantinham contatos somente com o Cmt do destacamento, e das outras vezes, promoviam reuniões de todos os militantes, quando falavam da linha de ação do PC do B, política nacional e internacional, etc; que, em 1971, Amaury estabeleceu-se em Santa Cruz-PA, onde montou uma pequena Farmácia, sob a orientação do Comandante do Destacamento, executando trabalho de massa, vendendo medicamentos a preço razoável, além de ficar observando o movimento de pessoas estranhas, que poderiam ser elementos pertencentes aos órgãos de segurança, quando então deveria informar ao comandante do Destacamento; que, no início do ano passado, o depoente foi, juntamente com VÍTOR, por ordem de Osvaldão, até a região de Esperancinha, com a finalidade de ficar conhecendo aquela região, onde, segundo lhe informou Osvaldo, existia grupo do PC do B atuando, sendo que Vítor pertencia ao Destacamento C, que atuava na região citada, e o depoente, após este reconhecimento, deveria ficar em condições de, numa eventualidade, manter contato com aquele destacamento; que no Destacamento C ficou conhecendo além de Vítor, "JORGE", "BERGSON, "ARY", "ÁUREA" e "LÚCIA"; que, ainda para ser entregue a VÍTOR ou PAULO, tendo o depoente viajado para aquela região, entretanto não encontrou os elementos do Destacamento C, presumindo que estes haviam fugido, sendo que o depoente, por não ter conhecimento, na época, do contido do bilhete que levava, estava ciente da ordem de fugir, ou homiziar, embora não soubesse a razão dessa ordem; que, quando à Gameleira, estando em Esperancinha, foi preso por um grupo de mateiros junto ao qual se encontrava o então delegado de Polícia de Xambioá-GO; que, na ocasião, o depoente foi algemado, mas aproveitando-se de um descuido do grupo, empreendeu uma fuga, sendo entretanto recapturado; que, ao ser preso, negou participar do Partido, não denunciando os locais onde se encontravam os seus companheiros, declarando às autoridades que era lavrador, que estava cultivando roça naquela região, embora estivesse de posse de um revólver calibre 38 e bússola; que acrescenta ter conhecimento de ter sido condenado à revelia à pena de um ano e quatro meses por suas atividades na UNE, oportunidade em que fora preso com documentação anteriormente declarada. E como mais nada disse e nem foi perguntado, deu o Sr. Encarregado deste depoimento por findo o presente, mandando lavrar este Termo lido e achado conforme, assina com o depoente e comigo, ARMANDO HONÓRIO DA SILVA — 3° Sgt, servindo de escrivão, que o escrevi.

Irineu de Farias — Major.
Encarregado do Termo

José Genuíno Neto
Declarante

Armando Honório da Silva — 3º Sgt
Servindo de Escrivão

DECLARAÇÕES DE JOSÉ GENOINO NETO
07/06/1972

DECLARAÇÕES:

Haviam 3 Dst na área, dirigidos por uma comissão Militar e um Bureau Político. Faziam parte dessa direção (não identifica-se da CM ou BP):

Cid....... João Amazonas

Joaquim.........?

? .... um elemento velho, paraense (poderia ser LOURIVAL MOURA PAULINO, que se suicidou, embora Genuíno não reconhecesse sua foto).

OS 3 DST ESTAVAM ASSIM DISTRIBUÍDOS:

Dest. A: ao S da transamazônica, operando completo.
Dest. B: A SE-E-NE da serra das Andorinhas, com 2 claros
Dest. C: A W-SW da serra das Andorinhas com 3 claros

CONSTITUIÇÃO DO DESTACAMENTO B:

Cmt Dst — OSVALDO.. Rifle 44, Pst 765 e 38
Sub Cmt — ZÉ FOGOIÓ .... Rifle 44 e Rv 38

GRUPO DA GAMELEIRA (COM 2 PA)

Cmt Gr — GERALDO (Genuíno preso)................... Esp 16 e Rv 38
Sub Cmt — AMAURY .... Rifle 44 e Rv 38
GLENIO.. Rifle 22 e Rv 38
SUELY .... Rifle 22 e Rv 38
TUCA (D. MARIA)................................... Rv 38
PERI.. Esp 16 e Rv 38
MANOEL .... Esp 20 e Rv 38

GRUPO CASTANHAL DO ALEXANDRE (OU DO ZÉ FERREIRA)

Cmt Gr — ZÉ FERREIRA .... Rifle 44 e Rv 38
Sub Cmt — FLÁVIO .... Esp 36 e Rv 38
WALQUIRIA... Esp 36 e Rv 38
APARÍCIO.. Esp 36 e Rv 38
RAUL.. Esp 20 e Rv 38
GILBERTO... Esp 20 e Rv 38

GRUPO DE COURO DANTAS

Cmt Gr — ZEZINHO... 20 c/ dupla e 38
Sub Cmt — JOÃO GOIANO .... Esp 20 e Rv 38
SIMÃO .... Esp 20 e Rv 38
DINA.. Rifle 22 e Rv 38
LOURIVAL.. Esp 20 4 Rv 38
LIA... Rv 38

Disse que ele (Genuíno) era quem contactava VÍTOR, Sub Cmt do Dst C, na Esperancinha. OSVALDÃO lhe dissera que se ele não regressasse até terça-feira (na ocasião em que foi preso) iria reunir todo o DEST. e internar-se na selva a N do Castanhal do Alexandre.

Auto de qualificação e interrogatório na Justiça Militar de José Genoino

Aos 16 dias do mês de julho de 1973, nesta cidade de São Paulo, Estado de São Paulo, na sede da 1ª Auditoria da 2ª Circunscrição Judiciária Militar, na sala de sessões, reunido o Conselho Permanente de Justiça do Exército, presente(s) a maioria dos seus membros, pelo Exmo. Sr. Dr. Juiz — Auditor foi o acusado qualificado da forma que abaixo segue:

Perguntado o seu nome, naturalidade, estado civil, idade, filiação, residência, profissão ou meios de vida e lugar onde exerce a sua atividade, se sabe ler e escrever e se tem Advogado, respondeu chamar-se: JOSÉ GENOINO NETO, filho de Sebastião Genoino Guimarães e de Maria Laís Nobre Guimarães, com 27 anos de idade, natural de Quixeramobim, Est. do Ceará, onde nasceu aos 03/05/46, solteiro, estudante de Direito e Filosofia da Universidade do Ceará, residente no Sítio da Gameleira, Município de São João do Araguaia, em Pará. Tem como Advogado os Drs. Virgilio Egidio Lopes Enei e Rosa Maria Cardoso da Cunha.

Em seguida foi interrogado da maneira seguinte: a) onde estava ao tempo em que foi cometida a infração e se teve notícia desta e de que forma; b) se conhece a pessoa ofendida e as testemunhas arroladas na denúncia, desde quando e se tem alguma coisa a alegar contra elas; c) se conhece as provas contra ele apuradas e se tem alguma coisa a alegar a respeito das mesmas; d) se conhece o instrumento com que foi praticada a infração ou qualquer dos objetos com ela relacionados e que tenham sido apreendidos; e) se é verdadeira a imputação que lhe é feita; f) se, não sendo verdadeira a imputação, sabe de algum motivo particular a que deva atribuí-la ou conhece a pessoa ou pessoas a que deva ser imputada a prática do crime e se com elas esteve antes ou depois desse fato; g) se está sendo ou já foi processado pela prática de outra infração e, em caso afirmativo, em que Juízo, se foi condenado, qual a pena imposta e se a cumpriu; h) se tem quaisquer outras declarações a fazer: respondeu o seguinte: que, pelos nomes não conhece as testemunhas da denúncia, razão porque nada tem a alegar contra elas; que, nos últimos 5 anos residiu nos seguintes endereços: até 1969 residiu em Fortaleza, Est. do Ceará, e estudava na faculdade de Direito da UFC; que, de 1969 precisamente no início daquele ano até 1970, residiu neste Estado de São Paulo, no CRUSP; e, posteriormente de 1970 até 1972, morou no Sítio da Gameleira, localizado no município de Araguaia, no Estado do Pará; que a denúncia é improcedente, pois sequer conhece a organização incriminada na inicial; que não conhece as provas apuradas pela autoridade policial; que, todavia, assinou o depoimento constante do auto de qualificação e interrogatório de fls. 685/689 verso, que não tem para o interrogando nenhum valor probante, pois foi obtido debaixo de coação física, moral e psíquica; que atribui como causa a acusação que lhe é feita "ter ideias políticas e que se opõe ao atual regime e que professa num regime novo democrático popular"; que não conhece pessoa ou pessoas a que deva ser imputada a prática dos fatos narrados na denúncia; que "foi cientificado haver sido condenado nesta Auditoria, à revelia, à pena de oito (8) meses de reclusão esclarecendo que não respondeu a outros processos criminais, pelo que consta"; que foi preso no interior do Est. do Pará , no município de São João do Araguaia, em abril de 1972; que as pessoas que lhe prenderam eram "um grupo de bate-paus, capangas, que, junto e cumprindo ordens do Exército efetuaram a sua detenção; que em 1967 foi presidente do diretório acadêmico da Faculdade de Filosofia da UFC; que, naquela época conheceu Bergsson Gurjão do Amaral que se tornou seu amigo pessoal e a quem dedica toda sua estima e admiração esclarecendo que Bergsson também estudava na UFC; que não conhece Pedro Albuquerque Neto, João de Paula Ferreira, Oseias Duarte de Oliveira, vulgo "Mateus"; que, no mês de maio de 1968, foi eleito presidente do DCE da UFC; que, em julho de 1968, viajou até São Paulo e aqui chegando encontrou-se com dirigentes da UNE objetivando a preparação do Congresso de Ibiúna, esclarecendo que dentre outros se encontrou em assembleias estudantis com Luiz Travassos; que, naquela ocasião chegou a ser detido durante 10 dias; que, depois de solto regressou a Fortaleza e continuou as suas atividades no DCE até dezembro de 1968; que, após a edição do AI-5, perseguido e proibido inclusive de trabalhar, pois ao tempo trabalhava na IBM do Brasil, mudou-se para São Paulo e foi residir no CRUSP como já disse; que, aqui em São Paulo reencontrou-se com seu amigo Bergsson Gurjão de Farias; que não conhece Cilon da Cunha Brum; que não sabe quem é Carlos Nicolau Danieli ou alguém com o cognome de Antônio ou Pontes; que não conheceu também Onestino Guimarães; que nesta Cidade e não desenvolveu nenhuma atividade político-estudantil; que conheceu no Congresso de Ibiúna Jean Marc Van Der Weid, que não conheceu Rioko Kaiano, Sueli Yumiko Kamaiana, Percival Menon Maricato, Ronald de Oliveira Rocha e Sueli digo, Eloiza Resende; que, em 1968, chegou a ler o denominado jornal "O Movimento" que era editado pela UNE; que não sabe quem é Maurício Grabois; que, igualmente não conhece José Humberto Bronca, José das Neves e Glenio de Sá Ferreira; que quando deixou São Paulo, em 1970, viajou "diretamente para Anápolis, via Brasília, viajou pela Belém-Brasília até a cidade de Xambioá e de lá deslocou-se de barco através do rio Araguaia até o seu endereço já citado"; que de Brasília até Xambioá viajou de ônibus; que, na região de Gameleira residia só; que em Gameleira, "tinha uma casa, um sítio e uma roça a qual tomava todo seu tempo"; que lá não conheceu ninguém com o nome de Oswaldo Orlando Costa ou "Oswaldão"; que, quando morou na região de Gameleira, não conviveu com Sueli Yumiko Kamaiama, Idalicio Soares da Veiga Filho, Walkíria Afonso Costa ou Zezinho, "Gil, Peri, Tuca, ou Dona Maria, Dina, Lourival, Lia, Raul, e Cilon da Cunha Brum"; que, antes da sua prisão, no dia 18 de abril de 1972, não tinha conhecimento de nenhum movimento guerrilheiro naquela área, referindo-se à Xambioá e adjacências; que nunca ouviu falar no Castanhal de Antonio Guilherme Ribeiro Ribas ou José Ferreira; que, próximo ao lugar onde morava existia uma localidade conhecida como Couro Dantas; que não conhece João Amazonas de Souza Pedroso, vulgo "Cid"; que também não sabe quem é Angelo Arroio, vulgo "Joaquim"; que não conheceu Luíza Ribeiro dos Reis ou "Lúcia"; que, por volta do mês de junho de 1972, soube dos policiais que o torturavam que tinha havido um movimento gurrilheiro naquela área e inclusive lhe disseram que tinha havido combates com tropas do Exército; que num dos dias em que estava sendo interrogado lhe mostraram o corpo de Bergsson Gurjão de Farias, de um jovem de 25 anos que foi morto a baionetas, que estava de malária, segundo informações dos policiais, não podendo ao ser digo, ao ser perseguido, correr ou se movimentar e que as últimas palavras, segundo os policiais ditas por esse jovem viva o povo e abaixo a ditadura (sic); "e também quando estava o interrogando na cadeia de Xambioá, na cela ao seu lado, foi enforcado um lavrador que se chamava Lourival Paulino"; que nunca esteve em nenhuma farmácia, localizada em Santa Cruz e administrada por Amauri de Azevedo Siqueira; que em Gameleira morava só mas trabalhava com todos os trabalhadores, ou melhor, moradores que se situavam nas margens do Gameleira; que "algumas vezes em que esteve doente comprou remédios na cidade de Xambioá, onde também adquiria alguns gêneros alimentícios; que possuía armas, pois usava espingardas para caçar e arma de defesa pessoal, porque, morando naquela região, na selva, essas armas se faziam necessárias para sua defesa e sua alimentação através da caça (sic); que assim além da espingarda já citada possuía também um revólver calibre 38; que a munição adquiria lá mesmo (sic); perguntado por que resolveu ir para aquela região disse: "nas cidades de Fortaleza e São Paulo, sendo perseguido e impedido de estudar e trabalhar foi morar digo, morar no norte do País, imaginando ser um lugar onde podia se viver feliz e tranquilamente"; que nunca foi processado na Auditoria da 6ª CJM pois não conhece nenhum processo (sic). Perguntado se tem outras declarações a fazer disse que sim e respondeu: "que foi preso no dia 18 de abril, levado para um barraco, que era sua residência, local que foi pendurado por três vezes no pau-de-arara, com afogamento. Amarraram-no numa forquilha com as mãos para trás e começaram a bater em todo o corpo e colocaram-no, durante duas horas, em pé com os pés em cima de duas latas de leite condensado e dois tições de fogo debaixo dos pés. Ao ser transportado para a cadeia de Xambioá, amarrado com as mãos para frente e com uma corrente nos pés, jogado numa cela totalmente escura, durante dois dias passou a receber os chamados "telefones", choques elétricos e pancadas em todo o corpo. Quando foi levado para Brasília, não podendo se mover para subir no caminhão do Exército, levantaram-no pelos cabelos, algemado e com correntes nos pés, foi sendo torturado na carroceria do caminhão. Em Brasília, passou um mês numa cela solitária e úmida, sendo torturado quase que diariamente, com choques elétricos, pau-de-arara. Essas sessões de torturas eram supervisionadas pelo General Antonio Bandeira, Comandante da 3ª Brigada de Infantaria. Ao ser levado novamente para Xambioá, três policiais, membros do CODI e subordinados ao Comando Militar do Planalto, foi entregue ao Corpo de Fuzileiros Navais que estavam em Xambioá e ao lhe entregar disseram o seguinte: "este é presunto, se morrer não tem problema, ninguém sabe que ele está preso e nós falamos que ele tentou a fuga". Imediatamente foi levado para a barraca dos Oficiais e amarrado num tronco de árvore, passou novamente a ser torturado. Neste lugar, onde estava sendo torturado, era uma base militar, cercada de arame farpado, com buracos no chão de três metros quadrados, onde estavam presos muitos lavradores, que naquele mesmo lugar sofriam toda sorte de torturas. Nesse período em que esteve em Xambioá, viu queimarem roças e casas de lavradores com bombas de Napalm, lança chamas e desfolhantes. A sua casa, nas suas proximidades, helicópteros sobrevoavam metralhando toda região. Além das torturas que sofreu naquela base militar, além de várias ameaças, principalmente quando lhes mostraram o corpo de Bergsson Gurjão Farias todo furado de balas. Nesse dia voltou a ser novamente torturado, porque, segundo os militares, Bergsson teria matado um tenente, do corpo de paraquedistas. De volta para Brasília ficou incomunicável durante nove meses, sofrendo torturas e vendo muitos presos torturados, no presídio do Pic. Entre esses presos estavam: Rioko Kaiano, José Porfírio, Geraldo Marques, Eduardo Monteiro e outros. Durante toda sua permanência no presídio do Pic sempre foi interrogado com um capuz na cabeça; que todas essas torturas sofridas no Pic e na cidade de Xambioá e que todas as arbitrariedades cometidas contra o povo naquela região eram feitas pelo Exército, comandado pelo General Antonio Bandeira, supervisionado pelo General Vianna Mugue (sic), Comandante do Comando Militar do Planalto. Quando chegou em São Paulo, local em que assinou este cartório, apresentado pelo DOPS, foi novamente ameaçado e colocado, nas dependências do DOPS, numa cela solitária, incomunicável. Que existia um fato que representava uma constante ameaça para si: foi saber que ao seu lado, também numa cela individual e solitária, estava uma pessoa com o nome de Edgard Aquino Duarte que falou para o interrogando que estava preso há dois anos, incomunicável. Que passou por presídios do Rio, Brasília, OBAN e DOPS, e que, nestes lugares, sempre ficou em celas solitárias, sem ficha e sem nenhuma identificação de seu nome verdadeiro. Nesta oportunidade o interrogando coloca, nas mãos desta Auditoria, responsabilidade pela sorte e pela vida desse jovem, digo, desse jovem. Ainda tem a declarar o seguinte: quando estudante, defendeu na Universidade o direito que os estudantes têm de participar da vida de seu País, da vida de seu povo. Que foi contra a intromissão estrangeira na Universidade, a falta de condições materiais, as leis que proibiam o livre funcionamento das entidades estudantis. Defendia a cultura nacional e a democracia dentro das escolas. Opunha-se à ideia facistizante (sic) de criar a juventude do silêncio e do medo. Que tal tentativa tem sua materialização no Decreto 477. Também como estudante, defende o direito dos estudantes se organizarem e terem a sua entidade livre, a União Nacional dos Estudantes. Como já falou anteriormente, morou dosi, digo, dois anos no interior do Pará, trabalhando na lavoura e que foi morar no norte do País porque estava sendo perseguido e impedido de estudar e trabalhar na cidade. Que durante o tempo que morou na Amazônia, viu o atraso e o abandono em que vive o homem do interior sem assistência médica, sem escola, sofrendo arbitrariedades policiais, acobertadas pelos donos, digo, pelos grandes donos de terras. Trabalhou também em castanhais, companhias madeireiras e fazendas agropecuárias. Nestes lugares o homem da região recebe baixos salários e é impedido de receber qualquer dinheiro, pois em troca do seu trabalho recebe gêneros alimentícios e roupas por um preço duas vezes mais alto do que na cidade. Também viu na região amazônica a ocupação ilegal e legal de grupos estrangeiros, principalmente americanos, que tomam conta de grandes extensões de terras e de toda exploração do minério naquela região, citando, por exemplo, a reserva de minério da Serra dos Carajás, que é explorada pela Meridional, subsidiária da United States Steel e que os lavradores, que exigem uma vida mais humana e digna naquela região, que colocam-se contra a exploração dos proprietários de terras, dos grileiros das companhias estrangeiras, sofrem perseguição por parte do Exército Nacional. No seu entender esta situação não diz respeito só à Amazônia, mas em todo o País, o que comprovou quando estudante da Universidade e quando morava com sua família até aos 14 anos de idade, no Nordeste. Acha que está sendo acusado porque tem ideais políticos que dizem respeito ao progresso social, à democracia e à independência do nosso País e que, exatamente por estas ideias, muitas pessoas são presas, torturadas, assassinadas, em todo o País. Vejamos o exemplo do que aconteceu no interior de Mato Grosso, quando o Padre Francisco Gentel foi preso e condenado a 10 anos de prisão e que o Bispo de São Félix, de Mato Grosso, segundo os jornais, está sob prisão domiciliar, exatamente porque está, do lado do povo pobre e oprimido. Solicita desta Auditoria que, para comprovar a vida que tinha no interior do Pará, e que nunca pertenceu ao movimento guerrilheiro, pudesse ser ouvido (sic) pessoas daquela região e que também para comprovar as torturas que passou, solicita um exame de marcas que tem no corpo, e suas pernas e em seus braços e em seus pés. Respondendo às perguntas formuladas pelo Sr. Presidente do Conselho disse que: "Que, em Gameleira adquiriu seu sítio por cerca de cento e poucos contos, esclarecendo que a gente compra a posse porque a área não é demarcada, mas calcula que a sua propriedade deveria ter um quilômetro quadrado de extensão". Que as benfeitorias do citado local comprou-as por cento e poucos cruzeiros (sic); que era conhecido naquele local e todos os moradores daquela região eram seus conhecidos e amigos (sic); que trabalhava com eles, trocava dias de serviço, caçava com ele; que desconhece o motivo preciso de sua detenção mas sabe que eles estavam cumprindo ordens do Exército e recebendo dinheiro para prenderem qualquer morador daquela região (sic); que todas as pessoas citadas nesse depoimento e vítimas de torturas não tinham nada com o movimento guerrilheiro mencionado na denúncia. E, como nada mais disse e nem lhe foi perguntado deu o Dr. Auditor por findo o presente interrogatório que depois de lido e achado conforme vai assinado na forma da lei.

MILITARES MORTOS E FERIDOS

CONFIDENCIAL

MINISTÉRIO DO EXÉRCITO
CMA – 8ª RM
CMDO 8ª RM - 2ª SEÇÃO

Belém,-PA. 0? de dezembro de 19 85

INFORMAÇÃO N.º ? E2/85

DATA: 05Dez85

1. ASSUNTO: VÍTIMAS DA SUBVERSÃO
2. ORIGEM: 8ª R M
3. DIFUSÃO: CIE
4. DIFUSÃO ANTERIOR: xxxx
5. REFERÊNCIA: PB Nº 1916 S/102-A2-CIE, DE 29 Out 85
6. ANEXO: Uma relação com 03 fl.

Esta AI informa os dados referentes às vítimas da subversão no Estado do Pará e Território Federal do Amapá, em particular resultantes das ocorrências no Sul do Estado, uma vez que não se possui qualquer registro de vítima em outro ponto da área desta AI.

Para que se possa ter uma visão global das vítimas de subversão na área desta AI, foram levantados, além dos mortos, os feridos em decorrência de suas participações nas diversas operações realizadas na área.

O DESTINATÁRIO É RESPONSÁVEL PELA MANUTENÇÃO DO SIGILO DESTE DOCUMENTO (ART. 12 DO RSAS, DEC. [illegible] DE [illegible] JAN. 77).

Em dezembro de 1985, onze anos depois do extermínio da guerrilha e nove depois da Chacina da Lapa, os militares ainda contavam seus mortos e feridos (relação nas três páginas seguintes)

Nº DE ORDEM	NOME E PROFISSÃO	FILIAÇÃO	DATA	RESUMO DA OCORRÊNCIA	OBSERVAÇÕES
01	FRANCISCO DAS CHAGAS ALVES BRITO 3º Sgt Ex - DLN: 14Jan49-Parnaíba-PI OM: 2º BIS (Belém-PA)	JOÃO JUSTINO DE BRITO FILOMENA MACHADO DE BRITO	16Out73	Morto acidentalmente quando participava de uma patrulha de combate que se deslocava em operação anti-guerrilha contra subversivos, no Sul do Pará	
02	MÁRIO ABRAM DA SILVA 2º Sgt Ex - OM: 1º BIS (Manaus-AM)		23Set72	Morto por terroristas no Sul do Pará	
03	OVÍDIO FRANÇA GOMES Cb Ex - DLN: 13Dez46-Breves-PA OM: 1ª/34º BI (Macapá-AP) (atual CFAP/3º BEF)	FRANCISCO GOMES DA COSTA MARIA FRANÇA GOMES	16Fev74	Morto acidentalmente no Sul do Pará, onde se encontrava participando de operações de anti-guerrilha, contra subversivos.	
04	ODÍLIO CRUZ ROSA Cb Ex - DLN: 1ºJul46-Belém-PA OM: 5ª Cia Gd (Belém-PA)	SALVADOR PIRES ROSA CLINDINA ANICETA DA CRUZ	08Mai72	Morto em combate, quando participava de uma "Turma de Informações" em operação contra subversivos, na região de Couro D'Anta -PA.	
05	RAUL MARQUES DE BRITO Sd Ex - DLN: 03Dez50-Afuá-PA OM: 5ª Cia Gd (Belém-PA)	RAIMUNDO MARQUES DE BRITO OLZIRA ADÉLIA VIANA DE BRITO	08Dez73	Morto acidentalmente no Sul do Pará, onde se encontrava participando de operações anti-guerrilha, contra subversivos.	
06	ÁLVARO DE SOUZA PINHEIRO 1º Ten Ex - OM: Bda Pqd		04Jun72	Ferido quando tomava parte em um combate contra subversivos, em operação anti-guerrilha na região de Patrimônio-PA; sofreu ferida pérfuro-contusa na região deltoidiana esquerda, com laceração do músculo deltóide.	

VÍTIMAS DA SUBVERSÃO

Fl 02/0

Nº DE ORDEM	NOME E PROFISSÃO	FILIAÇÃO	DATA	RESUMO DA OCORRÊNCIA
07	CLÁUDIO ROBERTO FERREIRA CUNHA 2º Ten R/2 Ex - OM: 2º BIS (Belém-PA)		29Set72	Ferido em combate durante uma investida de subversivos à Base de Combate, na região de Oito Barracas-PA, ao manusear um artifício PJP-304, tendo este detonado, arrancando-lhe duas falanges distais do dedo indicador da mão direita.
08	HÉLIO DAS GRAÇAS DE ANDRADE DA MATA RESENDE 2º Ten R/2 Ex - OM: 5ª Cia Gd (Belém - PA)		08Mai72	Ferido em combate contra subversivos, em operação anti-guerrilha, na região de Couro D'Anta - -PA.
09	WELLISBETHI MORAES MACEDO 3º Sgt Ex - OM: 5ª Cia Gd (Belém-PA)		08Mai72	Ferido em combate contra subversivos, em operação anti-guerrilha na região de Couro D'Anta=PA sofrendo ferida lácero-contusa na região clavicular direita.
10	FRANCISCO ADALMIR NUNES DA SILVA 3º Sgt Ex - OM: 5ª Cia Gd (Belém-PA)		14Mar74	Ferido acidentalmente em Xambioá -GO, onde se encontrava tomando parte de operações anti-guerrilha contra subversivos; sofreu feridas múltiplas na coxa esquerda, produzidas por projéteis de chumbo.
11	RAYMUNDO BARBOSA 3º Sgt Ex - OM: Bda Pqd		29Mai72	Ferido quando tomava parte em um combate contra subversivos, em operação anti-guerrilha, na região de Pau Preto-PA; sofreu ferida no ombro direito.

Nº DE ORDEM	NOME E PROFISSÃO	FILIAÇÃO	DATA	RESUMO DA OCORRÊNCIA
12	MILTON SANTA BRÍGIDA FERREIRA Sd Ex - OM: 5ª Cia Gd (Belém-PA)		03Jun72	Ferido quando tomava parte em um combate contra subversivos, em operação anti-guerrilha, na região da Fazenda do INCRA-Marabá-PA; sofreu ferimento transfixante no pé direito.
13	JOÃO FRANCISCO PICANÇO DO NASCIMENTO Sd Ex - DLN: 26Jun52 - Macapá-AP OM: 1ª/34ºBI (Macapá-AP) (atual CFAP/ 1º BEF.	JOSÉ CABRAL DO NASCIMENTO RAIMUNDA PICANÇO DO NASCIMENTO	28Out72	Morto acidentalmente em Marabá--PA, onde se encontrava participando de operações anti-guerrilha, contra subversivos.
14	PEDRO PINTO PAIXÃO Sd Ex - DLN:14Jun84-Igarapé-Açu-PA OM: 2º BIS (Belém-PA)	MANOEL FELIX PAIXÃO VICÊNCIA PINTO PAIXÃO	21Jun72	Morto acidentalmente no Sul do Pará, onde se encontrava participando de operações anti-guerrilha, contra subversivos.
15	MANOEL PASTANA DA SILVA Sd Ex - OM: 2º BIS (Belém-PA)		Fins de 1973	Ferido no Sul do Pará, onde se encontrava participando de operações anti-guerrilha, contra subversivos.

UM BALANÇO DO SNI NO GOVERNO SARNEY

CONFIDENCIAL

SERVIÇO NACIONAL DE INFORMAÇÕES

AGÊNCIA CENTRAL

INFORMAÇÃO Nº 077/120/AC/85

DATA : 08 AGO 1985

ASSUNTO : O PC DO B E A LUTA ARMADA.

ORIGEM : AC/SNI

DIFUSÃO : CIE - CIM - CISA - CI/DPF.

1. Para se entender o pensamento do Partido Comunista do Brasil (PC do B) a respeito da luta armada, torna-se necessário, inicialmente, tecer breves considerações a respeito de sua linha política, tendo em vista que é em seu contexto que aquele processo violento se enquadra.

O Partido tem como objetivo programático atingir um Estado Socialista, através de duas revoluções: uma nacional e democrática e a outra socialista. Porém, sobre o enfoque da luta armada, é suficiente o entendimento da primeira etapa da revolução, pois é nela que a violência revolucionária seria deflagrada.

Nessa primeira fase, então, a estratégia do PC do B consiste em "*acabar com a dominação imperialista; liquidar o latifúndio, como sistema; e nacionalizar os grupos monopolistas*". O objetivo desta etapa é atingir um "*Governo de Democracia Popular*".

Diversos são os documentos e declarações de seus principais militantes a respeito da violência revolucionária. Assim, para uma melhor compreensão, alinha-se os principais fatos, de 1962, até os dias atuais:

- após a sua reorganização, em Fev 62, o PC do B passou a seguir, no âmbito internacional, o Partido Comunista Chinês (PCCh) e a selecionar áreas visando à implantação da guerrilha rural. Periodicamente, enviava, também, alguns de seus militantes para a República Popular da China (RPC), on

CONFIDENCIAL

No início do governo Sarney – agosto de 1985 – o SNI fez uma avaliação do PCdoB a respeito da luta armada e concluiu que o partido não tinha mudado e poderia envolver-se em nova guerrilha "tão logo as condições o favoreçam"

de realizavam cursos de guerrilha, na Academia Militar de Pequim;

- em Jun 66, durante a VI Conferência Nacional, o PC do B aprovou o documento *"União dos Brasileiros para Livrar o País da Crise, da Ditadura e da Ameaça Neocolonialista"*, que, entre outras proposições, apontou o campo como o cenário onde poderia surgir e desenvolver-se a revolução;

- em Jan 69, é tornado público o documento *"Guerra Popular - Caminho da Luta Armada no Brasil"*, analisando os problemas da luta armada no País;

- de Abr 72 aos primeiros meses de 75, os órgãos de segurança desbarataram uma área de guerrilha na região Sudoeste do Estado do PARÁ, que vinha sendo implantada pelo Partido, desde 1967;

- em Dez 76, foi *"estourado"* um *"aparelho"* do Comitê Central (CC) do PC do B no bairro da Lapa, em SÃO PAULO/SP, quando foram apreendidos importantes documentos da organização, concernentes à continuação da luta armada no País, dentro de uma nova situação;

- em 1978, durante a sua VII Conferência Nacional, o PC do B colocou, como um dos pontos da ordem do dia, *"o exame da luta guerrilheira, dirigida pelo Partido na região do Araguaia"*. Sustentou a idéia de que a luta armada era questão fundamental e decisiva da política partidária. Na ocasião, discutiu o documento *"Gloriosa Jornada de Lutas"*, que foi aprovado como ponto de partida, para a sistematização daquela experiência do Partido. Ao mesmo tempo, o PC do B verificou que um dos seus erros, naquela oportunidade, foi a falta de entrosamento entre a luta das cidades e do campo. Ao final, a VII Conferência recomendou, ao CC/PC do B, o prosseguimento do exame da experiência do Araguaia, assim como a elaboração de um novo documento sobre *"a guerra popular, caminho da luta armada no Brasil"*;

- em Jan/Fev 83, o VI Congresso do PC do B aprovou o documento *"Estudo Crítico Acerca da Violência Revo lucionária*", confirmando a posição do Partido em adotar a luta armada, tão logo as condições se apresentassem favoráveis a tal intento. O referido documento analisou, inicialmente, as revoluções que ocasionaram modificações na estrutura política de alguns países, pretendendo demonstrar que as mudanças radicais só são conseguidas por meio das armas. A seguir, apresentou aspectos do já citado documento "*Guerra Popular - Caminho da Luta Armada no Brasil*", fazendo um retrospecto da "*Guerrilha do Araguaia*", analisando o seu encaminhamento, seus erros e acertos e concluindo que o movimento foi positivo.

Ao analisar o movimento revolucionário, na atualidade, o PC do B viu impossibilitado o caminho pacífico da revolução, achando-se "*no dever de ajudar a classe operária e as massas populares a se conscientizarem e a se organizar para a luta*".

Partindo dessa premissa, o Partido fez as seguintes considerações:

- "*na atualidade, nas condições concretas do nosso País, devemos levar em conta, no desenvolvimento da violência revolucionária, os dois cenários de luta: a cidade e o campo*";

- "*particularmente, depois da resistência armada do Araguaia, multiplicam-se os choques com as forças da reação e do latifúndio. Lavra uma guerra surda nas áreas rurais que, de vez em quando, explode em confrontos abertos e radicais*";

- "*o centro motor das lutas atuais no Brasil localiza-se, cada vez mais, no movimento de massas populares na cidade e no campo*";

- "*elevar o nível de consciência política e de organização das massas em todos os setores, tarefa que passa pelo combate sistemático às tendência oportunistas, interessadas em confundir e desviar os trabalhadores do caminho correto*";

- *"apoiar as revoltas justificadas e os levantes populares contra a explosão e pelos direitos do povo";*

- *"impulsionar de forma organizada e sistemática as ações combativas das massas populares";*

- *"persistir para ampliar a influência do proletariado revolucionário sobre as amplas massas, para tornar mais forte e atuante o partido marxista-leninista, o PC do Brasil";*

- *"realizar o estudo sistemático das questões militares".*

No último parágrafo do citado documento, o PC do B inclui a luta armada na sua linha política:

- *"a guerra serve a objetivos políticos precisos e determinados. A luta armada popular é a continuação da política revolucionária por meio de formas próprias de luta, mais avançadas, radicais. Desse modo, a guerra revolucionária não está desvinculada da linha política do Partido. O estudo da arte e das técnicas militares deve estar intimamente relacionado com a necessidade de maior domínio e aplicação dessa linha".*

No dia 23 Mai 85, no momento da entrega da documentação de reorganização do PC do B, no Tribunal Superior Eleitoral (TSE), o Secretário-Geral do Partido, JOÃO AMAZONAS DE SOUZA PEDROZO, falou a um jornalista do jornal "*O Estado de São Paulo*" sobre a posição do PC do B a respeito da luta armada. O referido líder comunista afirmou que a solução para o BRASIL só virá através da luta armada e que o PC do B só vê esse caminho.

No dia 17 Jun 85, em BELÉM/PA, aproximadamente, 80 (oitenta) militantes do PC do B reuniram-se para discutir os documentos apresentados pelo Partido ao TSE. Na ocasião, o militante PAULO CÉSAR FONTELES DE LIMA, Deputado Estadual pelo Partido do Movimento Democrático Brasileiro (PMDB/PA), justificou a não referência à luta armada no Programa partidário, dizendo que, se esse item fosse colocado, o PC do B não teria obtido o seu registro provisório. Entretanto, afirmou que a luta armada estava implícita no Programa.

Realmente, essa declaração pode ser constatada, se forem colocados lado a lado trechos da "*Declaração Programática*", apresentada no TSE, com trechos de documentos aprovados no VI Congresso do Partido, realizado na clandestinidade, e ainda, em vigor.

Diz a "*Declaração Programática*":

- "*o PC do B, que se norteia pelos valores universais da ciência social, fundada por MARX e ENGELS, tem como objetivo maior, programático, a instauração do socialismo em nosso País*" (grifou-se).

Em documento do VI Congresso, lê-se:

- "*fiel aos princípios do marxismo-leninismo, o PC do Brasil está convencido de que não poderá existir socialismo sem revolução. Esta é uma lei fundamental do materialismo histórico. A revolução é, por isso, o objetivo de todo partido proletário que luta pela vitória do socialismo científico*" (grifou-se).

A "*Declaração Programática*" afirma:

- "*a conquista de um novo e mais avançado regime para o Brasil passa pela luta da classe operária e do povo contra os fatores adversos que obstaculizam, na atualidade, o progresso do País*".

O documento do VI Congresso diz o seguinte:

- "*consciente do seu papel de destacamento avançado do proletariado e do povo, convencido de que as classes dominantes por meio da violência contra-revolucionária impossibilitam o caminho pacífico da revolução, o PC do Brasil tem o dever de ajudar a classe operária e as massas populares a se conscientizarem e se organizarem para a luta*".

Atualmente, porém, o PC do B vêm desenvolvendo um trabalho de massa junto à população para criar as condi ções subjetivas (conscientização das massas para aceitarem a idéia da revolução e de sua necessidade, bem como o desejo de mudança no sistema político-social), que, em conjunto com as condições objetivas (reflexos da conjuntura que afetam diretamente às massas), darão início no País, conforme o Partido, à violência revolucionária e, aí, se caracterizaria o começo de sua propalada 1a. fase da revolução. Em documento aprovado no VI Congresso, o PC do B diz textualmente: "*No Brasil, a situação econômico-social e política evoluem, sofrendo modificações importantes. A experiência revolucionária avançou e o Partido do proletariado teve a sua própria prática. O caminho da violência revolucionária decorre dessas condições objetivas e subjetivas*".

Por esses motivos, o PC do B, hoje, procura ampliar a sua influência junto à população e dinamizar as suas escolas de formação de quadros, para a disseminação da doutrina marxista-leninista.

É, também, dentro desse contexto que se enquadra o apoio do Partido ao atual Governo, de vez que pretende pressioná-lo para revogar toda a legislação que tolha suas atividades, ou dificulte a sua interferência junto à população, como é o caso da campanha que ora move pela extinção do Serviço Nacional de Informações (SNI), Lei de Segurança Nacional (LSN), Lei de Greve, entre outras.

Portanto, pode-se afirmar, que a luta armada é fator preponderante de sua linha política e será deflagrada tão logo as condições o favoreçam.

* * *

UMA **CÓPIA-EXTRA** DESTE RELATÓRIO, ENCONTRA-SE DE POSSE DO SR GEN MENDES, CHEFE DO CIE.x-x-x-x-x-x-x-x-x-x-x-x-x-x-

BRASÍLIA-DF, 25 de março de 1992

FRANCISCO FLÁVIO NOGUEIRA CARNEIRO - CEL
Chefe da S/105

Quase sete anos depois, em março de 1992, o coronel Francisco Flávio Nogueira Carneiro ainda fazia circular cópias de documentos sobre o PCdoB e sua guerrilha. Relatórios como os revelados neste livro continuam espalhados pela caserna, apesar de os comandantes militares garantirem que não existem

NOMES E CODINOMES DA OPERAÇÃO SUCURI

\- S E C R E T O -

EXEMPLAR Nº 03
CIEx
BRASÍLIA-DF
ABR/73
OP-2

LISTA DE CODINOMES -

1. DA 3ª BDA INF:

Gen Bda ANTONIO BANDEIRA. . . . . Camilo (Dr, Padrinho)
Maj GILBERTO AIRTON ZENKNER . . . . Tio Antonio
Cap ALUISIO MADRUGA DE MOURA E SOUSA. . . . Dr Melo (Agrônomo)
Sgt ARMANDO HONÓRIO DA SILVA. . . . . Compadre Aluisio
Sgt JOSÉ DOS REIS. . . . . Julião
Sgt EDIR ANTUNES . . . . Minote
Sgt JOAQUIM ARTUR LOPES DE SOUZA. . . . . . . Zezinho

2. DO CODI DO CMP:

Cap ROBERTO AMORIM GONÇALVES. . . . . Pedro (Vendedor)
Cap SEBASTIÃO RODRIGUES DE SOUZA. . . . . . . Compadre Luiz
Sgt MILBURGES ALVES FERREIRA. . . . . Nego
Sgt BOLIVAR MAZON. . . . . Valerio
Sd ANTÔNIO CARLOS DE OLIVEIRA. . . . . Laércio
Sd RAIMUNDO NONATO ALVES DE ALMEIDA. . . . . Laci

3. DO BGP:

Ten JOSÉ ALVES ALONSO. . . . . André

4. DO BPEB:

Cb JAMIRO FRANCISCO DE PAULA. . . . . Marquinho

5. DO 10º BC:

Sd FRANCISCO ISRAEL DE CARVALHO. . . . . Mauro
Sd JAMAL DA COSTA SANTOS. . . . . Fernando
Sd EUDANTES RODRIGUES DE FARIA. . . . . Geraldo
Sd BENJAMIM RODRIGUES DE JESUS. . . . . Nivaldo

6. DO 8º GAAAé:

Ten JOSÉ RODRIGUES MARTINS SOBRINHO. . . . . . Mindico (Pescador)
Sgt JOÃO BATISTA DE OLIVEIRA. . . . . Marcio
Sgt HAMILTON DE OLIVEIRA. . . . . Tavinho
Sd JOÃO DIAS FERNANDES. . . . . Lauro
Sd GERCI FIRMINO DA SILVA. . . . . Ronaldo
Sd FRANCISCO WALDIR DE PAULA. . . . . Moreira
Sd LOURIVAL SILVEIRO DA SILVA . . . . Carlos (Carlinhos)
Sd JUSCELINO DE SOUZA SANTOS. . . . . Malaquias
Sd JOSÉ BASIL DOS SANTOS. . . . . Mario
Sd JOSÉ DA SILVA PINTO. . . . . Adão
Sd GEREMIAS PEREIRA DA SILVA. . . . . Dedé
Sd JOSÉ ANTONIO DE ARAUJO. . . . . Sergio
Sd RUBENS MEDEIROS DO NASCIMENTO. . . . . . . Orlando

CARLOS SÉRGIO TORRES - Ten Cel
Cmt Operação

Confere:

Índice onomástico e remissivo

B

C

D

E

F

G

H

I

J

K

L

M

N

O

P

Q

R

S

T

U

V

W

X

Z